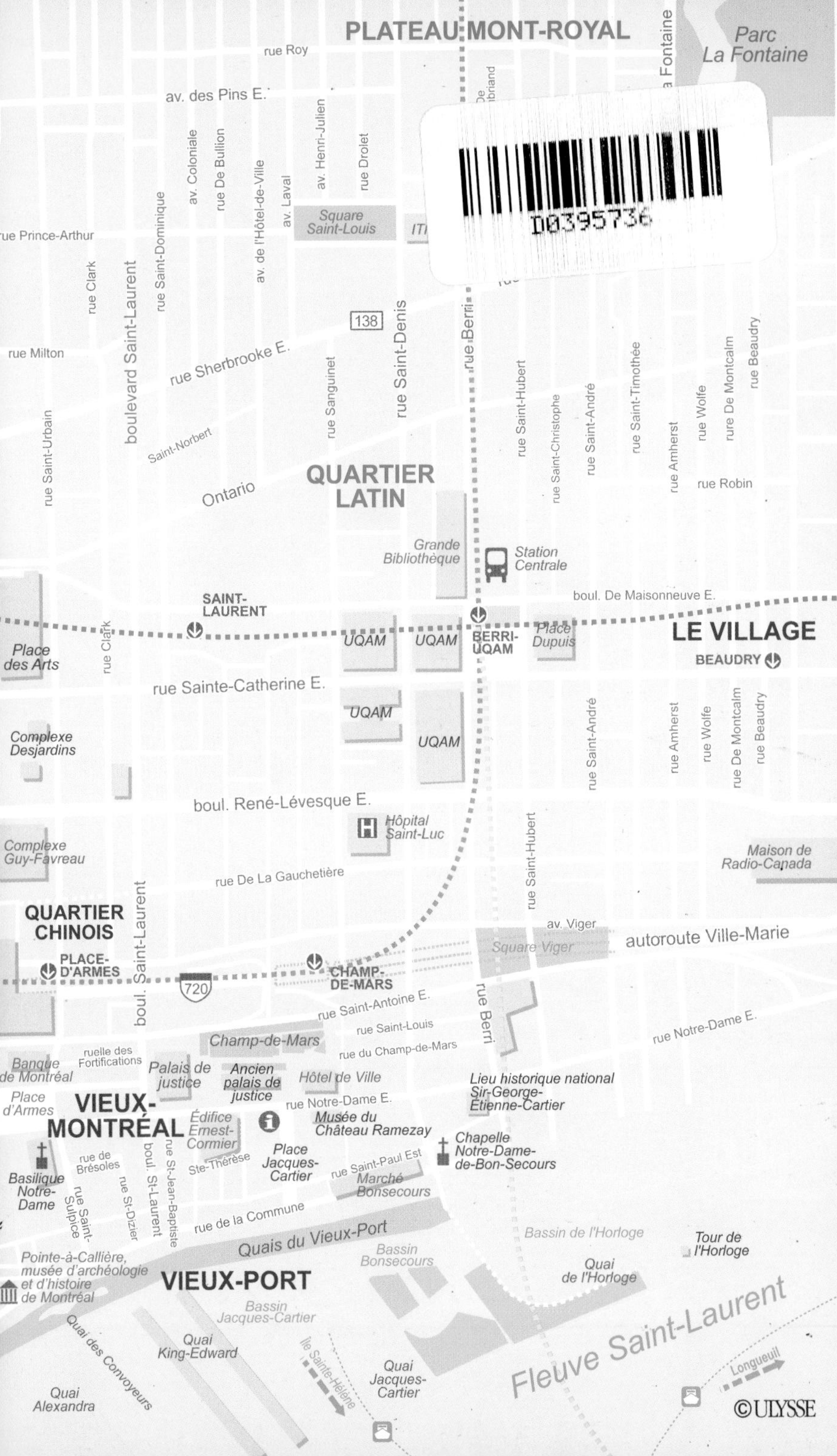

PLATEAU MONT-ROYAL
Parc La Fontaine
rue Roy
av. des Pins E.
av. Coloniale
rue De Bullion
av. de l'Hôtel-de-Ville
av. Laval
av. Henri-Julien
rue Drolet
Square Saint-Louis
rue Prince-Arthur
rue Clark
boulevard Saint-Laurent
rue Saint-Dominique
rue Milton
rue Sherbrooke E.
138
rue Sanguinet
rue Saint-Denis
rue Berri
rue Saint-Hubert
rue Saint-Christophe
rue Saint-André
rue Saint-Timothée
rue Amherst
rue Wolfe
rure De Montcalm
rue Beaudry
rue Robin
rue Saint-Urbain
Saint-Norbert
Ontario
QUARTIER LATIN
Grande Bibliothèque
Station Centrale
boul. De Maisonneuve E.
SAINT-LAURENT
Place des Arts
UQAM
BERRI-UQAM
Place Dupuis
LE VILLAGE
BEAUDRY
rue Sainte-Catherine E.
Complexe Desjardins
rue De Montcalm
boul. René-Lévesque E.
Hôpital Saint-Luc
Complexe Guy-Favreau
Maison de Radio-Canada
rue De La Gauchetière
QUARTIER CHINOIS
boul. Saint-Laurent
av. Viger
autoroute Ville-Marie
Square Viger
PLACE-D'ARMES
CHAMP-DE-MARS
720
rue Saint-Antoine E.
rue Saint-Louis
rue du Champ-de-Mars
rue Notre-Dame E.
Champ-de-Mars
Banque de Montréal
ruelle des Fortifications
Palais de justice
Ancien palais de justice
Hôtel de Ville
Lieu historique national Sir-George-Étienne-Cartier
Place d'Armes
VIEUX-MONTRÉAL
Édifice Ernest-Cormier
Musée du Château Ramezay
Chapelle Notre-Dame-de-Bon-Secours
rue de Brésoles
boul. St-Laurent
rue St-Jean-Baptiste
Ste-Thérèse
Place Jacques-Cartier
rue Saint-Paul Est
Marché Bonsecours
Basilique Notre-Dame
rue Saint-Sulpice
rue St-Dizier
rue de la Commune
Quais du Vieux-Port
Bassin de l'Horloge
Tour de l'Horloge
Bassin Bonsecours
Quai de l'Horloge
Pointe-à-Callière, musée d'archéologie et d'histoire de Montréal
VIEUX-PORT
Bassin Jacques-Cartier
Quai King-Edward
Quai des Convoyeurs
Île Sainte-Hélène
Quai Jacques-Cartier
Fleuve Saint-Laurent
Longueuil
Quai Alexandra
©ULYSSE

Montréal

14e édition

Le printemps était revenu et avec lui le renouveau du soleil, des fleurs et des couleurs. Montréal reverdie, ses arbres déjà lourds de bourgeons gras, semblait en proie à quelque ardente fièvre. Jamais les filles n'y avaient été aussi belles, les hommes aussi désinvoltes.

Le long des trottoirs, les eaux couraient qui venaient de la montagne par les pentes, jusque dans les rues des plateaux successifs d'où elles allaient ensuite se perdre au grand égout du fleuve. Géographies inexorables, hydrauliques aux destins prévus, immuables. Aaron y songeait en longeant la Place d'Armes.

Extrait du roman *Aaron*
Yves Thériault, 1954

ULYSSE

Le plaisir de mieux voyager

Ville d'histoire

1. L'hôtel de ville où loge l'administration municipale depuis 1878. (page 85)
   © iStockphoto.com/ Adam Korzekwa

2. La rue Saint-Paul, artère emblématique du Vieux-Montréal. (page 81)
   © iStockphoto.com/Denis Jr. Tangney

3. La tour de l'Horloge du Vieux-Port de Montréal, érigée en 1922 à la mémoire des marins de la marine marchande morts au cours de la Première Guerre mondiale. (page 88)
   © Dreamstime.com/Daniel Dupuis

4. Le monument à Maisonneuve fait face à la basilique Notre-Dame. (page 78)
   © iStockphoto.com

5. Érigée en 1725, la maison Pierre du Calvet est l'une des plus anciennes maisons de Montréal. (page 88)
   © Sylvain Cousineau

1

2

4

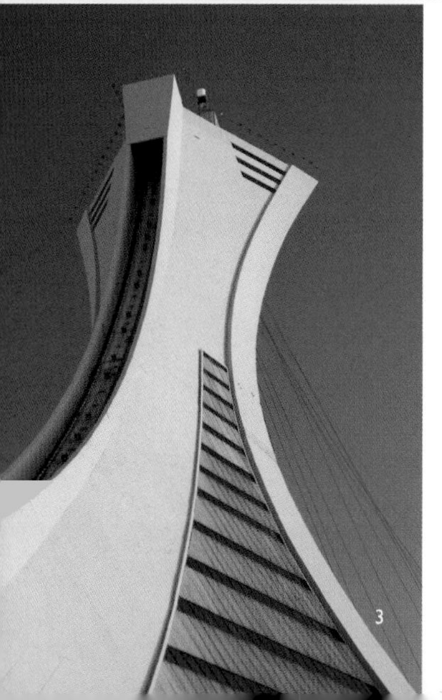

Ville de design et d'architecture

1. Le centre-ville de Montréal, avec le dôme de la cathédrale Marie-Reine-du-Monde à l'avant-plan. (page 90)
   © iStockphoto.com/Sven Klaschik

2. L'un des pavillons de l'Université du Québec à Montréal, un lieu de haut savoir qui accueille chaque année plus de 40 000 étudiants. (page 124)
   © Photo Michel Brunelle/UQAM

3. Rebaptisée la Tour de Montréal, la célèbre tour penchée du Stade olympique abrite un observatoire d'où les visiteurs peuvent contempler l'ensemble de l'Est montréalais. (page 164)
   © Dreamstime.com/Andre Nantel

4. Le secteur de la Cité-du-Havre abrite Habitat 67, un ensemble résidentiel expérimental, réalisé dans le cadre de l'Exposition universelle par l'architecte Moshe Safdie. (page 160)
   © Dreamstime.com/Alain Saint-Onge

Ville de quartiers

1. Les splendides demeures victoriennes qui entourent le square Saint-Louis. (page 121)
   © iStockphoto.com/Terraxplorer

2. L'avenue Bernard, une agréable artère commerciale du quartier d'Outremont. (page 148)
   © T. Philiptchenko/megapress.ca

3. Sur la *Main*, on fait volontiers la file devant chez Schwartz pour manger un sandwich au *smoked meat*. (page 238)
   © T. Philiptchenko/megapress.ca

4. Un jardin fleuri et un escalier extérieur typique du Plateau Mont-Royal. (page 131)
   © iStockphoto.com/Tony Tremblay

5. Au centre du bassin McDougall du parc Outremont trône une fontaine qui s'inspire des *Groupes d'enfants* qui ornent le parterre d'eau du château de Versailles. (page 146)
   © T. Philiptchenko/megapress.ca

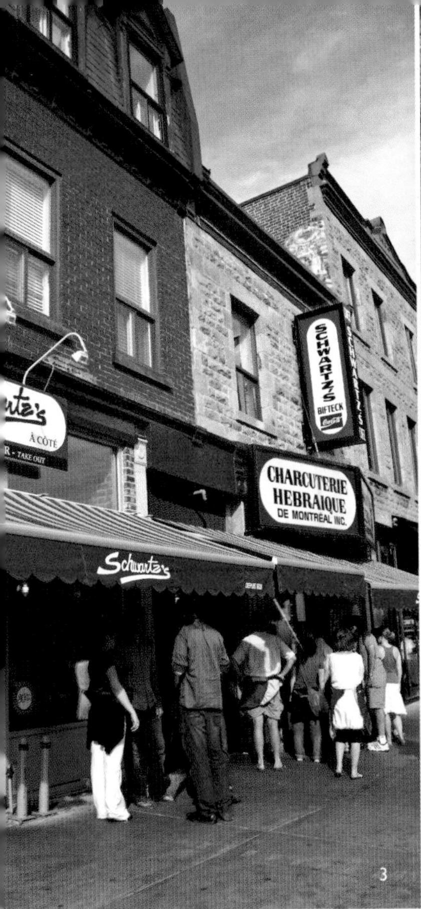

3

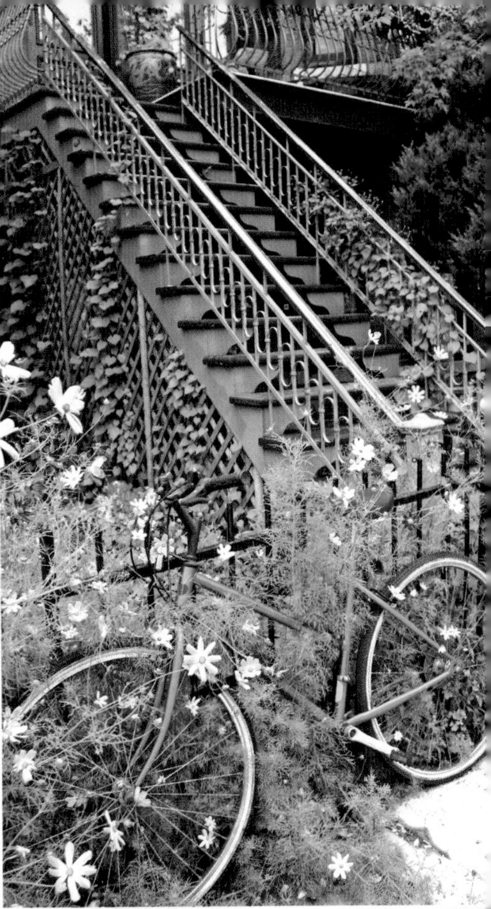

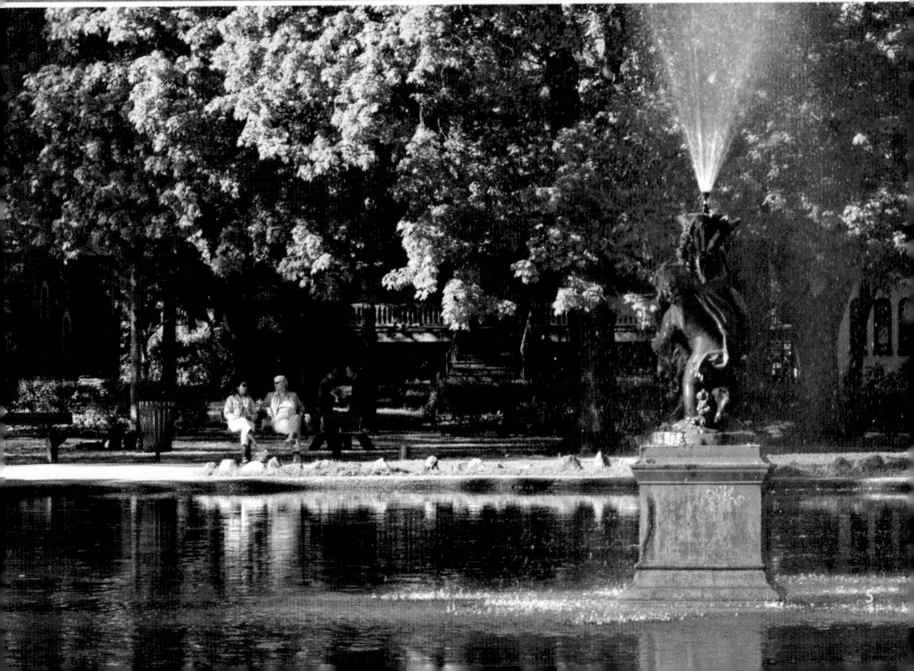

5

1

2

Ville de plaisirs

1. Des grandes marques internationales aux créations des designers montréalais, on trouve de tout dans les boutiques de mode de Montréal. (page 309)
   © Thierry Ducharme
2. Le Quartier des spectacles, où l'on découvre plus de 30 salles de spectacle, des galeries d'art et des lieux de diffusion alternatifs. (page 96)
   © Martine Doyon – Quartier des spectacles
3. Les restaurants et boîtes de nuit de la rue Crescent animent la vie nocturne du centre-ville. (page 112)
   © Quan Nguyen
4. Dans l'un des nombreux bars branchés de Montréal. (page 278)
   © Bill Friedlander
5. Halte gourmande dans le Vieux-Montréal. (page 225)
   © Éric Girard

3

4

5

1

2

Ville de nature

1. Poumon vert de la métropole, le mont Royal domine le centre-ville avec sa croix. (page 135)
   © Stéphan Poulin
2. L'île Notre-Dame et l'île Sainte-Hélène avec la fameuse Biosphère. (page 158)
   © Philippe Renault
3. Yoga dans le parc Sir-Wilfrid-Laurier, sur le Plateau Mont-Royal. (page 190)
   © Franck Le Mélinairet
4. Patin sur les Quais du Vieux-Port, face au Marché Bonsecours. (page 195)
   © Dreamstime.com

1
2
BOUTIQUE
SOUVENIRS
3
LES FRANCOFOLIES
DE MONTRÉAL
4
CAFÉ DÉPÔT

Ville de festivals

1. Le Festival Montréal en lumière apporte un brin de magie à l'hiver québécois. (page 291)
   © Jean-François Leblanc

2. *Rose* et *Victor*, les mascottes du Festival Juste pour rire de Montréal. (page 294)
   © Juste pour Rire

3. Les Montréalais descendent dans les rues en grand nombre pour se laisser emporter par l'atmosphère joyeuse du Festival international de jazz de Montréal. (page 294)
   © Spectra

4. Ambiance festive à l'angle du boulevard Saint-Laurent et de la rue Prince-Arthur pendant la «Frénésie de la *Main*». (page 119)
   © Société de développement du boulevard Saint-Laurent

1

2

3

Ville d'art

1. La Salle Wilfrid-Pelletier, la plus grande scène de la Place des Arts. (page 97)
© Jean-Guy Bergeron
2. L'Orchestre symphonique de Montréal et son directeur musical, Kent Nagano. (page 51)
© Felix Broede
3. La salle d'exposition d'art canadien du Musée des beaux-arts de Montréal. (page 102)
© Brian Merrett, MMFA

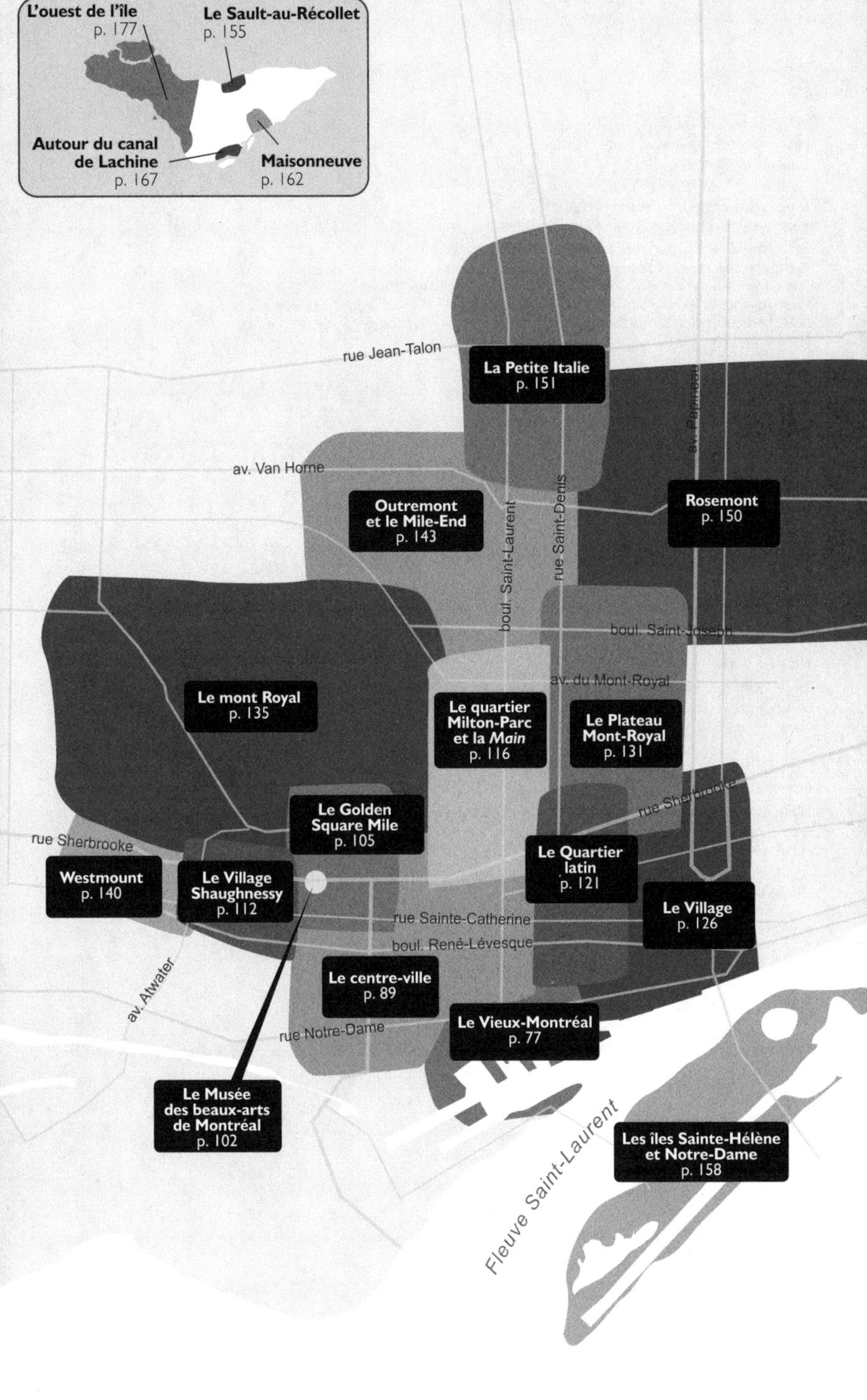

L'ouest de l'île
p. 177
Le Sault-au-Récollet
p. 155
Autour du canal
de Lachine
p. 167
Maisonneuve
p. 162
rue Jean-Talon
La Petite Italie
p. 151
av. Papineau
av. Van Horne
Outremont
et le Mile-End
p. 143
Rosemont
p. 150
boul. Saint-Laurent
rue Saint-Denis
boul. Saint-Joseph
av. du Mont-Royal
Le mont Royal
p. 135
Le quartier
Milton-Parc
et la *Main*
p. 116
Le Plateau
Mont-Royal
p. 131
rue Sherbrooke
Le Golden
Square Mile
p. 105
rue Sherbrooke
Le Quartier
latin
p. 121
Westmount
p. 140
Le Village
Shaughnessy
p. 112
Le Village
p. 126
rue Sainte-Catherine
boul. René-Lévesque
av. Atwater
Le centre-ville
p. 89
Le Vieux-Montréal
p. 77
rue Notre-Dame
Le Musée
des beaux-arts
de Montréal
p. 102
Fleuve Saint-Laurent
Les îles Sainte-Hélène
et Notre-Dame
p. 158

Mise à jour de la 14e édition: Sybille Pluvinage
Éditeur: Pierre Ledoux
Correcteur: Pierre Daveluy
Infographistes: Marie-France Denis, Philippe Thomas
Adjointes à l'édition: Annie Gilbert, Nadège Picard
Recherche et rédaction originales: Benoit Prieur, François Rémillard
Recherche, rédaction et collaboration aux éditions antérieures: Julie Brodeur, Pascale Couture, Daniel Desjardins, Alain Legault, Benoît Legault, Élodie Luquet, Stéphane G. Marceau, Marc Rigole, Yves Séguin
Photographies: Page couverture, Palais des congrès de Montréal: © Jean-François Frenette; Page 2, Vue sur l'est de Montréal: © Shutterstock; Page 3, Pont Jacques-Cartier: © iStockphoto.com/Francois Hogue; Escaliers du Plateau Mont-Royal: © Dreamstime.com/Jianchun Zhang

Cet ouvrage a été réalisé sous la direction d'Olivier Gougeon.

Remerciements:

Merci à la Ville de Montréal pour son aide dans l'élaboration des cartes géographiques. Merci également à la Société de transport de Montréal (STM) pour sa collaboration et à Serge Germain et ses étudiants de l'Institut de tourisme et d'hôtellerie du Québec (ITHQ) pour leurs précieux commentaires.

Guides de voyage Ulysse reconnaît l'aide financière du gouvernement du Canada par l'entremise du Programme d'aide au développement de l'industrie de l'édition (PADIÉ) pour ses activités d'édition.

Guides de voyage Ulysse tient également à remercier le gouvernement du Québec – Programme de crédit d'impôt pour l'édition de livres – Gestion SODEC.

Guides de voyage Ulysse est membre de l'Association nationale des éditeurs de livres.

Note aux lecteurs

Tous les moyens possibles ont été pris pour que les renseignements contenus dans ce guide soient exacts au moment de mettre sous presse. Toutefois, des erreurs peuvent toujours se glisser, des omissions sont toujours possibles, des adresses peuvent disparaître, etc.; la responsabilité de l'éditeur ou des auteurs ne pourrait s'engager en cas de perte ou de dommage qui serait causé par une erreur ou une omission.

Écrivez-nous

Nous apprécions au plus haut point vos commentaires, précisions et suggestions, qui permettent l'amélioration constante de nos publications. Il nous fera plaisir d'offrir un de nos guides aux auteurs des meilleures contributions. Écrivez-nous à l'une des adresses suivantes, et indiquez le titre qu'il vous plairait de recevoir.

Guides de voyage Ulysse
4176, rue Saint-Denis, Montréal (Québec), Canada H2W 2M5, www.guidesulysse.com
texte@ulysse.ca

Les Guides de voyage Ulysse, sarl
127, rue Amelot, 75011 Paris, France
voyage@ulysse.ca

Catalogage avant publication de Bibliothèque et Archives nationales du Québec et Bibliothèque et Archives Canada
Vedette principale au titre :
Montréal
(Guide de voyage Ulysse)
Comprend un index.
ISBN 978-2-89464-928-2 (version imprimée)
1. Montréal (Québec) - Guides. I. Collection.
FC2947.18.M66 917.14'28045 C97-302252-3

Bibliothèque et Archives nationales du Québec
Dépôt légal – Deuxième trimestre 2010
ISBN 978-2-89464-928-2 (version imprimée)
ISBN 978-2-89665-345-4 (version numérique)
Imprimé au Canada

À moi Montréal!

Nous vous proposons ici une sélection d'attraits incontournables qui vous permettra d'explorer Montréal en vrai connaisseur.

Inspirez-vous des itinéraires de la section « En temps et lieux » pour profiter au maximum de votre séjour, peu importe que vous planifiez une visite éclair de quelques heures ou un voyage de plusieurs jours. Découvrez les coups de cœur de notre équipe de rédaction dans la section «Le meilleur de Montréal», et consultez notre liste des «10 expériences typiquement montréalaises» pour savourer pleinement le Montréal authentique.

Montréal en temps et lieux

En un jour

Pour un amuse-gueule de la métropole québécoise, arpentez le **Vieux-Montréal** et sa rue Saint-Paul, charmante rue pavée bordée de galeries d'art; visitez la **basilique Notre-Dame**, chef-d'œuvre de style néogothique, et **Pointe-à-Callière, musée d'archéologie et d'histoire de Montréal**, pour vous plonger dans les origines de Ville-Marie. Offrez-vous un apéro dans un des bars branchés du quartier, puis rendez-vous au **centre-ville** pour vivre la frénésie de la **rue Sainte-Catherine**, l'incontournable artère commerciale de la ville. Si vous souhaitez découvrir les artistes qui ont marqué l'histoire de l'art canadien, visitez le **Musée des beaux-arts** ainsi que le **Musée d'art contemporain**.

En deux jours

Deux jours vous permettront de dîner au moins un soir dans un des nombreux et délicieux **restaurants** dont la ville regorge. Ne manquez pas de remonter la ***Main***, cette voie essentielle dont la foule bigarrée suffit à elle seule à animer plusieurs quartiers, puis de longer les rues résidentielles du **Plateau Mont-Royal** avant d'aboutir sur la très animée **avenue du Mont-Royal**, qui a donné son nom à ce quartier panaché et incontournable. Dirigez-vous ensuite vers le **parc du Mont-Royal**, pour une virée nature au cœur de l'île et une vue imprenable sur la ville. Les dévots et les curieux apprécieront une halte à l'**oratoire Saint-Joseph**, l'un des lieux de pèlerinage les plus fréquentés au Canada.

En une semaine

Ajoutez à ce qui précède la découverte des deux secteurs «chics» de la métropole: l'un est anglophone, **Westmount**, parsemé de demeures résidentielles de style néo-Tudor qui lui donnent un cachet indéniablement britannique; l'autre, son pendant francophone, est **Outremont**, dont les artères commerciales, bordées d'épiceries fines et de boutiques à la mode, longent le nouveau quartier des «bourgeois bohèmes» montréalais: le **Mile-End**.

Si ce sont davantage les prouesses architecturales qui vous attirent, rendez-vous dans le quartier **Maisonneuve** pour grimper au sommet de la plus haute tour penchée du monde, celle du **Stade olympique**: vous y dominerez alors l'Est montréalais ainsi que le célèbre **pont Jacques-Cartier**. Le **Jardin botanique** et le **Biodôme**, tous deux voisins du stade, offrent une plongée fascinante au cœur des microcosmes végétaux, grâce à la reproduction de nombreux écosystèmes, de jardins thématiques et de serres d'exposition.

Quant à l'**ouest de l'île** et au **Vieux-Port**, ils se prêtent idéalement au cyclotourisme. Vous pourrez aussi enfourcher votre vélo pour explorer les berges du **canal de Lachine**, berceau de l'industrie canadienne, ou les **îles Sainte-Hélène et Notre-Dame**, où s'élève la surprenante **Biosphère**, ce dôme géodésique qui abrite aujourd'hui un musée de l'environnement.

Le meilleur de Montréal

Les meilleurs attraits gratuits

- La Grande Bibliothèque p. 124
- Le Marché Bonsecours p. 88
- Les marchés Jean-Talon et Atwater p. 154, 171
- L'oratoire Saint-Joseph p. 139
- Le parc du Mont-Royal p. 136
- Le parc Jean-Drapeau p. 160
- Les Quais du Vieux-Port p. 83
- Le Vieux-Montréal p. 77

Les meilleurs endroits pour profiter d'une belle vue

- Le bar Altitude 737 de la Place Ville Marie p. 279
- Le belvédère du parc Summit p. 139
- Les belvédères Camillien-Houde et Kondiaronk du parc du Mont-Royal p. 136
- Le parc Jean-Drapeau p. 160
- La Tour de Montréal du Stade olympique p. 164

Les meilleurs endroits où faire du vélo

- Les abords du canal de Lachine p. 198
- Le parc du Mont-Royal p. 191
- La piste du boulevard Gouin p. 198
- La piste du Pôle des Rapides p. 198
- La piste qui se rend du Vieux-Montréal aux îles Notre-Dame et Sainte-Hélène p. 198

Les meilleurs endroits où faire du patin

- L'Atrium du 1000 De La Gauchetière p. 195
- Le lac aux Castors du parc du Mont-Royal p. 138
- Le parc La Fontaine p. 131
- Le parc Maisonneuve p. 191
- Les Quais du Vieux-Port p. 195

Le meilleur de Montréal

Les meilleurs endroits pour faire un pique-nique

- Le parc Angrignon p. 190
- Le parc du Mont-Royal p. 191
- Le parc La Fontaine p. 190
- Le parc Jean-Drapeau p. 190
- Le parc-nature de l'Île-de-la-Visitation p. 193

... et les meilleurs endroits pour le préparer

- La boulangerie Monsieur Pinchot p. 300
- Le marché Jean-Talon p. 154
- Le marché Atwater p. 171
- Olive + Gourmando p. 226
- La Vieille Europe p. 301

Les meilleurs endroits où découvrir la petite et la grande cuisine québécoise

- Au pied de cochon p. 251
- La Banquise p. 247
- La Binerie Mont-Royal p. 247
- La Fabrique p. 244
- Patati Patata p. 240
- Toqué! p. 236

Les meilleures terrasses

- Altitude 737 p. 279
- Boris Bistro p. 226
- Chez Gautier p. 241
- Hôtel de la Montagne p. 211
- Le Jardin du Ritz p. 235
- Le Saint-Sulpice p. 283
- Le Sainte-Élisabeth p. 283
- Santropol p. 240

Les meilleurs brunchs et petits déjeuners

- Caffè della posta p. 259
- L'Express p. 252
- Le Cartet p. 226
- Le Jurançon p. 261
- Leméac Café Bistrot p. 259
- Le Moineau / The Sparrow p. 258
- M sur Masson p. 260
- Toi Moi et Café p. 256

Le meilleur de Montréal

Les meilleurs endroits où prendre l'apéro

- Bar Chez Roger p. 286
- Bily Kun p. 283
- Buvette chez Simone p. 258
- Holder p. 228
- Le Réservoir p. 282
- Le Suite 701 – Lounge p. 279
- Verses Sky p. 279

Les meilleurs endroits où se prélasser devant une bonne tasse de café ou de thé

- Aux Entretiens p. 246
- Café Névé p. 238
- Café Vasco da Gama p. 231
- Camellia Sinensis p. 242
- La Brûlerie Saint-Denis p. 242
- Toi Moi et Café p. 256

Les meilleures occasions pour prendre un bain de foule ou danser dans les rues

- Divers/Cité p. 294
- Festival international de jazz de Montréal p. 294
- Festival international Nuits d'Afrique p. 294
- FrancoFolies de Montréal p. 293
- Igloofest sur les Quais p. 291
- Piknic Électronik p. 293

10 expériences typiquement montréalaises

- Manger une poutine, classique chez La Banquise (p. 247), ou de luxe au restaurant Au pied de cochon (p. 251).
- Goûter les meilleurs produits du Québec, mais aussi du monde entier, dans les splendides marchés publics de la ville (p. 302).
- Profiter d'un dimanche après-midi ensoleillé pour danser aux *Tam-Tams* (p. 135) du parc du Mont-Royal ou aux Piknics Électroniks (p. 293) du parc Jean-Drapeau.
- Manger un *bagel* chaud à la Fairmount Bagel Factory (p. 255) ou au St. Viateur Bagel Shop (p. 256).
- Faire une balade en vélo, en raquettes, en skis de fond ou en patins au parc du Mont-Royal (p. 191).
- Assister à un match du Canadien, des Alouettes ou de l'Impact (p. 290).
- Vivre la «Nuit blanche» avec des milliers de Montréalais lors du Festival Montréal en lumière (p. 292).
- En juin, enfourcher son vélo pour participer au «Tour la nuit» ou au «Tour de l'Île» pendant la Féria du vélo de Montréal (p. 290).
- Déambuler dans la rue Saint-Denis (p. 133) et s'attabler à une terrasse pour regarder passer la foule.
- Braver la file d'attente pour manger un *smoked meat* chez Schwartz (p. 238).

Vous souhaitez partager une expérience montréalaise authentique ou un coup de cœur? Envoyez vos suggestions à **texte@ulysse.ca**, *elles pourraient se retrouver dans la prochaine édition de ce guide!*

Sommaire

Portrait **29**
Géographie 30
Montréal et son histoire 31
La question linguistique 43
L'économie et la politique 43
Des communautés montréalaises 45
Une ville aux paysages saisonniers 46
Littérature 48
Danse 49
Cinéma 49
Musique et chanson 50
Arts visuels 51
Arts du cirque 52
Architecture 53

Renseignements généraux **57**
Formalités d'entrée 58
Accès et déplacements 60
Renseignements utiles, de A à Z 65

Attraits touristiques **75**
Le Vieux-Montréal 77
Le centre-ville 89
Le Musée des beaux-arts de Montréal 102
Le Golden Square Mile 105
Le Village Shaughnessy 112
Le quartier Milton-Parc et la *Main* 116
Le Quartier latin 121
Le Village 126
Le Plateau Mont-Royal 131
Le mont Royal 135
Westmount 140
Outremont et le Mile-End 143
Rosemont 150
La Petite Italie 151
Le Sault-au-Récollet 155
Les îles Sainte-Hélène et Notre-Dame 158
Maisonneuve 162
Autour du canal de Lachine 167
L'ouest de l'île 177

Plein air **189**
Parcs 190
Activités de plein air 193

Hébergement **201**
Le Vieux-Montréal 204
Le centre-ville et le Golden Square Mile 208
Le Village Shaughnessy 212
Le quartier Milton-Parc et la *Main* 213
Le Quartier latin 214
Le Village 217
Le Plateau Mont-Royal 217
Notre-Dame-de-Grâce 219
Côte-des-Neiges 219
Rosemont 221
Maisonneuve 221
L'ouest de l'île 221

Restaurants **223**
Le Vieux-Montréal 225
Le centre-ville et le Golden Square Mile 231
Le Village Shaughnessy 236
Le quartier Milton-Parc et la *Main* 238
Le Quartier latin 242
Le Village 244
Le Plateau Mont-Royal 246
Le mont Royal 253
Westmount, Notre-Dame-de-Grâce et Côte-des-Neiges 253
Outremont et le Mile-End 255
Rosemont 260
La Petite Italie 261
Le Sault-au-Récollet 264
Les îles Sainte-Hélène et Notre-Dame 264
Maisonneuve 266
Autour du canal de Lachine 268
Pointe-Saint-Charles et Verdun 269
L'ouest de l'île 270

Sorties **277**
Bars et boîtes de nuit 278
Bien-être 287
Divertissements 287
Activités culturelles 288
Événements sportifs 290

Achats **297**
Les grandes artères commerciales 298
Accessoires 299
Alimentation 299
Animaux 303
Antiquités 303
Art 303
Cigares 305
Déco 305
Électronique 307
Enfants 307
Informatique 308
Lecture 308
Mode 309
Musique 312
Offrir 313
Plein air 314
Vie intime 314
Voyage 315

Références **317**
Index 318
Carte de repérage : la numérotation civique à Montréal 334
Tableau des distances 335
Légende des cartes 336
Symboles utilisés dans ce guide 336

Liste des cartes

Centre-ville 91
hébergement 209
restaurants 233

Côte-des-Neiges
hébergement 219
restaurants 254

Fortifications de Montréal vers 1750 35

Golden Square Mile 107
hébergement 209
restaurants 233

Île de Montréal et ses environs 59

Îles Sainte-Hélène et Notre-Dame 159
restaurants 266

Lachine 179
restaurants 270

Maisonneuve 165
hébergement 220
restaurants 267

Mont Royal 137

Notre-Dame-de-Grâce
restaurants 254

Numérotation civique à Montréal 334

Ouest de l'île 183

Outremont et le Mile-End 147
restaurants 257

Petite-Bourgogne et Saint-Henri 169
restaurants 268

Petite Italie 153
restaurants 263

Plateau Mont-Royal 134
hébergement 218
restaurants 249

Pointe-Saint-Charles et Verdun 173
restaurants 269

Quartier latin 123
hébergement 215
restaurants 243

Quartier Milton-Parc et la *Main* 117
hébergement 214
restaurants 239

Rosemont 151
hébergement 220
restaurants 261

Sault-au-Récollet 157
restaurants 265

Vieux-Montréal 79
hébergement 207
restaurants 227

Village, Le 127
hébergement 217
restaurants 245

Village Shaughnessy 113
hébergement 213
restaurants 237

Westmount 141
restaurants 254

Liste des encadrés

Festivals et événements culturels 291

Jean Paul Riopelle 101

La Fierté gay 128

La Grande Paix de Montréal de 1701 34

La rue Saint-Denis, artère-clé montréalaise 133

La tête à Papineau 124

Le cimetière Notre-Dame-des-Neiges 138

Le circuit culturel du Quartier international de Montréal 99

Le Complexe des sciences Pierre-Dansereau 97

Le Festival international de jazz de Montréal 98

Le Festival Juste pour rire: quand l'humour et la dérision débarquent à Montréal 121

Le marché Atwater: nos marchands préférés 172

Le marché Jean-Talon: nos marchands préférés 154

Le Parc olympique dans tous ses états 163

Le *Refus global* 42

Les communautés juives 145

Les favoris des enfants 187

Les galeries intérieures 93

Les ruelles: la face cachée de Montréal 144

Les *Tam-Tams* 135

Lumières sur la ville 81

Maisonneuve, fondateur de Montréal 32

Montréal Ville de verre 84

Murales et graffitis 100

Phyllis Lambert et le Centre Canadien d'Architecture 54

Un musée à ciel ouvert 86

Légende des cartes

★	Attraits	✈	Aéroport international		Marché
▲	Hébergement		Bâtiment		Musée
●	Restaurants		Cimetière		Plage
	Mer, lac, rivière		Église		Point de vue
	Forêt ou parc		Escalier		Station de métro
	Place		Gare ferroviaire	P	Stationnement
	Capitale de pays		Gare routière		Traversier (ferry)
	Capitale provinciale ou territoriale	H	Hôpital		Traversier (navette)
	Frontière internationale		Information touristique		Voie cyclable
	Frontière provinciale ou régionale		Librairie Ulysse		
	Chemin de fer				
	Tunnel				

Symboles utilisés dans ce guide

- @ Accès Internet
- Accessibilité totale ou partielle aux personnes à mobilité réduite
- Air conditionné
- Animaux domestiques admis
- Apportez votre vin
- Baignoire à remous
- Centre de conditionnement physique
- Cuisinette
- ½p Demi-pension (dîner, nuitée et petit déjeuner)
- Foyer
- Label Ulysse pour les qualités particulières d'un établissement
- Petit déjeuner inclus dans le prix de la chambre
- Piscine
- Réfrigérateur
- Restaurant
- bc Salle de bain commune
- bc/bp Salle de bain privée ou commune
- Sauna
- Spa
- Téléphone
- *tlj* Tous les jours

Classification des attraits touristiques

★★★	À ne pas manquer
★★	Vaut le détour
★	Intéressant

Classification de l'hébergement

L'échelle utilisée donne des indications de prix pour une chambre standard pour deux personnes, avant taxe, en vigueur durant la haute saison.

$	moins de 60$
$$	de 60$ à 100$
$$$	de 101$ à 150$
$$$$	de 151$ à 225$
$$$$$	plus de 225$

Classification des restaurants

L'échelle utilisée dans ce guide donne des indications de prix pour un repas complet pour une personne, avant les boissons, les taxes et le pourboire.

$	moins de 15$
$$	de 15$ à 25$
$$$	de 26$ à 50$
$$$$	plus de 50$

Tous les prix mentionnés dans ce guide sont en dollars canadiens.

Les sections pratiques aux bordures grises répertorient toutes les adresses utiles.
Repérez ces pictogrammes pour mieux vous orienter:

	Hébergement		Sorties
	Restaurants		Achats

Situation géographique dans le monde

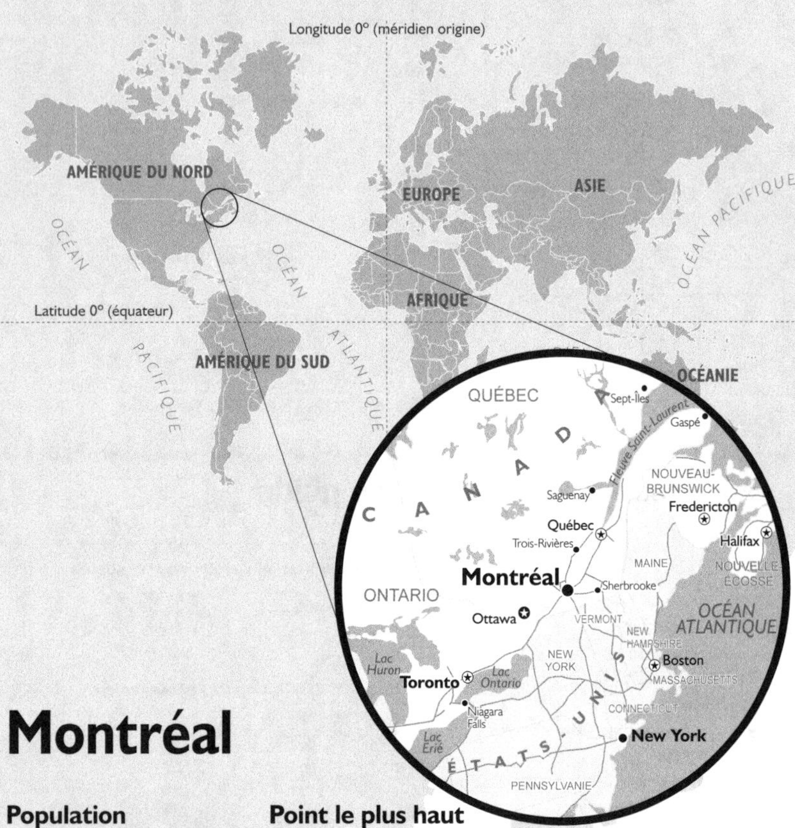

Montréal

Population
Région métropolitaine :
3,8 millions d'habitants
Île de Montréal :
1,8 million d'habitants

Superficie
Île de Montréal :
499 km²

Fuseau horaire
GMT –5

Climat
Moyenne des températures :
Janvier : –10°C
Juillet : 21°C
Moyenne des précipitations :
214 cm de neige
736 cm de pluie

Point le plus haut
Naturel : le mont Royal, avec 233 m
Urbain : l'édifice du 1000 De La Gauchetière, avec 205 m

Langues
Montréal est la deuxième ville francophone du monde après Paris, par sa population de langue maternelle française.
Population de langue maternelle française :
65,7%
maternelle anglaise :
12,5%
Population allophone :
21,8%

Diversité culturelle
Plus du quart de la population montréalaise est issue de l'immigration.

Les plus importantes communautés sont les Italiens, les Irlandais, les Anglais, les Écossais, les Haïtiens, les Chinois et les Grecs.

Portrait

Géographie 30
Montréal et son histoire 31
La question linguistique 43
L'économie et la politique 43
Des communautés montréalaises 45
Une ville aux paysages saisonniers 46
Littérature 48
Danse 49
Cinéma 49
Musique et chanson 50
Arts visuels 51
Arts du cirque 52
Architecture 53

Ville exceptionnelle, latine, nordique et cosmopolite, Montréal est avant tout la métropole du Québec et la seconde ville francophone du monde après Paris, par sa population de langue maternelle française. Ceux qui la visitent l'apprécient d'ailleurs pour des raisons souvent fort diverses, si bien que, tout en parvenant à étonner les voyageurs d'outre-Atlantique par son caractère anarchique et sa nonchalance, Montréal réussit à charmer les touristes américains par son cachet européen.

Il faut dire qu'on y trouve d'abord ce qu'on y recherche, et assez facilement d'ailleurs, car la ville est bien souvent en équilibre entre plus d'un monde: solidement amarrée à l'Amérique du Nord tout en regardant du côté de l'Europe, revendiquée par le Québec et le Canada, et toujours, semble-t-il, en pleine mutation économique, sociale et démographique.

Elle est donc plutôt difficile à cerner, cette ville. Si Paris possède ses Grands Boulevards et sa tour Eiffel, New York, ses gratte-ciel et sa célèbre statue de la Liberté, qu'est-ce qui symbolise le mieux Montréal? Ses nombreuses et belles églises? Ses espaces verts? Son Stade olympique? Ses somptueuses demeures victoriennes?

En fait, bien que son patrimoine architectural soit riche, on l'aime sans doute d'abord et avant tout pour son atmosphère unique et attachante. De plus, si l'on visite Montréal avec ravissement, c'est avec enivrement qu'on la découvre, car elle est généreuse, accueillante et pas mondaine pour un sou.

Aussi, lorsque vient le temps d'y célébrer le jazz, le cinéma, l'humour, la chanson ou la fête nationale des Québécois, c'est par centaines de milliers qu'on envahit ses rues pour faire de ces événements de chaleureuses manifestations populaires. Montréal, une grande ville restée à l'échelle humaine? Certainement. D'ailleurs, derrière les airs de cité nord-américaine que projette sa haute silhouette de verre et de béton, Montréal cache bien mal le fait qu'elle est d'abord une ville de quartiers, de «bouts de rue», qui possèdent leurs propres églises, leurs commerces, leurs restaurants, leurs brasseries artisanales, bref, leurs caractères, façonnés au fil des années par l'arrivée d'une population aux origines diverses.

Fuyante et mystérieuse, la magie qu'opère Montréal n'en demeure pas moins véritable. Et elle se vit avec passion au jour le jour ou à l'occasion d'une simple visite.

Géographie

Pour saisir la place qu'occupe Montréal dans l'histoire du continent américain, il faut avant tout s'attarder aux formidables avantages dont dispose son emplacement. Établie dans une île du fleuve Saint-Laurent, la principale voie de pénétration du Nord-Est américain, Montréal s'étend à un endroit où la circulation maritime rencontre un premier obstacle majeur: les rapides de Lachine. Ces rapides, qui bloquent alors toute navigation, ont jadis imposé un arrêt obligé à Montréal à quiconque voulait aller plus en amont sur le fleuve.

D'un point de vue économique, ce caprice de la géographie a conféré à ce site, tant à l'époque amérindienne que sous les régimes français et britannique, un atout indéniable: celui d'avoir été le premier lieu de transbordement obligatoire sur le fleuve. La nature a ainsi irrémédiablement choisi la vocation de Montréal, en faisant d'elle la clef de voûte d'un vaste territoire, et nécessairement un lieu d'échanges d'envergure continentale.

› Montréal bleu

L'île de Montréal est formée par le fleuve Saint-Laurent et la rivière des Prairies, qui se jette dans le fleuve à l'est de l'île. Ces deux superbes cours d'eau sont reconnus pour les nombreuses îles qui les parsèment.

Entre le lac Saint-Louis, à l'ouest de l'île, et le quartier de Pointe-aux-Trembles, à l'est, le fleuve Saint-Laurent, qui coule vers l'océan Atlantique, longe la côte sud de l'île. Il se voit soudainement transformer, devant l'arrondissement LaSalle, en eaux tumultueuses: les rapides de Lachine.

Entre le lac des Deux Montagnes, à l'ouest de l'île, et le quartier de Rivière-des-Prairies, à l'est, la rivière des Prairies borde quant à elle la côte nord de l'île. Elle voit son débit contrôlé par la centrale hydroélectrique de la Rivière-des-Prairies devant le secteur historique du Sault-au-Récollet.

Par ailleurs, plusieurs ponts routiers ou ferroviaires, incluant le pont-tunnel Louis-Hippolyte-La Fontaine, desservent l'île de Montréal depuis l'île Jésus et les régions de la Montérégie et de Lanaudière. De plus, deux tunnels pour le métro relient l'île aux deux grandes villes qui l'avoisinent: Laval, au nord, et Longueuil, au sud.

› Montréal vert

Tout autour de l'île de Montréal, une partie des berges du fleuve Saint-Laurent et de la rivière des Prairies ont été depuis quelques années converties en espaces verts. Ces parcs riverains publics, connus sous le nom de «parcs-nature», s'ajoutent aux grands parcs urbains et à la multitude de petits parcs qui ponctuent chacun des quartiers de Montréal.

Le plus connu et le plus visible des grands parcs de Montréal est, bien sûr, le parc du Mont-Royal, dont la masse spectaculaire, au centre de l'île, attire inévitablement l'œil. En toutes saisons, les citadins grimpent au sommet de la «montagne», pour le plaisir, pour la vue qu'elle offre depuis ses belvédères, ou encore pour garder la forme.

Mariant la nature sauvage et la nature domestiquée, le Jardin botanique de Montréal, l'un des plus grands au monde, situé dans le centre-est de l'île, accueille les visiteurs, et de nombreuses espèces d'oiseaux, tout au long de l'année. Pour sa part, l'Arboretum Morgan, une immense réserve forestière située dans l'ouest de l'île, abrite divers animaux à l'état sauvage, tels que mammifères, reptiles, amphibiens et autres oiseaux, en plus de magnifiques arbres.

Montréal et son histoire

› Les origines

Avant que l'équilibre territorial ne soit rompu par l'arrivée des explorateurs européens, ce qu'on nomme aujourd'hui l'île de Montréal était peuplé d'Amérindiens de la nation iroquoise. Ceux-ci avaient vraisemblablement saisi les possibilités exceptionnelles de cet emplacement, qui leur permettait alors de prospérer en dominant la vallée du Saint-Laurent à titre d'intermédiaire commercial pour toute la région.

D'abord en 1535, puis en 1541, Jacques Cartier, navigateur malouin au service du roi de France, devient le premier Européen à parcourir ce site. Lors de ces voyages, il en profite pour gravir la montagne occupant le centre de l'île, qu'il baptise «mont Royal». (Le mot «royal», au XVIe siècle, se dit aussi «réal», d'où la contraction de «mont Royal» donnant «mont Réal» ou «Montréal», comme on l'utilise aujourd'hui.)

Dans son journal de bord, Cartier note également une courte visite qu'il effectue dans un grand village amérindien situé, semble-t-il, sur les flancs de la montagne. Regroupant environ 1 500 Iroquois, ce village est constitué d'une cinquantaine de grandes habitations que protège une haute palissade de bois. Tout autour, on cultive le maïs, les courges et les haricots, qui assurent l'essentiel de l'alimentation de cette population sédentaire. Malheureusement, Cartier ne laisse qu'un témoignage incomplet, et parfois contradictoire, sur cette communauté amérindienne. On ignore donc encore actuellement où s'élevait exactement ce village, de même que le nom par lequel les Amérindiens le désignaient: Hochelaga ou Tutonaguy?

Un autre mystère qui subsiste concerne les raisons de l'étonnante et rapide disparition de ce village à la suite des visites de Cartier. De fait, quelque 70 ans plus tard, en 1603, lorsque Samuel de Champlain parcourt la région, il ne retrouve aucune trace de la communauté iroquoise rencontrée par Jacques Cartier. L'hypothèse la plus courante veut que les Amérindiens de l'île de Montréal aient été victimes, entre-temps, des pressions de rivaux commerciaux, qui les auraient finalement évincés de l'île.

Quoi qu'il en soit, Champlain, le père de la Nouvelle-France, s'intéresse très tôt au potentiel du site. Trois années seulement après la fondation de la ville de Québec (1608), il ordonne le défrichement d'une aire de l'île, désignée du nom de «Place Royale», afin d'y établir une nouvelle colonie ou un avant-poste pour la traite des fourrures.

Ce projet doit cependant être remis à plus tard, car les Français, alliés aux Algonquins et aux Hurons, font face aux offensives de la Confédération des Cinq Nations iroquoises.

Maisonneuve, fondateur de Montréal

La traite des fourrures est, au XVIIe siècle, le motif essentiel qui pousse la France à coloniser le Canada. Pourtant, ce n'est pas ce lucratif commerce qui sera à l'origine de la fondation de Montréal, mais plutôt la conversion des Amérindiens.

Pour mener cette entreprise à bien, on choisit Paul de Chomedey, sieur de Maisonneuve, né en 1612 au sud-est de Paris, qui sera également désigné comme premier gouverneur de la nouvelle colonie. C'est à la tête d'une expédition d'une cinquantaine de personnes, les Montréalistes de la Société Notre-Dame dont fait partie Jeanne Mance, que Maisonneuve quitte la France en mai 1641. Le navire de Jeanne Mance atteint Québec trois mois plus tard, sans graves problèmes.

Maisonneuve ne fut pas aussi chanceux et rencontra de violentes tempêtes. Il arriva si tard que la fondation de Montréal fut remise à l'année suivante. Les Montréalistes passèrent l'hiver à Québec. Le 17 mai 1642, Maisonneuve fonde Ville-Marie, dans l'île de Montréal, et Jeanne Mance, première infirmière laïque en Amérique et première femme blanche à fouler le sol de Ville-Marie, fonde l'Hôtel-Dieu l'automne suivant. Quelques années plus tard, le nom de Montréal supplantera celui de Ville-Marie.

En 1665, le gouverneur de Montréal est rappelé en France indéfiniment. Il quitte ses fonctions et sa ville bien-aimée dans une atmosphère de tristesse. Il se retire alors à Paris, chez les pères de la Doctrine chrétienne, et y meurt en 1676. Il est probablement inhumé dans la chapelle (aujourd'hui disparue) des pères, qui se trouvait aux environs du 17, rue du Cardinal-Lemoine, dans le Ve arrondissement.

Souverainement intelligent, le fondateur de Montréal fut un gentilhomme de vertu et de cœur. Le monument à Paul de Chomedey, sieur de Maisonneuve, érigé en 1895, s'élève sur la place d'Armes, au cœur du Vieux-Montréal.

Soutenue par les marchands hollandais de La Nouvelle-Amsterdam (qui allait devenir New York), la Confédération tente de s'approprier le contrôle exclusif du commerce des fourrures sur le continent, au détriment des Français et de leurs alliés.

La fondation de Montréal sera donc retardée de plusieurs années et ne pourra être attribuée aux efforts de Samuel de Champlain, décédé en 1635.

› Ville-Marie (1642-1665)

La traite des fourrures demeure, à cette époque, le motif essentiel qui pousse la France à déployer des efforts pour coloniser le Canada. Pourtant, ce n'est étrangement pas ce lucratif commerce qui est à l'origine de la fondation de Montréal.

D'abord baptisé «Ville-Marie», son établissement est plutôt l'œuvre d'un groupe de dévots français fortement influencés par les mouvements de renouveau religieux touchant alors l'Europe et par les récits qu'avaient faits les Jésuites de leurs séjours en Amérique. Poussés par l'idéalisme, ils désirent établir une petite colonie dans l'île dans l'espoir d'y évangéliser les Amérindiens et de créer une nouvelle société chrétienne.

Pour mener cette entreprise à bien, on choisit Paul de Chomedey, sieur de Maisonneuve, qui sera également désigné comme gouverneur de la nouvelle colonie. C'est à la tête d'une expédition d'une cinquantaine de personnes, dont fait partie Jeanne Mance, que Maisonneuve aborde les côtes de l'Amérique en 1641 et qu'il fonde Ville-Marie en mai de l'année suivante. Dès le départ, de grands efforts sont entrepris pour que soient très tôt érigées les principales institutions sociales et religieuses qui formeront le cœur de cette ville. En 1645 commence la construction de l'Hôtel-Dieu, cet hôpital dont avait rêvé Jeanne Mance. Quelques années plus tard, la première école est ouverte sous la direction de Marguerite Bourgeoys. Puis, en 1657, s'installent les premiers prêtres du Séminaire de Saint-Sulpice de Paris, qui auront par la suite, et pour longtemps, une influence déterminante sur le développement de la ville. Par contre, le but premier de la fondation de Ville-Marie, la conversion des Amérindiens, doit rapidement être mis de côté; seulement un an après leur arrivée, les Français doivent déjà affronter les Iroquois, qui craignent que la présence des colons ne perturbe le commerce des fourrures.

Très tôt, un état de guerre permanent s'installe, menaçant à plusieurs reprises la survie même de la colonie. Mais finalement, après presque un quart de siècle d'une existence périlleuse, le roi Louis XIV, qui, depuis deux ans, administre lui-même la Nouvelle-France, y envoie des troupes pour en garantir la protection. Dès lors, Ville-Marie, qu'on a déjà pris l'habitude de désigner du nom de «Montréal», peut commencer à se tourner vers les richesses du continent.

› La traite des fourrures (1665-1760)

À partir de 1665, bien que la hiérarchie ecclésiastique conserve toujours son autorité et que la vocation mystique de la ville persiste dans les esprits, la protection offerte par l'administration royale permet à Montréal de prospérer en tant que centre militaire et commercial.

L'envoi de troupes françaises et la «pacification» des Iroquois qui s'ensuit, surtout à partir de 1701, année de la signature du traité de la Grande Paix de Montréal, permettent enfin de tirer parti des avantages de la ville en ce qui concerne la traite des fourrures. Montréal étant l'agglomération la plus en amont sur le fleuve, une fois la paix assurée, elle dame aisément le pion à la ville de Québec pour devenir le pivot de ce lucratif commerce.

À cette époque, la traite des fourrures prend un nouvel essor grâce à de jeunes Montréalais, surnommés «coureurs des bois», qui sont nombreux à quitter la ville pour s'aventurer profondément dans l'arrière-pays, souvent pour plus d'une année, afin de négocier directement avec les fournisseurs autochtones de fourrures. Légalisée dès 1681, cette pratique organisée s'intensifie progressivement, les «coureurs des bois» devenant, pour la plupart, des travailleurs salariés à la solde de grands marchands montréalais. Dans la même foulée, Montréal, située à la porte du continent, devient nécessairement le point de départ d'explorations intensives de l'Amérique du Nord.

Les expéditions françaises, notamment celles menées par Jolliet, Marquette, La Salle et La Vérendrye (né à Trois-Rivières), repoussent toujours plus loin les frontières de la Nouvelle-France. À la faveur de ces grandes explorations, un Montréalais d'origine, Pierre Le Moyne d'Iberville, fonde en 1699 une toute nouvelle colonie française, plus au sud, nommée la «Louisiane». De fait, la France revendique la plus grande part de ce qui est alors connu de l'Amérique du Nord, un immense territoire lui permettant de contenir l'expansion des colonies anglaises du Sud, beaucoup plus peuplées, entre l'Atlantique et les Appalaches.

Soutenue par l'administration royale, Montréal continue à se développer au long de ces années. Dès 1672, on la dote d'un plan délimitant précisément pour la première fois certaines de ses artères, dont les principales sont la rue Notre-Dame et la rue Saint-Paul. Puis, entre 1717 et 1741, on renforce sa protection en remplaçant la palissade de bois qui l'entoure par une muraille de pierres de plus de 5 m de haut.

La croissance démographique, somme toute assez lente, entraîne néanmoins l'émergence de faubourgs à l'extérieur de l'enceinte à compter des années 1730. Aussi, graduellement, une nette distinction sociale s'établit entre les habitants de ces faubourgs et ceux du centre, où, à la suite d'incendies dévastateurs, seules les constructions en pierres sont autorisées. Le centre de la ville, protégé par ses murailles (voir p. 35 la carte «Les fortifications de Montréal vers 1750»), est surtout constitué de splendides demeures des membres de la noblesse locale et des riches marchands, ainsi que des institutions religieuses et sociales, alors que les faubourgs sont principalement peuplés d'artisans et de paysans. Bref, dès le milieu du XVIIIe siècle, Montréal a l'allure et l'atmosphère d'une paisible petite ville française. Lié au lucratif commerce des fourrures, son avenir semble assuré.

La guerre de Sept Ans, qui fait rage en Europe, entre 1756 et 1763, a toutefois des répercussions colossales en Amérique. Les puissances européennes en conflit sur le Vieux Continent, principalement la France et l'Angleterre, luttent également pour le contrôle de l'Amérique. Québec (en 1759) et Montréal (en 1760) tombent alors aux mains de troupes anglaises. Lorsqu'en Europe la guerre se termine, la France, par le traité de Paris, cède officiellement à l'Angleterre le contrôle de la quasi-totalité de ses possessions en Amérique du Nord, signant par là la fin de la Nouvelle-France. Le destin de Montréal et de sa population, qui s'élève alors à 5 733 habitants, s'en trouve irrémédiablement changé.

La Grande Paix de Montréal de 1701

Au moment où Antoine Laumet de Lamothe, sieur de Cadillac, fonde le poste militaire de Détroit à l'été 1701, le traité de la Grande Paix de Montréal met fin aux conflits qui opposent les Français et leurs alliés – les nations de la région des Grands Lacs – aux Cinq Nations de la Ligue iroquoise. Pendant les négociations se sont rassemblés quelque 1 300 délégués amérindiens représentant 40 nations autochtones, Iroquois inclus, avec qui tous étaient en guerre depuis un siècle. La paix durera 50 ans.

Kondiaronk, le chef des Hurons-Wendat, décédé le 2 août 1701, soit deux jours avant la ratification du traité, fut l'un des grands artisans de cette paix. En son hommage, la Ville de Montréal a donné son nom au belvédère du Chalet du Mont-Royal en 1997.

LES FORTIFICATIONS DE MONTRÉAL VERS 1750

› Des années de transition (1763-1850)

Les premières décennies suivant la Conquête s'écoulent sous le signe de l'incertitude pour la communauté montréalaise. D'abord, bien qu'un gouvernement civil soit rétabli en 1764, les citoyens de langue française sont officiellement exclus des hautes sphères décisionnelles jusqu'en 1774, alors que le contrôle du commerce des fourrures tombe très vite entre les mains des conquérants, notamment d'un petit groupe de marchands d'origine écossaise.

L'incertitude s'accentue lorsqu'en 1775-1776 la ville est une fois de plus envahie, mais cette fois par des troupes américaines, qui ne restent que quelques mois. La guerre de l'Indépendance américaine a toutefois de plus importantes conséquences: c'est avec la fin de cette guerre et la défaite britannique qu'arrivent à Montréal et au Canada les premières vagues importantes d'immigrants de langue anglaise, les loyalistes, ces colons américains désirant rester fidèles à la Couronne britannique. Suivent plus tard, à partir de 1815, de considérables contingents provenant des îles Britanniques, particulièrement de l'Irlande, qui est alors durement frappée par la famine. Parallèlement à ces vagues migratoires, la population canadienne-française connaît une croissance démographique remarquable, à la faveur d'un taux de natalité très élevé.

La population de Montréal et du Canada connaît donc une croissance importante, aux effets bénéfiques sur l'économie montréalaise, alors que se resserrent les liens d'interdépendance entre la ville et la campagne. Ainsi, le monde rural, en pleine expansion, surtout dans cette partie du territoire qui allait devenir l'Ontario, constitue désormais un marché suffisamment lucratif pour une foule de produits fabriqués à Montréal. La production agricole du pays, notamment le blé, qui transite obligatoirement par le port de Montréal avant d'être expédié vers la Grande-Bretagne, assure de son côté une croissance des activités portuaires montréalaises. D'ailleurs, dans les années 1820, un vieux rêve est réalisé lorsqu'on inaugure un canal permettant d'éviter les rapides de Lachine.

L'économie montréalaise est déjà, à cette époque, très diversifiée, et elle ne se ressent presque aucunement de l'absorption, en 1821, de la Compagnie du Nord-Ouest, qui représente les intérêts montréalais dans la traite des fourrures, par la Compagnie de la Baie d'Hudson. Longtemps le pivot de son économie, le commerce des fourrures ne devient plus pour Montréal qu'une activité marginale.

Au cours des années 1830, Montréal mérite le titre d'agglomération la plus peuplée du pays, surpassant à ce chapitre la ville de Québec. L'arrivée massive de colons de langue anglaise en fait basculer l'équilibre linguistique, et c'est ainsi que pendant 35 ans, à compter de 1831, la population de Montréal sera majoritairement anglophone.

Les communautés culturelles ont d'ailleurs déjà tendance à se regrouper selon un modèle qui persistera longtemps par la suite: les francophones habitent principalement l'est de la ville, les Irlandais, le sud-ouest, et les Anglais et Écossais, l'ouest. La cohabitation sur un même territoire ne se fait toutefois pas sans heurt. Ainsi, lorsqu'éclatent les rébellions des Patriotes en 1837-1838, Montréal devient le théâtre de violents affrontements opposant les membres du Doric Club, regroupant des Britanniques loyaux, aux Fils de la Liberté, composés de jeunes Canadiens français. C'est d'ailleurs à la suite d'une émeute interethnique, provoquant un incendie qui détruit son parlement, que Montréal perd en 1849 le titre de capitale du Canada-Uni, qu'elle détenait depuis six ans seulement.

Enfin, si le paysage urbain montréalais n'a pas connu d'altérations importantes au cours des premières années du Régime anglais, les années 1840 voient graduellement apparaître des constructions d'inspiration britannique. C'est également à cette époque que les plus riches commerçants de la ville, principalement des Anglais et des Écossais, quittent peu à peu le quartier Saint-Antoine pour aller s'établir au pied du mont Royal. Ainsi, moins d'un siècle après la Conquête, la présence britannique est désormais un élément incontournable de la dynamique montréalaise, alors que commence une période cruciale du développement de la ville.

Principaux événements historiques

Ve siècle: Des populations nomades viennent s'installer dans la vallée du fleuve Saint-Laurent et sur l'île qu'on nomme aujourd'hui Montréal.

1535: Dans son second voyage en Amérique du Nord, Jacques Cartier remonte le fleuve jusqu'à l'île de Montréal. Il y visite un village amérindien et escalade la montagne, qu'il baptise «mont Royal».

1642: Sous le commandement de Paul de Chomedey, sieur de Maisonneuve, on fonde une colonie française sur l'île, d'abord dénommée «Ville-Marie». Cette petite communauté survivra très difficilement pendant près d'un quart de siècle et abandonnera très tôt son projet initial d'évangéliser les Amérindiens.

1672: Montréal, dont la survie est maintenant assurée, se dote d'un premier plan délimitant ses principales artères.

1701: Un traité est signé entre Français et Amérindiens, inaugurant une période de paix favorable à l'intensification d'un commerce de fourrures ayant pour pôle Montréal.

1760: Comme Québec en 1759, Montréal tombe aux mains des troupes britanniques. La destinée de la ville et de sa population s'en voit irrémédiablement bouleversée.

1775-1776: Alors que la guerre de l'Indépendance fait rage aux États-Unis, l'armée américaine occupe Montréal pendant quelques mois.

1831: Montréal dépasse Québec en population, pour devenir le principal centre urbain du Canada.

› Industrialisation et puissance économique (1850-1914)

En raison de l'industrialisation rapide qu'elle connaît au cours des années 1840, laquelle se poursuivra en plusieurs vagues successives, Montréal vit, de la seconde moitié du XIXe siècle jusqu'à la Première Guerre mondiale, la plus forte croissance de son histoire. Elle s'élève dès lors au rang de métropole incontestée du Canada et devient le véritable centre du développement du pays.

L'élargissement du marché interne canadien, d'abord avec la création du Canada-Uni en 1840, puis, surtout avec l'avènement de la Confédération canadienne de 1867, renforce l'industrie montréalaise, dont les produits se substituent de plus en plus aux importations. Les principales forces qui seront longtemps le cœur de l'économie de la ville sont alors les secteurs de la chaussure, du vêtement, du textile, de l'alimentation et des industries lourdes, en particulier le matériel roulant de chemin de fer et les produits du fer et de l'acier. La concentration géographique de ces industries, à proximité des installations portuaires et des voies ferrées, a pour effet de modifier considérablement l'aspect de la ville.

Les abords du canal de Lachine, berceau de la révolution industrielle au Canada, puis les quartiers Sainte-Marie et Hochelaga, se couvrent d'usines, et par la suite de résidences bon marché destinées à loger les ouvriers. L'industrialisation de Montréal bénéficie largement de sa position favorable, en tant que pôle des systèmes de transport et de communication pour l'ensemble du territoire canadien, une position qu'elle s'efforce d'accentuer tout au long de cette période. Ainsi, à compter des années 1850, un chenal est creusé dans le fleuve entre Montréal et Québec, permettant, dès lors, à de plus grands océaniques de remonter le fleuve jusqu'à la métropole et éliminant du coup la plupart des avantages dont bénéficiaient encore les installations portuaires de Québec.

De plus, le réseau ferroviaire qui commence à s'étendre sur le territoire canadien favorise Montréal, en faisant de la ville le centre de ses activités. La produc-

1837: Des émeutes éclatent à Montréal, opposant les Fils de la Liberté, mouvement composé de jeunes Canadiens français, au Doric Club, qui regroupe des Britanniques loyaux.

1867: La Confédération canadienne élargit le marché national, ce qui, dans les années ultérieures, profite grandement au développement et à l'industrialisation de Montréal.

1874: On crée le parc du Mont-Royal, qu'aménagera Frederick Law Olmsted, concepteur du Central Park de New York.

1911: En raison de l'immigration récente, plus de 10% de la population montréalaise est désormais d'origine autre que britannique ou française.

1951: Montréal passe le cap du million d'habitants, sans compter sa banlieue, toujours en pleine croissance.

1966: Inauguration du métro de Montréal.

1967: La Ville de Montréal organise avec succès l'Exposition universelle.

1970: En octobre, une crise éclate lorsque le Front de libération du Québec (FLQ) enlève le diplomate britannique James Cross et le ministre Pierre Laporte. Le gouvernement canadien, dirigé alors par le premier ministre Pierre Elliott Trudeau, réagit en promulguant la Loi des mesures de guerre. L'armée canadienne prend alors position à Montréal.

1976: Les Jeux olympiques d'été se tiennent à Montréal.

1980: Les Floralies internationales ont lieu sur l'île Notre-Dame.

1992: Montréal célèbre avec éclat le 350e anniversaire de sa fondation.

2002: Les villes de la Communauté urbaine de Montréal (CUM) fusionnent pour former une seule et même grande ville sur l'île: Montréal.

tion industrielle montréalaise dispose en effet d'un accès privilégié aux marchés du sud du Québec et de l'Ontario par le réseau du Grand Tronc, et de l'ouest du Canada grâce à celui du Canadien Pacifique qui atteint Vancouver en 1887. Tant en ce qui a trait au commerce intérieur qu'au commerce international, Montréal occupe une place dominante au Canada pendant cette période.

Sur le plan démographique, son essor est tout aussi exceptionnel, car, entre 1852 et 1911, sa population passe de 58 000 à 468 000 personnes (528 000 si l'on inclut la banlieue). Cette poussée remarquable tient du fabuleux pouvoir d'attraction qu'exerce désormais cette ville en pleine croissance économique. Les vagues d'immigration massive en provenance des îles Britanniques, qui avaient pris forme au début du XIXe siècle, se poursuivent pendant quelques années encore, avant de ralentir notablement au cours des années 1860. Elles sont par la suite largement compensées par l'exode des paysans de la campagne québécoise, attirés à Montréal par le travail offert dans les usines.

L'arrivée de cette population principalement de langue française est d'ailleurs à l'origine d'un nouveau renversement de l'équilibre linguistique de Montréal, qui redevient définitivement une ville à majorité française à partir de 1866. D'autre part, un phénomène tout à fait nouveau commence à voir le jour vers la fin du XIXe siècle, lorsque Montréal devient le théâtre d'une immigration extérieure autre que française ou britannique. Les plus nombreux à venir tenter leur chance à Montréal sont d'abord des Juifs d'Europe de l'Est, fuyant les persécutions dont ils faisaient l'objet dans leur pays; ils se regroupent, dans un premier temps, surtout le long du boulevard Saint-Laurent.

Un nombre appréciable d'Italiens s'établissent également à Montréal et se retrouvent, quant à eux, dans le nord de la ville. Ces vagues migratoires font en sorte que, avec plus de 10% de sa population d'origine autre que française ou britannique, Montréal est déjà, en 1911, une ville à caractère fortement multiethnique.

2004 : Référendum sur les fusions municipales : quelques anciennes villes de la CUM redeviennent autonomes, le slogan « Une île, Une ville » devenant ainsi chose du passé.

2005 : Montréal est désignée « capitale mondiale du livre » par l'UNESCO pour 2005-2006.

2006 : Montréal est couronnée du titre « Ville UNESCO de design » par l'Alliance globale pour la diversité culturelle, devenant ainsi la première ville d'Amérique du Nord à être reconnue par l'UNESCO dans le domaine du design.

L'urbanisation résultant de cette croissance démographique a pour conséquence un étalement urbain sans cesse grandissant, un phénomène que la mise en place d'un réseau de tramways électriques permet d'accentuer à partir de 1892. La ville sort ainsi, à plusieurs reprises, de ses anciennes limites, annexant jusqu'à 31 nouveaux territoires entre 1883 et 1918.

Des efforts d'aménagement sont parallèlement entrepris pour offrir à la population certains espaces de loisirs, entre autres, en 1874, avec le parc du Mont-Royal. Dans le domaine de la construction résidentielle, les styles d'inspiration britannique s'imposent, notamment dans les quartiers populaires où dominent désormais les maisons en rangée, au toit plat et à la devanture en briques.

En outre, pour offrir des logements bon marché aux familles ouvrières, ces maisons sont de plus en plus souvent construites sur deux ou trois étages, et conçues pour loger au moins autant de familles. De leur côté, les riches Montréalais sont toujours plus nombreux à s'installer sur les flancs du mont Royal, y développant un quartier qu'on aura tôt fait de nommer le *Golden Square Mile* (le « Mille carré doré ») en raison de la prodigieuse richesse dont disposent ses habitants. La révolution industrielle a d'ailleurs eu pour effet d'accroître les clivages socioéconomiques au sein de la société montréalaise. Ce phénomène oppose en outre, de façon presque dichotomique, les principales communautés culturelles en cause, car, alors que la haute bourgeoisie est presque essentiellement constituée de protestants anglais, la masse des ouvriers non spécialisés se compose surtout de Canadiens français et d'Irlandais catholiques.

› De la Première à la Seconde Guerre mondiale

De 1914 à 1945, plusieurs événements d'envergure internationale viennent modifier l'évolution et la croissance de la ville. D'abord, avec le début de la Première Guerre mondiale, en 1914, l'économie montréalaise stagne pendant un certain temps à la suite de la chute des investissements; mais elle reprend très tôt de la vigueur grâce à l'exportation de produits agricoles et de matériel militaire destinés à la Grande-Bretagne.

Cette période de guerre est toutefois surtout marquée, à Montréal, par l'affrontement politique que se livrent anglophones et francophones au sujet de l'effort de guerre, un domaine où les deux groupes linguistiques ne s'entendent vraiment pas. En fait, les francophones se sont depuis longtemps élevés contre toute participation canadienne dans les guerres de l'Empire britannique, envers lequel ils entretiennent des sentiments plutôt mitigés. Ils s'opposent donc farouchement à une conscription obligatoire des citoyens canadiens.

À l'opposé, les anglophones, dont les liens avec la Grande-Bretagne sont souvent restés très tenaces, se montrent favorables à un engagement total du Canada. Lorsque, en 1917, le gouvernement canadien tranche finalement et impose la conscription obligatoire, la colère des francophones éclate, et Montréal est secouée par de vives tensions.

Quelques années de réajustement économique succèdent à la guerre, suivies de ce qu'on a appelé les « Années folles », une phase de croissance soutenue s'étalant de 1921 à 1929. Montréal poursuit alors son développement, amorcé dans la période d'avant-guerre, tout en conservant son rôle de métropole canadienne, bien que Toronto, favorisée par les investissements américains et par le développement de l'Ouest canadien, commence déjà à revendiquer une place plus importante.

Dans le centre des affaires montréalais, on voit graduellement apparaître des immeubles de plus en plus hauts, qui s'inspirent, dans leur conception, des courants architecturaux américains. La ville reprend également sa croissance démographique, si bien qu'elle abrite, à la fin des années 1920, une population de plus de 800 000 personnes, alors que l'île a déjà dépassé le million d'habitants. Tant par l'importance de sa population que par l'aspect de son centre des affaires, Montréal a donc, dès cette époque, tous les attributs d'une grande cité nord-américaine.

Mais la crise américaine, qui frappe durement l'économie mondiale dès 1929, a des effets dévastateurs à Montréal, dont la fortune repose en bonne partie sur les exportations. Pendant toute une décennie, la misère se généralise dans la métropole, où le chômage touche jusqu'au tiers de la population en âge de travailler.

Cette période sombre ne prendra fin qu'avec le début de la Seconde Guerre mondiale, en 1939. Mais, dès le début de ce conflit, la polémique entourant l'effort de guerre refait surface et divise encore une fois les populations francophone et anglophone de la ville. Le maire de Montréal, Camillien Houde, qui s'oppose à la conscription obligatoire, sera d'ailleurs fait prisonnier entre 1940 et 1944. Finalement, le Canada s'engage pleinement aux côtés de la Grande-Bretagne, en mettant à sa disposition sa production industrielle et son armée de conscrits.

› Un retour à la croissance (1945-1960)

Après tant d'années de pénurie et de bouleversements défavorables, l'économie montréalaise, sortie de la guerre plus forte et plus diversifiée que jamais, donne enfin lieu à une période faste où les désirs de consommation de la population peuvent être assouvis. Ainsi, pendant plus d'une décennie, le chômage est presque inexistant à Montréal, alors que le niveau de vie général de la population monte en flèche.

D'un point de vue démographique, la croissance est tout aussi remarquable, si bien qu'entre 1941 et 1961 la population de l'agglomération montréalaise double littéralement, passant de 1 140 000 à 2 110 000 habitants, la ville en tant que telle franchissant le cap du million en 1951. Cette explosion démographique procède de plusieurs sources. Tout d'abord, le mouvement séculaire d'exode des populations rurales vers la ville reprend de plus belle après une pause presque complète pendant les années de la Grande Dépression et de la Seconde Guerre mondiale. Mais l'immigration reprend aussi de la vigueur, les plus importants contingents provenant désormais principalement de l'Europe du Sud, particulièrement de l'Italie et de la Grèce.

Enfin, cette augmentation de la population montréalaise tient également d'une forte poussée des naissances, d'un véritable baby-boom qui touche tout autant le Québec que le reste de l'Amérique du Nord. Pour parvenir à loger cette population, des quartiers situés légèrement en périphérie se couvrent rapidement de milliers de nouvelles résidences. De plus, une banlieue toujours plus éloignée du centre-ville émerge, favorisée par la popularité de l'automobile comme objet de consommation de masse, et commence même à se développer à l'extérieur de l'île, sur la rive sud du fleuve, aux abords des ponts d'accès et, au nord, dans l'île Jésus. Durant la même période, le centre-ville connaît lui aussi des changements importants, alors que le quartier des affaires quitte graduellement le Vieux-Montréal pour se déplacer près du boulevard Dorchester (aujourd'hui le boulevard René-Lévesque), où s'élèvent des gratte-ciel toujours plus imposants.

À cette époque, la métropole est touchée par un vent de réformes sociales visant notamment à mettre fin «au règne de la pègre». Car Montréal a alors la réputation, d'ailleurs bien fondée, d'être depuis des années un lieu où fleurissent la prostitution et les maisons de jeux grâce à l'assentiment de policiers et de politiciens corrompus. Une enquête publique, menée entre 1950 et 1954, où s'illustrent particulièrement les avocats Pacifique

Plante et Jean Drapeau, conduit à une série de condamnations et à un assainissement notable du climat social.

D'autre part, les aspirations au changement ne s'arrêtent pas là. Chez les intellectuels, les journalistes et les artistes montréalais francophones, on cherche par tous les moyens à ébranler l'autorité toute-puissante de l'Église catholique et du conservatisme ambiant. Le phénomène le plus marquant de l'époque reste néanmoins la prise de conscience naissante des Montréalais de langue française de toute origine face à leur aliénation. En effet, au fil des années, hormis certaines exceptions, s'est tissé un clivage socioéconomique très clair entre les deux principaux groupes linguistiques de la ville.

Les francophones ont, de fait, des revenus moyens moins élevés que leurs compatriotes anglophones, occupent plus souvent des postes subalternes et sont bafoués dans leur ascension sociale. Montréal, dont la population est en grande majorité de souche française, projette du reste l'image d'une ville anglo-saxonne par son affichage commercial, souvent uniquement en anglais, et par la domination de la langue anglaise dans les principales sphères de l'activité économique. Il faudra cependant attendre le début des années 1960 pour que les aspirations au changement prennent la forme d'une série de mutations accélérées.

› De 1960 à nos jours

Les années 1960 connaissent un vent de réforme sans précédent au Québec, une véritable course à la modernisation et aux transformations dans différentes sphères d'activité, qu'on aura tôt fait de désigner du nom de la «Révolution tranquille». Il faut dire que le baby-boom des décennies précédentes a fait augmenter considérablement la population québécoise, tant dans la métropole que dans les régions. Les banlieues de plusieurs villes accueillent ainsi un nombre considérable de jeunes couples. Or, pour Montréal notamment, il devient impératif de réaménager l'espace urbain pour maintenir une économie florissante. Toutefois, au milieu des années 1970, Montréal se fait ravir son titre de métropole canadienne par Toronto, qui bénéficie, depuis longtemps déjà, d'une croissance plus forte. En revanche, comme en témoigne l'émergence de gratte-ciel de plus en plus nombreux au centre-ville, l'économie montréalaise poursuit néanmoins son essor.

Outre l'exode vers les banlieues, on assiste au phénomène du retour à la terre. En effet, cette mode, qui perdure jusqu'au début des années 1980, réunit en «communes» des jeunes de tous les horizons, principalement ceux des villes. Ces communes renferment généralement plusieurs familles qui se partagent les travaux de la ferme dans un esprit d'ouverture et de partage.

Parallèlement, Montréal, alors dirigée par le maire Jean Drapeau, rayonne de plus en plus sur la scène internationale grâce à la mise sur pied du métro et à la tenue de plusieurs événements d'envergure, les plus remarquables étant l'Exposition universelle de 1967, les Jeux olympiques d'été de 1976 et les Floralies internationales de 1980.

Dans la mouvance des changements économiques, le rayonnement linguistique et culturel francophone prend de l'ampleur. Au fil des années, le poids de la population d'expression française se fait de plus en plus sentir à Montréal. Plusieurs manifestations de mécontentement sont menées par des groupes syndicaux et étudiants. De plus, la célèbre phrase *« Vive le Québec libre! »*, lancée par le général de Gaulle du balcon de l'hôtel de ville de Montréal, cristallisera l'idée maintenant bien définie d'un Québec souverain.

Depuis 1963, le Front de libération du Québec (FLQ) mène dans la métropole une série d'attentats terroristes. Le point culminant de sa lutte sera la «crise d'octobre 1970», avec l'enlèvement du diplomate britannique James Cross, qui sera libéré deux mois plus tard, et la mort du ministre du gouvernement québécois Pierre Laporte. Près de 40 ans après son avènement, cette sombre page de l'histoire du Québec nourrit encore des débats passionnés.

Le *Refus global*

Les amis du régime nous soupçonnent de favoriser la «Révolution». Les amis de la «Révolution» de n'être que des révoltés: «...nous protestons contre ce qui est, mais dans l'unique désir de le transformer, non de le changer.»

Extrait du *Refus global*, 1948
Paul-Émile Borduas et 15 autres signataires

Le *Refus global*, germe de la Révolution tranquille des années 1960, se présente comme un manifeste dénonçant le conformisme politique et religieux des années 1940, qui faisait du Québec un milieu étouffant et hostile aux manifestations de créativité individuelle ou collective. Signé en 1948 par le peintre Paul-Émile Borduas (1905-1960) et 15 autres artistes dont Marcelle Ferron et Jean Paul Riopelle, il marqua le début de grandes transformations dans la société québécoise. À la suite de la publication, sévèrement condamnée, de sa profession de foi, Borduas, à l'époque professeur à l'École du meuble de Montréal, sera congédié, puis, quelques années plus tard, s'exilera à Paris.

L'image de la ville se modifie sensiblement, lorsque l'affichage commercial, qui se faisait jusqu'alors en anglais, ou au mieux dans les deux langues, devient exclusivement français grâce à l'adoption de lois linguistiques par les gouvernements québécois successifs. Mais pour plusieurs anglophones, ces lois combinées à l'ascension du nationalisme et de l'entrepreneuriat québécois sont des changements trop difficiles à accepter, et plusieurs quittent définitivement Montréal pour d'autres villes canadiennes ou américaines.

Durant les années 1980 et 1990, de nombreux secteurs d'activité ayant marqué depuis plus d'un siècle l'infrastructure industrielle de la ville déclinent, puis se voient partiellement remplacés par des investissements massifs dans des secteurs de pointe tels que l'aéronautique, l'informatique et les produits pharmaceutiques. Cette croissance profite cependant plus à une banlieue toujours plus éloignée du centre.

D'autre part, en accueillant aux cours des dernières décennies des immigrants provenant désormais d'un peu partout dans le monde, la ville de Montréal s'enrichit d'une mosaïque culturelle de plus en plus complexe. Plus que jamais, elle est donc devenue un véritable carrefour des nations, tout en étant couronnée du titre enviable de «capitale francophone des Amériques».

Au début du XXIe siècle, Montréal mène, par l'entremise de chantiers divers, une politique de revitalisation à la fois urbaine et culturelle. Elle s'emploie à réaménager des secteurs du boulevard Saint-Laurent en élargissant les trottoirs, en plantant des arbres et en installant un nouveau mobilier urbain, notamment entre l'avenue Sherbrooke et l'avenue du Mont-Royal, ainsi que dans le secteur de la Petite Italie. Les travaux se poursuivront au cours des prochaines années entre le boulevard René-Lévesque et la rue Sherbrooke. Le sud-ouest de l'île, quant à lui, participe également à la relance avec son projet de revitalisation du secteur de Griffintown, au sud du centre-ville.

Pour plusieurs, le l'aménagement du Quartier des spectacles, signé à coup de gros sous, redonnera au secteur de la Place des Arts une place de choix et un rayonnement international, que lui a subtilisé d'année en année la ville de Toronto, l'éternelle rivale.

La question linguistique

La cohabitation de deux univers culturels distincts est un des éléments fondamentaux de la dynamique montréalaise. Plus qu'ailleurs au Québec ou au Canada, les deux groupes linguistiques, francophone et anglophone, se partagent un même espace, une même ville, mais qu'on définit différemment.

Le paradoxe linguistique montréalais est, en fait, beaucoup plus complexe qu'il ne le paraît. Il l'a d'ailleurs, semble-t-il, toujours été. En visite à Montréal au début du XIXe siècle, Alexis de Toqueville s'étonnait déjà de constater l'absence presque totale de la langue française dans les affaires publiques et dans le commerce. En fait, ville à majorité francophone, sauf pour une courte période au milieu du XIXe siècle, Montréal a, pendant près de 200 ans, projeté une image presque aussi anglo-saxonne que Londres, Toronto ou New York. Sur les enseignes commerciales, dans les grands magasins du centre-ville ou à l'occasion de rencontres, improvisées ou non, entre francophones et anglophones, la langue anglaise triomphait. Mais une prise de conscience, à l'origine de vives contestations au cours des années 1960, lança un processus de réhabilitation du français à Montréal.

Plus tard, avec la promulgation d'une batterie de lois linguistiques par les gouvernements québécois, notamment la désormais très célèbre «loi 101» (Charte de la langue française) en 1977, la présence de la langue française parvint à se raffermir à Montréal. Par contre, cette francisation de la ville ne se fit pas sans heurter de plein fouet la sensibilité de la minorité anglophone, qui y vit une atteinte à ses droits fondamentaux.

D'ailleurs, plusieurs membres de cette communauté quittèrent Montréal à partir des années 1970, alors que des activistes commençaient à dénoncer sur toutes les scènes certaines dispositions des lois linguistiques québécoises, notamment celles imposant l'unilinguisme français dans l'affichage commercial et l'intégration obligatoire à l'école française des enfants des nouveaux émigrants. Cependant, ce qui rend les choses assez complexes, c'est que, si la communauté anglophone montréalaise se sent aujourd'hui menacée, les francophones de la ville ont tendance à se percevoir dans une situation précaire. Il faut dire que l'anglais reste encore aujourd'hui en excellente santé à Montréal.

Au centre-ville par exemple, au cœur même de ce qu'on se plaît souvent à désigner comme la seconde plus importante ville française du monde après Paris, l'anglais est au moins aussi utilisé que le français. Il faut en fait aller plus à l'est ou vers le nord de la ville pour vraiment sentir la présence majoritaire des francophones à Montréal. De plus, c'est souvent la communauté anglophone qui parvient à intégrer dans son univers linguistique la plupart des nouveaux émigrants, bien que le gouvernement québécois s'efforce de renverser cette tendance. Mais il y a plus encore, car l'anglais, la langue internationale dominante, est aussi celle qu'utilisent 98% des Nord-Américains: son pouvoir d'attraction et d'acculturation est donc tout à fait formidable.

À leur façon, les deux principaux groupes linguistiques montréalais partagent ainsi une même angoisse, celle de disparaître. Dans un tel contexte, comment préserver à Montréal un équilibre linguistique qui puisse faire consensus? Cette question, maintes fois posée au cours des dernières années, n'a pas encore été résolue et ne le sera sans doute pas à la faveur de simples principes. En attendant la formule magique qui réglerait toute discorde, les relations entre les deux communautés seront donc encore marquées d'une perpétuelle remise en question.

L'économie et la politique

Durement affectée par la perte de vitesse de plusieurs des principaux secteurs économiques ayant longtemps été les moteurs de sa croissance et de sa fortune, l'économie montréalaise n'a plus le panache ni la puissance de jadis. De nombreuses usines, certaines ayant été de véritables symboles de la force de Montréal, ont été emportées par les changements technologiques, ou ne sont tout simplement plus que l'ombre d'elles-mêmes. De plus, malgré la croissance de plusieurs autres secteurs, notamment dans les domaines de la technologie de pointe, les effets de cette désindustrialisation massive n'ont pas encore été complètement absorbés. Ces difficultés, renforcées par la tendance soutenue, depuis les années 1950, à l'exode de la classe moyenne vers la banlieue, projettent aujourd'hui l'image d'une ville qui tend à l'appauvrissement.

Bien sûr, Montréal n'est pas la seule à être affectée par ces problèmes, qui sont le lot de la plupart des grandes villes nord-américaines. La situation n'est d'ailleurs pas sans issue, car la métropole québécoise possède de nombreux atouts, susceptibles de revitaliser son économie: que ce soit, par exemple, la qualité de sa main-d'œuvre, les infrastructures existantes ou les possibilités de recherche et de développement qu'offrent les quatre universités établies sur son territoire. Plusieurs projets d'envergure s'attardent d'ailleurs depuis quelques années à redorer le blason de l'économie montréalaise, avec entre autres la création d'espaces propices à l'installation d'industries dans des domaines de pointe tels que biotechnologies, industrie pharmaceutique, aérospatiale, technologies de l'information et télécommunications.

Côté politique, la vie municipale a été grandement chamboulée à partir de 2001, alors que le gouvernement du Québec, dirigé par Lucien Bouchard puis Bernard Landry, décida d'accélérer le mouvement de regroupement des municipalités entrepris au cours des années 1990. Malgré l'opposition de certains groupes de citoyens provenant des banlieues, la fusion, en une seule grande ville, de toutes les municipalités de l'île de Montréal, eut lieu le 1er janvier 2002. Mais à peine le travail de coordination des nouveaux arrondissements de la ville entamé, l'opposition officielle de l'époque, dirigée par Jean Charest, promit de créer une loi permettant aux anciennes municipalités d'être reconstituées en consultant la population par voie démocratique. Comme de fait, cette loi fut adoptée avec l'arrivée au pouvoir du Parti libéral du Québec en avril 2003. Après une année marquée par les débats et le démembrement de la nouvelle ville, 89 référendums ont été tenus en juin 2004 dans différentes municipalités du Québec, dont 22 à Montréal. Pour l'emporter, les défusionnistes devaient non seulement obtenir la majorité des voix, mais ils devaient aussi représenter 35% de l'ensemble des électeurs inscrits. La plupart des municipalités l'ayant remporté, 15 arrondissements ont retrouvé leur statut de ville le 1er janvier 2006 et Montréal s'est vue redivisée en 19 arrondissements. Les partis pris pour ou contre les fusions sont encore palpables, et, bien que le dynamisme de Montréal ne semble pas en avoir trop souffert, il reste qu'un tel brouillamini politique tend à accentuer le fossé linguistique et le clivage entre municipalités riches et pauvres.

Depuis 2001, défusions ou pas, la ville est administrée par Gérald Tremblay, qui a eu à faire face à certains scandales politiques dès les premiers mois de son entrée en fonction; il a été réélu malgré tout en 2005 puis en 2009, pour un troisième mandat. À Québec, le libéral Jean Charest, après avoir été élu en 2003 et de nouveau en 2007 à la tête d'un gouvernement minoritaire, a été réélu en 2008 avec une faible majorité, pour un troisième mandat. Au niveau fédéral, le premier ministre actuel est, depuis 2006, Stephen Harper, chef du Parti conservateur du Canada; il a été réélu en 2008 pour un deuxième mandat, et le gouvernement qu'il dirige est toujours minoritaire.

Il faut savoir que la vie politique du Québec est profondément marquée, et même monopolisée, par la dualité entre les deux ordres gouvernementaux: le gouvernement fédéral et le gouvernement provincial. La cohésion entre ces centres de pouvoir ne se fait pas toujours dans l'harmonie, et Montréal se retrouve plus souvent qu'à son tour coincée entre Ottawa, capitale canadienne, et Québec, capitale québécoise.

Pour bien comprendre la situation politique au Québec, il faut tout d'abord se mettre dans le contexte historique. La ville de Québec est le berceau de la culture française en Amérique et a été conquise en 1759 par l'Empire britannique. La confédération de 1867, qui créa le Canada, est un événement qui a eu des retombées importantes pour tous les francophones du Québec, dont une des plus significatives tient à la position minoritaire dans laquelle se retrouve la population canadienne-française, qui possède une culture différente de la majorité anglophone.

Le type de gouvernement mis en place en 1867 est calqué sur le modèle britannique, accordant le pouvoir législatif à un Parlement élu par suffrage universel. La nouvelle constitution institue un régime fédéral à deux ordres: le gouvernement fédéral et les gouvernements provinciaux. À Québec, ce Parlement est désigné du nom d'«Assemblée nationale», alors qu'à Ottawa le pouvoir appartient à la Chambre des communes. À l'intérieur de ce nouveau partage des pouvoirs, la position minoritaire des francophones au Canada est confirmée. Cependant, leur emprise sur le Québec est accentuée grâce à la création d'un État provincial qui sera le maître d'œuvre dans des domaines importants que les francophones ont toujours cherché à préserver, c'est-à-dire l'éducation, la culture et les lois civiles françaises.

Le Québec a toujours été en faveur de l'autonomie provinciale face à un gouvernement fédéral centralisateur. Dès les premières années de la Constitution, certains, comme Honoré Mercier, optent pour une autonomie plus grande des provinces. Mercier soutient notamment que les droits des Canadiens français ne sont assurés efficacement qu'au Québec. Une fois premier ministre, il exalte le caractère français et catholique du Québec, sans toutefois remettre en cause le fédéralisme. Selon l'influence des dirigeants politiques québécois et sous l'effet des tensions ethniques et linguistiques qui sévissent entre francophones et anglophones, le Québec va jouer un rôle de plus en plus actif dans la lutte pour l'autonomie provinciale tout au long du XXe siècle.

C'est au cours des 40 dernières années que les relations entre le fédéral et le provincial ont pris une tournure différente. La vie politique qui se dessine à partir de la Révolution tranquille est marquée par la nature complexe, intense et délicate des relations fédérales-provinciales. En témoigne l'apparition du Front de libération du Québec (FLQ), qui réclame l'indépendance du Québec.

Depuis des années, les différents gouvernements qui se sont succédé à Québec se sont tous considérés comme les porte-parole d'une langue et d'une culture distinctes, et ont revendiqué un statut particulier ainsi que des pouvoirs accrus pour le Québec. Le gouvernement québécois croit mieux connaître les besoins des Québécois que le fédéral et revendique le droit à une plus grande autonomie, à des pouvoirs plus étendus et aux ressources correspondantes.

L'événement qui viendra changer radicalement les enjeux politiques est l'élection en 1976 du Parti québécois. Ce parti réussira très rapidement à réunir autour de lui les forces indépendantistes, et ce, surtout grâce à la personnalité et au charisme de son fondateur, René Lévesque. Cette formation politique, dont la raison d'être est l'accession du Québec à la souveraineté, proposera en 1980 un référendum sur la question nationale à la population québécoise, lui demandant la permission de négocier le projet de souveraineté-association avec le reste du Canada. Les Québécois votent à 60% contre.

Le même parti, avec à sa tête Jacques Parizeau, renverra les Québécois se prononcer sur la même question le 31 octobre 1995. Cette fois, les résultats sont beaucoup plus serrés, et même surprenants. Ainsi 50,6% de la population a voté contre le projet d'indépendance du gouvernement québécois, tandis que 49,4% s'est déclaré en faveur de ce projet. La question, aux yeux de plusieurs, est donc reportée une fois de plus et, depuis, reste présente dans la plupart des discours politiques.

Des communautés montréalaises

Samedi soir, rue Durocher, à Outremont, des dizaines de Juifs *hassidim* (orthodoxes), habillés de leurs vêtements traditionnels, se pressent vers la synagogue toute proche. Quelques heures plus tôt, comme d'habitude, une partie de la grande communauté italienne montréalaise s'était donné rendez-vous au marché Jean-Talon afin de négocier l'achat des produits directement importés d'Italie ou simplement pour socialiser entre compatriotes, et discuter du dernier match de football opposant l'équipe de Milan à celle de Turin.

Ces scènes bien connues de tous les Montréalais ne sont que des exemples parmi tant d'autres de la vie communautaire, souvent très intense, de plusieurs groupes culturels de la ville. En fait, on compte à Montréal d'innombrables lieux de rencontre et associations destinés aux membres des diverses communautés culturelles. D'ailleurs, il suffit d'une brève incursion sur le boulevard Saint-Laurent, la *Main*, servant de limite entre l'ouest et l'est de la ville, bordé de restaurants, d'épiceries et d'autres commerces aux couleurs et spécialités internationales, pour se convaincre de la richesse et de la diversité de la population montréalaise.

Montréal projette d'ailleurs souvent l'image d'un regroupement hétéroclite de villages qui, sans être des ghettos, sont principalement habités par les membres de l'une ou l'autre des communautés. En fait, ce découpage de l'espace territorial avait déjà été amorcé dès le XIXe siècle par les Montréalais de souches française et anglaise, une division qui, dans une certaine mesure, marque toujours la ville.

Ainsi, l'Est demeure encore aujourd'hui largement francophone, alors que l'Ouest est plutôt anglophone et que les nantis des deux communautés occupent souvent les versants opposés du mont Royal, d'un côté, Outremont, et de l'autre, Westmount. Mais plusieurs nouveaux «villages» sont graduellement venus s'imbriquer dans cette mosaïque avec l'arrivée d'une population aux origines diverses. Très tôt, une petite communauté chinoise, venue travailler au pays lors de la construction des chemins de fer, a élu domicile aux abords de la rue De La Gauchetière, à l'ouest du boulevard Saint-Laurent, créant ainsi un Chinatown qui conserve toujours aujourd'hui une atmosphère un peu mystérieuse pour les non-initiés.

L'importante communauté juive, pour sa part, s'est d'abord regroupée un peu plus haut sur le boulevard Saint-Laurent, pour ensuite se concentrer vers l'ouest de l'île, notamment dans certains secteurs d'Outremont, de Côte-des-Neiges et de Snowdon, et à Côte-Saint-Luc et Hampstead, où ses institutions fleurissent. De son côté, la Petite Italie, un endroit souvent très animé et coloré où prospèrent de multiples cafés, restaurants et boutiques, occupe un large secteur du nord de la ville, près de la rue Jean-Talon, cette artère qui mène à l'est vers l'arrondissement de Saint-Léonard, habité par un bon nombre d'Italiens.

Les Italiens forment d'ailleurs la plus importante communauté culturelle de Montréal et donnent une impulsion indéniable à cette ville. Enfin, certaines autres communautés ont aussi eu tendance à se regrouper dans certains lieux, comme, par exemple, les Grecs le long de l'avenue du Parc, les Haïtiens dans le quartier Saint-Michel, les Portugais aux abords de la rue Saint-Urbain et les Jamaïquains dans la Petite-Bourgogne. À Montréal, on peut presque passer d'un pays à un autre, d'un univers à un autre, par la langue, les odeurs, l'aménagement, les commerces, subitement, en l'espace de quelques rues seulement.

› Communautés culturelles

Qui plus est, aujourd'hui les Italiens ne résident plus dans la Petite Italie et les Chinois n'habitent plus le Quartier chinois. La plupart des quartiers de Montréal se caractérisent par la présence de plusieurs communautés qui cohabitent dans une belle harmonie. Non pas que les frictions, causées par des malentendus ou des préjugés, soient ici complètement absentes, les ajustements, notamment dans les écoles, étant régulièrement nécessaires, mais, somme toute, Montréal assure une réelle bonne entente. Cette mosaïque culturelle représente l'une des plus belles richesses de la ville.

Une ville aux paysages saisonniers

C'est bien connu, Montréal a au moins autant de personnalités et d'humeurs différentes qu'il y a de saisons dans une année. En fait, cette ville vit réellement au rythme de son climat, souvent capricieux, et elle a su s'y adapter jusqu'à en tirer le meilleur parti possible.

En hiver, par exemple, puisque c'est la saison à laquelle on identifie le plus naturellement du monde cette ville du «Nord», la température oscille souvent bien au-dessous du point de congélation, tandis que la neige s'abat sur la ville, mais sans pour autant jamais réussir à la paralyser complètement. Car, voyez-vous, la ville de Montréal est devenue l'un des leaders mondiaux de la «gestion des hivers», un véritable point de référence en la matière pour une multitude d'autres grandes cités septentrionales du globe. Durant les mois d'hiver, jour et nuit, une petite armée de travailleurs montréalais sont disponibles en permanence pour le déneigement des quelque 13 millions de mètres cubes de neige qui, en moyenne, encombrent chaque année les rues de la ville.

Dans une certaine mesure, on est également parvenu à contourner les problèmes que peut susciter la rigueur du climat hivernal, entre autres en aménageant une formidable «ville souterraine», l'une des plus vastes du monde. Reliées les unes aux autres par un réseau de lignes de métro, ces galeries intérieures, qui s'étendent sur plus de 30 km, conduisent à une foule d'immeubles de bureaux, de magasins, de restaurants, de bars, d'hôtels, de cinémas, de théâtres ou d'immeubles d'habitation, sans qu'on ait jamais à sortir à l'extérieur!

Bref, que ce soit la neige ou le froid, rien n'arrête le dynamisme de cette ville. Mais bien sûr, l'hiver n'apporte pas que des problèmes à résoudre; il offre aussi son lot de plaisirs et contribue, il faut bien se l'avouer, à façonner le caractère de Montréal. Transformés par l'hiver, les paysages montréalais ne sont pas sans charme ni romantisme. Les belles journées de la saison offrent ainsi l'occasion d'agréables promenades sous les arbres enneigés, de joyeuses visites à l'une ou l'autre des patinoires extérieures de la ville, ou de balades en skis de fond dans l'un de ses parcs.

De plus, l'hiver sonne l'éveil d'une véritable passion typiquement montréalaise, s'il en est une: le hockey sur glace. Pendant la saison de hockey professionnel, les performances de la très célèbre équipe de Montréal, Les Canadiens, sont alors au cœur des conversations de la plupart des gens. Le hockey sur glace aurait d'ailleurs été inventé ici, dans les rues de Montréal. Année après année, on parvient à traverser les longs hivers, en rouspétant parfois un peu, mais en y retrouvant aussi de merveilleux plaisirs.

Puis, souvent abruptement, l'hiver fait place au printemps, une saison enivrante où Montréal prend quelque peu l'allure d'une ville méditerranéenne. Les premiers jours de la saison sont toujours inoubliables, et c'est sans doute à ce moment qu'on peut le mieux saisir l'effet du climat, alors que les Montréalais, transformés par les premiers rayons de soleil printaniers, semblent renouer avec leurs racines latines. On peut enfin s'habiller plus légèrement, s'installer sur une terrasse ou parcourir paresseusement la ville. D'ailleurs, comme si elle sortait de longs mois d'hibernation, une foule frénétique envahit soudain la rue Saint-Denis, le boulevard Saint-Laurent et le parc du Mont-Royal.

Cette courte et belle période de l'année, où les Montréalais s'approprient enfin pleinement les parcs et les artères de leur ville, est le prélude à la saison estivale, la saison des vacances. Car l'été venu, tout semble en place pour qu'on en vienne même à choisir sa propre ville comme lieu de vacances. Le temps devenu clément, Montréal s'anime en se faisant l'hôte de nombreux festivals où l'on célèbre le jazz, l'humour, le cinéma, sans oublier la fête nationale des Québécois, et qui donnent immanquablement lieu à des rassemblements de centaines de milliers de personnes. Car Montréal, en été, n'est pas mondaine, elle est plutôt populaire.

Les fêtes se succèdent jusqu'en septembre, puis lentement l'automne s'installe, alors qu'avant de joncher le sol les feuilles des arbres changent de couleurs, tournant au jaune, à l'orangé ou au rouge. Puis, après un bref intermède qu'on nomme l'«été des Indiens», la température se refroidit graduellement, et l'on se prépare alors lentement pour un nouveau cycle des saisons.

Littérature

L'essentiel des débuts de la littérature de langue française en Amérique du Nord est constitué d'écrits des premiers explorateurs (dont ceux de Jacques Cartier) et des communautés religieuses. Sous forme de récits, ces textes relatent différentes observations destinées principalement à faire connaître le pays aux autorités de la métropole. Le mode de vie des Autochtones, la géographie du pays et les débuts de la colonisation française comptent parmi les principaux thèmes abordés par des auteurs comme le père Sagard (*Le grand voyage au pays des Hurons,* 1632) ou par le baron de Lahontan (*Nouveaux voyages en Amérique septentrionale,* 1703).

La tradition orale domine la vie littéraire durant tout le XVIIIe siècle et le début du XIXe siècle. Les légendes issues de cette tradition (revenants, feux follets, loups-garous, chasse-galerie) sont par la suite consignées par écrit. Plusieurs années s'écoulent donc avant que le mouvement littéraire ne prenne un véritable envol, qui aura lieu à la fin du XIXe siècle. La majorité des créations d'alors, fortement teintées de la rhétorique de la «survivance», encensent les valeurs nationales, religieuses et conservatrices. L'éloge de la vie à la campagne, loin de la ville et de ses tentations, devient l'un des thèmes centraux de la littérature de l'époque.

Jusqu'en 1930, le traditionalisme continue de marquer profondément la création littéraire, quoique soient perceptibles certains mouvements innovateurs. En poésie, l'École littéraire de Montréal, et plus particulièrement Émile Nelligan, qui a été le premier à s'inspirer des œuvres de Baudelaire, de Rimbaud, de Verlaine et de Rodenbach, font contrepoids au courant dominant pendant quelque temps. Encore aujourd'hui une figure mythique, Nelligan a écrit sa poésie très jeune, avant de sombrer dans la folie. Dans le roman québécois de cette époque, le monde rural reste toujours le principal thème abordé, bien que certains auteurs commencent à le traiter d'une manière différente.

C'est au cours des années de la crise économique et de la Seconde Guerre mondiale que la création littéraire amorce un début de modernisation. Dans le roman du terroir, qui domine toujours, on voit graduellement apparaître le thème de l'aliénation des individus. On sent enfin qu'un grand pas a été franchi lorsque Montréal, où en réalité une majorité de la population québécoise réside, devient le cadre de romans, comme c'est le cas de *Bonheur d'occasion* (1945) de la Franco-Manitobaine Gabrielle Roy, qui dépeint avec justesse le désarroi d'une famille nombreuse du quartier Saint-Henri, aujourd'hui encore un des plus pauvres de Montréal. Du côté anglophone, des écrivains comme Hugh McLennan (*Two Solitudes*, 1945), Mordecai Richler, dont la plume n'épargne en rien la communauté juive dont il est issu, et Mavis Gallant, qui écrit principalement des nouvelles, se taillent une place de choix dans la sphère littéraire montréalaise, voire internationale.

Le modernisme s'affirme franchement à partir de la fin de la guerre, et ce, malgré le régime politique de Maurice Duplessis. En ce qui a trait au roman, deux courants dominent: le roman urbain tel que *Au pied de la pente douce* de Roger Lemelin ou *Les Vivants, les morts et les autres* (1959) de Pierre Gélinas et le roman psychologique tel que *La Fin des songes* (1950) de Robert Élie ou *Le Gouffre a toujours soif* (1953) d'André Giroux. Un peu en marge de ces deux courants, Yves Thériault, auteur très prolifique, publie, de 1944 à 1962, contes et romans (*Agaguk* en 1958, *Ashini* en 1960) qui marqueront toute une génération de Québécois. La poésie connaît une période d'or grâce à une multitude d'auteurs, notamment Alain Grandbois, Rina Lasnier, Anne Hébert, Gaston Miron et Claude Gauvreau. On assiste également à la véritable naissance du théâtre québécois grâce à la pièce *Tit-Coq* de Gratien Gélinas, qui sera suivie d'œuvres variées, dont celles de Marcel Dubé et de Jacques Ferron. Pour ce qui est des essais, le *Refus global* (1948), signé par un groupe de peintres automatistes, fut sans contredit le plus incisif des nombreux réquisitoires contre le régime duplessiste.

La Révolution tranquille, dont l'effervescence politique et sociale encourage la création littéraire des années 1960, «démarginalise» les auteurs. Plusieurs essais, tels *Nègres blancs d'Amérique* (1968) de Pierre Vallières, témoignent de cette période de remise en question, de contestation et de bouillonnement culturel à Montréal. Au cours de cette époque, de nouveaux noms surgissent dans le paysage littéraire, entre autres ceux de Marie-Claire Blais (*Une saison dans la vie d'Emmanuel*, 1965), de Hubert Aquin (*Prochain épisode*, 1965) et de Réjean Ducharme (*L'avalée des avalés*, 1966). La poésie triomphe, grâce à l'émergence des poètes de la contre-culture, rassemblés pour un instant d'éternité durant la désormais célèbre *Nuit de la Poésie* de 1970 du cinéaste Jean-Claude Labrecque. Le théâtre, auréolé par les œuvres classiques de Marcel Dubé et de Françoise Loranger, et par l'ascension de nouveaux dramaturges comme Michel Tremblay et Jean Barbeau, s'affirme avec éclat. Dans la mouvance de ce renouveau théâtral, plusieurs romanciers, poètes et dramaturges n'hésitent plus à faire usage de la langue populaire (le joual) dans leurs écrits. En 1969, la dramaturgie anglophone est dignement représentée avec la fondation de la Centaur Theatre Company, qui emménage dans l'ancien bâtiment du Canada's First Stock Exchange, dans le Vieux-Montréal.

La création littéraire contemporaine s'est diversifiée et enrichie. De nouvelles figures sont venues se joindre aux auteurs de la période antérieure. Par ailleurs, le théâtre se distingue au cours des années 1980 par un foisonnement de productions d'une remarquable qualité, dont plusieurs intègrent d'autres formes d'expression artistique (danse, chant, vidéo). À Montréal, on assiste étonné à la naissance de la Ligue nationale d'improvisation (1978, par Robert Gravel), qui oblige les comédiens à improviser dans un décor et avec des règlements calqués sur ceux de la Ligue nationale de hockey, et qui regroupe à ce jour des émules dans toute la Francophonie. Fondé en 1986, Imago Theatre demeure une référence en matière de théâtre alternatif anglophone. De brillants représentants de la dramaturgie contemporaine continuent de surprendre les spectateurs et de remplir les salles des nombreux théâtres montréalais.

Danse

On ne saurait passer sous silence l'incroyable effervescence de la danse classique et contemporaine à Montréal. De nombreuses compagnies et troupes, petites et grandes, assurent une vitalité qui fait de la métropole québécoise une hôte de choix pour les danseurs et chorégraphes d'ici ou d'ailleurs.

Fondés à Montréal en 1957 grâce à Ludmilla Chiriaeff, Les Grands Ballets Canadiens ont su conserver depuis leurs débuts un rayonnement artistique sans pareil. Le ballet classique y est certes à l'honneur, sans cesse renouvelé par l'esprit de découverte qui anime cette troupe exceptionnelle. Les Ballets Jazz de Montréal, fondés en 1972 par Geneviève Salbaing, explorent des territoires uniques et actuels. Dès les années 1980, une explosion de créativité et d'exploration se cristallise avec l'arrivée sur la scène montréalaise de troupes comme La La La Human Steps (Édouard Lock, 1980), O Vertigo (Ginette Laurin, 1984), Montréal Danse (Paul-André Fortier et Daniel Jackson, 1986) et la compagnie Marie Chouinard (1990).

Cinéma

Pionnier du cinéma, Léo-Ernest Ouimet entre dans l'histoire de la cinématographie montréalaise en ouvrant en 1906 le Ouimetoscope dans un théâtre loué, la Salle Poiré. L'année suivante, il rase l'immeuble et construit l'une des premières grandes salles de cinéma en Amérique du Nord, avec 1 200 places. À cette époque, les films produits et tournés à Montréal abordent pour la plupart des thèmes liés à l'actualité ou au voyage. Entre 1947 et 1953, des producteurs privés adaptent à l'écran des œuvres romanesques et théâtrales ayant connu un succès populaire à la radio, comme *Un homme et son péché* (1948), *Séraphin* (1949), *La petite Aurore l'enfant martyre* (1951) et *Tit-Coq* (1952).

Fondé le 2 mai 1939, l'Office national du film (ONF), d'abord situé à Ottawa, déménage à Montréal en 1956 sous la direction d'Albert Trueman. Or, pendant plusieurs années, la production d'œuvres francophones est plutôt mince à l'ONF, qui est vite perçu comme un objet de propagande fédéraliste aux yeux des Montréalais. En 1964, l'ONF est divisé en deux secteurs linguistiques (anglophone et francophone) après la nomination du premier commissaire de langue française, Guy Roberge. C'est le début d'un temps nouveau de création cinématographique dans la métropole.

La renaissance du cinéma, au cours des années 1960, est largement tributaire du soutien de l'Office national du film (ONF). Des documentaires, des films d'animation inventifs, des fictions tournées avec la technique du «cinéma direct» et des critiques de la société québécoise, alors dominée par le clergé, constituent les principales réalisations des premiers cinéastes liés à l'ONF. Gilles Groulx, Claude Jutra, Norman McLaren, Pierre Perrault, Michel Brault et Jean-Pierre Lefebvre figurent parmi les pionniers de cette cinématographie. Le film de Pierre Perrault et Michel Brault, *Pour la suite du monde* (1963), fut sans doute le plus marquant par son caractère innovateur. Par la suite, le long métrage de fiction devient un genre dominant, et quelques cinéastes connaissent le succès.

Parmi les films des dernières décennies qui ont marqué l'imaginaire montréalais, notons ceux des oscarisés Denys Arcand (*Le Déclin de l'empire américain,* 1986; *Jésus de Montréal*, 1989; *Les Invasions barbares*, 2003, premier film canadien à recevoir l'oscar du meilleur film en langue étrangère; *L'âge des ténèbres*, 2007) et Frédéric Back (*Crac!*, 1981; *L'homme qui plantait des arbres*, 1988: des films d'animation), le premier avec ses critiques sociales et le second avec son point de vue sur les causes environnementales, ainsi que ceux de Claude Fournier (*Bonheur d'occasion*, 1983) et de Jean Beaudin (*Le Matou*, 1985) pour leur traitement du quotidien montréalais, de Pierre Falardeau (*Octobre*, 1994; *15 février 1839*, 2001) et de Denis Villeneuve (*Polytechnique*, 2009) portant sur les épisodes tragiques vécus par le peuple québécois.

Mentionnons aussi la contribution de Daniel Langlois, acteur important sur la scène du cinéma utilisant les nouvelles technologies. Il est notamment le fondateur de Softimage, qui crée des logiciels d'animation infographique ayant servi à la réalisation de plusieurs longs métrages remarqués ces dernières années. Selon un magazine spécialisé, 80% des logiciels d'animation et d'effets spéciaux produits dans le monde sont conçus par des entreprises montréalaises comme Softimage.

La ville de Montréal se démarque dans le milieu du cinéma sur un autre plan. Non seulement elle compte de nombreux cinéphiles mais elle est également l'hôte de plusieurs festivals de cinéma. Depuis quelques décennies déjà, Montréal constitue aussi un lieu de tournage hors pair pour des réalisateurs venus du monde entier en raison de la qualité jamais démentie de la main-d'œuvre et des services qu'ils y obtiennent.

Musique et chanson

En ce qui a trait à la musique, il faut attendre les années d'après-guerre pour que le modernisme puisse commencer à s'afficher au Québec. Cette tendance s'affirme résolument à partir des années 1960, alors qu'on tient pour la première fois, en 1961, une Semaine internationale de la musique actuelle. Les grands orchestres, notamment l'Orchestre symphonique de Montréal (OSM), commencent dès lors à intéresser un plus vaste public. Il faut souligner le travail ambitieux d'Alain Lefèvre et de Marie-Andrée Ostiguy, des pianistes classiques aujourd'hui reconnus internationalement.

La chanson, qui a toujours été un élément important du folklore québécois, connaît un nouvel essor dans l'entre-deux-guerres, avec la généralisation de la radio et l'amélioration de la qualité des enregistrements. Des artistes comme Ovila Légaré s'illustrent, mais le plus grand succès de l'époque appartient incontestablement à La Bolduc (Marie Travers), qui, grâce à des chansons originales en langue populaire, connaît la gloire pendant de longues années. Au cours de la guerre, le Soldat Lebrun occupe aussi une place appréciable dans le monde de la chanson locale. Puis, durant les années 1950, la mode de l'adaptation de succès américains ou de l'interprétation de chansons françaises éclipse le travail de chansonniers tels que Raymond Lévesque et Félix Leclerc, qui ne seront reconnus qu'au cours de la décennie suivante.

Avec la Révolution tranquille, la chanson dite québécoise s'affiche avec éclat. Des chansonniers comme Claude Léveillée, Jean-Pierre Ferland, Gilles Vigneault et Claude Gauthier font vibrer les «boîtes à chansons» du Québec par des textes fortement teintés d'affirmation nationale et culturelle. Un événement d'une grande portée survient en 1968, lorsque Robert Charlebois lance le premier album rock en français. La chanson québécoise connaît par la suite des succès retentissants. Pour la Saint-Jean-Baptiste, fête nationale des Québécois, des artistes parviennent à rassembler des centaines de milliers de personnes lors de grands spectacles extérieurs se transformant en véritables *happenings*.

Aux dizaines de figures déjà connues dans le monde de la musique populaire québécoise des 30 dernières années se sont joints plus récemment des artistes d'envergure comme Jean Leloup, Richard Desjardins, Daniel Bélanger, Lynda Lemay, Yann Perrault, Ariane Moffatt, Les Cowboys Fringants, Malajube et Pierre Lapointe. Certains artistes anglophones comme Leonard Cohen, Kate et Anna McGarrigle et Rufus Wainwright jouissent d'une solide réputation internationale, sans oublier les groupes rock The Arcade Fire, The Dears ou Wolf Parade, souvent associés à la nouvelle scène musicale montréalaise qui a bonne cote à l'étranger. Finalement, on ne saurait passer sous silence la désormais célèbre Céline Dion.

La ville de Montréal est fière de ses deux grands orchestres de renommée internationale, qui demeurent d'excellents ambassadeurs sur les scènes canadiennes et mondiales de la musique classique. Tous deux ont remporté au fil des décennies des prix prestigieux aussi bien pour leurs performances en salles que pour la qualité de leurs enregistrements. Fondé en 1981, l'Orchestre Métropolitain du Grand Montréal, dirigé depuis 2000 par Yannick Nézet-Séguin, compte en son sein 56 musiciens qui proviennent des conservatoires et des facultés de musique du Québec. L'Orchestre symphonique de Montréal (OSM), quant à lui, bénéficie depuis 1934, l'année de sa fondation, d'un important rayonnement musical, à l'instar des plus grands orchestres de ce monde. Depuis la saison 2006-2007, Kent Nagano est devenu le huitième directeur musical de l'OSM en succédant à Charles Dutoit.

Arts visuels

Ayant pour toile de fond idéologique le clérico-nationalisme, les œuvres d'art québécoises du XIXe siècle s'illustrent par leur attachement à un esthétisme désuet. Néanmoins encouragés par de grands collectionneurs montréalais, des peintres locaux adhèrent à des courants quelque peu novateurs à la fin du XIXe siècle et au début du XXe siècle. Il y a d'abord la vogue des paysagistes qui, comme Lucius R. O'Brien, font l'éloge de la beauté du pays. La peinture à la manière de l'école de Barbizon, s'appliquant à représenter le mode de vie pastoral, bénéficie également d'une certaine reconnaissance. Puis, inspirés par l'école de La Haye, des peintres comme Edmund Morris introduisent timidement le subjectivisme dans leurs œuvres.

Les peintures d'Ozias Leduc, qui s'inscrivent dans le courant symboliste, démontrent aussi une tendance à l'interprétation subjective de la réalité, tout comme les sculptures d'Alfred Laliberté réalisées au début du XXe siècle. Quelques créations de l'époque laissent entrevoir une certaine perméabilité aux courants européens, comme c'est le cas des tableaux de Marc-Aurèle de Foy Suzor-Coté. Toutefois, la peinture de James Wilson Morrice, inspirée de Matisse, permet de mieux sentir l'empreinte des écoles européennes. Mort en 1924, Morrice est perçu par plusieurs comme le précurseur de l'art moderne au Québec. Il faudra néanmoins attendre plusieurs années, marquées notamment par les peintures très attrayantes de Marc-Aurèle Fortin, paysagiste mais aussi peintre urbain, avant que l'art visuel québécois ne se place au diapason des courants contemporains.

L'art moderne québécois commence d'abord à s'affirmer au cours de la Seconde Guerre mondiale grâce aux œuvres avant-gardistes d'Alfred Pellan et de Paul-Émile Borduas. Dans les années 1950, on distingue deux courants artistiques d'après-guerre importants. Le premier est le non-figuratif, que l'on divise en deux tendances: l'expressionnisme abstrait, dont se réclament Marcelle Ferron, Marcel Barbeau, Pierre Gauvreau et surtout Jean Paul Riopelle, et l'abstraction géométrique, où s'illustrent particulièrement Jean-Paul Jérôme, Fernand Leduc, Fernand Toupin, Louis Belzile et Rodolphe de Repentigny. Le second, le nouveau figuratif, comprend des peintres tels que Jean Dallaire et surtout Jean Paul Lemieux.

Les tendances de l'après-guerre s'imposent toujours dans les années 1960, quoique l'arrivée de nouveaux créateurs cristallise la sphère de l'abstraction géométrique. Par ailleurs, le domaine de la gravure et de l'estampe connaît un essor certain, les *happenings* se multiplient, et l'on n'hésite plus à mettre les artistes à contribution dans l'aménagement des lieux publics. La diversification des procédés et des écoles devient réelle à partir du début des années 1970, jusqu'à présenter aujourd'hui une image très éclatée des arts visuels grâce à l'intégration de la vidéo, de l'audio et des nouvelles technologies.

Arts du cirque

Le Québec peut s'enorgueillir d'une reconnaissance *de jure* sur la scène internationale du cirque grâce entre autres au Cirque du Soleil et au Cirque Éloize. Depuis quelques années, les spectacles de ces cirques ont en effet été présentés à travers le monde à des millions de personnes de tous les âges. Et les talentueux artistes des troupes québécoises ont acquis, avec raison, de la réputation partout où ils se sont exécutés sous les chapiteaux des cinq continents.

› Le Cirque du Soleil

La naissance du Cirque du Soleil remonte à 1984. L'idée de sa conception a germé à Baie-Saint-Paul, dans la région de Charlevoix, où des saltimbanques visionnaires s'étaient réunis pour animer une fête foraine; parmi eux se trouvaient Gilles Sainte-Croix et Guy Laliberté, le fondateur.

L'univers onirique du Cirque du Soleil renferme un alliage savant d'éléments liés à l'art du cirque (sans animaux, précisons-le), du théâtre, de la danse et de la musique. Le déroulement d'une représentation demeure continu, sans interruption ou coupures de rythme, pour former de merveilleux tableaux vivants et poétiques.

Aujourd'hui, plus de 3 000 employés de 40 nationalités différentes s'affairent dans les domaines de la diffusion, de la création et de la production des spectacles. Plusieurs chapiteaux permanents ont été déployés dans le monde. Le siège social international du Cirque du Soleil se trouve à Montréal.

› Le Cirque Éloize

Fondé en 1993 par des jeunes des Îles de la Madeleine diplômés de l'École nationale de cirque de Montréal, notamment Jeannot Painchaud, le Cirque Éloize ne cesse depuis de faire parler de lui, et ce, à travers le monde entier. Reconnus dès leurs débuts pour leurs prouesses techniques empreintes de poésie et d'originalité, les saltimbanques de la troupe tiennent le cap: émouvoir le spectateur par les numéros d'acrobatie, la danse, le chant, la musique, le rêve et la beauté.

En 2005, le Cirque Éloize a emménagé dans l'ancienne gare Dalhousie, dans le Vieux-Montréal, sur les lieux mêmes où les membres fondateurs avaient fait leurs premières armes – cette gare avait abrité de 1986 à 2003 l'École nationale de cirque de Montréal.

› TOHU, la Cité des arts du cirque

TOHU est un organisme à but non lucratif fondé à Montréal en 1999 par En Piste (le Regroupement québécois des professionnels de cirque), l'École nationale de cirque et le Cirque du Soleil. Ses objectifs sont de faire de la métropole québécoise, Montréal, une capitale internationale des arts du cirque, de participer à la remise en état du site de l'ancienne carrière Miron, aujourd'hui le Complexe environnemental de Saint-Michel, où elle est implantée, et de ranimer le quartier Saint-Michel qui l'entoure.

Au départ, l'idée d'une cité des arts du cirque est de concentrer, sur un même site, les infrastructures de création, de formation, de production et de diffusion des arts du cirque. Cinq ans après la fondation de l'organisme, le rêve est devenu réalité. On trouve aujourd'hui à la TOHU, la Cité des arts du cirque: le siège social international du Cirque du Soleil (avec 1 600 employés sur place) et son centre d'hébergement des artistes; l'École nationale de cirque, qui renferme également les locaux du regroupement En Piste; ainsi que le pavillon de la TOHU. Seul édifice public sur le territoire de la TOHU, le pavillon de la TOHU se présente comme un exemple unique d'architecture verte. En plus de loger la toute première salle de spectacle circulaire au Canada, il tient lieu de porte d'entrée au Complexe environnemental de Saint-Michel, et la grande place extérieure qui l'avoisine permet l'installation d'un chapiteau démontable pouvant accueillir 1 700 spectateurs.

Architecture

À la fin du Régime français, Montréal a l'aspect d'une petite ville de province française bien contenue dans ses murs. Elle se pare d'églises pointant leurs clochers au-dessus des enceintes, de couvents, de collèges, d'hôpitaux et de demeures aristocratiques et bourgeoises entourées de jardins à la française. Une place d'armes et une place du marché viennent se joindre à cette courte liste.

L'architecture de Montréal diffère légèrement de celle des campagnes. La première préoccupation demeure l'éternel combat contre le froid, auquel il faut ajouter la prévention des incendies, car ceux-ci peuvent facilement devenir des conflagrations majeures en l'absence de service d'incendie efficace. Deux édits des intendants de Nouvelle-France, parus en 1721 et 1727, codifient la construction à l'intérieur des murs des villes. Les maisons de bois et les toitures mansardées, dont la charpente touffue présente un réel danger, sont interdites; tous les bâtiments devront être en pierres et dotés de murs coupe-feu; les planchers des greniers devront être recouverts de carreaux de terre cuite. Les plus pauvres, qui ne peuvent satisfaire à des exigences aussi coûteuses, iront former les premiers faubourgs à l'extérieur des enceintes. Ils y construisent des maisons de bois dont il ne subsiste plus que de rares exemples. L'architecture demeure partout sobre et fonctionnelle.

La construction de l'église Notre-Dame à Montréal entre 1824 et 1829, édifice de style néogothique, annonce la période de l'historicisme dans l'architecture montréalaise et québécoise. D'abord marginal, l'historicisme en viendra à dominer le paysage des villes du Québec dans la seconde moitié du XIXe siècle. Il se définit par l'emploi d'éléments décoratifs tirés des différentes époques de l'histoire de l'architecture, remis au goût du jour grâce aux découvertes archéologiques, à l'invention de la photographie et à la popularité du roman historique, diffusé à travers le monde.

La période victorienne peut sembler contradictoire. Si elle s'inspire du passé en matière de décor architectural, elle se tourne résolument vers l'avenir en ce qui a trait au confort. Ainsi, on ne compte plus les innovations technologiques de cette époque qui rendent la vie des citadins plus agréable: eau courante, réservoirs d'eau chaude automatiques, multiplication des salles de bain, chauffage central, téléphone, électricité.

Le pouvoir d'attraction des villes est insurmontable, malgré les salaires de misère. Les «déracinés» des campagnes veulent retrouver en ville un peu de leur maison de ferme: galeries et balcons, pièces nombreuses et lumineuses, espaces de rangement multiples, qui serviront à l'occasion de poulailler ou d'étable. L'ensemble ne doit pas coûter trop cher à chauffer et être relativement facile d'entretien. L'habitat type montréalais était né! Ses escaliers extérieurs, qui doivent se contorsionner afin d'atteindre l'étage dans l'espace restreint disponible entre le trottoir et le balcon, évitent aux citadins d'avoir à chauffer une cage d'escalier intérieure. Ses balcons rappellent la galerie rurale et donnent un accès direct aux logements (un ou deux par étage), qui possèdent leur propre entrée extérieure individuelle.

De 1900 à 1930, des milliers de duplex, triplex, quadruplex et quintuplex seront construits le long des avenues rectilignes de Montréal. Ces immeubles de deux ou trois étages à structure de planches de bois, emboîtées les unes dans les autres, sont revêtus soit de la pierre calcaire locale, soit de briques, dont il existe une variété infinie. Même s'il est avant tout économique, l'habitat type montréalais se pare d'une corniche ou d'un parapet très orné, de balcons à colonnes toscanes et de beaux vitraux d'inspiration Art nouveau.

Au tournant des années 1930, on verra toutefois apparaître quelques bâtiments neufs s'inspirant des réalisations de la Nouvelle-France. La Révolution tranquille des années 1960 encouragera heureusement une conscientisation plus large de la population face à son patrimoine de tradition française. Ce sera le début d'une ère de décapage et de restauration minutieuse.

Toutefois, pendant qu'un certain patrimoine se voit remis à l'honneur, un autre, celui du XIXe siècle, tombe massivement sous le pic du démolisseur. Cette saignée ne sera stoppée qu'au début des années 1980. On s'efforce encore de colmater les brèches causées par des vagues de démolition comparables aux bombardements de la guerre, qui ont laissé des terrains vacants jusqu'au cœur de la ville.

Les contacts privilégiés qu'entretiennent les architectes et artistes québécois avec Paris, Bruxelles et Londres depuis toujours n'empêcheront pas les décideurs d'opter d'emblée pour l'Amérique au début du XXe siècle. Ainsi, les premiers gratte-ciel percent l'horizon montréalais en 1928, à la suite de l'abrogation définitive d'un règlement limitant la hauteur des édifices à 10 étages. C'est ainsi que le Vieux-Montréal, considéré jusqu'alors comme le centre névralgique de la ville, est détrôné peu à peu par le développement d'un secteur commercial dominé par la rue Sainte-Catherine. Des architectes célèbres, venus des États-Unis, dessineront plusieurs des tours montréalaises, donnant au centre-ville de la métropole sa configuration très nord-américaine. L'Art déco français, géomé-

Phyllis Lambert et le Centre Canadien d'Architecture

Phyllis Lambert a participé, depuis la fin des années 1950, à plusieurs projets d'envergure comme architecte-consultante ou conceptrice. Mais son œuvre majeure, à titre d'architecte-conseil – auprès de Peter Rose –, sera en 1989 le Centre Canadien d'Architecture (CCA), dont elle est aussi la fondatrice et fut le premier directeur.

De calibre international, ce musée doublé d'un centre d'étude abrite une des plus vastes collections de documents d'archives, de livres, de photographies et de dessins d'architecture au monde. Spécialiste de la préservation en architecture, Phyllis Lambert a publié de nombreux ouvrages, entre autres sur la ville de Montréal, et a reçu de nombreux honneurs : Compagnon de l'Ordre du Canada, chevalier de l'Ordre national du Québec, chevalier de l'Ordre de la Pléiade et officier de l'Ordre des Arts et Lettres ainsi que des doctorats honorifiques. Sa carrière a été couronnée en 1997 par le prestigieux prix Hadrian, décerné par le World Monuments Fund (WMF).

trique ou aérodynamique, dont il existe de bons exemples dans toutes les régions du Québec, sera supplanté par l'architecture moderne américaine après la Seconde Guerre mondiale. Or, il faut attendre la fin des années 1950 pour voir fleurir à nouveau l'espace urbain du centre-ville. Avec la construction du boulevard Dorchester (aujourd'hui le boulevard René-Lévesque), on assiste notamment à l'érection de la Place Ville Marie, qui ouvre ses portes en 1962. Enfin, l'inauguration du métro en 1966 et l'Exposition universelle tenue à Montréal en 1967 ont été l'occasion de doter la métropole d'une architecture internationale, audacieuse et exemplaire.

Au début des années 1980, la lassitude engendrée par la répétition *ad nauseam* des mêmes formules décrétées par les modernistes provoque un retour vers les formes du passé à travers le postmodernisme, qui mêle volontiers verre réfléchissant et granit poli dans des compositions rappelant l'Art déco ou le néoclassicisme. Les années 1990-2000 présentent, quant à elles, deux pôles opposés: l'aboutissement du postmodernisme, sous une forme d'architecture romantique traditionnelle, et la recherche d'une architecture nouvelle ultramoderne faisant appel à des matériaux nouveaux.

En 2006, Montréal a été désignée comme «Ville UNESCO de design» par l'Alliance globale pour la diversité culturelle. La ville fait donc désormais partie du Réseau des villes créatives, dont elle est la première ville d'Amérique du Nord à être reconnue par l'UNESCO dans le domaine du design. L'aménagement du Quartier international de Montréal en est en quelque sorte la signature.

Renseignements généraux

Formalités d'entrée 58
Accès et déplacements 60
Renseignements utiles, de A à Z 65

Le présent chapitre a pour but de vous aider à planifier votre voyage avant votre départ et une fois sur place. Ainsi, il offre une foule de renseignements précieux aux visiteurs venant de l'extérieur quant aux procédures d'entrée au Canada et aux formalités douanières. Il renferme aussi plusieurs indications générales qui pourront vous être utiles lors de vos déplacements.

Formalités d'entrée

› Passeport et visa

Pour la plupart des citoyens des pays de l'Europe de l'Ouest, un passeport valide suffit, et aucun visa n'est requis pour un séjour de moins de trois mois au Canada. Il est possible de demander une prolongation de trois mois (voir ci-dessous). Un billet de retour ainsi qu'une preuve de fonds suffisants pour couvrir le séjour peuvent être demandés. Pour connaître la liste des pays dont les citoyens doivent faire une demande de visa de séjour, consultez la page du Bureau canadien des visas sur le site Internet de **Citoyenneté et Immigration Canada (CIC)** *(✆ 888-242-2100, www.cic.gc.ca)*.

Prolongation du séjour

Il faut adresser sa demande par écrit au moins trois semaines avant l'expiration de la période autorisée (date inscrite dans le passeport) à l'un des centres de CIC (voir les adresses sur le site Internet). Votre passeport valide, un billet de retour, une preuve de fonds suffisants pour couvrir le séjour ainsi que 75$ pour les frais de dossier (non remboursables) vous seront réclamés.

Avertissement: dans certains cas (études, travail), la demande doit obligatoirement être faite avant votre arrivée au Canada. Consultez le site Internet de CIC pour connaître tous les détails.

Séjour aux États-Unis

Pour entrer aux États-Unis, que ce soit par avion, voiture, bateau ou tout autre mode de transport, les citoyens canadiens ont besoin d'un passeport depuis le 23 janvier 2007. Les résidants d'une trentaine de pays dont la France, la Belgique et la Suisse, en voyage de tourisme ou d'affaires, n'ont plus besoin d'être en possession d'un visa pour entrer aux États-Unis à condition de:

- avoir un billet d'avion aller-retour;
- présenter un passeport électronique sauf s'ils possèdent un passeport individuel à lecture optique en cours de validité et émis au plus tard le 25 octobre 2005; à défaut, l'obtention d'un visa sera obligatoire;
- projeter un séjour d'au plus 90 jours (le séjour ne peut être prolongé sur place: le visiteur ne peut changer de statut, accepter un emploi ou étudier);
- présenter des preuves de solvabilité (carte de crédit, chèques de voyage);
- remplir le formulaire de demande d'exemption de visa (formulaire I-94W) remis par la compagnie de transport pendant le vol;
- le visa est toujours nécessaire pour certaines catégories de voyageurs (étudiants ou visa précédemment refusé).

› Douane

Si vous apportez des cadeaux à des amis canadiens, n'oubliez pas qu'il existe certaines restrictions.

Pour les **fumeurs** *(au Québec, l'âge légal pour acheter des produits du tabac est de 18 ans)*, la quantité maximale est de 200 cigarettes, 50 cigares, 200 g de tabac ou 200 bâtonnets de tabac.

Pour les **alcools** *(au Québec, l'âge légal pour acheter et consommer de l'alcool est de 18 ans)*, le maximum permis est de 1,5 litre de vin (en pratique, on tolère deux bouteilles par personne), 1,14 litre de spiritueux et, pour la bière, 24 canettes ou bouteilles de 355 ml.

L'ÎLE DE MONTRÉAL ET SES ENVIRONS

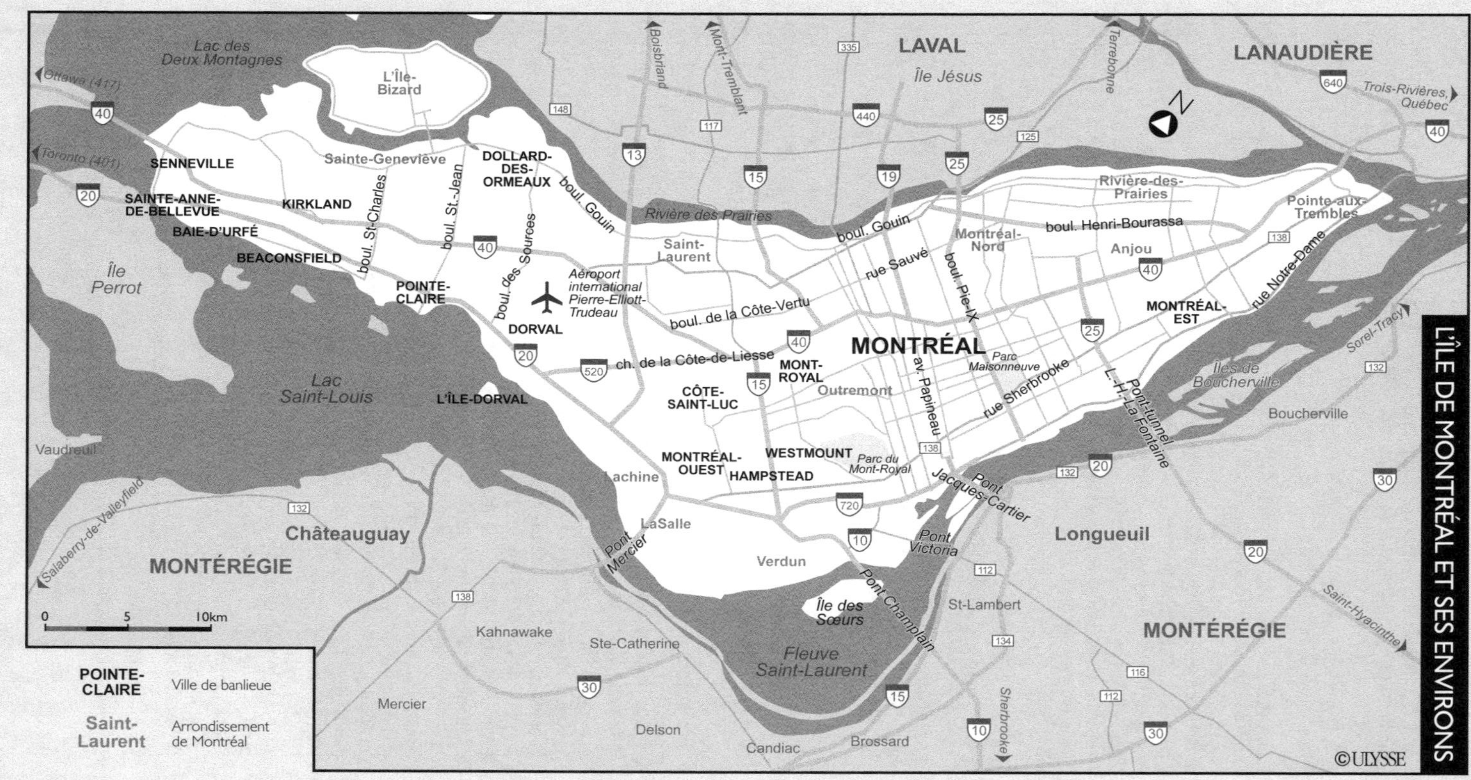

Pour de plus amples renseignements sur les lois régissant les douanes canadiennes, contactez l'**Agence des services frontaliers du Canada** *(✆ 800-959-2036 de l'intérieur du Canada – appels gratuits, ✆ 204-983-3700 ou 506-636-5067 de l'extérieur du Canada – frais d'appel; www.cbsa-asfc.gc.ca)*.

Il existe des règles très strictes concernant l'importation de **plantes** ou de **fleurs**; aussi est-il préférable, en raison de la sévérité de la réglementation, de ne pas apporter ce genre de cadeau. Si toutefois cela s'avère «indispensable», il est vivement conseillé de s'adresser au service de l'**Agence canadienne d'inspection des aliments** *(www. inspection.gc.ca)* ou à l'ambassade du Canada de son pays **avant** de partir.

Si vous voyagez avec un **animal de compagnie**, il vous sera demandé un certificat de santé (document fourni par un vétérinaire) ainsi qu'un certificat de vaccination contre la rage. La vaccination de l'animal devra avoir été faite **au moins 30 jours avant** votre départ et ne devra pas être plus ancienne qu'un an.

Accès et déplacements

› En avion

Aéroport international Pierre-Elliott-Trudeau de Montréal

L'aéroport international Pierre-Elliott-Trudeau de Montréal, nommé en hommage à l'ancien premier ministre canadien et que l'on peut aussi tout simplement appeler «**Montréal-Trudeau**», est situé à une vingtaine de kilomètres du centre-ville de Montréal, soit à plus ou moins 20 min en voiture. Pour se rendre au centre-ville au départ de l'aéroport, il faut prendre l'autoroute 20 Est jusqu'à la jonction avec l'autoroute Ville-Marie (720), direction «Centre-ville, Vieux-Montréal».

Pour tout renseignement concernant les services d'aéroport (arrivées, départs et autres), contactez le Centre d'information des **Aéroports de Montréal (ADM)** *(✆ 514-394-7377 ou 800-465-1213, www.admtl.com)*.

Accès à la ville par navette

L'**Aérobus**, de la compagnie d'autocars **La Québécoise** *(✆ 514-631-1856, www.autobus.qc.ca)*, propose son service de navette entre la gare d'autocars de Montréal *(Station Centrale, 505 boul. De Maisonneuve, E., ✆ 514-842-2281; métro Berri-UQAM)* et l'aéroport Montréal-Trudeau *(quai nº 5 à l'international – billetterie sur place)*. Ce service comprend également la navette gratuite par minibus qui relie les principaux hôtels du centre-ville de Montréal à la Station Centrale *(sur réservation au ✆ 514-631-1856)*.

De l'aéroport Montréal-Trudeau à la Station Centrale ou de la Station Centrale à l'aéroport Montréal-Trudeau: les départs se font aux heures de 7h à 9h et de 21h à 6h et aux demi-heures de 9h à 21h. Coût: 16$ aller simple; 26$ aller-retour.

Accès au centre-ville ou à l'aéroport en transport en commun

Pour se rendre à l'aéroport Montréal-Trudeau ou au centre-ville, il est aussi possible d'utiliser le service de transport en commun de la **Société de transport de Montréal (STM)** *(2,75$ en monnaie exacte; ✆ 514-288-6287 pour les autobus, ✆ 514-786-4636 pour le métro, www.stm.info)*. Au départ de l'aéroport: il faut prendre l'autobus 204 Cardinal vers l'est jusqu'à la gare Dorval, puis le train (4,75$) jusqu'à la Gare centrale de Montréal *(895 rue De La Gauchetière O.)*, ou l'autobus 211 (gratuit avec le billet de correspondance du bus 204) vers l'est jusqu'à la station de métro Lionel-Groulx. Le métrobus Lionel-Groulx (221), plus rapide mais à l'horaire restreint, passe aussi par la gare Dorval. Et pour se rendre à l'aéroport à partir de la ville, il s'agit de faire cet itinéraire dans le sens contraire.

Accès à la ville par taxi

L'aéroport Montréal-Trudeau est desservi par de nombreuses voitures de taxi. Le tarif fixe pour le centre-ville se chiffre à 38$. Tous les taxis desservant l'aéroport Montréal-Trudeau sont tenus d'accepter les principales cartes de crédit.

Location de voitures

La plupart des grandes compagnies de location de voitures sont représentées à l'aéroport Montréal-Trudeau.

Principales compagnies aériennes

› Vols réguliers

	En France	Au Canada	
Air Canada	08 25 88 08 81	888-247-2262	www.aircanada.com
Air France	08 20 32 08 20	800-667-2747	www.airfrance.com
American Airlines	01 55 17 43 41	800-433-7300	www.aa.com
British Airways	08 25 89 28 92	800-247-9297	www.britishairways.com
Delta Airlines	08 11 64 00 05	800-361-1970	www.delta.com
KLM	08 92 70 26 08	800-225-2525	www.nwa.com
Lufthansa	08 26 10 33 34	800-563-5954	www.lufthansa.com
Swiss	08 20 04 05 06	877-359-7947	www.swiss.com
US Airways	08 10 63 22 22	800-432-9768	www.usairways.com

› Vols charters

	En France	Au Canada	
Air Transat	08 25 12 02 48	514-636-3630	www.airtransat.com
Corsair Fly	08 20 04 20 42	514-871-3003	www.corsairfly.com

› Vols intérieurs

	Au Canada	
Air Canada Jazz	888-247-2262	www.voljazz.ca
Canjet	800-809-7777	www.canjet.com
Porter	888-619-8622	www.flyporter.com
WestJet	888-937-8538	www.westjet.com

› En voiture

Voies d'accès

Si vous partez de Québec, vous pouvez emprunter l'autoroute 20 Ouest jusqu'au pont Champlain, puis prendre l'autoroute Bonaventure, qui mène directement au centre-ville. Vous pouvez aussi arriver par l'autoroute 40 Ouest, que vous devez emprunter jusqu'à l'autoroute Décarie (15), d'où vous devez suivre les indications vers le centre-ville.

En arrivant d'Ottawa, empruntez l'autoroute 40 Est jusqu'à l'autoroute Décarie (15), que vous devez prendre en suivant les indications vers le centre-ville.

De Toronto, vous arrivez sur l'île de Montréal par l'autoroute 20 Est, puis vous devez prendre l'autoroute Ville-Marie (720) en suivant les indications vers le centre-ville.

Des États-Unis, en arrivant par l'autoroute 10 (Cantons-de-l'Est) ou l'autoroute 15, vous entrez à Montréal par le pont Champlain et l'autoroute Bonaventure.

En ville

La ville de Montréal étant bien desservie par les transports publics et le taxi, il n'est pas nécessaire d'utiliser une voiture pour la visiter. D'autant plus que la majorité des attraits touristiques sont relativement rapprochés les uns des autres, et que tous les circuits que nous vous proposons se font à pied, sauf «L'ouest de l'île». Il est néanmoins aisé de se déplacer en voiture. Au centre-ville, les places de stationnement, bien qu'assez chères, sont nombreuses. Il est possible de se garer dans la rue, mais il faut être attentif aux panneaux limitant les périodes de stationnement. Le contrôle des véhicules mal garés est fréquent et sévère.

Quelques conseils

En **hiver**, le déneigement après une tempête vous oblige à déplacer votre voiture lorsque des panneaux l'annonçant sont disposés dans les rues. De plus, un véhicule émettant un signal avertisseur vous rappellera de dégager la voie.

Le **Code de la sécurité routière:** lorsqu'un **autobus scolaire** (de couleur jaune) est à l'arrêt (feux clignotants allumés), vous devez obligatoirement vous arrêter, quelle que soit la voie où vous circulez. Tout manquement à cette règle est considéré comme une faute grave.

Le port de la **ceinture de sécurité** est obligatoire, même pour les passagers arrière.

Attention aux **voies réservées aux autobus**! Elles sont identifiées par un large losange blanc peint sur la chaussée ainsi que par des panneaux qui indiquent clairement les heures pendant lesquelles vous devez vous abstenir de circuler dans ces voies, sauf, bien sûr, pour effectuer un virage à droite.

Principales compagnies de location de voitures

Avis	☎ 800-879-2847	www.avis.com
Budget	☎ 800-268-8970	www.budget.com
Dollar	☎ 800-800-4000	www.dollarcanada.ca
Enterprise	☎ 800-261-7331	www.enterprise.com
Hertz	☎ 800-263-0678	www.hertz.ca
National	☎ 800-227-7368	www.nationalcar.ca
Thrifty	☎ 800-847-4389	www.thrifty.com

Notez que le **virage à droite au feu rouge** est interdit partout sur l'île de Montréal. Ailleurs au Québec, il est autorisé, sauf aux intersections où il y a un panneau d'interdiction.

Les **sens uniques** sont nombreux à Montréal et peuvent parfois vous faire tourner en rond. Une rue peut par exemple être à sens unique vers le nord puis devenir à sens unique vers le sud un peu plus loin. Cependant, leur direction alterne généralement: si une rue va vers le nord, habituellement la suivante va vers le sud. Surveillez bien les panneaux de signalisation!

Location de voitures

Un forfait incluant avion, hôtel et voiture, ou simplement hôtel et voiture, peut être moins cher que la location sur place. Nous vous conseillons de comparer. De nombreuses agences de voyages collaborent avec les compagnies les plus connues (Avis, Budget, Hertz et autres) et pratiquent des tarifs avantageux, souvent accompagnés de primes (par exemple, rabais pour spectacles).

Sur place, vérifiez si le contrat comprend le kilométrage illimité ou non et si l'assurance proposée vous couvre complètement (accidents, dégâts matériels, frais d'hôpitaux, passagers, vols).

Certaines cartes de crédit, les cartes Or par exemple, vous assurent automatiquement contre les collisions et le vol du véhicule; avant de louer un véhicule, vérifiez que votre carte vous offre bien ces deux protections.

Rappelez-vous:

- Il faut avoir au moins 21 ans et posséder son permis depuis au moins un an pour louer une voiture. Toutefois, si vous avez entre 21 et 25 ans, certaines compagnies imposeront une franchise collision de 500$ et parfois un supplément journalier. À partir de l'âge de 25 ans, ces conditions ne s'appliquent plus.
- Une carte de crédit est indispensable pour le dépôt de garantie. La carte de crédit doit être au même nom que le permis de conduire.
- Dans la majorité des cas, les voitures louées sont dotées d'une transmission automatique.
- Les sièges de sécurité pour enfants sont en supplément dans la location.

Accidents et pannes

En cas d'accident grave, d'incendie ou d'une autre urgence, composez le ☎ 911 ou le 0. Si vous vous trouvez sur l'autoroute, rangez-vous sur l'accotement et faites fonctionner vos feux de détresse. S'il s'agit d'une voiture louée, vous devrez avertir au plus tôt l'entreprise de location. N'oubliez jamais de remplir une déclaration d'accident (constat à l'amiable). En cas de désaccord, demandez l'aide de la police.

› En autocar

La **Station Centrale** *(505 boul. De Maisonneuve E., ☎ 514-842-2281; métro Berri-UQAM)*, située à l'angle de la rue Berri et du boulevard De Maisonneuve, est la gare d'autocars de Montréal. Elle est desservie par des compagnies comme **Greyhound** *(☎ 800-661-8747, www.greyhound.ca)* et **Orléans Express** *(☎ 888-999-3977, www.orleansexpress.com)*. On y trouve un kiosque d'information touristique et des comptoirs de location de voitures. La gare est bâtie juste au-dessus de la station de métro Berri-UQAM.

› En train

Voyager en train avec VIA Rail est un excellent moyen de se rendre à Montréal en toute tranquillité, aussi bien en classe économique (Confort) qu'en classe supérieure (VIA 1). Cette dernière offre des privilèges tout confort qui permettent entre autres aux gens d'affaires d'avoir accès gratuitement au réseau Internet sans fil; les sièges sont confortables et le service toujours courtois.

La gare de trains de Montréal, la **Gare centrale** *(895 rue De La Gauchetière O., ☎ 514-989-2626 ou 888-842-7245, www.viarail.ca; métro Bonaventure)*, se trouve en plein centre-ville.

› En bateau

Toutes les navettes fluviales accueillent les piétons et les cyclistes. Téléphonez, avant de vous rendre aux quais des navettes, pour vous informer des horaires.

Les **Croisières AML** *(✆ 514-281-8000, www.navettesmaritimes.com)*, qui gèrent les **Navettes fluviales du Saint-Laurent**, assurent la liaison entre le Vieux-Port de Montréal (quai Jacques-Cartier) et l'île Sainte-Hélène *(6$; mi-juin à début sept tlj, mi-mai à mi-juin et début sept à mi-oct sam-dim)* ou le port de plaisance de Longueuil *(même tarif, même horaire)*.

Les **Croisières Navark** *(✆ 514-871-8356, www.navark.net)*, quant à elles, disposent d'un **bateau-passeur** *(3,50$ incluant le droit d'entrée au parc national des Îles-de-Boucherville; en été, sam-dim et jours fériés)* qui fait la navette entre le parc de la Promenade Bellerive (à Montréal-Est) et l'île Charron, qui donne accès au parc national. Les Croisières Navark offrent également un service de **navette** *(7,50$; en été, sam-dim et jours fériés; traversée de 50 min)* sur le lac Saint-Louis, entre la marina de Lachine et le parc de la Commune à Châteauguay, situé près de l'île Saint-Bernard.

› En transports en commun

Autobus et métro

Il est fort aisé de visiter Montréal en ayant recours aux transports publics, car la ville est pourvue d'un réseau d'autobus et de métro qui couvre bien l'ensemble de son territoire. Les stations de métro se remarquent au panneau fléché bleu et blanc portant l'inscription «Métro». Les arrêts d'autobus, identifiés par un poteau surmonté d'un petit panneau blanc et bleu, se trouvent au coin des rues.

Pour utiliser le réseau de la **Société de transport de Montréal (STM)** *(www.stm.info)*, on doit se procurer une carte OPUS (rechargeable) au prix de 70$ (valable pour un mois) ou de 20,50$ (valable pour une semaine). La carte touristique, quant à elle, permet d'utiliser l'autobus et le métro une journée (7$) ou trois jours consécutifs (14$). On peut également acheter une carte pour 6 (13,25$) ou 10 passages (21$), ou encore opter pour payer 2,75$ à chaque voyage. Les enfants bénéficient de prix réduits. Tout adulte ayant un titre de transport valide peut voyager, les samedis, dimanches et jours fériés, avec cinq enfants de moins de 12 ans. Toutes les cartes sont en vente dans les stations de métro. **Notez que les chauffeurs d'autobus ne vendent pas de billets et ne font pas de monnaie.**

Les lignes verte et orange du métro sont en service du lundi au vendredi et le dimanche de 5h30 à minuit et demi ainsi que le samedi de 5h30 à 1h. La ligne jaune, quant à elle, est en service du lundi au vendredi et le dimanche de 5h30 à 1h ainsi que le samedi de 5h30 à 1h30. La ligne bleue, pour sa part, fonctionne tous les jours de 5h30 à minuit et quart.

La plupart des circuits d'autobus suivent le même horaire que le métro. Cependant, il existe des lignes d'autobus de nuit, identifiées à chaque arrêt par une demi-lune. Les autobus de nuit circulent donc de minuit à 5h le long des artères principales de la ville et à une fréquence somme toute assez régulière. Aux principaux arrêts du réseau, un petit panneau donne l'horaire du passage des autobus ainsi que le parcours qu'ils effectuent.

Notez qu'un service appelé «Entre deux arrêts» permet aux femmes qui en sentent la nécessité de se faire déposer où elles le désirent sur le trajet d'un autobus à partir de 19h30 de septembre à avril et à partir de 21h de mai à août, pourvu qu'elles en fassent la demande à l'avance au chauffeur et que celui-ci juge sécuritaire de s'arrêter à l'endroit désiré. De plus, certains autobus de la STM sont adaptés pour les personnes à mobilité réduite.

À la station Berri-UQAM, il est possible de se procurer les Planibus, l'horaire détaillé et le circuit de chaque autobus du réseau. C'est de plus à cette station que vous pouvez récupérer, pendant les heures de bureau, les petits objets oubliés dans le métro ou dans les autobus.

Pour connaître les horaires des autobus, composez le ✆ 514-288-6287 (correspondant aux lettres du mot «AUTOBUS» sur le clavier du téléphone). Pour toute autre information, visitez le site Internet *www.stm.info* ou composez le ✆ 514-786-4636.

Trains de banlieue

Les trains de banlieue sont sous la responsabilité de l'**Agence métropolitaine de transport (AMT)** *(✆ 514-287-8726, www.amt.qc.ca)*. Il existe six lignes de trains de banlieue comportant de nombreuses gares, et il est possible d'y transporter un vélo: Montréal/Dorion–Rigaud, Montréal/Deux-Montagnes, Montréal/Blainville–Saint-

Jérôme, Montréal/Mont-Saint-Hilaire et Montréal/Delson–Candiac. Les points de vente de titres de transport pour les trains de banlieue sont multiples, les plus importants étant les billetteries métropolitaines Angrignon, Gare centrale, gare Lucien-L'Allier, gare Parc, gare Sainte-Thérèse, gare Vendôme, Radisson, terminus Cartier, terminus Centre-ville, terminus Longueuil, terminus Montmorency et terminus Le Carrefour. L'horaire est varié, de même que les tarifs.

Au centre-ville de Montréal, la gare Lucien-L'Allier *(1290 rue De La Gauchetière O.)* est aujourd'hui le point de correspondance pour trois lignes de trains de banlieue, et l'on projette d'en faire, d'ici quelques années, une gare intermodale où la navette ferroviaire en provenance de l'aéroport Montréal-Trudeau aboutirait.

› En taxi

Taxi Co-op
✆ 514-725-9885

Taxi Diamond
✆ 514-273-6331

Taxi Royal
✆ 514-274-3333

› À vélo

Le vélo demeure un des moyens les plus agréables pour se déplacer en été. Des pistes cyclables ont été aménagées afin de permettre aux cyclistes de se promener dans nombre de quartiers de la ville. Pour faciliter ses déplacements, on peut se procurer une carte des pistes cyclables aux bureaux d'information touristique, ou encore acheter le guide Ulysse *Le Québec cyclable*.

La **Société de transport de Montréal (STM)** *(✆ 514-786-4636, www.stm.info)* permet aux usagers de transporter un vélo dans le métro, mais pose certaines conditions.

En tout temps, les cyclistes peuvent garer leur vélo près d'une station de métro, la STM mettant à leur disposition plusieurs supports à bicyclettes.

Sur les trains de banlieue, qui sont sous la responsabilité de l'**Agence métropolitaine de transport (AMT)** *(✆ 514-287-8726, www.amt.qc.ca)*, on peut aussi transporter un vélo.

Les automobilistes n'étant pas toujours attentifs, les cyclistes doivent être vigilants et sont d'ailleurs tenus de respecter la signalisation routière et de prendre garde aux intersections. En outre, bien que le casque de sécurité ne soit pas encore obligatoire à Montréal, il est fortement conseillé d'en porter un.

Pour plus de renseignements sur les organismes cyclistes reconnus, les boutiques de vélos et les plus beaux endroits où pédaler, référez-vous au chapitre «Plein air», section Vélo, du présent guide.

En 2009, la Ville de Montréal a inauguré **Bixi** (voir p. 199), son service de location de vélos. Très pratique pour les déplacements de 30 min ou moins.

› À pied

Montréal est une ville on ne peut plus facile à parcourir. Sa trame de rues forme un échiquier presque parfait avec ses artères courant du nord au sud ou de l'est à l'ouest.

Les artères est-ouest sont divisées par le boulevard Saint-Laurent. Ainsi, les adresses dans ces rues débutent à zéro au niveau du boulevard Saint-Laurent et vont croissant soit vers l'est, soit vers l'ouest. Le point cardinal est généralement ajouté au nom de ces rues.

Sur les artères nord-sud, les adresses se suivent aussi en commençant à zéro au fleuve (sud de l'île). Le n° 4176 de la rue Saint-Denis se trouve à peu près à la même hauteur que le n° 4176 de la rue Papineau ou de la rue Saint-Urbain. Consultez le plan de la numérotation civique à Montréal (voir en fin d'ouvrage) pour apprendre à vous orienter rapidement.

Renseignements utiles, de A à Z

› Aînés

Pour les personnes du troisième âge qui désirent rencontrer des Québécois du même groupe d'âge, il existe une fédération qui réunit la plupart des associations de personnes âgées de 55 ans et plus. Cette fédération pourra vous indiquer, selon l'endroit que vous voulez visiter, les activités et les adresses des associations locales.

Des tarifs très avantageux pour les transports et les spectacles sont souvent offerts aux aînés. N'hésitez pas à les demander ou à contacter le **Mouvement des aînés du Québec** *(4545 av. Pierre-De Coubertin, C.P. 1000, Montréal, QC, H1V 3R2, ☎ 514-252-3017 ou 800-828-3344, www.fadoq.ca).*

› Ambassades du Canada

Pour la liste complète des services consulaires à l'étranger, veuillez consulter le site internet du gouvernement canadien: *www.dfait-maeci.gc.ca*.

Belgique

avenue de Tervuren 2, 1040 Bruxelles
métro Mérode
☎ 02 741 06 11
www.international.gc.ca/canadaeuropa/brussels

France

35 avenue Montaigne, 75008 Paris
métro Franklin-Roosevelt
☎ 01 44 43 29 00
www.international.gc.ca/canadaeuropa/france

Suisse

Kirchenfeldstrasse 88, CH-3005, Berne
☎ 357 32 00
www.international.gc.ca/canadaeuropa/switzerland

› Animaux

Si vous avez décidé de voyager avec votre animal de compagnie, sachez qu'en règle générale les animaux sont interdits dans plusieurs commerces, notamment les magasins d'alimentation, les restaurants et les cafés. Il est toutefois possible d'utiliser le service de transport en commun avec les animaux de petite taille s'ils sont dans une cage ou dans vos bras. Enfin, vous pouvez promener votre chien dans tous les parcs, en autant qu'il soit tenu en laisse et que vous ramassiez ses besoins. Sur le Plateau Mont-Royal, le **parc La Fontaine** (voir p. 131), entre autres espaces verts urbains, dispose d'une aire clôturée où les chiens peuvent courir en toute liberté; plusieurs autres parcs de la ville abritent aussi ces aires d'exercice pour chiens.

Taux de change

1$CA	=	0,68€
1$CA	=	0,94$US
1$CA	=	0,99FS
1€	=	1,48$CA
1$US	=	1,06$CA
1FS	=	1,01$CA

N.B. Les taux de change peuvent fluctuer en tout temps.

› Argent et services financiers

Les banques et le change

Le meilleur moyen pour retirer de l'argent consiste à utiliser sa carte bancaire (carte de guichet automatique). Attention, votre banque vous facturera des frais fixes (par exemple 5$CA), et il vaut mieux éviter de retirer trop souvent de petites sommes.

Les cartes de crédit

Les cartes de crédit, outre leur utilité pour retirer de l'argent, sont acceptées à peu près partout. Il est primordial de disposer d'une carte de crédit pour effectuer une location de voiture; et la carte doit être au nom du conducteur. Les cartes les plus facilement acceptées sont, par ordre décroissant, Visa, MasterCard, Diners Club et American Express.

Les chèques de voyage

Les chèques de voyage peuvent être encaissés dans les banques sur simple présentation d'une pièce d'identité (avec frais) et sont acceptés par la plupart des commerçants comme du papier-monnaie.

La monnaie

L'unité monétaire est le dollar ($), lui-même divisé en cents. Un dollar = 100 cents.

La Banque du Canada émet des billets de 5, 10, 20, 50 et 100 dollars, et des pièces de 1, 5, 10, 25 cents ainsi que de 1 et 2 dollars.

› Assurances

Annulation

L'assurance annulation est normalement offerte par l'agent de voyages au moment de l'achat du billet d'avion ou du forfait. Elle permet le remboursement de ces derniers dans le cas où le voyage devrait être annulé, en raison d'une maladie grave ou d'un décès.

Maladie

L'assurance maladie est sans nul doute la plus importante à se procurer avant de partir en voyage, et il est prudent de bien savoir la choisir, car cette police doit être la plus complète possible. Au moment de l'achat de la police, il faudrait veiller à ce qu'elle couvre bien les frais médicaux de tout ordre comme l'hospitalisation, les services infirmiers et les honoraires des médecins (jusqu'à concurrence d'un montant assez élevé) ainsi qu'une clause de rapatriement, pour le cas où les soins requis ne peuvent être administrés sur place. En outre, il peut arriver que vous ayez à débourser le coût des soins en quittant la clinique; il faut donc vérifier ce que prévoit la police dans ce cas. S'il vous arrivait un accident durant votre séjour, vous devriez toujours garder sur vous la preuve que vous avez contracté une assurance maladie, ce qui vous évitera bien des ennuis.

Vol

La plupart des assurances habitation au Canada protègent une partie des biens contre le vol, même si celui-ci a lieu à l'extérieur de la maison. Si cela vous arrivait, n'oubliez toutefois pas d'obtenir un rapport de police, car sans celui-ci vous ne pourrez être remboursé.

› Climat

Montréal bénéficie généralement d'un climat agréable. Du moins y fait-il moins froid qu'ailleurs au Québec! En hiver, les températures peuvent descendre à −25°C. En été, le thermomètre peut monter à plus de 30°C, et la canicule qui frappe en juillet plonge la ville dans une torpeur caractéristique, attirant une grande affluence dans les piscines publiques. Chacune des saisons au Québec a son charme et influe non seulement sur les paysages mais aussi sur le mode de vie des Québécois et leur comportement.

Météo

Pour les prévisions météorologiques, composez le ☎ 514-283-3010. Vous pouvez aussi capter la chaîne câblée MétéoMédia (17) ou visiter son site Internet *(www.meteomedia.com)*. Pour l'état des routes, composez le ☎ 511 ou visitez le site *www.quebec511.gouv.qc.ca*.

› Consulats étrangers

Belgique

Consulat général de Belgique
999 boul. De Maisonneuve O., bureau 1600
Montréal, QC, H3A 3L4
☎ 514-849-7394
www.diplomatie.be/montrealfr

France

Consulat général de France
1501 McGill College, bureau 1000
Montréal, QC, H3A 3M8
☎ 514-878-4385
www.consulfrance-montreal.org

Suisse

Consulat général de Suisse
1572 av. du Docteur-Penfield
Montréal, QC, H3G 1C4
☎ 514-932-7181, 514-932-7182 ou 514-932-9757
www.eda.admin.ch/canada

› Décalage horaire

Au Québec, il est six heures plus tôt qu'en Europe et trois heures plus tard que sur la côte ouest de l'Amérique du Nord. Tout le Québec (sauf les Îles de la Madeleine, qui ont une heure de plus) est à la même heure (dite «heure de l'Est»). Le passage à l'heure avancée se fait le deuxième dimanche de mars; le passage à l'heure normale, le premier dimanche de novembre.

› Drogues

Absolument interdites (même les drogues dites «douces»). Aussi bien les consommateurs que les revendeurs risquent de très gros ennuis s'ils sont trouvés en possession de drogues.

› Électricité

Partout au Québec, la tension est de 110 volts. Les fiches d'électricité sont plates, et l'on peut trouver des adaptateurs sur place.

› Enfants

Dans les transports, en général, les enfants de cinq ans et moins ne paient pas; il existe aussi des rabais pour les 12 ans et moins. Pour les activités ou les spectacles, la même règle s'applique parfois; renseignez-vous avant d'acheter vos billets. Dans la plupart des restaurants, des chaises pour enfants sont disponibles, et certains proposent même des menus pour enfants. Quelques grands magasins disposent aussi d'un service de garderie.

› Fumeurs

La Loi sur le tabac interdit de fumer dans tous les lieux publics fermés, y compris les bars et les restaurants. Les cigarettes se vendent notamment dans les épiceries et les dépanneurs. Il faut être âgé d'au moins 18 ans pour acheter des cigarettes.

› Gays et lesbiennes

Montréal offre de nombreux services à la communauté gay. Ces services sont surtout concentrés dans une zone de la ville appelée **Le Village**, situé principalement le long de la rue Sainte-Catherine entre la rue Amherst et l'avenue Papineau, ainsi que dans les rues attenantes.

Il existe un centre d'aide, d'écoute téléphonique et de renseignements pour les gais et lesbiennes du Québec: **Gai Écoute** *(tlj 8h à 3h; ☎ 514-866-0103 ou 888-505-1010, www.gaiecoute.org)*. Le **Centre communautaire des gais et lesbiennes de Montréal** *(2075 rue Plessis, ☎ 514-528-8424, www.ccglm.org)*, quant à lui, offre des services et activités, ainsi qu'il dispose d'une bibliothèque et d'un centre d'information juridique.

À la fin du mois de juillet ou au début du mois d'août, le grand **Défilé de la fierté LGB2T** a lieu sur le boulevard René-Lévesque; il se termine par des spectacles au parc Émilie-Gamelin. Cet événement est le cœur du **Festival Divers/Cité** *(☎ 514-285-4011, www.diverscite.org)*.

Des magazines gratuits, tels *RG*, *La Voix du Village*, *Être* et *Fugues*, sont disponibles dans les bars et autres commerces gays. Ils contiennent des renseignements sur la communauté gay, tout comme le site Internet **Portail du tourisme gai au Québec** *(www.outtravel.ca)*.

› Horaires

Banques

Les banques sont ouvertes du lundi au vendredi de 10h à 15h. Plusieurs d'entre elles sont ouvertes les jeudis et les vendredis jusqu'à 18h, voire 20h. Le réseau des banques possédant des distributeurs de billets accessibles jour et nuit est vaste.

Bureaux de poste

Les deux principaux bureaux de poste (voir ci-dessous) sont ouverts de 9h à 17h30 du lundi au vendredi *(Postes Canada, ☎ 800-267-1177, www.postescanada.ca)*. Il se trouve aussi de nombreux petits bureaux de poste répartis un peu partout à Montréal, soit dans les centres commerciaux, soit dans certains dépanneurs et même des pharmacies. Ils sont ouverts beaucoup plus tard et aussi le samedi.

1250 rue University
☎ 514-846-5401

Complexe Desjardins
☎ 514-499-9299

Magasins

En règle générale, les magasins respectent l'horaire suivant:

lun-mer 10h à 18h
jeu-ven 10h à 21h
sam 9h ou 10h à 17h
dim 12h à 17h

On trouve également un peu partout au Québec des magasins généraux d'alimentation de quartier (dépanneurs) qui sont ouverts plus tard et parfois 24 heures sur 24.

› Jours fériés

Voici la liste des jours fériés au Québec. À noter: la plupart des services administratifs et des banques sont fermés ces jours-là.

Jour de l'An et le lendemain
1er et 2 janvier

Le vendredi précédant la fête de Pâques

Le lundi suivant la fête de Pâques

Journée nationale des Patriotes
lundi précédant le 25 mai

Fête nationale des Québécois
24 juin

Fête de la Confédération
1er juillet

Fête du Travail
1er lundi de septembre

Action de grâce
2e lundi d'octobre

Jour du Souvenir
11 novembre

Noël et le lendemain
25 et 26 décembre

› Laveries

On trouve des laveries dans tous les quartiers. Dans la majorité des cas, du détersif est vendu sur place. Bien qu'il y ait souvent des changeurs de monnaie ou un employé sur place, il est préférable d'en apporter une quantité suffisante avec soi.

› Musées

Dans la majorité des cas, les musées sont payants. Cependant, l'accès aux expositions permanentes de certains musées est gratuit le mercredi soir de 18h à 21h, et des rabais sont offerts à ceux qui désirent voir les expositions temporaires durant cette même période. De plus, des tarifs réduits sont accordés aux gens âgés de 60 ans ou plus ainsi qu'aux enfants. Renseignez-vous!

Avec la *Carte Musées Montréal*, offerte par la **Société des directeurs des musées montréalais** *(☎ 514-845-6873, www.museesmontreal.org)*, vous aurez accès à 33 musées et attraits majeurs montréalais ainsi qu'au réseau de transport en commun durant trois jours consécutifs, le tout pour seulement 50$ ou 45$ sans titre de transport.

La *Carte Musées Montréal* est disponible dans les établissements suivants:

- la plupart des musées et attraits participants;
- au bureau d'accueil touristique du Vieux-Montréal *(174 rue Notre-Dame E., ☎ 514-873-2015)*;
- à la Vitrine culturelle de Montréal *(145 rue Ste-Catherine O., ☎ 514-285-4545, www.vitrineculturelle.com)*
- dans certains hôtels de Montréal.

› Personnes à mobilité réduite

Kéroul
4545 av. Pierre-De Coubertin, C.P. 1000, succ. M, Montréal, QC, H1V 3R2
☎ 514-252-3104
www.keroul.qc.ca

Interlocuteur privilégié de Tourisme Québec en matière d'accessibilité, Kéroul est un organisme québécois à but non lucratif qui informe, représente, développe et fait la promotion du tourisme et de la culture accessibles auprès des personnes à capacité physique restreinte et des administrations publiques et privées. Kéroul, en collaboration avec les Guides de voyage Ulysse, publie le répertoire *Québec accessible*, qui donne la liste des infrastructures touristiques et culturelles accessibles aux personnes handicapées à travers tout le Québec. Ces lieux sont classés par régions touristiques. Le livre est en vente chez Ulysse et dans toutes les bonnes librairies.

Association québécoise pour le loisir des personnes handicapées
4545 av. Pierre-De Coubertin, C.P. 1000, succ. M, Montréal, QC, H1V 3R2
☎ 514-252-3144
www.aqlph.qc.ca

De plus, dans la plupart des régions, des associations organisent des activités de loisir ou de sport. Vous pouvez obtenir l'adresse de ces associations en communiquant avec l'Association québécoise de loisir pour personnes handicapées.

› Pourboire

Le pourboire s'applique à tous les services rendus à table, c'est-à-dire dans les restaurants ou autres établissements où l'on vous sert à table (la restauration rapide n'entre donc pas dans cette catégorie). Il est aussi de rigueur entre autres dans les bars, les boîtes de nuit et les taxis.

Selon la qualité du service rendu, il faut compter environ 15% de pourboire sur le montant avant les taxes. Il n'est pas, comme en Europe, inclus dans l'addition, et le client doit le calculer lui-même et le remettre à la serveuse ou au serveur.

› Presse

À Montréal, vous trouverez sans problème la presse internationale. Les grands quotidiens montréalais sont *La Presse*, *Le Devoir* et *Le Journal de Montréal*, en français, et *The Gazette*, en anglais.

Chaque jeudi de la semaine, on trouve les hebdomadaires *Voir*, en français, et *Mirror* et *Hour*, en anglais, dans plusieurs lieux publics tels que bars, restaurants et certaines boutiques. Tous les trois sont distribués gratuitement et couvrent les activités culturelles qui font bouger Montréal.

› Renseignements touristiques

En Europe

Les personnes qui désirent obtenir de la documentation générale sur le Québec avant leur départ peuvent appeler:

En France: numéro vert (appel gratuit depuis un poste fixe): ☎ 0 800 90 77 77 (lun-mar-jeu-dim 14h à 23h, mer 16h à 23h).

En Belgique: numéro sans frais (depuis un poste fixe): ☎ 0 800 78 532 (lun-mar-jeu-dim 14h à 23h, mer 16h à 23h).

En Suisse: ☎ 1-514-873-2015 (lun-mar-jeu-ven 14h à 23h, mer 16h à 23h, sam-dim 15h à 23h).

Librairies

The Abbey Bookshop
La Librairie canadienne de Paris
29 rue de la Parcheminerie, Paris
métro St-Michel et Cluny La Sorbonne
☎ 01 46 33 16 24
www.abbeybookshop.net
Cette librairie propose des livres sur le Canada ou encore d'auteurs canadiens, en anglais et en français.

La Librairie du Québec
30 rue Gay-Lussac, Paris
métro RER Luxembourg
☎ 01 43 54 49 02
www.librairieduquebec.fr
On y trouve un grand choix de livres sur le Québec et le Canada, ainsi que toute l'édition du Québec et du Canada francophone dans tous les domaines.

Sur place

Tourisme Québec
Case postale 979, Montréal, QC, H3C 2W3
☎ 514-873-2015 ou 877-266-5687
www.bonjourquebec.com

Centre Infotouriste de Montréal
fin juin à début sept tlj 8h30 à 19h30, reste de l'année tlj 9h à 18h
1255 rue Peel, angle rue Ste-Catherine,
métro Peel
☎ 514-873-2015
Le Centre Infotouriste de Montréal diffuse de l'information détaillée, avec nombre de documents à l'appui (cartes routières, dépliants, guides d'hébergement) sur toutes les régions touristiques du Québec.

Bureau d'accueil touristique du Vieux-Montréal
mai à oct tlj 9h à 19h, oct à avr mer-dim 9h à 17h
174 rue Notre-Dame E. (angle place Jacques-Cartier),
métro Champ-de-Mars
☎ 514-873-2015

Pour toute information concernant les arrondissements de Montréal, les citoyens et les visiteurs peuvent composer le ☎ **311** *(lun-ven 8h30 à 20h30, sam-dim 9h à 17h)*.

Sites Internet

Vous pourrez aussi trouver de multiples renseignements sur Internet. Voici quelques sites intéressants.

Les voyageurs partant pour le Québec ou les Québécois visitant une nouvelle région consulteront le site du **ministère du Tourisme** *(www.bonjourquebec.com)*, qui permet d'entrer en contact avec les différentes associations touristiques régionales et même de faire une visite virtuelle du Québec.

N'oubliez surtout pas le site des **Guides de voyage Ulysse** *(www.guidesulysse.com)*, qui présente régulièrement ses nouveautés sur le Québec.

Mentionnons aussi:

http://voyagez.branchez-vous.com
www.canoe.qc.ca
www.toile.com
www.outtravel.ca

Le site de l'**Office des congrès et du tourisme du Grand Montréal (OCTGM)** *(www.tourisme-montreal.org)* donne une foule de renseignements pratiques et culturels sur la ville de Montréal. On y trouve aussi un calendrier des multiples événements qui animent la ville hiver comme été.

Aussi, plusieurs magazines et quotidiens de Montréal ont un site Internet. C'est le cas entre autres de l'hebdomadaire culturel ***Voir*** *(www.voir.ca)*, du quotidien ***Le Devoir*** *(www.ledevoir.com)* et du quotidien ***La Presse*** *(www.cyberpresse.ca)*.

Le site ***www.montrealplus.ca*** permet de visiter virtuellement des commerces et de connaître des services (restaurants et bars, cinémas, musique, culture, sports et loisirs, magasinage, hôtels et tourisme).

› Santé

Pour les personnes en provenance de l'Europe ou des États-Unis, aucun vaccin n'est nécessaire. D'autre part il est vivement recommandé, surtout pour les séjours de moyen ou long terme, de souscrire à une assurance maladie. Il existe différentes formules, et nous vous conseillons de les comparer. Emportez vos médicaments, surtout ceux qui exigent une ordonnance. Sauf indication contraire, l'eau est potable partout au Québec.

› Taxes

Contrairement à l'Europe, les prix affichés le sont **hors taxes** dans la majorité des cas. Il y a deux taxes: la TPS (taxe fédérale sur les produits et services) de 5% et la TVQ (taxe de vente du Québec) de 7,5% sur les biens et sur les services. **Taxe spécifique à l'hébergement** (voir p. 202).

› Télécommunications

L'indicatif régional de l'île de Montréal est le 514. Tout autour de l'île, l'indicatif est le 450. Depuis 2006, la composition à 10 chiffres (indicatif régional + numéro de téléphone) est obligatoire sur tout le territoire des indicatifs 450 et 514. De plus, un second indicatif pour l'île de Montréal, le 438, est introduit progressivement.

Pour les appels interurbains, faites le 1 suivi de l'indicatif de la région où vous appelez, puis le numéro de votre correspondant. Les numéros de téléphone précédés de **800**, **866**, **877** ou **888** vous permettent de communiquer avec votre correspondant sans encourir de frais si vous appelez du Canada et souvent même des États-Unis.

Si vous désirez joindre un téléphoniste, faites le **0**.

Beaucoup moins chers à utiliser qu'en Europe, les appareils téléphoniques se trouvent à peu près partout. Pour les appels locaux, la communication coûte 0,50$ pour une durée illimitée. Pour les interurbains, munissez-vous de pièces de 25 cents, ou bien procurez-vous une carte d'appels en vente chez les marchands de journaux, dans les dépanneurs, dans les pharmacies, dans les stations-service et dans les distributeurs automatiques (de diverses compagnies de téléphone) installés dans les lieux publics.

Pour appeler en Belgique, faites le **011-32** puis l'indicatif régional (Anvers **3**, Bruxelles **2**, Gand **91**, Liège **4**) et le numéro de votre correspondant.

Pour appeler en France, faites le **011-33** puis le numéro à 10 chiffres de votre correspondant en omettant le premier zéro.

Pour appeler en Suisse, faites le **011-41** puis l'indicatif régional (Berne **31**, Genève **22**, Lausanne **21**, Zurich **1**) et le numéro de votre correspondant.

› Urgences

Partout au Québec, vous pouvez obtenir de l'aide en faisant le ☎ 911. Certaines régions, à l'extérieur des grands centres, ont leur propre numéro d'urgence; dans ce cas, faites le 0.

› Vins, bières et alcools

Au Québec, les alcools sont régis par une société d'État: la Société des alcools du Québec (SAQ). Les meilleurs vins, bières et alcools sont donc vendus dans les magasins administrés par cette société, et qui se trouvent un peu partout sur le territoire montréalais. Leurs heures d'ouverture sont cependant assez restreintes.

Pour connaître la succursale la plus près de chez vous, composez le ☎ 514-254-2020 ou consultez le site de la SAQ: *www.saq.com*.

Bières

Deux grandes brasseries au Québec se partagent la plus grande part du marché: Labatt et Molson. Chacune d'elles produit différents types de bières, surtout des blondes, avec divers degrés d'alcool. Dans les bars, restaurants et discothèques, la bière pression est moins chère qu'en bouteille.

À côté de ces «macrobrasseries» se démarquent des microbrasseries qui, à bien des égards, s'avèrent très intéressantes. Grâce à la variété et au goût de leurs bières, elles connaissent un énorme succès auprès du public québécois. Nommons, à titre d'exemples, Unibroue, McAuslan, les Brasseurs RJ, Le Cheval Blanc et les Brasseurs du Nord.

› Visites guidées

Plusieurs entreprises touristiques organisent des balades à Montréal, proposant aux visiteurs de partir à la découverte de la ville à pied, en autobus ou en bateau. En voici quelques-unes reconnues pour l'intérêt de leurs circuits.

À pied

Architectours (Héritage Montréal)
✆ 514-286-2662
www.heritagemontreal.qc.ca
Ces promenades à pied sillonnent divers quartiers et sont axées sur l'architecture, l'histoire et l'urbanisme. Les visites sont organisées les fins de semaine de août à la fin septembre. Elles durent en moyenne 2h et coûtent environ 15$ par personne.

L'Autre Montréal
en été pour tous, en hiver pour les groupes seulement
3680 rue Jeanne-Mance, bureau 331
✆ 514-521-7802
www.autremontreal.com
Cet organisme présente la face cachée de Montréal, ses quartiers populaires, ses recoins méconnus. Certaines visites développent des thèmes précis (par exemple, «Au bord de l'eau: du Vieux-Port aux rapides de Lachine»). Elles durent en moyenne 3h.

Guidatour
en été pour tous, en hiver pour les groupes seulement
360 rue St-François-Xavier, bureau 400
✆ 514-844-4021 ou 800-363-4021
www.guidatour.qc.ca
Tous les jours de juin à octobre, cette entreprise organise de nombreuses excursions à travers les artères de la ville, permettant aux voyageurs de découvrir l'histoire de Montréal, son développement, son architecture et sa vie culturelle. Elle propose même des visites de Montréal avec guides en costumes d'époque. Les visites durent de 1h30 à 3h.

Circuits animés

Il existe aussi plusieurs circuits animés soulignant par des thématiques variées les caractéristiques propres à chaque quartier. Notons ***Les Fantômes du Vieux-Montréal*** *(mi-juin à début sept et fin oct; ✆ 514-868-0303 ou 877-868-0303, www.fantommontreal.com)*, qui invite à la découverte de légendes, personnages célèbres et crimes historiques ayant eu lieu à Montréal.

Le circuit ***Les trésors de la Cité, une visite surprenante du Vieux-Montréal*** *(✆ 514-844-4021, www.guidatour.qc.ca)* est en fait une balade historique, architecturale et anecdotique dans le Vieux-Montréal.

En autocar

Gray Line Montréal
1255 rue Peel
✆ 514-934-1222 ou 800-461-1223
www.coachcanada.com
Cette entreprise propose une visite guidée de 3h *(45$)* qui permet de découvrir quelque 200 points d'intérêt et d'obtenir une bonne vue d'ensemble de la ville.

En bateau

Le Bateau-Mouche
mi-mai à mi-oct
quai Jacques-Cartier, Quais du Vieux-Port
✆ 514-849-9952 ou 800-361-9952
www.bateau-mouche.com
Croisières commentées sur le fleuve montrant Montréal sous un angle nouveau. Le jour, l'excursion dure 1h; les départs se font tous les jours à 13h30, 15h et 16h30. L'excursion du midi dure 90 min, et le départ est à 11h30 (déjeuner compris). Le soir, un dîner est servi à bord; la promenade dure alors 3h30. Comptez environ 27$ pour l'excursion de jour et plus de 89$ pour le dîner.

Croisières AML Montréal
quai King-Edward, Quais du Vieux-Port
✆ 866-856-6668
www.croisieresaml.com
Plusieurs croisières sur le fleuve à compter de 27$. La durée et le coût de ces excursions varient selon le forfait choisi. AML

organise aussi des croisières en soirée avec dîner.

La croisière patrimoniale du canal de Lachine
18$
fin juin à début sept tlj à 13h et à 15h30; fins de semaine et jours fériés mi-mai à mi-juin et début sept à mi-oct à 13h et à 15h30
quai d'embarquement au sud du marché Atwater
☎ 514-283-6054
www.pc.gc.ca/canallachine

La croisière patrimoniale du canal de Lachine, d'une durée de 2h, nourrit d'histoire ses passagers. Le *Navark Dollier-de-Casson* prend la route navigable qui jadis traversait le berceau industriel du Canada. Il mène à la découverte de l'histoire du précurseur de la Voie maritime du Saint-Laurent ainsi que de celle des quartiers limitrophes de ce cœur de la révolution industrielle du Canada de 1824 à 1959. Il offre également un point de vue exceptionnel sur le sud-ouest et sur le centre-ville de Montréal.

Amphitour *(32$; mai à fin oct; départ à l'angle de la rue de La Commune et du boulevard St-Laurent, ☎ 514-849-5181, www.montreal-amphibus-tour.com)* propose des visites guidées du Vieux-Montréal (sur terre) et du Vieux-Port (sur l'eau) à bord d'un autobus amphibie. Une expérience qui plaira sûrement aux enfants!

Attraits touristiques

Le Vieux-Montréal 77
Le centre-ville 89
Le Musée des beaux-arts de Montréal 102
Le Golden Square Mile 105
Le Village Shaughnessy 112
Le quartier Milton-Parc et la *Main* 116
Le Quartier latin 121
Le Village 126
Le Plateau Mont-Royal 131
Le mont Royal 135
Westmount 140
Outremont et le Mile-End 143
Rosemont 150
La Petite Italie 151
Le Sault-au-Récollet 155
Les îles Sainte-Hélène et Notre-Dame 158
Maisonneuve 162
Autour du canal de Lachine 167
L'ouest de l'île 177

Les circuits et les principaux attraits décrits sont cotés selon un système d'étoiles. Ainsi vous ne pourrez manquer les incontournables si vous ne faites qu'un bref séjour à Montréal. Le nom de chacun des attraits est suivi dinformation mise entre parenthèses, comportant entre autres les heures d'ouverture, l'adresse et le numéro de téléphone. Le prix d'entrée (pour un adulte) est aussi indiqué. Notez que la plupart des établissements offrent des rabais dont peuvent profiter aussi bien les enfants et les étudiants que les aînés et les familles; n'oubliez pas d'en faire la demande.

Circuits suggérés

Circuit	Cote	Page
Le Vieux-Montréal	★★★	p. 77
Le centre-ville	★★★	p. 89
Le Musée des beaux-arts de Montréal	★★★	p. 102
Le Golden Square Mile	★★	p. 105
Le Village Shaughnessy	★	p. 112
Le quartier Milton-Parc et la *Main*	★	p. 116
Le Quartier latin	★★	p. 121
Le Village	★	p. 126
Le Plateau Mont-Royal	★★	p. 131
Le mont Royal	★★★	p. 135
Westmount	★	p. 140
Outremont et le Mile-End	★	p. 143
Rosemont	★	p. 150
La Petite Italie	★	p. 151
Le Sault-au-Récollet	★	p. 155
Les îles Sainte-Hélène et Notre-Dame	★	p. 158
Maisonneuve	★★	p. 162
Autour du canal de Lachine	★	p. 167
L'ouest de l'île	★★	p. 177

Le Vieux-Montréal ★★★

p. 204 p. 225 p. 278 p. 297

une journée

Une promenade au gré des rues étroites du Vieux-Montréal vous fera découvrir un environnement historique et culturel qui donnera du relief à votre escapade.

Au XVIIIe siècle, Montréal était, tout comme Québec, entourée de fortifications en pierre (voir le plan des fortifications de Montréal vers 1750, p. 35). Entre 1801 et 1817, cet ouvrage défensif fut démoli à l'instigation des marchands, qui y voyaient une entrave au développement de la ville. Cependant, la trame des rues anciennes, comprimée par près de 100 ans d'enfermement, est demeurée en place. Ainsi, le Vieux-Montréal d'aujourd'hui correspond à peu de chose près au territoire couvert par la ville fortifiée.

Au XIXe siècle, ce secteur devient le noyau commercial et financier du Canada. On y construit de somptueux sièges sociaux de banques et de compagnies d'assurances, ce qui entraîne la destruction de la quasi-totalité des bâtiments du Régime français.

Puis, au XXe siècle, après une période d'abandon de 40 ans au profit du centre-ville moderne, le long processus visant à redonner vie au Vieux-Montréal a été enclenché avec les préparatifs de l'Exposition universelle de 1967 et se poursuit, de nos jours, à travers de nombreux projets de recyclage et de restauration. Cette revitalisation connaît même un second souffle depuis la fin des années 1990. Des hôtels de marque sont aménagés dans des édifices historiques, alors que plusieurs Montréalais renouent avec la vieille ville en y déménageant leurs pénates.

Le circuit débute à l'extrémité ouest du Vieux-Montréal, rue Saint-Jacques (métro Square-Victoria). Derrière vous se trouve le ***square Victoria*** *(voir p. 100), décrit dans le circuit portant sur le centre-ville de Montréal.*

La **rue Saint-Jacques** a été pendant plus de 100 ans l'artère de la haute finance canadienne. Cette particularité se reflète dans son architecture riche et variée, véritable encyclopédie des styles de la période 1830-1930. Les banques, les compagnies d'assurances, tout comme les grands magasins et les sociétés ferroviaires ou maritimes du pays, étaient alors contrôlés, pour une bonne part, par des Écossais devenus Montréalais, attirés par les perspectives d'enrichissement qu'offraient les colonies.

On notera une différence appréciable dans le tissu urbain entre le centre-ville moderne, à l'arrière, où se dressent des tours en verre et en acier bordant de larges boulevards, et le secteur de la vieille ville, où la pierre prédomine le long de rues étroites et compactes.

Il faut pénétrer dans le hall de l'ancien siège social de la **Banque Royale** ★★ *(360 rue St-Jacques; métro Square-Victoria)* pour admirer les hauts plafonds de ce «temple de la finance», érigé à une époque où les banques devaient se doter de bâtiments imposants afin de donner confiance à l'épargnant. On remarquera, sur le pourtour du hall en pierre de Caen, les armoiries des 10 provinces canadiennes ainsi que celles de Montréal (croix de Saint-Georges) et d'Halifax (oiseau jaune), où la banque a été fondée en 1861. Entrepris en 1928 selon les plans de spécialistes du gratte-ciel new-yorkais, cet édifice demeure un des derniers immeubles à avoir été érigé au cours de cette période faste. La tour de 23 étages est posée sur un podium s'inspirant des palais florentins et respectant l'échelle des bâtiments voisins.

La **Banque Molson** ★ *(288 rue St-Jacques; métro Square-Victoria)* a été fondée en 1853 par la famille Molson, célèbre pour sa brasserie mise sur pied par l'ancêtre John Molson (1763-1836) en 1786. À l'instar d'autres banques de l'époque, la Banque Molson imprimait même son propre papier-monnaie. C'est dire toute la puissance de ses propriétaires, qui ont beaucoup contribué au développement de Montréal. L'édifice, achevé en 1866, est un des premiers exemples du style Second Empire, aussi appelé style Napoléon III, à avoir été élevé au Canada. Ce style d'origine française, ayant pour modèle le Louvre et l'Opéra de Paris, a connu une grande popularité en Amérique entre 1865 et 1890. On remarquera, au-dessus de l'entrée, les têtes de Thomas Molson et de deux de ses enfants, sculptées dans le grès.

Longez la rue Saint-Jacques jusqu'à la place d'Armes, que l'on découvre soudainement.

Sous le Régime français, la **place d'Armes** ★★ *(métro Place-d'Armes)* constituait le cœur de la cité. Utilisée pour des manœuvres militaires et des processions religieuses, elle comportait aussi le puits Gadoys, principale source d'eau potable de l'agglomération. En 1847, la place se transforme en un joli jardin victorien, ceinturé d'une grille, qui disparaîtra au début du XXe siècle pour faire place au terminus des tramways. Entre-temps, on y installe en 1895 le **monument à Maisonneuve** ★★ du sculpteur Louis-Philippe Hébert, qui représente le fondateur de Montréal, Paul de Chomedey, sieur de Maisonneuve, entouré de personnages ayant marqué les débuts de la ville, soit Jeanne Mance, fondatrice de l'Hôtel-Dieu, Lambert Closse avec sa chienne Pilote, ainsi que Charles Le Moyne, chef d'une famille d'explorateurs célèbres. Un guerrier iroquois complète le tableau. Le réaménagement de la place d'Armes est actuellement en cours et sera terminé au printemps 2011.

La place de forme trapézoïdale est entourée de plusieurs édifices dignes de mention. La **Banque de Montréal** ★★ *(119 rue St-Jacques; métro Place-d'Armes)*, fondée en 1817 par un groupe de marchands, est la plus ancienne institution bancaire du pays. L'ancien siège social de la Banque de Montréal (déménagé à Toronto) occupe tout un quadrilatère au nord de la place d'Armes, au centre duquel trône le magnifique édifice de John Wells abritant le hall bancaire, construit en 1847 sur le modèle du Panthéon romain. Son portique corinthien est un monument à la puissance commerçante des marchands écossais. En 1970, les chapiteaux de ses colonnes, gravement endommagés par la pollution, ont été remplacés par des répliques en aluminium. Dans le fronton se trouve un bas-relief en pierre de Binney, exécuté en Écosse par le sculpteur de Sa Majesté, Sir John Steele. Il représente les armoiries de la banque.

L'intérieur fut presque entièrement refait en 1904-1905. À cette occasion, on a doté la banque d'un splendide hall bancaire, aménagé dans le goût des basiliques romaines, où se mêlent colonnes de syénite verte, ornements de bronze doré et comptoirs de marbre beige. Un petit **musée de numismatique** *(entrée libre; lun-ven 10h à 16h)*, situé dans le couloir de la tour moderne, permet de voir des billets de différentes époques ainsi qu'une amusante collection de tirelires mécaniques. En face du musée, on aperçoit quatre bas-reliefs en pierre artificielle Coade provenant de la façade du premier siège de la banque. Ils ont été réalisés en 1819 d'après des dessins du sculpteur anglais John Bacon.

Au 511 place d'Armes, l'**édifice New York Life** ★, une surprenante tour de grès rouge élevée en 1888 pour la compagnie d'assurances New York Life, est considéré comme le premier gratte-ciel montréalais, avec seulement huit étages. Sa pierre de parement fut importée d'Écosse. On acheminait alors ce type de pierres dans les cales des

★ ATTRAITS TOURISTIQUES

1. BX Banque Royale
2. BX Banque Molson
3. CX Place d'Armes / Monument à Maisonneuve
4. CX Banque de Montréal / Musée de numismatique
5. CX Édifice New York Life
6. CX Édifice Aldred
7. CX Basilique Notre-Dame
8. CX Vieux Séminaire de Saint-Sulpice
9. CY Cours Le Royer
10. CY Place Royale
11. CY Maison de la Douane / Pointe-à-Callière, musée d'archéologie et d'histoire de Montréal
12. BY Place D'Youville
13. BY Centre d'histoire de Montréal
14. BY Hôpital Général des Sœurs Grises / Maison de mère d'Youville
15. AY Fonderie Darling
16. DY Vieux-Port de Montréal
17. CY Centre des sciences de Mont¬réal
18. DX Auberge Saint-Gabriel
19. CX Centre de céramique Bonsecours
20. CX Palais de justice
21. DX Édifice Ernest-Cormier
22. DX Ancien palais de justice
23. DX Place Jacques-Cartier / Colonne Nelson
24. DX Hôtel de ville
25. DX Place Vauquelin
26. DX Champ-de-Mars
27. DX Place De La Dauversière
28. DX Musée du Château Ramezay
29. EX Lieu historique national Sir-George-Étienne-Cartier
30. EX Ancienne cathédrale schismatique grecque Saint-Nicolas
31. EX Gare Viger
32. EX Gare Dalhousie
33. EX Chapelle Notre-Dame-de-Bon-Secours / Musée Marguerite-Bourgeoys
34. EX Maison Pierre du Calvet
35. EX Maison Papineau
36. DY Marché Bonsecours
37. DY Pavillon Jacques-Cartier
38. EY Tour de l'Horloge

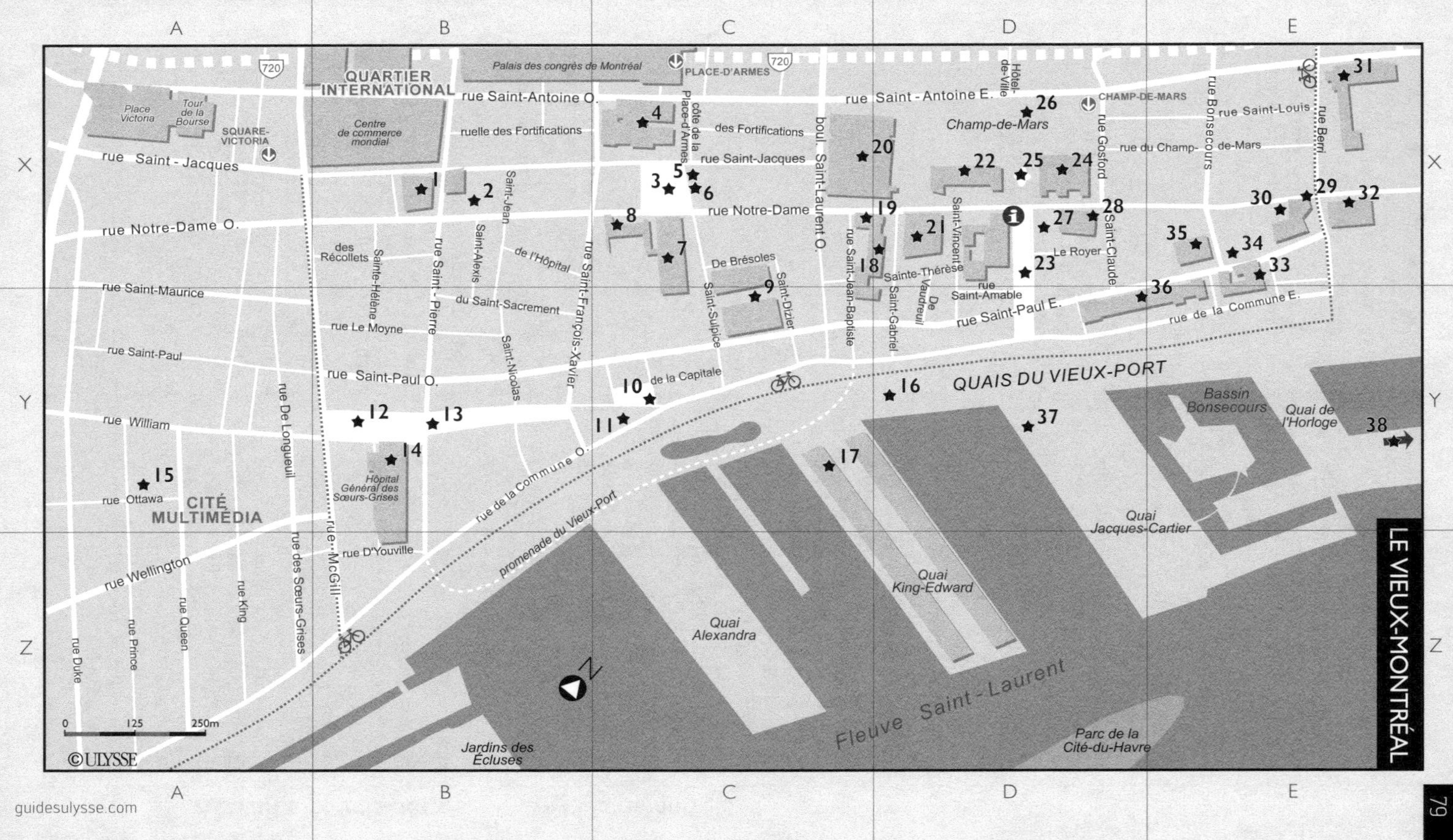
LE VIEUX-MONTRÉAL
QUARTIER INTERNATIONAL
Palais des congrès de Montréal
PLACE-D'ARMES
CHAMP-DE-MARS
SQUARE-VICTORIA
Place Victoria
Tour de la Bourse
Centre de commerce mondial
Hôtel-de-Ville
Champ-de-Mars
rue Saint-Antoine O.
rue Saint-Antoine E.
ruelle des Fortifications
des Fortifications
rue Saint-Jacques
rue Notre-Dame O.
rue Notre-Dame
rue Saint-Maurice
rue Saint-Paul
rue Saint-Paul O.
rue Saint-Paul E.
rue William
rue Ottawa
rue Wellington
rue Duke
rue Prince
rue Queen
rue King
rue des Sœurs-Grises
rue De Longueuil
rue McGill
rue D'Youville
Hôpital Général des Sœurs-Grises
CITÉ MULTIMÉDIA
des Récollets
Sainte-Hélène
rue Le Moyne
rue Saint-Pierre
Saint-Alexis
Saint-Jean
de l'Hôpital
du Saint-Sacrement
Saint-Nicolas
rue Saint-François-Xavier
côte de la Place-d'Armes
de la Capitale
De Brésoles
Saint-Sulpice
Saint-Dizier
boul. Saint-Laurent O.
rue Saint-Jean-Baptiste
Sainte-Thérèse
Saint-Gabriel
De Vaudreuil
Saint-Vincent
rue Saint-Amable
Le Royer
Saint-Claude
rue Gosford
rue du Champ-de-Mars
rue Bonsecours
rue Saint-Louis
rue Berri
rue de la Commune E.
rue de la Commune O.
promenade du Vieux-Port
QUAIS DU VIEUX-PORT
Bassin Bonsecours
Quai de l'Horloge
Quai Jacques-Cartier
Quai King-Edward
Quai Alexandra
Fleuve Saint-Laurent
Parc de la Cité-du-Havre
Jardins des Écluses
720
1
2
3
4
5
6
7
8
9
10
11
12
13
14
15
16
17
18
19
20
21
22
23
24
25
26
27
28
29
30
31
32
33
34
35
36
37
38
A
B
C
D
E
X
Y
Z
N
0
125
250m
©ULYSSE

navires, où elles servaient de ballast avant d'être vendues à quai aux entrepreneurs en construction. L'**édifice Aldred** ★ *(501-507 place d'Armes)* comporte de beaux détails Art déco. Il est un des premiers immeubles montréalais à avoir dépassé les 10 étages, à la suite de l'abrogation, en 1927, du règlement limitant la hauteur des édifices.

Du côté sud de la place d'Armes, on retrouve la basilique Notre-Dame ainsi que le Vieux Séminaire de Saint-Sulpice.

En 1663, la seigneurie de l'île de Montréal est acquise par les Messieurs de Saint-Sulpice de Paris. Ces derniers en demeureront les maîtres incontestés jusqu'à la Conquête britannique (1759-1760). En plus de distribuer des terres aux colons et de tracer les premières rues de la ville, les Sulpiciens font ériger de nombreux bâtiments, notamment la première église paroissiale de Montréal en 1673. Placé sous le vocable de Notre-Dame, ce lieu de culte orné d'une belle façade baroque s'inscrivait dans l'axe de la rue du même nom, formant ainsi une agréable perspective, caractéristique de l'urbanisme classique français. Mais, au début du XIXe siècle, cette petite église villageoise faisait piètre figure, lorsque comparée à la cathédrale anglicane de la rue Notre-Dame et à la nouvelle cathédrale catholique de la rue Saint-Denis, deux édifices aujourd'hui disparus.

Les Sulpiciens décidèrent alors de marquer un grand coup afin de surpasser pour de bon leurs rivaux. En 1823, ils demandent à l'architecte new-yorkais d'origine irlandaise protestante James O'Donnell de dessiner la plus vaste et la plus originale des églises au nord du Mexique, au grand dam des architectes locaux.

La **basilique Notre-Dame** ★★★ *(5$; lun-ven 8h à 16h30, sam 8h à 16h, dim 12h30 à 16h; 110 rue Notre-Dame O., ☎ 514-842-2925, www.basiliquenddm.org; métro Place-d'Armes)*, construite entre 1824 et 1829, est un véritable chef-d'œuvre du style néogothique en Amérique. Il ne faut pas y voir une réplique d'une cathédrale d'Europe, mais bien un bâtiment foncièrement néoclassique de la révolution industrielle, sur lequel est apposé un décor d'inspiration médiévale. Notez que les visites sont limitées les samedis d'été en raison des nombreux mariages.

O'Donnell fut tellement satisfait de son œuvre qu'il se convertit au catholicisme avant de mourir, afin d'être inhumé sous l'église. Le décor intérieur d'origine, jugé trop sévère, fut remplacé par le fabuleux décor polychrome actuel entre 1874 et 1880. Exécuté par Victor Bourgeau, champion de la construction d'églises dans la région de Montréal, et par une cinquantaine d'artisans, il est entièrement de bois peint et doré à la feuille.

On remarque en outre le baptistère, décoré de fresques du peintre Ozias Leduc, le puissant orgue Casavant de 7 000 tuyaux, fréquemment mis à contribution lors des nombreux concerts donnés à la basilique, ainsi que les vitraux du maître-verrier limousin Francis Chigot, qui dépeignent des épisodes de l'histoire de Montréal et qui furent installés lors du centenaire de l'église.

À droite du chœur, un passage conduit à la chapelle du Sacré-Cœur, greffée à l'arrière de l'église en 1888. Surnommée la «chapelle des mariages» en raison des innombrables cérémonies nuptiales qui s'y tiennent chaque année, elle a malheureusement été gravement endommagée lors d'un incendie en 1978. Seuls les escaliers à vis et les galeries latérales subsistent de l'exubérant décor néogothique hispanisant d'autrefois. Les architectes ont choisi de lier ces vestiges à un aménagement moderne, terminé en 1981, et comprenant une belle voûte compartimentée et percée de puits de lumière, un grand retable de bronze de Charles Daudelin et un orgue mécanique Guilbault-Thérien.

Le **Vieux Séminaire de Saint-Sulpice** ★ *(130 rue Notre-Dame O.; métro Place-d'Armes)* fut construit en 1683 sur le modèle des hôtels particuliers parisiens, érigés entre cour et jardin. C'est le plus ancien édifice de la ville. Depuis plus de trois siècles, il est habité par les Messieurs de Saint-Sulpice, qui en ont fait, sous le Régime français, le manoir d'où ils administraient leur vaste seigneurie. À l'époque de sa construction, Montréal comptait à peine 500 habitants, terrorisés par les attaques incessantes des Iroquois. Le séminaire, même s'il semble somme toute modeste, représentait dans ce contexte un précieux morceau de civilisation européenne au milieu d'une contrée sauvage et isolée. L'horloge publique, installée au sommet de la façade en 1701,

Lumières sur la ville

Le charmant Vieux-Montréal, largement fréquenté par de nombreux visiteurs chaque année, possède un «plan lumière» qui a pour mission d'illuminer en beauté ses édifices et monuments anciens durant la nuit pour les rendre encore plus attrayants. Grâce à des systèmes d'éclairage bien conçus, les façades et statues sortent ainsi du royaume des ombres et révèlent alors des facettes architecturales ou sculpturales souvent imperceptibles sous la lumière naturelle.

Qui plus est, le plan lumière du Vieux-Montréal crée sans aucun doute un engouement auprès des arrondissements de la métropole, qui mettront également en valeur leur patrimoine architectural, leurs œuvres d'art public et leurs principales artères. D'ailleurs, depuis 2005, la Ville inaugure d'autres projets de mise en lumière à l'extérieur du Vieux-Montréal, comme la Maison Saint-Gabriel, monument et site historique classé, située dans l'arrondissement du Sud-Ouest, à Pointe-Saint-Charles.

serait la plus ancienne du genre en Amérique.

››› *Empruntez la rue Saint-Sulpice, qui longe la basilique.*

Les immenses entrepôts du **Cours Le Royer** ★ *(angle des rues St-Paul et St-Sulpice; métro Place-d'Armes)* ont été conçus entre 1860 et 1871 par Michel Laurent et Victor Bourgeau, dont c'est une des seules réalisations commerciales, pour les religieuses hospitalières de Saint-Joseph, qui les louaient à des importateurs. Ils sont situés à l'emplacement même du premier Hôtel-Dieu de Montréal, fondé par Jeanne Mance en 1642 et inauguré en 1645. L'ensemble de 43 000 m² a été recyclé en appartements et en bureaux entre 1977 et 1986. À cette occasion, la petite rue Le Royer a été excavée pour permettre l'aménagement d'un stationnement souterrain, recouvert d'un agréable passage piétonnier.

Le Vieux-Montréal recèle un grand nombre de ces entrepôts à ossature de pierres du XIXe siècle, destinés à emmagasiner les biens transbordés dans le port tout proche. Leurs importantes surfaces vitrées, prévues pour réduire l'éclairage artificiel au gaz et conséquemment le risque d'incendie, leurs vastes espaces intérieurs dégagés et surtout la sobriété de leurs parements dans le contexte victorien en font, tout comme leur contrepartie américaine à ossature de fonte, des ancêtres de l'architecture moderne. De plus, nombre de ces anciens entrepôts ont récemment été reconvertis en hôtels luxueux.

››› *Tournez à droite dans la rue Saint-Paul, puis rejoignez la place Royale, sur votre gauche.*

Plus ancienne rue montréalaise, tracée en 1672 selon le plan de l'urbaniste et historien Dollier de Casson, la **rue Saint-Paul** fut pendant longtemps la principale artère commerciale de Montréal. C'est probablement la rue la plus emblématique du Vieux-Montréal, avec ses beaux immeubles de pierres datant du XIXe siècle, ses galeries d'art et ses boutiques d'artisanat.

Envie...

... de déjeuner? Essayez **Olive + Gourmando** (voir p. 226), une charmante boulangerie-bistro de la rue Saint-Paul.

Plus ancienne place publique de Montréal, la **place Royale** *(métro Place-d'Armes)* existe depuis 1657. D'abord place de marché, elle devient, à son tour, un joli square victorien entouré d'une grille, avant d'être surélevée pour permettre l'aménagement d'une crypte archéologique pour le musée Pointe-à-Callière en 1991.

À l'extrémité nord de la place Royale, la **maison de la Douane** est un bel exemple d'architecture néoclassique britannique telle que transposée au Canada. Les lignes sévères du bâtiment, accentuées par le revêtement de pierres grises locales, sont compensées par ses proportions agréables et ses allusions simplifiées à l'Antiquité. L'édifice construit en 1836 fait aujourd'hui également partie du musée Pointe-à-Callière.

L'établissement muséologique dénommé **Pointe-à-Callière, musée d'archéologie et d'histoire de Montréal** ★★ *(14$; sept à juin mar-ven 10h à 17h, sam-dim 11h à 17h; fin juin à début sept lun-ven 10h à 18h, sam-dim 11h à 18h; 350 place Royale, ☎ 514-872-9150, www.pacmusee.qc.ca; métro Place-d'Armes)* se trouve à l'emplacement même où Montréal fut fondée le 17 mai 1642, soit la pointe à Callière. Un obélisque commémoratif, aujourd'hui situé au centre de la place D'Youville, y a été érigé en 1893. Là où commence la place D'Youville coulait autrefois la petite rivière Saint-Pierre; là où se trouve la rue de la Commune s'approchait la rive boueuse du fleuve, découpant ainsi une pointe isolée sur laquelle les premiers colons érigèrent le fort Ville-Marie. Les dirigeants de la colonie décidèrent bientôt d'installer la ville sur la rive voisine, où se trouvent de nos jours les rues Saint-Paul et Notre-Dame, un héritage de cette époque. Le site du fort fut par la suite occupé par un cimetière et par le château du gouverneur de Callière, d'où le nom de la pointe.

Le musée présente aux visiteurs un intéressant panorama de l'histoire de la ville. Un spectacle multimédia avec conversations de personnages holographiques, une visite des vestiges découverts sur le site, de belles maquettes représentant différents stades du développement de la place Royale et des expositions thématiques composent le menu de ce musée érigé pour les fêtes du 350e anniversaire de Montréal (1992).

››› *Dirigez-vous vers la place D'Youville, à l'ouest du musée.*

La forme allongée de la **place D'Youville** ★, qui s'étend de la place Royale à la rue McGill, vient de ce qu'elle est aménagée sur le lit de la petite rivière Saint-Pierre, canalisée en 1832.

Au milieu de la place D'Youville se dresse l'ancienne caserne de pompiers nº 1, rare exemple d'architecture d'inspiration flamande au Québec. Le bâtiment abrite le **Centre d'histoire de Montréal** ★ *(6$; mar-dim 10h à 17h; 335 place D'Youville, ☎ 514-872-3207, www.ville.montreal.qc.ca/chm)*. Une belle petite exposition occupe le rez-de-chaussée. On y voit divers objets retraçant l'histoire de Montréal. L'aspect sonore de l'exposition, entre autres, y est important. On a par exemple enregistré le témoignage de Montréalais de différentes origines qui racontent leur ville. Aux étages supérieurs se tiennent des expositions temporaires, tout aussi animées que l'exposition permanente, qui se rattachent à des communautés culturelles ou à des quartiers de la ville de Montréal. On y a installé une passerelle vitrée d'où l'on peut observer le Vieux-Montréal.

››› *Tournez à gauche dans la rue Saint-Pierre.*

La communauté des sœurs de la Charité est mieux connue sous le nom de Sœurs Grises, sobriquet dont on avait affublé les religieuses accusées à tort de vendre de l'alcool aux Amérindiens et ainsi de les «griser». En 1747, la fondatrice de la communauté, Marguerite d'Youville, prend en main l'ancien hôpital des frères Charon, fondé en 1693, qu'elle transforme en **Hôpital Général des Sœurs Grises** ★ *(138 rue St-Pierre; métro Square-Victoria)*, où sont hébergés les «enfants trouvés» de la ville. Seule l'aile ouest et les ruines de la chapelle subsistent de ce complexe des XVIIe et XVIIIe siècles, aménagé en forme de *H*. On peut y visiter la **Maison de mère d'Youville** *(entrée libre; sur rendez-vous; ☎ 514-842-9411)*, qui retrace l'histoire de la fondatrice de la communauté. L'autre partie, qui composait auparavant une autre des belles perspectives classiques de la vieille ville, fut éventrée lors du prolongement de la rue Saint-Pierre en plein milieu de la chapelle.

Ça vaut la peine de sortir quelque peu du circuit pour se retrouver à la **Fonderie Darling** *(3$, entrée libre le jeudi; mer-dim 12h à 19h, jusqu'à 22h les jeudis; 745 rue Ottawa, ☎ 514-392-1554, www.quartierephemere.org; métro Square-Victoria)*. L'ancienne Fonderie Darling, située dans ce qui est aujourd'hui la Cité Multimédia, a été reconvertie en centre d'art, sur l'initiative de Quartier Éphémère, organisme d'intervention en sauvegarde du patrimoine industriel. Installée dans le quartier industriel en 1880, elle a contribué entre autres au développement portuaire de Montréal. Après avoir été abandonné plusieurs années, le bâtiment a été restauré et se veut désormais un centre de création, de production et de diffusion d'œuvres de jeunes artistes, et renferme des bureaux, des ateliers, un studio de son, une galerie d'art doublée d'une salle d'exposition et un café-restaurant, le Cluny ArtBar.

La **Cité Multimédia de Montréal** ★ occupe un grand secteur au sud-ouest du Vieux-Montréal, soit l'ancien faubourg des Récollets; les édifices logent diverses entreprises œuvrant dans le milieu du cinéma et du multimédia, ce qui donne beaucoup de vie au quartier maintenant arpenté toute la journée par une foule de jeunes travailleurs.

››› *Revenez où vous étiez et traversez la rue de la Commune pour rejoindre les Quais du Vieux-Port, en bordure du fleuve.*

Le port de Montréal est l'un des plus importants ports intérieurs du continent. Il s'étend sur 25 km le long du fleuve, de la Cité-du-Havre aux raffineries de l'est de l'île. Le **Vieux-Port de Montréal** ★ *(métro Place-d'Armes ou Champ-de-Mars)* correspond à la portion historique du havre, située devant la ville ancienne. Délaissé à cause de sa vétusté, il a été réaménagé entre 1983 et 1992 pour accueillir les promeneurs. Les **Quais du Vieux-Port** *(www.quaisduvieuxport.com)* comportent un agréable parc linéaire, aménagé sur les remblais et doublé d'une promenade le long des quais offrant une «fenêtre» sur le fleuve de même que sur les quelques activités maritimes qui ont heureusement été préservées. L'agencement met en valeur les vues sur l'eau, sur le centre-ville et sur la rue de la Commune, qui dresse devant la ville sa muraille d'entrepôts néoclassiques en pierres grises, représentant l'un des seuls exemples d'aménagement dit en «front de mer» en Amérique du Nord.

Du Vieux-Port, on peut faire une excursion sur le fleuve avec **Le Bateau-Mouche,** pourvu d'un toit vitré *(23$ pour 1h, 27$ pour 1h30; mi-mai à mi-oct, départs tlj 11h30, 13h30, 15h, 16h30; quai Jacques-Cartier, ☎ 514-849-9952 ou 800-361-9952, www.bateaumouche.ca)*. Ces visites commentées sont d'une durée de 1h à 1h30. Il faut se présenter au moins une demi-heure avant les heures de départ indiquées. Le Bateau-Mouche propose aussi, le soir, des croisières avec repas (5 services) et soirée dansante (environ 90$). On peut aussi utiliser les **navettes fluviales** *(6$; ☎ 514-281-8000, www.navettesmaritimes.com)* vers l'île Sainte-Hélène et vers Longueuil, qui permettent d'avoir une vue d'ensemble du Vieux-Port et du Vieux-Montréal.

Sur la droite, dans l'axe de la rue McGill, est située l'embouchure du **canal de Lachine** ★, inauguré en 1825. Cette voie navigable permettait enfin de contourner les infranchissables rapides de Lachine, en amont de Montréal, donnant ainsi accès aux Grands Lacs et au Midwest américain. Le canal devint en outre le berceau de la révolution industrielle canadienne, les filatures et les minoteries tirant profit de son eau comme force motrice, tout en bénéficiant d'un système d'approvisionnement et d'expédition direct, du bateau à la manufacture.

Fermé en 1970, soit 11 ans après l'ouverture de la Voie maritime du Saint-Laurent en 1959, le canal a été pris en charge par le Service canadien des parcs, qui a aménagé sur ses berges une piste cyclable entre le Vieux-Port et Lachine. Les écluses qui se trouvent dans le Vieux-Port, restaurées en 1991, sont adjacentes à un parc et à une audacieuse Maison des éclusiers. Derrière se dresse le dernier des grands **silos à grains** du Vieux-Port. Cette structure de béton armé, érigée en 1905, avait suscité l'admiration de Walter Gropius et de Le Corbusier lors de leur voyage d'études. Elle est maintenant éclairée tel un monument. Derrière, on aperçoit l'étrange amoncellement de cubes d'**Habitat 67** (voir p. 160), alors que, sur la gauche, se trouve la **gare maritime Iberville du Port de Montréal** *(☎ 514-283-7011)*, où accostent les paquebots en croisière sur le fleuve Saint-Laurent.

À l'est, le quai King-Edward accueille le **Centre des sciences de Montréal** *(12$; lun-ven 9h à 16h, sam-dim 10h à 17h; quai King-Edward, ☎ 514-496-4724 ou 877-496-4724, www.centredessciencesdemontreal.com; métro Place-d'Armes)*, un complexe récréotouristique et interactif de sciences et de divertissement installé dans un hangar recyclé en un bâtiment d'architecture moderne. Le centre vous invite à pénétrer les secrets du monde scientifique et technologique tout en vous amusant. Il compte cinq salles d'expositions interactives où les participants peuvent prendre part à des expériences scientifiques, à des jeux collectifs ou d'adresse et à plusieurs activités culturelles et éducatives. Il abrite aussi un cinéma IMAX, un ciné-jeu interactif, sorte de jeu vidéo collectif sur grand écran, ainsi que des restaurants et des boutiques.

››› *Longez la promenade des Quais jusqu'au* ***boulevard Saint-Laurent*** *(voir p. 119 et 152).*

Le boulevard Saint-Laurent constitue la démarcation entre l'est et l'ouest de Montréal, tant sur le plan de la toponymie et des adresses civiques que sur le plan culturel. En effet, traditionnellement, l'ouest de la ville est davantage anglophone, et l'est, davantage francophone, alors que les minorités culturelles de toutes origines se concentrent dans l'axe même du boulevard Saint-Laurent.

››› *Remontez le boulevard Saint-Laurent jusqu'à la rue Saint-Paul. Tournez à droite puis à gauche dans l'étroite rue Saint-Gabriel.*

C'est dans cette rue que Richard Dulong ouvre en 1754 une auberge. L'**Auberge Saint-Gabriel** *(426 rue St-Gabriel, ☎ 514-878-3561; métro Place-d'Armes)*, la plus ancienne du pays encore en exploitation, n'est aujourd'hui qu'un restaurant (voir p. 229). Elle occupe un groupe de bâtiments du XVIIIe siècle aux solides murs de moellons.

Le **Centre de céramique Bonsecours** *(lun-ven 10h à 16h; 444 rue St-Gabriel, ☎ 514-866-6581, www.centreceramiquebonsecours.net; métro Place-d'Armes)*, lieu de formation, de recherche, de création et de diffusion pour la céramique du Québec, abrite une galerie d'art. Il est installé depuis une vingtaine d'années dans l'ancienne Caserne Saint-Gabriel, la plus ancienne caserne de pompiers de Montréal toujours debout, construite en 1871-1872 dans le style victorien.

››› *Tournez à droite dans la rue Notre-Dame.*

Après les secteurs des affaires et des entrepôts, on aborde maintenant le quartier des institutions civiques et judiciaires, où pas moins de trois palais de justice se côtoient en bordure de la rue Notre-Dame. Le **palais de justice** *(1 rue Notre-Dame E.; métro Champ-de-Mars)*, inauguré en 1971, écrase les alentours par ses volumes massifs. La sculpture de son parvis, intitulée *Allegrocube*, est de l'artiste Charles Daudelin. Un mécanisme permet d'ouvrir et de fermer cette «main de la Justice» stylisée.

De son inauguration en 1926 jusqu'à sa fermeture en 1970, le bâtiment qui était appelé à l'époque le «nouveau» palais de justice a reçu les causes criminelles, puis a accueilli le conservatoire de musique et d'art dramatique de 1975 à 2001. Aujourd'hui complètement restauré, l'**édifice Ernest-Cormier** ★★ *(100 rue Notre-Dame E.; métro Champ-de-Mars)* est retourné à sa vocation première comme Cour d'appel du Québec en 2004. Il porte le nom de son architecte depuis 1980, année du décès d'Ernest Cormier. On doit entre autres à l'illustre Ernest Cormier le pavillon principal de l'Université de Montréal et les portes de l'Assemblée générale des Nations Unies à New York. L'édifice Ernest-Cormier comporte d'exceptionnelles torchères en bronze, coulées à Paris aux ateliers d'Edgar Brandt. Leur installation, en 1925, marqua les débuts de l'Art déco au Canada. Le hall principal, revêtu de travertin et percé de trois puits de lumière en forme de coupole, mérite une petite visite.

L'**ancien palais de justice** ★ *(155 rue Notre-Dame E.; métro Champ-de-Mars)*, doyen des palais de justice montréalais, a été érigé entre 1849 et 1856 à l'emplacement du premier palais de justice de 1800. Il s'agit d'un autre bel exemple d'architecture néoclassique canadienne. À la suite de la division des tribunaux en 1926, le vieux Palais a hérité des causes civiles. Depuis l'ouverture du palais de justice, à sa gauche, le

Montréal Ville de verre

De février à décembre 2010, Montréal sera l'hôte d'un événement international qui promet de faire de la métropole québécoise un joyau contemporain serti dans un écrin de lumière: **Montréal Ville de verre** *(www.villedeverre.com)*. En effet, la Société des directeurs des musées montréalais, en collaboration avec le Centre des sciences de Montréal, organise ce projet culturel novateur sur le thème du verre, une innovation qui a façonné notre univers quotidien et qui accompagnera sans aucun doute notre avenir. Expositions et activités se tiendront alors dans une vingtaine de musées et de diffuseurs culturels, où se retrouveront art, architecture, histoire et sciences.

vieux Palais a été transformé pour accueillir une annexe de l'hôtel de ville, situé à sa droite.

››› *Poursuivez vers l'est par la rue Notre-Dame. Vous trouverez la place Jacques-Cartier sur votre droite.*

La **place Jacques-Cartier** ★ *(métro Champ-de-Mars)* a été aménagée à l'emplacement du château de Vaudreuil, incendié en 1803. L'ancienne résidence montréalaise du gouverneur de la Nouvelle-France était sans contredit la plus raffinée des demeures de la ville. Dessinée par l'ingénieur Gaspard Chaussegros de Léry en 1723, elle comportait un escalier en fer à cheval donnant sur un beau portail en pierre de taille, deux pavillons en avancée de part et d'autre du corps principal et un jardin à la française s'étendant jusqu'à la rue Notre-Dame. La forme allongée de la place Jacques-Cartier lui vient de ce que les marchands, ayant racheté la propriété, ont choisi de donner au gouvernement de la Ville une languette de terre, à condition qu'un marché public y soit aménagé, augmentant du coup la valeur des terrains limitrophes, demeurés entre des mains privées.

Rapidement plus nombreux à Montréal qu'à Québec, ville du gouvernement et des troupes d'occupation, les marchands d'origine britannique trouveront différents moyens pour assurer leur visibilité et exprimer leur patriotisme au grand jour. Ainsi, ils seront les premiers au monde, en 1809, à ériger un monument à la mémoire de l'amiral Horatio Nelson, vainqueur de la flotte franco-espagnole à Trafalgar. On raconte qu'ils auraient même enivré des Canadiens français pour leur extorquer une contribution au financement du projet. La base de la **colonne Nelson** fut dessinée et exécutée à Londres. Elle regroupe des bas-reliefs relatant les exploits du célèbre amiral à Aboukir, à Copenhague et, bien sûr, à Trafalgar. La statue de Nelson, au sommet, était à l'origine en pierre artificielle *Coade*, mais elle fut à maintes reprises endommagée par des manifestants, jusqu'à son remplacement par une réplique en fibre de verre en 1981. La colonne Nelson est le plus ancien monument commémoratif qui subsiste à Montréal.

À l'autre extrémité de la place, on aperçoit le **quai Jacques-Cartier** et le fleuve, alors que, sur la droite, à mi-course, se cache la petite **rue Saint-Amable**, où se regroupent les artistes et artisans qui vendent bijoux, dessins et gravures pendant la belle saison.

Sous le Régime français, Montréal avait, à l'instar de Québec et de Trois-Rivières, son propre gouverneur, qui ne doit pas être confondu avec le gouverneur de la Nouvelle-France dans son ensemble. Il en sera de même sous le Régime anglais. Il faut attendre 1833 pour qu'un premier maire élu prenne en main la destinée de la ville. Ce sera Jacques Viger (1787-1858), homme féru d'histoire, qui donnera à Montréal sa devise (*Concordia Salus*) et ses armoiries, formées des quatre symboles des peuples «fondateurs», soit le castor canadien-français, auquel a été substitué le lys français, le trèfle irlandais, le chardon écossais et la rose anglaise.

Après avoir logé dans des bâtiments inadéquats pendant des décennies (mentionnons simplement l'incident de l'aqueduc Hayes, dont la maison comportait un immense réservoir d'eau sous lequel se trouvait la salle du Conseil et qui se fissura un jour en pleine séance; on imagine la suite), l'administration municipale put enfin emménager dans l'édifice actuel en 1878: l'**hôtel de ville** ★★ *(275 rue Notre-Dame E.; métro Champ-de-Mars)*. Bel exemple du style Second Empire ou Napoléon III, il est l'œuvre d'Henri-Maurice Perrault, auteur du palais de justice voisin. En 1922, un incendie (encore un!) détruisit l'intérieur et la toiture de l'édifice. Celle-ci fut rétablie en 1926 en prenant pour modèle l'hôtel de ville de Tours en France. Des expositions se tiennent sporadiquement dans le hall d'honneur, qu'on atteint par l'entrée principale. Notons enfin que c'est du balcon de l'hôtel de ville que le général de Gaulle a lancé son célèbre «*Vive le Québec libre*» en 1967, au plus grand plaisir de la foule massée devant l'édifice.

Rendez-vous derrière l'hôtel de ville en passant par la jolie **place Vauquelin**, située dans le prolongement de la place Jacques-Cartier. Réalisée en 1930 par le sculpteur français Paul-Eugène Bénet, originaire de Dieppe, la statue à la mémoire de l'amiral Jean Vauquelin (1728-1772), défenseur de Louisbourg à la fin du Régime français, fut probablement installée à cet endroit pour faire contrepoids à la colonne Nelson, symbole du contrôle britannique sur le Canada.

Descendez l'escalier qui conduit au **Champ-de-Mars**, dont le réaménagement, en 1991, a permis de dégager une partie des vestiges des fortifications qui entouraient jadis Montréal. Tout comme à Québec, Gaspard Chaussegros de Léry est responsable de cet ouvrage bastionné, érigé entre 1717 et 1745. Cependant, les murs de Montréal ne connurent jamais la bataille, la vocation commerciale et le site même de la ville interdisant ce genre de geste téméraire. Les grandes pelouses bordées de quelques arbres rappellent, quant à elles, que le Champ-de-Mars a été utilisé comme terrain de manœuvre et de parades militaires jusqu'en 1924. On remarquera aussi le dégagement qui dévoile une belle vue du centre-ville et de ses gratte-ciel.

››› *Retournez à la rue Notre-Dame.*

Devant l'hôtel de ville s'étend, du côté sud de la rue Notre-Dame, la belle **place De La Dauversière** ★. Son nom rappelle Jérôme Le Royer de La Dauversière (1597-1659), fondateur de la Société de Notre-Dame, elle-même à l'origine de l'établissement de Montréal. La place accueille entre autres la statue d'un des anciens maires de Montréal, Jean Drapeau. Très populaire, M. Drapeau régna sur «sa» ville pendant près de 30 ans.

Le **Musée du Château Ramezay** ★ *(9$; juin à mi-oct tlj 10h à 18h, mi-oct à juin mar-dim 10h à 16h30; 280 rue Notre-Dame E., ☎ 514-861-3708, www.chateauramezay.qc.ca; métro Champ-de-Mars)* est aménagé dans le plus humble des «châteaux» construits à Montréal, et pourtant le seul qui subsiste. Le Château Ramezay a été érigé en 1705 pour le gouverneur de Montréal, Claude de Ramezay, et sa famille. En 1745, il passe entre les mains de la Compagnie des Indes occidentales, qui le reconstruit en 1756. On conserve alors dans ses voûtes les précieuses fourrures du Canada, avant qu'elles ne soient expédiées en France. Après la Conquête, des commerçants britanniques s'installent au château avant d'être délogés temporairement par l'armée des insurgés américains, qui voudraient bien que la province de Québec se joigne aux États-Unis en formation. Benjamin Franklin établit même ses bureaux au château pendant quelques mois, en 1775, alors qu'il tentait

Un musée à ciel ouvert

La collection d'art public de la Ville de Montréal compte quelque 75 œuvres intégrées à l'architecture d'édifices et 225 autres installées sur des sites extérieurs. Véritable musée en plein air, elle se fond avec le paysage urbain et participe au décor quotidien des Montréalais, qui peuvent ainsi admirer gratuitement des projets de création devenus réalité.

Les œuvres d'art contemporain, monuments, bustes et sculptures de la collection, s'empreignent d'une grande diversité d'expressions artistiques. Ils embellissent à leur façon les centres culturels et les bibliothèques ou se retrouvent dans les parcs et sur les places publiques, entre autres lieux.

L'œuvre la plus ancienne de la collection est la colonne Nelson, érigée en 1809 sur la place Jacques-Cartier, dans le Vieux-Montréal. Depuis quelques d'années, une trentaine d'œuvres majeures d'artistes québécois et étrangers se sont ajoutées à la collection et au paysage montréalais.

À Montréal, l'art public représente souvent, pour de nombreux citoyens, leur premier contact avec la création artistique, et sa présence devrait s'intensifier avec les années. Le visage artistique de Montréal ne s'en portera que mieux, et la ville en tant que métropole culturelle s'imposera d'elle-même comme destination internationale.

de convaincre les Montréalais de devenir citoyens américains.

Après avoir accueilli les premiers locaux de la succursale montréalaise de l'Université Laval de Québec, le bâtiment devient musée en 1895 sous les auspices de la Société d'archéologie et de numismatique de Montréal, fondée par Jacques Viger. On y présente toujours une riche collection de tableaux et d'objets ethnologiques européens, canadiens et amérindiens, datant de la période précolombienne jusqu'au début du XXe siècle. La salle de Nantes est revêtue de belles boiseries d'acajou de style Louis XV, sculptées vers 1725 par Germain Boffrand, qui proviennent du siège nantais de la Compagnie des Indes occidentales.

En plus des expositions permanentes et temporaires, le musée organise également des ateliers extérieurs ainsi que diverses activités culturelles. De plus, le Musée du Château Ramezay compte un bel aménagement extérieur: le Jardin du Gouverneur, soit un jardin «à la française» développé dans l'esprit des jardins urbains montréalais du XVIIIe siècle et qui abrite le Café du Château et la boutique Marie-Charlotte.

Longez la rue Notre-Dame jusqu'à l'intersection avec la rue Berri.

À l'angle de la rue Berri se trouve le **Lieu historique national Sir-George-Étienne-Cartier** ★ *(3,90$; fin juin à début sept tlj 10h à 17h30, début sept à fin déc et fin avr à fin juin mer-dim 10h à 12h et 13h à 17h, jan fermé; 458 rue Notre-Dame E., ☎ 514-283-2282, www.pc.gc.ca/cartier; métro Champ-de-Mars)*, composé de deux maisons jumelées, habitées successivement par George-Étienne Cartier, l'un des pères de la Confédération canadienne. On y a recréé un intérieur bourgeois canadien-français du milieu du XIXe siècle. En tout temps, des bandes sonores éducatives et originales accompagnent avec authenticité la visite des lieux.

L'édifice voisin, au n° 452, est l'**ancienne cathédrale schismatique grecque Saint-Nicolas**, construite dans le style romano-byzantin vers 1910.

La rue Berri marque approximativement la frontière est du Vieux-Montréal, et donc de la ville fortifiée du Régime français, au-delà de laquelle s'étendait le faubourg Québec, excavé au XIXe siècle pour permettre l'installation de voies ferrées, ce qui explique la brusque dénivellation entre le coteau Saint-Louis et les gares Viger et Dalhousie.

La **gare Viger**, que l'on aperçoit sur la gauche, a été inaugurée par le Canadien Pacifique en 1897 pour desservir l'est du pays. Sa ressemblance avec le Château Frontenac de Québec n'est pas fortuite, puisqu'elle a été dessinée pour la même société ferroviaire et par le même architecte, l'Américain Bruce Price. La gare de style château, fermée en 1935, comprenait également un hôtel prestigieux et de grandes verrières, aujourd'hui disparues.

La petite **gare Dalhousie** *(514 rue Notre-Dame; métro Champ-de-Mars)*, en contrebas de la maison George-Étienne-Cartier, a été la première gare du Canadien Pacifique, entreprise formée pour la construction d'un chemin de fer transcontinental canadien. Elle a été le théâtre du départ du premier train transcontinental, à destination de Port Moody (à 20 km de Vancouver), le 28 juin 1886.

La gare Dalhousie a longtemps abrité l'École nationale de cirque de Montréal, qui a emménagé dans un bâtiment érigé dans ce qui est désormais appelé **TOHU, la Cité des arts du cirque** (voir p. 158), dans le nord de l'île de Montréal. C'est la compagnie de cirque Éloize qui occupe maintenant la gare Dalhousie.

On aperçoit, du sommet de la rue Notre-Dame, l'ancien entrepôt frigorifique du port en briques brunes, aujourd'hui transformé en «condos», et au milieu du fleuve, l'île Sainte-Hélène, qui a accueilli, avec l'île Notre-Dame, l'Exposition universelle de 1967.

Tournez à droite dans la rue Berri, puis encore à droite dans la rue Saint-Paul, qui offre une belle perspective sur le dôme du Marché Bonsecours. Continuez tout droit jusqu'à la chapelle Notre-Dame-de-Bon-Secours.

Une première chapelle fut érigée à cet endroit en 1658, à l'instigation de Marguerite Bourgeoys, fondatrice de la congrégation de Notre-Dame. La **chapelle Notre-Dame-de-Bon-Secours** ★ *(400 rue St-Paul E.; ☎ 514-282-8670, métro Champ-de-Mars)* actuelle date de 1771, alors que les Messieurs de Saint-Sulpice voulurent établir une desserte de la paroisse mère dans l'est de la ville fortifiée. La chapelle a été mise au goût du jour vers

1890, au moment où l'on a ajouté la façade actuelle en pierres bossagées ainsi que la chapelle aérienne donnant sur le port, d'où l'on bénissait autrefois les navires et leur équipage en partance pour l'Europe. L'intérieur, refait à la même époque, contient de nombreux *ex-voto* offerts par des marins sauvés d'un naufrage. Certains prennent la forme de maquettes de navires, suspendues au plafond de la nef. La chapelle est aujourd'hui le lieu de divers concerts et activités, en collaboration avec le Musée Marguerite-Bourgeoys (voir ci-dessous).

Entre 1996 et 1998, on a effectué des fouilles sous la nef de la chapelle qui ont mis au jour plusieurs objets amérindiens préhistoriques. Aujourd'hui le **Musée Marguerite-Bourgeoys** ★ *(8$; mai à mi-oct mar-dim 10h à 17h30, mi-oct à mi-jan mar-dim 11h à 15h30, mars et avr mar-dim 11h à 15h30, fermé mi-jan à fév; 400 rue St-Paul E., ☎ 514-282-8670, www.marguerite-bourgeoys.com)* expose ces intéressantes pièces archéologiques, mais il y a encore plus à découvrir. Attenant à la chapelle Notre-Dame-de-Bon-Secours, il nous entraîne dans les dédales de l'histoire, depuis le haut de la tour de son clocher, d'où la vue est imprenable, jusqu'aux profondeurs de sa crypte, où les vieilles pierres parlent d'elles-mêmes. Vous en apprendrez plus sur la vie de Marguerite Bourgeoys, pionnière de l'éducation au Québec, et pourrez voir son authentique portrait et découvrir l'énigme l'entourant... Des visites guidées permettent également de découvrir le site archéologique abritant les fondations de cette chapelle de pierre, la plus ancienne de Montréal.

Tournez à droite dans la rue Bonsecours.

Datant de 1725, la **maison Pierre du Calvet** ★ *(401 rue Bonsecours)* est représentative de l'architecture urbaine française du XVIIIe siècle, adaptée au contexte local, puisque l'on y retrouve les épais murs de moellons noyés dans le mortier, les contre-fenêtres extérieures apposées devant des fenêtres à vantaux à petits carreaux de verre importé de France, mais surtout les hauts murs coupe-feu, imposés par les intendants afin d'éviter la propagation des flammes d'un bâtiment à l'autre. Elle loge depuis plusieurs années l'**Hostellerie Pierre du Calvet** (voir p. 205).

La **maison Papineau** ★ *(440 rue Bonsecours; métro Champ-de-Mars)* fut autrefois habitée par Louis-Joseph Papineau (1786-1871), avocat, politicien et chef des mouvements nationalistes canadiens-français jusqu'à l'insurrection de 1837. La maison de 1785, revêtue d'un parement de bois imitant la pierre de taille, a été l'un des premiers bâtiments du Vieux-Montréal à être restauré (1962).

Envie...

... d'une toile? Arpentez les pavés d'époque de l'étroite rue Saint-Paul, qui abrite de nombreuses galeries d'art.

Entre 1845 et 1850, on érige entre la rue Saint-Paul et la rue de la Commune le **Marché Bonsecours** ★★ *(300 rue St-Paul E., www.marchebonsecours.qc.ca)*, un bel édifice néoclassique en pierres grises, doté de fenêtres à guillotine à l'anglaise. Il comporte un portique, dont les colonnes doriques en fonte furent coulées en Angleterre, et un dôme argenté, qui a longtemps été le symbole de la ville, à l'entrée du port. Le marché public a été fermé au début des années 1960 à la suite de l'apparition des supermarchés d'alimentation, puis transformé en bureaux municipaux. Rouvert en 1996, on peut aujourd'hui y déambuler au milieu d'une exposition et de diverses boutiques (voir p. 304). À l'origine, l'édifice logeait également l'hôtel de ville de Montréal ainsi qu'une salle de concerts à l'étage. Le long de la rue Saint-Paul, on peut voir les anciens celliers du marché, alors que, du grand balcon de la rue de la Commune, on aperçoit le bassin Bonsecours, en partie reconstitué, où accostaient les bateaux à aubes à bord desquels les agriculteurs venaient en ville vendre leurs produits.

Rendez-vous sur la place Jacques-Cartier.

À l'extrême sud de la place Jacques-Cartier et de l'autre côté de la rue de la Commune, sur les Quais du Vieux-Port se dresse le **pavillon Jacques-Cartier**, aux multiples pointes métalliques. Il abrite une cafétéria ainsi qu'un bar-terrasse dominé par un poste d'observation qui s'étend jusqu'à l'extrémité sud-est du quai Jacques-Cartier, sur lequel il est implanté.

À partir du quai Jacques-Cartier, on aperçoit vers l'est la **tour de l'Horloge** ★ *(mi-mai à fin sept; au bout du quai de l'Horloge, ☎ 514-496-7678 ou 800-971-7678, www.vieuxportdemontreal,com; métro Champ-de-*

Mars), qui se dresse sur le quai de l'Horloge. Cette structure est en réalité un monument érigé en 1922 à la mémoire des marins de la marine marchande morts au cours de la Première Guerre mondiale, et inauguré par le prince de Galles (futur Édouard VIII) lors de l'une de ses nombreuses visites à Montréal. Au sommet de la tour se trouve un observatoire permettant d'admirer l'île Sainte-Hélène, le pont Jacques-Cartier et l'est du Vieux-Montréal. De la place du Belvédère, située au pied de la tour, on a cette impression étrange d'être sur le pont d'un navire qui glisse lentement sur le fleuve Saint-Laurent en direction de l'Atlantique.

Pour retourner vers le métro, remontez la place Jacques-Cartier, traversez la rue Notre-Dame, la place Vauquelin puis le Champ-de-Mars jusqu'à la station du même nom.

Le centre-ville ★★★

p. 208 *p. 231* *p. 279* *p. 298*

une journée

Les gratte-ciel du centre-ville donnent à Montréal son visage typiquement nord-américain. Toutefois, à la différence d'autres villes du continent, un certain esprit latin s'infiltre entre les tours pour animer ce secteur de jour comme de nuit. Les bars, les cafés, les grands magasins, les boutiques, les sièges sociaux, deux universités et de multiples collèges sont tous intégrés à l'intérieur d'un périmètre restreint au pied du mont Royal.

Au début du XXe siècle, le centre de Montréal s'est déplacé graduellement de la vieille ville vers ce qui était, jusque-là, le quartier résidentiel huppé de la bourgeoisie canadienne, baptisé le **Golden Square Mile** (voir p. 105). De grandes artères comme la rue Dorchester, qui deviendra boulevard, lequel portera plus tard le nom de René-Lévesque, étaient alors bordées de demeures palatiales entourées de jardins ombragés. Le centre-ville a connu une transformation radicale en un très court laps de temps, soit entre 1960 et 1967, période qui voit s'ériger la Place Ville Marie, le métro, la ville souterraine, la Place des Arts et plusieurs autres infrastructures qui influencent encore le développement du secteur.

Pour commencer le circuit, empruntez le réseau souterrain à partir du métro Peel en direction des Cours Mont-Royal et de la rue Peel.

Les **galeries intérieures** ★ de Montréal (la «ville souterraine») sont les plus étendues au monde avec leur réseau piétonnier de plus de 30 km. Très appréciées pendant les jours de mauvais temps, elles donnent accès par des tunnels, des atriums et des places intérieures à plus de 2 000 boutiques et restaurants, à des cinémas, des immeubles résidentiels, des bureaux, des hôtels, des gares, entre autres la Station Centrale, à la Place des Arts et même à l'Université du Québec à Montréal (UQAM).

Les **Cours Mont-Royal** ★ *(1455 rue Peel; métro Peel)* sont reliées, comme il se doit, à ce réseau tentaculaire qui gravite autour des stations de métro. Il s'agit d'un complexe multifonctionnel comprenant quatre niveaux de boutiques, des bureaux et des appartements aménagés dans l'ancien hôtel Mont-Royal. Ce palace des années folles, inauguré en 1922, était, avec ses quelque 1 100 chambres, le plus vaste hôtel de l'Empire britannique. Mis à part l'extérieur, seule une portion du plafond du hall, auquel est suspendu l'ancien lustre du casino de Monte Carlo, a été conservée lors du recyclage de l'immeuble en 1987. Il faut voir les quatre cours intérieures, hautes de 10 étages, et se promener dans ce qui est peut-être le plus réussi des centres commerciaux du centre-ville. En face, ce qui ressemble à un petit manoir écossais est en fait l'ancien siège social des distilleries Seagram.

Poursuivez vers le sud par la rue Peel jusqu'au square Dorchester.

Le **Centre Infotouriste** *(fin juin à fin août tlj 9h à 19h, sept, oct et fév à fin juin tlj 9h à 18h, nov à fév tlj 9h à 17h; 1255 rue Peel, angle rue Ste-Catherine O., 877-266-5687, www.bonjourquebec.com; métro Peel)* abrite les comptoirs de plusieurs intervenants du domaine touristique, entre autres les bureaux d'information touristique du gouvernement du Québec.

De 1799 à 1854, le cimetière catholique de Montréal se trouvait en plein milieu de l'actuel centre-ville. Cette année-là, le cimetière Saint-Antoine fut transféré en partie sur le mont Royal (cimetière Notre-Dame-des-Neiges, voir p. 138). En 1872, la Ville fait de l'espace libéré deux squares de part et d'autre de la rue Dorchester (actuel boulevard René-Lévesque), tous deux en réaménagement à l'heure actuelle. La portion nord porte le nom de «square Dorchester» (anciennement le square Dominion), alors que la portion sud fut rebaptisée «place du Canada» lors du centenaire de la Confédération (1967). Plusieurs monuments ornent le **square Dorchester** ★ *(métro Peel)*: au centre, on peut voir une statue équestre à la mémoire des soldats canadiens tués lors de la guerre des Boers en Afrique du Sud, puis, sur le pourtour, une belle statue du poète écossais Robert Burns, une sculpture d'après le *Lion* de Belfort de Bartholdi, offerte par la compagnie d'assurances Sun Life, et le monument du sculpteur Émile Brunet en l'honneur de Sir Wilfrid Laurier, premier ministre du Canada de 1896 à 1911. Le square est aussi le point de départ des visites guidées en autocar.

Le **Windsor** ★ *(1170 rue Peel, www.lewindsor.com; métro Peel)*, l'hôtel où descendaient les membres de la famille royale lors de leurs visites en terre canadienne, n'existe plus. Seule l'annexe de 1906 subsiste, transformée depuis 1986 en édifice de bureaux. La jolie Peacock Alley, de même que les salles de bal, ont cependant été conservées. Un impressionnant atrium, visible des étages supérieurs, a été aménagé pour les locataires. Sur l'emplacement du vieil hôtel se dresse la **tour CIBC**. Ses parois sont revêtues d'ardoise verte, respectant ainsi les couleurs dominantes des bâtiments du square, qui sont le gris beige de la pierre et le vert du cuivre oxydé.

L'**édifice Sun Life** ★★ *(1155 rue Metcalfe; métro Peel)*, érigé entre 1913 et 1933 pour la puissante compagnie d'assurances Sun Life, fut pendant longtemps le plus vaste édifice de l'Empire britannique. C'est dans cette «forteresse» de l'*establishment* anglo-saxon, aux colonnades dignes de la mythologie antique, que l'on dissimula les joyaux de la Couronne britannique au cours de la Seconde Guerre mondiale. En 1977, le siège social de la compagnie fut déménagé à Toronto en guise de protestation contre les lois linguistiques favorables au français. Heureusement, le carillon qui sonne à 17h, chaque jour de la semaine, n'a pas été transféré et demeure partie intégrante de l'âme du quartier.

››› La place du Canada est un prolongement du square Dorchester vers le sud.

La **place du Canada** ★ *(métro Bonaventure)* accueille le 11 novembre de chaque année la cérémonie du Souvenir, à la mémoire des soldats canadiens tués au cours de la guerre de Corée et des deux guerres mondiales. Les anciens combattants se réunissent autour du Monument aux morts, qui trône au centre de la place. Un monument plus imposant, à la mémoire de Sir John A. Macdonald, premier à avoir été élu premier ministre du Canada en 1867, est situé en bordure du boulevard René-Lévesque.

Avant même qu'il ne soit aménagé en 1872, le square Dorchester est devenu le point de convergence de diverses églises. La **cathédrale Marie-Reine-du-Monde** ★★ *(1085 rue de la Cathédrale, angle boul. René-Lévesque O., ☎ 514-866-1661; métro Bonaventure)* est une des survivantes des huit temples érigés dans les environs du square entre 1865 et 1875. Siège de l'archevêché de Montréal et rappel de la puissance extrême du clergé jusqu'à la Révolution tranquille, cette cathédrale est une réduction au tiers de la basilique Saint-Pierre-de-Rome. En 1852, un terrible incendie détruit la cathédrale catholique Saint-Jacques de la rue Saint-Denis. L'évêque de Montréal à l'époque, l'ambitieux Mgr Ignace Bourget (1799-1885), profitera de l'occasion pour élaborer un projet grandiose qui surpassera enfin l'église Notre-Dame des Sulpiciens et qui assurera la suprématie de l'Église catholique à Montréal. Quoi de mieux alors qu'une réplique de Saint-Pierre-de-Rome élevée en plein quartier protestant. Malgré les réticences de l'architecte Victor Bourgeau, le projet sera mené à terme, l'évêque obligeant même Bourgeau à se rendre à Rome pour mesurer le vénérable édifice. La construction, entreprise en 1870, sera finalement achevée en 1894. Les statues de cuivre des 13 saints patrons des paroisses de Montréal seront, quant à elles, installées en 1900.

L'intérieur, modernisé au cours des années 1950, ne présente plus la même cohésion qu'autrefois. Il faut cependant remarquer le beau baldaquin, réplique de celui du Bernin, exécuté par le sculpteur Victor Vincent. Dans la chapelle mortuaire, sur la gauche, sont inhumés les évêques et archevêques de Montréal, la place d'honneur

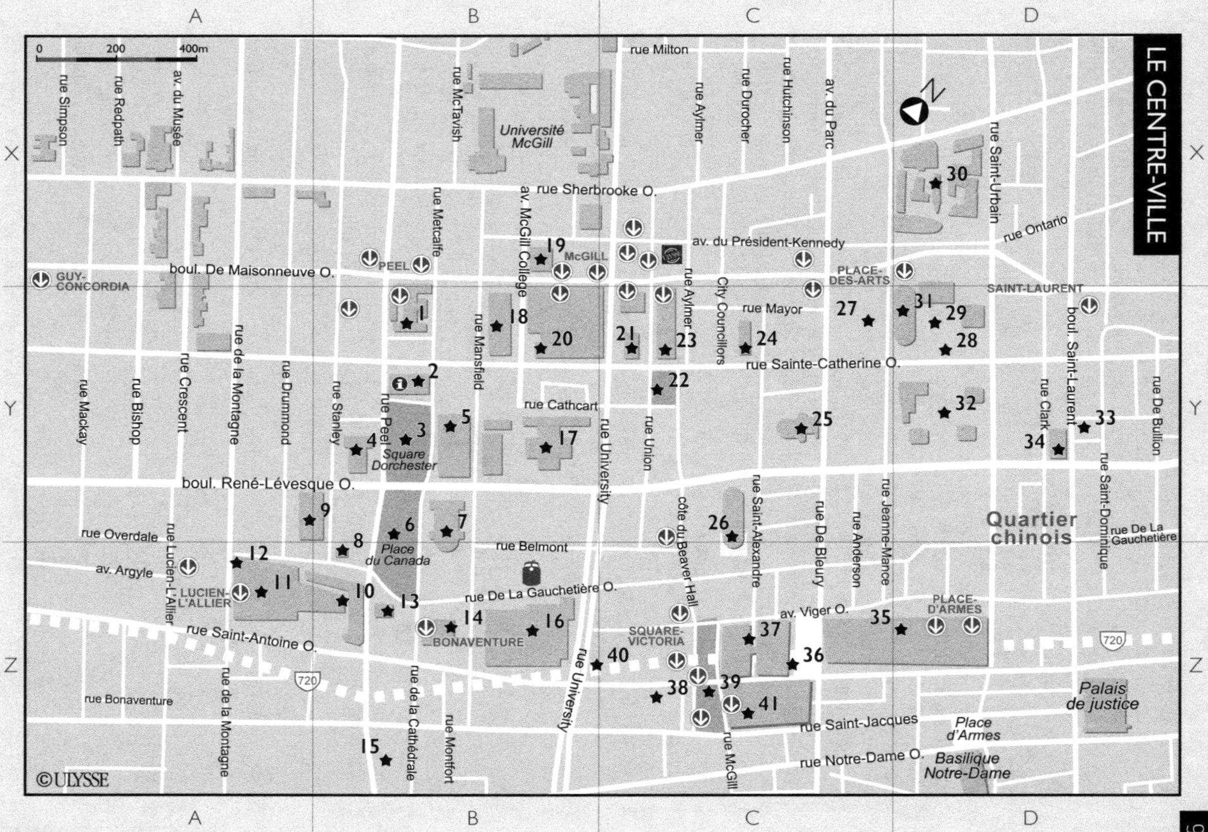

LE CENTRE-VILLE

★ ATTRAITS TOURISTIQUES

1. BY Cours Mont-Royal
2. BY Centre Infotouriste
3. BY Square Dorchester
4. BY Windsor / Tour CIBC
5. BY Édifice Sun Life
6. BY Place du Canada
7. BY Cathédrale Marie-Reine-du-Monde
8. BZ Église anglicane St. George
9. AY 1250 Boulevard René-Lévesque
10. BZ Gare Windsor
11. AZ Centre Bell / Temple de la renommée des Canadiens de Montréal
12. AZ Place du Centenaire
13. BZ Château Champlain
14. BZ 1000 De La Gauchetière / Atrium
15. BZ Planétarium de Montréal
16. BZ Place Bonaventure
17. BY Place Ville Marie
18. BY Place Montréal Trust
19. BX Tours jumelles BNP / Banque Laurentienne
20. BY Centre Eaton
21. CY Cathédrale Christ Church / Promenades Cathédrale
22. CY Square Phillips
23. CY La Baie
24. CY Église St. James United
25. CY Église du Gesù
26. CY Basilique St. Patrick
27. CY Place des Festivals
28. DY La Vitrine
29. DY Place des Arts
30. DX Complexe des sciences Pierre-Dansereau
31. DY Musée d'art contemporain de Montréal
32. DY Complexe Desjardins
33. DY SAT
34. DY Monument-National
35. DZ Palais des congrès de Montréal
36. CZ Place Jean-Paul-Riopelle
37. CZ Centre CDP Capital
38. CZ Tour de la Bourse
39. CZ Square Victoria
40. BZ Maison de l'OACI
41. CZ Centre de commerce mondial de Montréal

©ULYSSE

étant réservée au gisant de Mgr Bourget. Un monument, à l'extérieur, rappelle lui aussi ce personnage qui a beaucoup fait pour rapprocher la France du Canada.

··· *En sortant de la cathédrale, empruntez le boulevard René-Lévesque sur votre gauche, puis prenez la rue Peel à gauche et marchez jusqu'à la très jolie église anglicane St. George.*

L'**église anglicane St. George** ★★ *(1101 rue Stanley, ☎ 514-866-7113; métro Bonaventure)*, de style néogothique, affiche un extérieur de grès délicatement sculpté. On remarquera à l'intérieur l'exceptionnel plafond à charpente apparente et les boiseries du chœur, ainsi qu'une tapisserie provenant de l'abbaye de Westminster ayant servi lors du couronnement de la reine Elizabeth II.

L'édifice dénommé **1250 Boulevard René-Lévesque** ★ *(1250 boul. René-Lévesque O.; métro Bonaventure)*, haut de 47 étages, qui se dresse à l'arrière-plan de l'église St. George, a été achevé en 1991. Son jardin d'hiver planté de bambous est accessible au public.

En 1887, le directeur du Canadien Pacifique, William Cornelius Van Horne, demande à son ami new-yorkais Bruce Price (1845-1903) d'élaborer les plans de la **gare Windsor** ★★ *(angle rue De La Gauchetière et rue Peel; métro Bonaventure)*, une gare moderne qui agira comme terminal du chemin de fer transcontinental, achevé l'année précédente. Price est, à l'époque, un des architectes les plus en vue de l'est des États-Unis, où il conçoit des projets résidentiels pour la haute société, mais aussi des gratte-ciel, tel l'American Surety Building de Manhattan. On le chargera, par la suite, de la construction du Château Frontenac de Québec, qui lancera la vogue du style château au Canada.

L'allure massive qui se dégage de la gare Windsor, ses arcades en série, ses arcs cintrés soulignés dans la pierre et ses contreforts d'angle en font le meilleur exemple montréalais du style néoroman. Sa construction va consacrer Montréal comme plaque tournante du transport ferroviaire au pays et amorcer le transfert des activités commerciales et financières du Vieux-Montréal vers le Golden Square Mile. Délaissée au profit de la Gare centrale après la Seconde Guerre mondiale, la gare Windsor ne fut plus utilisée que par les passagers des trains de banlieue jusqu'en 1993. Reliée au Montréal souterrain, elle abrite des commerces et des bureaux. La salle des pas perdus de la gare sert entre autres à divers événements.

··· *Prenez la rue De La Gauchetière en direction du Centre Bell.*

Le **Centre Bell** *(8$; tlj, visites guidées 9h45 et 13h15, durée entre 45 min et 1h; 1260 rue De La Gauchetière O., ☎ 514-989-2841 ou 800-363-3723, www.centrebell.ca; métro Bonaventure ou Lucien-L'Allier)*, érigé à l'emplacement des quais de la gare Windsor, bloque maintenant tout accès des trains au vénérable édifice. L'immense bâtiment aux formes incertaines, inauguré en mars 1996 sous le nom de Centre Molson, a succédé au Forum de la rue Sainte-Catherine en tant que patinoire du club de hockey Le Canadien.

C'est le plus grand amphithéâtre de la Ligue nationale de hockey avec ses 21 273 sièges et 138 loges vitrées, vendues à fort prix aux entreprises montréalaises. C'est également le plus bruyant: la clameur de la foule pendant un match de hockey est inoubliable! La saison régulière de hockey s'étend d'octobre à avril, et les éliminatoires peuvent se prolonger jusqu'en juin. Deux mille places sont mises en vente à la billetterie du Centre Bell le jour même de chaque match, ce qui permet d'obtenir de bons billets à la dernière minute.

Depuis 2010, le Centre Bell renferme également le **Temple de la renommée des Canadiens de Montréal** *(10$; mar-sam 10h à 18h, dim 12h à 17h; accès par le 1909 av. des Canadiens-de-Montréal, ☎ 514-925-7777)*, un musée à la fine pointe de la technologie qui présente des objets de collection rares, des images et des vidéos sur écrans interactifs qui permettent de retracer l'histoire de l'équipe depuis sa fondation en 1909.

Le Centre Bell accueille aussi de fréquents concerts populaires et des spectacles familiaux. À l'angle des rues De La Gauchetière et de la Montagne, la **place du Centenaire** honore des joueurs du club Le Canadien.

La **Cité du commerce électronique** est un secteur en développement situé à l'ouest du Centre Bell et délimité par les rues Saint-Antoine, Lucien-L'Allier, de la Montagne et par le boulevard René-Lévesque. Depuis

Les galeries intérieures

L'inauguration de la Place Ville Marie, en 1962, avec sa galerie marchande au sous-sol, marque le point de départ de ce que l'on appelle aujourd'hui les galeries intérieures ou le Montréal souterrain. Le développement de cette «cité sous la cité» est accéléré par la construction du métro, qui débute la même année. Rapidement, la plupart des commerces, des édifices à bureaux et quelques hôtels du centre-ville sont stratégiquement reliés au réseau piétonnier souterrain et, par extension, au métro.

Aujourd'hui, cinq zones importantes forment cette «ville souterraine», la plus grande du monde:

- Autour de la station Berri-UQAM, accès aux bâtiments de l'Université du Québec à Montréal, à la Place Dupuis, à la Grande Bibliothèque et à la gare routière (Station Centrale).
- Entre les stations Place-des-Arts et Place-d'Armes, formée de la Place des Arts, du Musée d'art contemporain, des complexes Desjardins et Guy-Favreau, ainsi que du Palais des congrès.
- La station Square-Victoria, le centre des affaires.
- La plus fréquentée et la plus importante, autour des stations McGill, Peel et Bonaventure, englobant des centres commerciaux comme La Baie et le Centre Eaton.
- Le secteur commercial entourant la station Atwater, qui avoisine le Westmount Square et la Place Alexis Nihon.

quelques années, on y construit des édifices qui deviennent autant de sièges sociaux de compagnies vouées au développement de solutions web et de commerce électronique.

››› *Revenez sur vos pas. Le Château Champlain se trouve au sud de la place du Canada.*

Aujourd'hui un hôtel de la chaîne Marriott, le **Château Champlain ★** *(1 place du Canada; métro Bonaventure)* (voir p. 212), surnommé «la râpe à fromage» par les Montréalais à cause de ses multiples ouvertures cintrées et bombées, a été réalisé en 1966 par les Québécois Jean-Paul Pothier et Roger D'Astous.

La tour du **1000 De La Gauchetière** *(1000 rue De La Gauchetière O.; métro Bonaventure)*, gratte-ciel de 51 étages, a été terminée en 1992. S'y trouvent le terminus des autobus qui relient Montréal à la Rive-Sud ainsi que l'**Atrium** *(6,50$; location de patins 6$; tlj horaires variables; ☎ 514-395-0555, www.le1000.com)*, une patinoire intérieure ouverte toute l'année. Les architectes ont voulu démarquer l'immeuble de ses voisins en le dotant d'un couronnement en pointe recouvert de cuivre. Sa hauteur totale atteint le maximum permis par la ville, soit la hauteur du mont Royal, symbole ultime de Montréal, qui ne peut en aucun cas être dépassé.

››› *Une courte excursion hors circuit permet de visiter le Planétarium de Montréal. Pour cela, empruntez la rue de la Cathédrale vers le sud.*

Le **Planétarium de Montréal ★** *(8$; été tlj, basse saison mar-dim; représentations de 45 min; horaire variable; 1000 rue St-Jacques, ☎ 514-872-4530, www.planetarium.montreal.qc.ca; métro Bonaventure)* présente, sous un dôme hémisphérique de 20 m, des spectacles multimédias qui ont pour thème l'astronomie. L'Univers et ses mystères sont ici expliqués de façon à rendre accessible à tous ce monde merveilleux, trop souvent mal connu.

››› *Engagez-vous dans la rue De La Gauchetière. Vous apercevrez sur votre droite la Place Bonaventure.*

La **Place Bonaventure** ★ *(1 Place Bonaventure; métro Bonaventure)*, immense cube de béton strié sans façade, était, au moment de son achèvement en 1966, l'une des réalisations de l'architecture moderne les plus révolutionnaires de son époque. Ce complexe multifonctionnel du Montréalais Raymond Affleck est érigé au-dessus des voies ferrées qui mènent à la Gare centrale, où se superposent un stationnement, un centre commercial à deux niveaux relié au métro et à la ville souterraine, un vaste centre d'exposition et de foire, des salles de vente en gros, des bureaux et, aux étages supérieurs, un hôtel de 400 chambres avec, sur le toit, un charmant jardin urbain qui mérite une petite visite.

La Place Bonaventure donne accès à la station de métro Bonaventure. Avec ses revêtements de briques brunes et ses voûtes de béton brut, elle rappelle une basilique paléochrétienne.

En 1913, on perce, sous le mont Royal, un tunnel ferroviaire qui aboutit au centre-ville. Les voies souterraines courent sous l'avenue McGill College, puis se multiplient au fond d'une large tranchée à l'air libre qui s'étend entre les rues Mansfield et University. En 1938, on érige la **Gare centrale** en sous-sol. Elle présente une intéressante salle des pas perdus de style Art déco aérodynamique, aussi appelé Streamlined Deco.

La gare est camouflée par l'immense hôtel **Fairmont Le Reine Elizabeth** *(900 boul. René-Lévesque O.; métro Bonaventure; voir p. 211)*, le premier complexe hôtelier ultramoderne du centre-ville, ouvert en avril 1958. Son nom provoqua alors la colère des nationalistes québécois qui souhaitaient que cet hôtel porte le nom de Château Maisonneuve, en honneur du fondateur de la ville. Parfaitement situé au cœur de la célèbre ville souterraine de Montréal et carrément campé au-dessus de la Gare centrale, l'hôtel aux lignes épurées est alors le deuxième hôtel en importance du Commonwealth et l'un des premiers hôtels nord-américains dotés d'escaliers roulants, d'une climatisation centrale et d'une téléphonie à ligne directe dans chaque chambre.

John Lennon et Yoko Ono ont attiré les regards du monde entier sur l'hôtel en 1969, alors qu'ils demeurent une semaine dans la chambre 1742 pour leur fameux *Bed-In For Peace*, en protestation contre la guerre du Vietnam. L'ex-Beatle en profite alors pour écrire et enregistrer l'hymne pacifiste «Give Peace a Chance» dans cette chambre devenue depuis très recherchée par les touristes!

››› *Prenez la rue Mansfield, qui longe la cathédrale Marie-Reine-du-Monde. On aperçoit à l'arrière-plan l'imposant édifice Sun Life. Tournez à droite dans le boulevard René-Lévesque.*

La construction de la **Place Ville Marie** ★★★ *(1 Place Ville Marie; métro Bonaventure)* a lieu dans la portion nord de la tranchée du tunnel ferroviaire dès 1959 et se termine en 1962. Le célèbre architecte sino-américain Ieoh Ming Pei (pyramide du Louvre de Paris, East Building de la National Gallery of Art de Washington) conçoit, au-dessus des voies ferrées, un complexe multifonctionnel comprenant des galeries marchandes très étendues, aujourd'hui reliées à la majorité des immeubles environnants, et différents édifices de bureaux, notamment la fameuse tour cruciforme en aluminium. Sa forme particulière, tout en permettant d'obtenir un meilleur éclairage naturel jusqu'au centre de la construction, est devenue l'emblème incontesté du centre-ville de Montréal. Le maire de l'époque, Jean Drapeau, suggère alors de nommer le complexe «Ville-Marie», premier nom de Montréal.

Au milieu de l'espace public en granit du complexe Place Ville Marie, composé de quatre édifices et de sa galerie commerciale, une rose des vents indique le nord géographique, alors que l'orientation de l'**avenue McGill College**, dans l'axe de la place, suggère plutôt le nord tel que les Montréalais le perçoivent dans la vie de tous les jours. Cette artère, bordée de gratte-ciel multicolores, était encore en 1950 une étroite rue résidentielle. La large perspective qu'elle offre maintenant permet de voir le mont Royal coiffé de sa **croix** métallique (voir p. 135).

››› *Traversez la Place Ville Marie, puis empruntez l'avenue McGill College jusqu'à la rue Sainte-Catherine Ouest.*

L'avenue McGill College a été élargie et entièrement réaménagée au cours des années 1980. On peut y voir plusieurs exemples d'une architecture postmoderne éclectique et polychrome, où le granit poli et le verre réfléchissant abondent. La **Place Montréal Trust** *(angle rue Ste-Catherine; métro McGill)* est un de ces centres commerciaux qui sont surmontés d'une tour de bureaux et qui sont reliés à la ville souterraine et au métro par des corridors et des places privées.

Les **tours jumelles BNP** et **Banque Laurentienne** ★ *(1981 av. McGill College; métro McGill)*, les plus réussis des immeubles de l'avenue McGill College, ont été construites en 1981. Leurs parois de verre bleuté mettent en valeur la sculpture intitulée *La foule illuminée* du sculpteur franco-britannique Raymond Mason.

Revenez à la rue Sainte-Catherine.

La **rue Sainte-Catherine** est la principale artère commerciale de Montréal. Longue de 15 km, elle change de visage à plusieurs reprises sur son parcours. Vers 1870, elle était encore bordée de maisons en rangée, mais, en 1920, elle était déjà au cœur de la vie montréalaise. Depuis les années 1960, un ensemble de centres commerciaux reliant l'artère aux lignes de métro adjacentes s'est ajouté aux commerces ayant pignon sur rue. Un des plus récents, le **Centre Eaton** *(705 rue Ste-Catherine O.; métro McGill)* comprend une longue galerie à l'ancienne, bordée de cinq niveaux de magasins, de restaurants et de cinémas. Un tunnel piétonnier le relie à la Place Ville Marie.

Le grand magasin Eaton fut une des principales «institutions» de la rue Sainte-Catherine, mais il a dû fermer ses portes en novembre 1999 pour cause de faillite. L'imposant édifice de neuf étages abrite dorénavant une succursale d'une autre chaîne de magasins à rayons, le **Complexe Les Ailes** *(677 rue Ste-Catherine O.; métro McGill)*. La salle à manger Art déco, au 9e étage, dessinée en 1931 par Jacques Carlu, auteur de plusieurs décors de paquebots et créateur du palais de Chaillot à Paris, sera gardée intacte puisqu'elle a été classée monument historique. Elle est malheureusement fermée au public.

La première cathédrale anglicane de Montréal était située rue Notre-Dame, à proximité de la place d'Armes. À la suite d'un incendie en 1856, il fut décidé de reconstruire la **cathédrale Christ Church** ★★ *(635 rue Ste-Catherine O., angle rue University, ☎ 514-843-6577; métro McGill)* plus près de la population à desservir, soit au cœur du Golden Square Mile naissant. Natif de Salisbury (Angleterre), l'architecte Frank Wills, prenant pour modèle la cathédrale de sa ville d'origine, a réalisé un ouvrage flamboyant doté d'un seul clocher aux transepts. La sobriété de l'intérieur contraste avec la riche ornementation des églises catholiques que l'on retrouve dans le même circuit. Seuls quelques beaux vitraux, exécutés dans les ateliers de William Morris, ajoutent un peu de couleur. La flèche de pierre du clocher fut démolie en 1927 et remplacée par une copie en aluminium, car elle aurait éventuellement entraîné l'affaissement de l'édifice. Le problème lié à l'instabilité des fondations ne fut pas réglé pour autant, et il fallut la construction du centre commercial **Promenades Cathédrale**, sous l'édifice, en 1987, pour solidifier le tout. Ainsi, la cathédrale anglicane Christ Church repose maintenant sur le toit d'un centre commercial. Par la même occasion, une tour de verre postmoderne, coiffée d'une «couronne d'épines», fut érigée à l'arrière. À son pied se trouve une petite place dédiée à l'architecte Raoul Wallenberg, diplomate suédois qui sauva de la déportation nazie plusieurs centaines de juifs hongrois durant la Seconde Guerre mondiale.

C'est autour du **square Phillips** ★ *(angle rue Union et rue Ste-Catherine O.; métro McGill)* qu'apparurent les premiers magasins de la rue Sainte-Catherine, autrefois strictement résidentielle. Henry Morgan y transporta sa Morgan's Colonial House, aujourd'hui **La Baie**, à la suite des inondations de 1886 dans la vieille ville. Henry Birks, issu d'une longue lignée de joailliers anglais, suivit bientôt, en installant sa célèbre bijouterie dans un bel édifice de grès beige, sur la face ouest du square. En 1914, on a inauguré, au centre du square Phillips, un monument à la mémoire du roi Édouard VII, œuvre du sculpteur Louis-Philippe Hébert. Le square est un lieu de détente apprécié par les clients des grands magasins.

L'**église St. James United** ★ *(463 rue Ste-Catherine O., ☎ 514-288-9245; métro McGill)*, une ancienne église méthodiste construite entre 1887 et 1889, dont l'intérieur est aménagé en auditorium, présentait à l'origine une façade complète donnant sur un jardin. Pour contrer la diminution de ses revenus, la communauté religieuse fit construire, en 1926, un ensemble de commerces et de bureaux sur le front de la rue Sainte-Catherine, ne laissant qu'un étroit passage pour pénétrer dans l'église. Toutefois, l'église St. James United a fait récemment l'objet d'heureux travaux de rénovation. Ainsi, son impressionnante façade, avec rosace et verrières, et ses tours de style néogothique ont été restaurées. Et pour mettre en valeur l'ensemble, les commerces et bureaux qui cachaient sa façade ont été démolis, dévoilant à nouveau le parvis.

››› 🚶 *Tournez à droite dans la rue De Bleury.*

Après 40 ans d'absence, les Jésuites reviennent à Montréal en 1842 à l'invitation de Mgr Ignace Bourget. Six ans plus tard, ils fondent le collège Sainte-Marie, où plusieurs générations de garçons recevront une éducation exemplaire. L'**église du Gesù** ★★ *(1202 rue De Bleury; métro Place-des-Arts)* fut conçue, à l'origine, comme chapelle du collège. Le projet grandiose, entrepris en 1864, ne put être achevé faute de fonds. Ainsi, les tours de l'église néo-Renaissance n'ont jamais reçu de clochers. Quant au décor intérieur, il fut exécuté en trompe-l'œil par l'artiste Damien Müller. On remarquera les beaux exemples d'ébénisterie que sont les sept autels principaux ainsi que les parquets marquetés qui les entourent. Les grandes toiles suspendues aux murs ont été commandées aux frères Gagliardi de Rome. Le collège des Jésuites, érigé au sud de l'église, a été démoli en 1975, mais le Gesù a heureusement pu être sauvé puis restauré en 1983. Depuis, il accueille un centre de créativité qui porte son nom.

››› 🚶 *Faites un crochet pour aller visiter la basilique St. Patrick. Pour vous y rendre, suivez la rue De Bleury vers le sud. Puis tournez à droite dans le boulevard René-Lévesque et enfin à gauche dans la petite rue Saint-Alexandre. Entrez dans l'église par les accès situés sur les côtés.*

Fuyant la misère et la maladie de la pomme de terre, les Irlandais arrivent nombreux à Montréal entre 1820 et 1860, où ils participent aux chantiers du canal de Lachine et du pont Victoria. La construction de la **basilique St. Patrick** ★★ *(460 boul. René-Lévesque O., ☎ 514-866-7379; métro Square-Victoria)*, qui servira de lieu de culte à la communauté catholique irlandaise, répond donc à une demande nouvelle et pressante. Au moment de son inauguration en 1847, l'église dominait la ville située en contrebas. Elle est, de nos jours, bien dissimulée entre les gratte-ciel du centre des affaires. Le père Félix Martin, supérieur des Jésuites, et l'architecte Pierre-Louis Morin se chargèrent des plans de l'édifice néogothique, style préconisé par les Messieurs de Saint-Sulpice, qui financèrent le projet. Paradoxe parmi tant d'autres, l'église St. Patrick est davantage l'expression d'un art gothique français que de sa contrepartie anglo-saxonne. Chacune des colonnes en pin qui divisent la nef en trois vaisseaux est un tronc d'arbre taillé d'un seul morceau.

››› 🚶 *Revenez à la rue Sainte-Catherine.*

À l'intersection de la rue Sainte-Catherine et du boulevard Saint-Laurent bat le cœur du **Quartier des spectacles** *(www.quartierdesspectacles.com)*, qui couvre 1 km². On y trouve plus de 30 salles de spectacle offrant 28 000 sièges, des galeries d'art et des lieux de diffusion alternatifs. À l'été 2009, la Ville a inauguré la **place des Festivals** *(rue Jeanne-Mance, entre le boulevard De Maisonneuve et la rue Ste-Catherine)*. Cette place publique, munie des plus importants jeux d'eau et de lumière au Canada, accueille les spectacles extérieurs gratuits des grands festivals montréalais, notamment ceux du Festival international de jazz et des FrancoFolies, ainsi que certains événements du Festival Juste pour rire.

À l'instar du TKTS Booth de New York, où résidants et visiteurs achètent des billets pour les comédies musicales de Broadway à moindre coût, **La Vitrine** *(tlj 11h à 20h; 145 rue Ste-Catherine O., ☎ 514-285-4545 ou 866-924-5538, www.lavitrine.com)* propose, dans un même lieu, un espace présentant la diversité de l'offre culturelle du Grand Montréal ainsi qu'un guichet central d'information et de vente de billets de dernière minute (à prix réduit ou régulier).

Inspiré par des ensembles culturels comme le Lincoln Center de New York, le gouvernement du Québec a fait ériger, dans

Le Complexe des sciences Pierre-Dansereau

Partie intégrante du campus de l'Université du Québec à Montréal (UQAM), le **Complexe des sciences Pierre-Dansereau ★★**, du nom d'un grand scientifique québécois, s'inscrit dans la continuité du développement urbain de l'UQAM. Délimité par les rues Sherbrooke, Saint-Urbain, Jeanne-Mance et l'avenue du Président-Kennedy, le quadrilatère qui l'abrite se trouve à deux pas de la place des Festivals et du Quartier des spectacles de Montréal. Le complexe regroupe quatre pavillons à vocation scientifique, un centre de diffusion et de vulgarisation et des résidences universitaires, tout en intégrant plusieurs bâtiments de l'ancienne École technique de Montréal. Les jeux des façades en harmonie avec l'aménagement paysager en font un ensemble architectural résolument moderne. En partie revêtu des briques chamois des bâtiments anciens, le complexe arbore du verre coloré dans des tons de gris, de vert et de jaune. Dans son écrin, des axes sinueux de verdure et de bosquets se faufilant entre les bâtiments sont ponctués d'îlots de jardins. Juste à l'est, sur l'avenue du Président-Kennedy, s'élève une petite église qui se distingue par son toit rouge, l'église St. John the Evangelist.

la foulée de la Révolution tranquille, la **Place des Arts ★** *(175 rue Ste-Catherine O., entre les rues Jeanne-Mance et Saint-Urbain, ☎ 514-842-2112 ou 866-842-2112, www.pda.qc.ca; métro Place-des-Arts)*, un complexe de cinq salles consacré aux arts de la scène. La Salle Wilfrid-Pelletier, au centre, fut inaugurée en 1963 (2 982 places). Elle accueille entre autres l'Opéra de Montréal et l'Orchestre symphonique de Montréal, qui aura sa propre Adresse symphonique en 2011 avec salle de concerts au nord-est de l'îlot de la Place des Arts. L'édifice des théâtres, sur la droite, adopte une forme cubique. Il renferme trois salles: le Théâtre Maisonneuve (1 453 places), le Théâtre Jean-Duceppe (755 places) et le Studio-théâtre, une petite salle intimiste de 138 places. Quant à la Cinquième salle (350 places), elle a été aménagée en 1992 dans le cadre de la construction du Musée d'art contemporain.

L'esplanade de la Place des Arts joue également le rôle d'une agora culturelle au cœur du centre-ville. Hiver comme été, le secteur de la Place des Arts se transforme en un grand pôle animé.

Le **Musée d'art contemporain de Montréal ★★** *(8$, entrée libre mer 17h à 21h; mar-dim 11h à 18h, mer 11h à 21h; 185 rue Ste-Catherine O., angle rue Jeanne-Mance, ☎ 514-847-6226, www.macm.org; métro Place-des-Arts)* a ouvert ses portes sur son emplacement actuel en 1992. Il s'agit du premier (1964) musée d'art contemporain au Canada. Il abrite une collection de plus de 7 000 œuvres. L'édifice tout en longueur, érigé sur l'esplanade de la Place des Arts et relié au réseau piétonnier souterrain, renferme huit salles où sont présentées des œuvres québécoises et internationales réalisées après 1940. L'intérieur, nettement plus réussi que l'extérieur, s'organise autour d'un hall circulaire. L'exposition permanente du musée regroupe la plus importante collection des œuvres de Paul-Émile Borduas. Les expositions temporaires font, quant à elles, surtout la part belle aux créations multimédias. Le musée compte également la petite librairie Olivieri, spécialisée dans les monographies d'artistes canadiens et dans les essais sur l'art, une boutique de produits tendance et le restaurant La Rotonde, qui domine l'esplanade de la Place des Arts. Au rez-de-chaussée, une amusante sculpture métallique de Pierre Granche intitulée *Comme si le temps... de la rue* représente la trame de rues montréalaise, envahie par des oiseaux casqués, dans une sorte de théâtre semi-circulaire. Notez que tous les premiers vendredis soir du mois sauf en août et janvier, le musée présente ses «vendredis nocturnes», de 17h à 21h, avec cocktail, musique en direct et visites guidées des expositions.

Le vaste **complexe Desjardins** ★ *(rue Ste-Catherine O., en face de la Place des Arts, www.complexedesjardins.com; métro Place-des-Arts)* renferme plusieurs institutions et services du Mouvement Desjardins depuis 1976. On y trouve également de nombreux bureaux gouvernementaux. Il est doté d'une place publique intérieure, très courue durant les mois d'hiver, où ont lieu divers événements culturels au cours de l'année. La place est entourée entre autres de boutiques et d'une aire de restauration à comptoirs multiples. Plus grand immeuble de la métropole avec ses 371 000 m², le complexe comprend aussi le **Hyatt Regency Montréal** (voir p. 211).

Envie...

... de déjeuner? Le **Café du Nouveau Monde** (voir p. 232), café culturel s'il en est, situé au rez-de-chaussée du théâtre du même nom (voir p. 290), propose un menu de bistro somme toute classique mais délicieux.

De la rue Saint-Urbain au boulevard Saint-Laurent, c'est une tout autre rue Sainte-Catherine que l'on parcourt: la Sainte-Catherine nocturne, avec ses bars de danseuses nues et ses sex-shops. Curieux contraste que cette artère commerciale si policée le jour, et qui s'enflamme la nuit: c'est aussi ça Montréal!

››› *Tournez à droite dans le boulevard Saint-Laurent.*

La **SAT** *(1195 boul. St-Laurent, ☎ 514-844-2033, www.sat.qc.ca; métro St-Laurent)*, ou **Société des arts technologiques**, se présente comme un centre disciplinaire de création et de diffusion voué au développement et à la conservation de la culture numérique. La SAT propose régulièrement des événements artistiques, dont de nombreux concerts et des soirées animées par des DJ renommés, ainsi qu'un bazar annuel, le **souk @ sat** (voir p. 295).

Érigé en 1893 pour la Société Saint-Jean-Baptiste, vouée à la défense des droits des francophones, le **Monument-National** ★ *(1182 boul. St-Laurent, ☎ 514-871-2224 ou 866-844-2172, www.monument-national.qc.ca; métro St-Laurent)* constituait un centre culturel dédié à la cause du Canada français. Au cours des années 1940, on y a aussi monté des spectacles de cabaret et des pièces à succès qui ont lancé la carrière de plusieurs artistes québécois, notamment les Olivier Guimond père et fils. L'édifice, vendu à l'École nationale de théâtre du Canada en 1971, a fait l'objet d'une restauration complète lors de son centenaire; à cette occasion, on a mis en valeur la plus ancienne salle de spectacle du Canada, la Salle Ludger-Duvernay.

››› *Traversez le boulevard René-Lévesque, puis tournez à droite dans la rue De La Gauchetière.*

Le **Quartier chinois** ★ *(rue De La Gauchetière; métro Place-d'Armes)* de Montréal, malgré son exiguïté, n'en demeure pas moins un lieu de promenade agréable. Les Chinois venus au Canada pour la construction du chemin de fer transcontinental, terminé en 1886, s'y sont installés en grand nombre à la fin du XIXe siècle. Bien qu'ils n'habitent plus le quartier, ils y viennent toujours les fins de semaine pour flâner et faire provision de

Le Festival international de jazz de Montréal

Du premier Festival de jazz lancé modestement en 1980 par Alain Simard, André Ménard et Denyse McCann, sur l'île Sainte-Hélène, à la très dynamique Équipe Spectra, qui fait vibrer le centre-ville de Montréal au rythme de nombreux événements et concerts chaque année, la conception montréalaise fait recette et a su élever le Festival international de jazz de Montréal au rang du plus important rendez-vous du jazz au monde: une programmation éclectique, des artistes du monde entier, allant des grandes pointures du jazz aux découvertes locales, et un volet important de concerts gratuits en plein air qui attirent plus d'un million de festivaliers.

produits exotiques. La rue De La Gauchetière a été transformée en artère piétonne, bordée de restaurants et encadrée par de belles portes à l'architecture d'inspiration chinoise que l'on retrouve également sur le boulevard Saint-Laurent pour délimiter le quartier.

Envie...

... d'un *dim sum*? Si vous n'avez pas encore goûté à ces fameux brunchs chinois, c'est l'occasion de vous rattraper dans l'un des nombreux restaurants de la rue De La Gauchetière, principale artère du Quartier chinois de Montréal.

Tournez à gauche dans la rue Saint-Urbain et pénétrez à l'intérieur du Palais des congrès de Montréal, à l'angle de l'avenue Viger. Cet édifice fait partie de ce que l'on appelle désormais le « Quartier international de Montréal ».

Le **Quartier international de Montréal (QIM)** ★★ *(www.qimtl.qc.ca)* est le fruit du réaménagement de tout un secteur situé entre les rues Saint-Urbain, Saint-Jacques, University et Viger. Ce projet, conduit par les architectes et urbanistes Clément Demers et Réal Lestage, a été couronné de nombreux prix. Longtemps défiguré par l'autoroute Ville-Marie, et par conséquent délaissé des Montréalais, le secteur constitue désormais grâce au QIM la vitrine économique internationale de la ville de Montréal.

Rénovation de bâtiments déjà existants comme le Palais des congrès, ajout de réseaux piétonniers et d'espaces verts, construction de nouveaux édifices ultramodernes, abritant hôtels et entreprises, bref, il s'agit là d'un réaménagement urbain en profondeur qui vise à attirer les investisseurs étrangers tout en réhabilitant le parc résidentiel du quartier. Dans ce secteur charnière entre le Vieux-Montréal et le centre-ville, l'autoroute Ville-Marie a ainsi été couverte entre la rue Saint-Urbain et le square Victoria. De plus, l'aménagement de places et l'élargissement des trottoirs ont contribué à l'augmentation de la surface piétonnière de 40%. Un alignement de fûts aux couleurs des drapeaux des pays du monde longe désormais la rue University.

Afin d'explorer ce quartier plus en détail, nous vous suggérons de faire l'une des visites guidées organisées par **Héritage Montréal** (voir p. 72).

Le circuit culturel du Quartier international de Montréal

Le Quartier international de Montréal renferme un circuit culturel composé d'environ 30 œuvres d'art public. Les piétons peuvent le parcourir à leur guise et découvrir ou redécouvrir des artistes hors des infrastructures muséales traditionnelles. Ils y verront des œuvres magistrales comme *Le Grand Jean Paul* (2005) de Roseline Granet, *Le miroir aux alouettes* (1975) de Marcelle Ferron, sans oublier *La Joute* (1974) de Jean Paul Riopelle.

Le **Palais des congrès de Montréal** ★★ *(201 av. Viger O.; 1001 place Jean-Paul-Riopelle; 301 rue St-Antoine, ☎ 514-871-8122 ou 800-268-8122, www.congresmtl.com; métro Place-d'Armes)*, érigé en partie au-dessus de l'autoroute Ville-Marie, contribuait d'une certaine manière à isoler le Vieux-Montréal du centre-ville. À la suite d'aménagements importants en 2002, le Palais des congrès a doublé sa surface et s'intègre mieux en continuité entre ces deux secteurs.

Des œuvres d'art contribuent aussi à enjoliver le Palais des congrès: *Translucide*, un diptyque des artistes multimédias Michel Lemieux et Victor Pilon, et *La poussée vers le haut*, jardin minéral de Francine Larivée, juché sur le toit. Des aménagements paysagers, créations de l'architecte Claude Cormier, complètent le décor: *Nature Légère / Lipstick Forest*, un jardin surréel de 52 troncs d'arbres en béton rose, et *L'Esplanade*, où 31 monticules de terre sont reliés par des sentiers de pierre calcaire typique de Montréal et plantés d'autant de pommetiers décoratifs, emblème floral de la Ville de Montréal depuis mai 1995. Parmi les œuvres d'art public que compte le Palais des congrès, on retrouve également la sculpture de Charles Daudelin *Éolienne V*, un mobile en acier inoxydable qui a bénéficié d'un nouvel espace dans le cadre des travaux de réaménagement de l'édifice.

Une autre partie s'ouvre au niveau de la rue, où une immense façade de verre coloré crée des effets de lumière tant à l'intérieur qu'à l'extérieur du Palais. Elle regarde vers la **place Jean-Paul-Riopelle** ★★ *(entre le Palais des congrès et le Centre CDP Capital)*, où est installée une immense sculpture-fontaine en bronze signée par l'artiste, intitulée *La Joute*, avec jets d'eau et flammes. Durant la belle saison (mi-mai à mi-octobre), des animations avec brume et cercle de feu attirent tous les soirs de nombreux visiteurs. Devant s'élève un édifice à l'architecture imposante, le **Centre CDP Capital** ★, bureau d'affaires de la Caisse de dépôt et placement du Québec (CDP).

››› *Tournez à gauche dans l'avenue Viger et marchez jusqu'au square Victoria. Il vous est également possible de rejoindre le square en traversant l'édifice du Centre CDP Capital.*

La **tour de la Bourse** ★ *(Place Victoria; métro Square-Victoria)* est le bâtiment qui domine le paysage à l'arrivée. Élevée en 1964, l'élégante tour noire de 47 étages qui abrite les bureaux et le parquet de la Bourse était censée redonner vie au quartier des affaires de la vieille ville, délaissé depuis le krach de 1929 au profit des environs du square Dorchester.

Au XIXe siècle, le **square Victoria** ★★ *(métro Square-Victoria)* adoptait la forme d'un jardin

Murales et graffitis

Montréal est une ville aux teintes vibrantes, comme en témoignent les maisons colorées du Plateau Mont-Royal, les enseignes phosphorescentes de la rue Sainte-Catherine ou, en automne, les feuilles multicolores du mont Royal. À cette palette de couleurs s'ajoutent les fresques qui habillent, çà et là, les murs de la ville. Peintes au pinceau ou à l'aérosol, ces murales hétéroclites dans leurs époques et leurs styles ajoutent une touche unique à l'expérience de déambuler dans les rues montréalaises.

La vogue des murales s'est développée à Montréal dans les années 1970. De cette période, on peut encore admirer au centre-ville, sur l'avenue du Président-Kennedy près de la rue Jeanne-Mance, les effluves astraux s'échappant d'une bouche dentée et charnue. Depuis 1998, se trouve, rue Sherbrooke à l'angle de la rue Durocher, dans le quartier Milton-Parc, une fresque tout en longueur à saveur historique intitulée *Montréal d'hier à aujourd'hui*. Une œuvre de plus de 20 m de haut peinte sur un mur extérieur de la Mission Old Brewery (angle rue Saint-Antoine et boulevard Saint-Laurent, près du Vieux-Montréal), célèbre les 40 ans de l'Expo 67.

Depuis le début des années 1990, les murs de Montréal ont servi de support à un nouveau courant graphique, celui du graffiti hip-hop. Au mois d'août de chaque année, une centaine de graffiteurs se retrouvent, dans le cadre de l'événement *Under Pressure*, pour peindre les murs extérieurs du bar Les Foufounes Électriques (rue Sainte-Catherine près du boulevard Saint-Laurent, au centre-ville). Les graffitis y restent un an jusqu'au *Under Pressure* suivant. Un second espace populaire se trouve dans la rue Bleury, à quelques pas au nord de la rue Sainte-Catherine, toujours au centre-ville. Il est occupé annuellement par les graffiteurs au cours de l'événement *Meeting of Styles*, qui fut présenté à Montréal pour la première fois en septembre 2006. Finalement, une balade sur le Plateau Mont-Royal permet aussi d'admirer les résultats des activités (parfois illégales) des graffiteurs. De belles surprises attendent les curieux qui déambulent dans la rue Marie-Anne, sur l'avenue Duluth ou dans la rue Saint-Dominique, sans oublier les jolies ruelles du quartier.

victorien entouré de magasins et de bureaux Second Empire ou néo-Renaissance. Seul l'étroit édifice du 751 de la rue McGill subsiste de cette époque. Toutefois, le square Victoria a rénové sa forme historique, avec ses dimensions d'origine et sa statue restaurée de la reine Victoria, et demeure l'un des axes importants du Quartier international de Montréal.

En 2003, dans le cadre des travaux d'aménagement du Quartier international de Montréal, la bouche de métro de la station Square-Victoria (sortie Saint-Antoine) s'est vue ornée de la grille d'entrée restaurée (elle y était depuis 1967) du «métropolitain» parisien – œuvre d'Art nouveau que l'architecte Hector Grimard avait conçue au début des années 1900. Cette grille est la seule authentique existant hors de Paris.

Montréal est le siège des deux organismes régissant le transport aérien civil dans le monde, l'IATA (International Air Transport Association) et l'OACI (Organisation de l'aviation civile internationale). Cette dernière est une agence des Nations Unies fondée en 1947. L'organisme est doté d'une **Maison de l'OACI** *(angle des rues University et St-Antoine O.)* pour abriter les délégations de ses 190 pays membres. Du square Victoria, on aperçoit l'arrière de l'édifice, intégré au Quartier international de Montréal. «Verrière-totem», le *Miroir aux alouettes*, œuvre de l'artiste Marcelle Ferron, se dresse devant la façade ouest de la Maison de l'OACI.

››› *Pénétrez dans le passage couvert du Centre de commerce mondial.*

Les centres de commerce mondiaux, mieux connus sous le nom de *World Trade Centers*, sont des lieux d'échanges destinés à favoriser le commerce international. Le **Centre de commerce mondial de Montréal ★** *(747 rue du Square-Victoria; métro Square-Victoria)* couvre un quadrilatère complet constitué de façades anciennes apposées sur une nouvelle structure traversée en son centre par un impressionnant passage vitré long de 180 m. Celui-ci occupe une section de la ruelle des Fortifications, voie qui suit l'ancien tracé du mur nord de la ville fortifiée.

En bordure du passage se trouvent une fontaine et un élégant escalier de pierre servant de cadre à une sculpture d'Amphitrite, épouse de Poséidon, provenant de la fontaine municipale de Saint-Mihiel-de-la-Meuse. Il s'agit d'une œuvre du milieu du XVIIIe siècle réalisée par le sculpteur nîmois Barthélemy Guibal, à qui l'on doit également les fontaines de la place Stanislas à Nancy. On peut aussi y voir une portion du «mur de Berlin», don de la Ville de Berlin à l'occasion du 350e anniversaire de la fondation de la ville de Montréal.

››› *Montez l'escalier, puis longez le passage jusqu'à l'entrée discrète du hall de l'hôtel Inter-Continental. Prenez à droite la passerelle qui conduit à l'édifice Nordheimer, restauré pour accueillir les salles de réception de l'hôtel intégré au Centre de commerce mondial.*

Jean Paul Riopelle

Jean Paul Riopelle est né à Montréal en 1923. Sa carrière prend son envol au sein du groupe des Automatistes, dans les années 1940. Il fut sans doute l'un des peintres les plus importants du Québec et celui jouissant de la plus grande renommée internationale parmi ses contemporains. Plusieurs du nombre impressionnant d'œuvres qu'il a signées (sa fille Yseut en a répertorié autour de 8 840) font aujourd'hui partie de collections privées ou de musées d'art nationaux et internationaux. Personnage légendaire aimant les belles voitures et la vitesse, peintre abstrait connu pour ses immenses toiles, Riopelle a certainement marqué l'art moderne de son empreinte distinctive.

L'un des 15 cosignataires en 1948, avec Paul-Émile Borduas, du manifeste *Refus global*, Riopelle vécut à Paris de nombreuses années, mais c'est au Québec qu'il revient s'installer vers la fin de sa vie. Il est décédé le 12 mars 2002 dans son manoir de l'île aux Grues, le long du corridor de migration des oies blanches qu'il affectionnait particulièrement.

L'édifice Nordheimer, érigé en 1888, abritait à l'origine un magasin de pianos ainsi qu'une petite salle de concerts où se sont produits les plus grands artistes, entre autres Maurice Ravel et Sarah Bernhardt. L'intérieur, qui combine boiseries sombres, plâtres moulés et mosaïques, est typique de la fin du XIXe siècle, caractérisée par un éclectisme débordant et une polychromie enjouée. Sa façade, rue Saint-Jacques, réunit des éléments issus du style néoroman tels qu'adaptés par l'Américain Henry Hobson Richardson et des éléments de l'école de Chicago, notamment au niveau de la toiture métallique, abondamment fenêtrée.

Sortez par le 363 de la rue Saint-Jacques. C'est ici que commence le circuit du Vieux-Montréal (voir p. 77). Vous pouvez également reprendre le métro à la station Place-d'Armes, accessible à partir des galeries du Centre de commerce mondial.

Le Musée des beaux-arts de Montréal ★★★

au moins deux heures

Le **Musée des beaux-arts de Montréal** *(15$ pour les expositions temporaires, à moitié prix mer 17h à 21h, entrée libre pour la collection; mar 11h à 17h, sam-dim 10h à 17h, mer-ven 11h à 21h; 1379-1380 rue Sherbrooke O., 514-285-2000 ou 800-899-6873, www.mbam.qc.ca; métro Guy-Concordia, autobus 24)*, situé au cœur du centre-ville, est le plus important et le plus ancien musée québécois. Il regroupe des collections variées qui dressent un portrait de l'évolution des arts dans le monde depuis l'Antiquité jusqu'à nos jours. L'institution est installée dans trois pavillons: le pavillon Michal et Renata Hornstein et le pavillon Liliane et David M. Stewart au n° 1379 de la rue Sherbrooke et le pavillon Jean-Noël Desmarais au n° 1380. Seulement 10% de la collection du musée, qui comprend plus de 35 000 objets, est exposée. À celle-ci peuvent se joindre jusqu'à trois expositions temporaires d'envergure internationale présentées simultanément, constituant ainsi un volet appréciable des activités du musée.

C'est en 1860 que des amateurs d'art issus de la bourgeoisie anglo-saxonne de Montréal, alors au faîte de sa gloire, fondent le Musée des beaux-arts, qui portera jusqu'en 1948 le nom de *Art Association of Montreal*. Le noyau de la collection permanente du musée reflète encore les goûts de ces riches familles d'origine anglaise et écossaise qui ont fait don de nombreuses œuvres à l'institution. Il faudra cependant attendre encore près de 20 ans pour que le musée s'installe dans son premier lieu d'exposition permanent. À la suite d'un don du mécène Benaiah Gibb, une modeste galerie, aujourd'hui disparue, est érigée en 1879 à l'angle sud-est du square Phillips et de la rue Sainte-Catherine Ouest.

Une campagne de souscription est lancée en 1909 afin de doter le musée d'un bâtiment plus prestigieux. Il sera construit dans la rue Sherbrooke Ouest au cœur du Golden Square Mile, ce quartier résidentiel de la grande bourgeoisie canadienne qui allait devenir par la suite le centre-ville moderne de Montréal. L'édifice, l'actuel pavillon Michal et Renata Hornstein (anciennement pavillon Benaiah Gibb), est inauguré en 1912. Ses architectes l'ont doté d'une élégante façade de marbre blanc du Vermont, dessinée dans le style Renouveau classique, dont les formes rappellent la Rome antique.

Les espaces du musée étant insuffisants, les dirigeants de l'institution se sont tournés vers l'îlot d'en face, proposant de la sorte une solution originale et un défi à leur architecte, Moshe Safdie, déjà connu pour son Habitat 67 et son Musée des beaux-arts du Canada à Ottawa. Le pavillon, baptisé en l'honneur de Jean-Noël Desmarais, père du mécène Paul Desmarais, a été inauguré en 1991. Il présente sur la gauche une façade de marbre blanc, alors qu'il intègre sur la droite la façade de briques rouges d'un ancien immeuble résidentiel (1905). Une série de galeries souterraines aménagées sous la rue Sherbrooke Ouest permettent de passer du pavillon Jean-Noël Desmarais au pavillon Michal et Renata Hornstein sans avoir à sortir à l'extérieur.

Poursuivant son agrandissement, le Musée des beaux-arts de Montréal s'apprête à restaurer l'**église Erskine and American** *(1339 rue Sherbrooke O.)*, située de biais avec le pavillon Michal et Renata Hornstein, afin de la transformer en un nouveau pavillon dédié à l'art canadien qui comprendra six salles d'exposition. La nef, quant à elle, accueillera une salle de concerts, de conférences et de réception. L'ouverture de ce quatrième pavillon est prévue pour 2010, année du 150e anniversaire du musée, et portera le nom de «pavillon Claire et Marc Bourgie».

Outre la collection et les expositions temporaires, le Musée des beaux-arts propose au visiteur plusieurs activités et services: une librairie spécialisée dans les ouvrages d'art et d'architecture, doublée d'une boutique de cadeaux et de design (pavillon Jean-Noël Desmarais, niveau 1); un bistro et une cafétéria (pavillon Jean-Noël Desmarais, niveau 2); des visites commentées offertes sur réservation pour les groupes de 10 personnes et plus *(☎ 514-285-1600, poste 440)*; un service de l'éducation et des programmes publics qui organise des conférences, des concerts et de la projection de films à l'auditorium Maxwell-Cummings (pavillon Michal et Renata Hornstein, niveau S1); de même que des ateliers de création et d'apprentissage de l'art pour les petits et les grands dans le StudiO (pavillon Jean-Noël Desmarais, niveau S1).

La visite du Musée des beaux-arts de Montréal peut se faire de plusieurs façons. Le circuit proposé ici constitue un survol de la collection permanente à partir de l'entrée principale du musée (pavillon Jean-Noël Desmarais, 1380 rue Sherbrooke O.). Cependant, ceux qui voudraient se rendre directement dans les salles des collections d'art canadien et inuit, d'arts décoratifs et l'Espace Marc-Aurèle Fortin peuvent le faire en pénétrant dans le musée par les grandes portes de chêne du pavillon Michal et Renata Hornstein *(1379 rue Sherbrooke O.)*. Toutefois, ce circuit est susceptible d'être modifié, le musée devant procéder au réaménagement de l'exposition de sa collection.

Référez-vous aux plans du musée, disponibles à la billetterie.

››› *Franchissez le hall lumineux du musée et prenez l'ascenseur jusqu'au niveau 4.*

Prenez sur la gauche vers les salles où est exposée la collection dite des **Maîtres anciens ★★** *(pavillon Jean-Noël Desmarais, niveau 4)*, qui comprend des toiles, des meubles et des sculptures du Moyen Âge, de la Renaissance ainsi que des périodes baroques et classiques, soit un vaste panorama de l'histoire de l'art européen de l'an 1000 jusqu'à la fin du XVIIIe siècle. L'art médiéval est représenté entre autres par des fragments de vitraux provenant de l'abbaye de Saint-Germain-des-Prés (vers 1245) et par un beau *Couronnement de la Vierge* de Nicolò di Pietro Gerini (vers 1390).

Parmi les œuvres les plus significatives qui illustrent la Renaissance, on notera le *Portrait d'un homme* de Hans Memling (1490), le *Retour de l'auberge* de Pieter Bruegel Le Jeune (vers 1620), le *Portrait d'un homme de la maison de Leiva* par le Greco (vers 1580) de même qu'un superbe triptyque attribué à Jan de Beer: *L'Annonciation*, *L'Adoration des bergers* et *La fuite en Égypte* (vers 1510).

Les XVIIe et XVIIIe siècles sont représentés par de nombreuses œuvres flamandes, telles que le *Portrait d'une jeune femme* de Rembrandt (vers 1665) et *L'Adoration des bergers* de Nicolaes Maes (1658). Les peintres anglais figurent en bonne place dans la dernière salle de cette section grâce à des œuvres comme *Les amours champêtres* (1755) et le *Portrait de madame George Drummond*, deux toiles de Thomas Gainsborough (1779). Y sont également accrochées des toiles de Canaletto et de Tiepolo.

Dirigez-vous vers le «Belvédère», sorte de passage aérien situé au-dessus du hall principal, pour admirer le mont Royal et les édifices de la rue Sherbrooke.

››› *Descendez au niveau 3.*

À ce niveau se trouvent les salles des expositions temporaires et la Verrière, qui offre une vue imprenable sur le chaos urbain que forment les toits du centre-ville, de même que la collection **Napoléon**, qui propose une sélection de tableaux, de sculptures, de miniatures et d'objets d'art ainsi qu'un grand nombre d'estampes et divers documents de nature historique, liés au souvenir napoléonien, notamment le fameux bicorne – unique en Amérique du Nord – porté par Napoléon durant la campagne de Russie en 1812.

››› *Reprenez l'ascenseur jusqu'au niveau 1.*

Au niveau 1 se trouve la collection d'**Art européen des XIXe et XXe siècles ★** *(pavillon Jean-Noël Desmarais, niveau 1)*. Les bourgeois du Golden Square Mile étant friands de l'école de Barbizon, on y voit des Corot (*L'île heureuse,* 1868) et aussi quelques toiles impressionnistes de Sisley, Pissaro et Monet. Parmi les œuvres plus récentes, on note l'intéressant *Portrait de l'avocat Hugo Simons* par Otto Dix (1925) et *Femme assise* par Matisse (vers 1922).

Reprenez l'ascenseur jusqu'au niveau S2.

Les salles du deuxième sous-sol, hautes de 6 m et que l'on dirait bâties pour des géants, sont parfaitement adaptées pour recevoir les grands formats de la collection d'**Art contemporain** ★ *(pavillon Jean-Noël Desmarais, niveau S2)*, constituée surtout d'œuvres canadiennes. Le musée organise parfois des expositions internationales temporaires d'art contemporain dans une partie des salles du niveau S2.

Suivez le passage qui longe l'escalier-rampe.

Les **Galeries des cultures anciennes** ★ *(pavillon Jean-Noël Desmarais, niveau S2)* regroupent, sous la rue Sherbrooke, des collections d'arts décoratifs provenant d'Océanie, d'Asie, du monde arabe et du monde antique (Proche-Orient ancien, Grèce, Rome). Parmi les nombreux objets exposés, on peut voir un intéressant bas-relief assyrien provenant du palais d'Assurnazirpal II, un sarcophage en plomb exhumé à Tyr et un bol incrusté d'argent ayant appartenu au sultan de Damas (XIIIe siècle).

Prenez l'ascenseur situé à l'extrémité nord des galeries pour atteindre le hall d'accueil du pavillon Michal et Renata Hornstein.

Conçu dans l'esprit de l'École des beaux-arts, le hall du pavillon Michal et Renata Hornstein conduit à l'escalier monumental qu'il faut gravir pour se rendre aux salles des expositions temporaires, à l'Espace Marc-Aurèle Fortin et surtout à la collection d'**Art canadien** ★★★ *(pavillon Michal et Renata Hornstein, niveau 2)*, véritable fleuron du musée. Présentée dans l'ordre chronologique, la collection nous fait revivre l'histoire canadienne à travers des toiles, des sculptures, des meubles et de l'orfèvrerie religieuse.

La première salle instruit le visiteur sur la vie quotidienne d'autrefois au Canada grâce à de beaux tableaux de Paul Kane représentant des Amérindiens (*Mah-Min* et *Caw-Wacham*, 1848), de Cornelius Krieghoff (*Les chutes Montmorency*, 1853) et de bien d'autres (*Vue de Québec* de Fred Holloway, 1853). Les portraitistes Théophile Hamel (1817-1870) et Antoine Plamondon (1804-1895) ont quant à eux dépeint l'aristocratie de leur époque. Sur la droite, la petite salle Arthur Lismer, consacrée à l'artiste Alfred Laliberté (1878-1953), recèle plusieurs reproductions, en plâtre, de sujets en bronze figurant les différents métiers et coutumes du Canada français.

Dans la section consacrée à l'ère victorienne, on peut notamment apprécier l'académisme d'un Paul Peel (*Le repos*, vers 1890) et la chatoyante lumière de janvier du *Champ-de-Mars en hiver* de William Brymner (1892). Les 30 premières années du XXe siècle seront marquées au Canada par une véritable explosion de couleurs, comme en témoignent *Pirogue indienne de guerre* d'Emily Carr (1912) ou *Dans le Nord* de Tom Thomson (1915). On trouve aussi dans cette section des toiles du Groupe des Sept, entre autres *Cathedral Mountain* d'Arthur Lismer (1928).

Les sections suivantes regroupent notamment *Le port de Montréal* d'Adrien Hébert (1925), qui témoigne de la modernité montréalaise, ainsi que plusieurs toiles colorées d'Alfred Pellan (*Sujet d'ambassade*, 1950; *Nappe Carrelée*, 1942), pour ne nommer que celles-là. Parmi les sculptures présentées à ce niveau, on remarque plus particulièrement *Le plongeur* de Robert Tait McKenzie (1923) et *Mon frère* de Sylvia Daoust (1931). Enfin, une dernière section sur la droite expose quelques pièces d'**Art amérindien**, notamment des masques, datant de la fin du XIXe siècle et du début du XXe siècle.

Sur la gauche, une salle est consacrée à l'**Art inuit** ★ *(pavillon Michal et Renata Hornstein, niveau 2)*. On y trouve des œuvres d'exécution récente ainsi que des pièces historiques montrant l'évolution de cet art de 1948 à nos jours, parmi lesquelles figurent l'*Homme au tambour*, sculpture en pierre de l'artiste Aibilic Echalook (1965-1970), et *Histoire de chasse*, d'Alain Iyerack (1920), qui instruiront le visiteur sur les coutumes de ce peuple arctique.

Sur la droite, l'**Espace Marc-Aurèle Fortin** comprend des œuvres de l'artiste dont des tableaux significatifs tels que *Arbre déraciné* (vers 1928) et *Commencement d'orage sur Hochelaga* (vers 1940). Ces œuvres donnent une vision complète des genres pratiqués par le peintre: portraits, natures mortes, scènes religieuses et paysages, de même que des représentations urbaines de Montréal.

À l'étage du dessous, qu'on rejoint par un grand escalier doté d'une rampe de verre, plusieurs plans inclinés permettent de remonter dans le temps à travers six siècles de design pour découvrir la collection d'**Arts décoratifs de la Renaissance au XXI**[e] **siècle ★★** *(pavillon Liliane et David M. Stewart, niveau 1)*. La collection est composée de meubles et d'objets décoratifs de style international (de 1935 à nos jours) de la collection «Liliane et David M. Stewart». On remarquera des pièces de Niki de Saint-Phalle (*Table et tabouret*, 1980), d'Ettore Sottsass (*Chiffonnier Mobile Giallo*, 1988), de Salvador Dalí (*Jeu d'échecs*, 1964-71), de Pablo Picasso (*Vase Tripode*, 1951-53) ou encore des designers Philippe Starck et Isamu Noguchi.

Adjacent, le tout nouvel espace dénommé ***Le corps en verre*** rassemble 100 sculptures en verre qui viennent enrichir la collection d'arts décoratifs du Musée des beaux-arts de Montréal, grâce à la générosité de deux collectionneurs et amis de longue date du musée, Anna et Joe Mendel.

Une autre section présente de magnifiques objet d'**Art précolombien ★** *(pavillon Liliane et David M. Stewart, niveau 1)* provenant du Mexique, d'Amérique centrale et d'Amérique du Sud. On peut y voir un panneau de tapisserie péruvienne vieux de 2 000 ans. Parmi les objets en céramique, on remarque un guerrier debout (Jalisco, 300-500 apr. J.-C.) et un beau récipient à «anse-étrier» avec représentation de tête (Mochica, 200-600 apr. J.-C.). La collection est l'une des plus importantes au Canada avec ses quelque 700 œuvres.

Situées tout près, les salles **Afrique sacrée II** *(pavillon Liliane et David M. Stewart, niveau 1)* proposent une nouvelle sélection d'œuvres majeures, provenant principalement de la collection de Guy Laliberté du Cirque du Soleil, qui illustre les approches plastiques d'autres peuples d'Afrique occidentale, équatoriale et centrale.

À la sortie, on débouche sur le hall secondaire du pavillon Michal et Renata Hornstein, qui abrite la salle consacrée à l'**Archéologie méditerranéenne** *(pavillon Michal et Renata Hornstein, niveau 1)*, où sont présentés des sculptures, des vases corinthiens et un superbe tapis de mosaïques qui figure la décoration de sol des églises paléochrétiennes de l'Est méditerranéen.

››› *Vous pouvez ressortir du musée par le hall du pavillon Michal et Renata Hornstein.*

Promenez-vous dans le **Jardin de sculptures Max et Iris Stern**, qui borde le pavillon Michal et Renata Hornstein. Ce jardin a été inauguré en l'honneur d'un grand collectionneur et mécène, Max Stern. Découvreur de talents, ce galeriste a joué un grand rôle dans la diffusion de l'art moderne canadien.

››› *Si vous devez retourner au hall principal du pavillon Jean-Noël Desmarais, prenez l'ascenseur jusqu'au niveau S2 et suivez le passage jusqu'à l'autre série d'ascenseurs. Remontez jusqu'au niveau 1, où se trouvent le vestiaire, la librairie et la boutique (le bistro et la cafétéria du musée sont situés au niveau 2).*

Le Golden Square Mile ★★

p. 208 *p. 231* *p. 279* *p. 297*

de trois à quatre heures

Comme un écrin, ce parcours conserve jalousement des perles architecturales uniques grâce à son lot de maisons bourgeoises aux façades tantôt généreuses, tantôt mystérieuses...

Le Golden Square Mile a été, de 1850 à 1930, le quartier résidentiel de la grande bourgeoisie canadienne. Ses artères ombragées, bordées de demeures victoriennes somptueuses, ont graduellement fait place depuis le début du XXe siècle au centre des affaires moderne de Montréal. À son apogée, vers 1900, le Golden Square Mile était délimité par l'avenue Atwater à l'ouest, la rue De Bleury à l'est, la rue De La Gauchetière au sud, et le mont Royal au nord. On estime que 70% des richesses du Canada tout entier étaient alors entre les mains des habitants du quartier, principalement d'origine écossaise. Il ne subsiste plus qu'un petit nombre de maisons de cette époque, la plupart de celles qui ont survécu étant concentrées au nord de la rue Sherbrooke, voie princière du Golden Square Mile.

››› *De la station de métro McGill, empruntez l'avenue McGill College vers le nord, en direction du campus de l'Université McGill. Le circuit débute à la rue Sherbrooke.*

La **maison William Alexander Molson** *(888 rue Sherbrooke O.; métro McGill)* donne une bonne idée de l'échelle modeste et du caractère résidentiel de la rue Sherbrooke au début du XXe siècle. Cette maison a été construite en 1906 selon les plans de Robert Findlay, l'architecte préféré de la célèbre famille Molson, nom qui, depuis plus de deux siècles, est associé au brassage de la bière. William Alexander Molson devait cependant choisir une voie différente, puisqu'il est devenu un éminent médecin. Après sa mort, en 1920, la maison de style néo-élisabéthain a logé le siège de l'entreprise de construction Anglin-Norcross, avant d'abriter l'Institut de recherche spatiale de l'Université McGill, puis la Banque commerciale italienne du Canada en 1993.

Le **Musée McCord d'histoire canadienne** ★★ *(13$, entrée libre les 1ers samedis de chaque mois de 10h à 12h; mar-ven 10h à 18h, sam-dim 10h à 17h; lundis fériés et en été 10h à 17h; 690 rue Sherbrooke O., ☎ 514-398-7100, www.musee-mccord.qc.ca; métro McGill et autobus 24)* loge dans l'ancien édifice de l'association étudiante de l'Université McGill. Le beau bâtiment d'inspiration baroque anglais, de l'architecte Percy Nobbs (1906), a été agrandi vers l'arrière en 1991. C'est le musée qu'il faut absolument voir à Montréal si l'on s'intéresse à la vie quotidienne au Canada aux XVIIIe et XIXe siècles. On y trouve en effet une importante collection ethnographique, à laquelle s'ajoutent des collections de costumes, d'arts décoratifs, de tableaux, d'estampes et de photographies, notamment la fameuse collection «Notman» avec plus de 450 000 photographies dont 200 000 négatifs sur verre, véritable portrait du Canada de la fin du XIXe siècle. L'exposition permanente (niveau 2), qui intègre ces fameuses photographies de Notman, illustre peut-être le mieux la vie des Montréalais à l'époque, entre tempêtes de neige (voir la section «Hiverner») et développement économique de la ville (section «Prospérer»). En sortant du musée, on aperçoit, dans la rue Victoria, entre les parties nouvelles et anciennes du musée, une intéressante sculpture de Pierre Granche intitulée *Totem urbain / histoire en dentelle*.

Inauguré officiellement le 30 septembre 2005, le pavillon de la faculté de musique de l'Université McGill, soit l'**école de musique Schulich** *(555 rue Sherbrooke O., ☎ 514-398-4547 ou 514-398-5145)*, du nom de son généreux bienfaiteur, propose chaque année aux mélomanes plus de 650 concerts et événements. Le nouvel édifice comprend, entre autres installations modernes, cinq studios d'enregistrement, deux salles de récital, deux salles de concerts, une bibliothèque dédiée à la musique et des laboratoires de composition numérique et informatique. Ainsi dotée de toutes ces infrastructures sophistiquées, l'institution est devenue sans contredit la plus grande école de musique au Canada.

L'**Université McGill** ★★ *(805 rue Sherbrooke O.; métro McGill)* a été fondée en 1821 grâce à un don du marchand de fourrures James McGill, ce qui en fait la plus ancienne des quatre universités de la ville. L'institution sera, tout au long du XIXe siècle, l'un des plus beaux fleurons de la bourgeoisie écossaise du Golden Square Mile. Le campus principal de l'université est caché dans la verdure au pied du mont Royal. On y pénètre, à l'extrémité nord de l'avenue McGill College, par le portail Roddick, qui renferme l'horloge et le carillon universitaire. Sur la droite, on aperçoit deux bâtiments néoromans de Sir Andrew Taylor, conçus pour abriter les départements de physique (1893) et de chimie (1896). L'école d'architecture occupe maintenant le second édifice. Un peu plus loin se trouve l'édifice du département d'ingénierie, le Macdonald Engineering Building, un bel exemple du style néobaroque anglais avec son portail à bossages, doté d'un fronton brisé écarté (Percy Nobbs, 1908). Au fond de l'allée se dresse le plus ancien bâtiment du campus, l'Arts Building de 1839. Cet austère bâtiment néoclassique de l'architecte John Ostell fut pendant trois décennies le seul pavillon de l'Université McGill. Il abrite le Moyse Hall, un beau théâtre antiquisant de 1926.

À gauche de l'Arts Building se profile l'étrange **Musée Redpath** *(contribution suggérée: 5$; lun-ven 9h à 17h, dim 12h à 17h; 859 rue Sherbrooke O., ☎ 514-398-4086, www.mcgill.ca/redpath; métro McGill)*, un bâtiment protorationaliste à claire-voie dissimulé derrière une façade composite. Les objets précieux accumulés au fil des années par les chercheurs et les enseignants de l'Université McGill se rapportant à l'archéologie, la botanique, la géologie et la paléontologie y ont été regroupés. Il s'agit du premier bâtiment québécois conçu spécialement pour abriter un musée et d'un

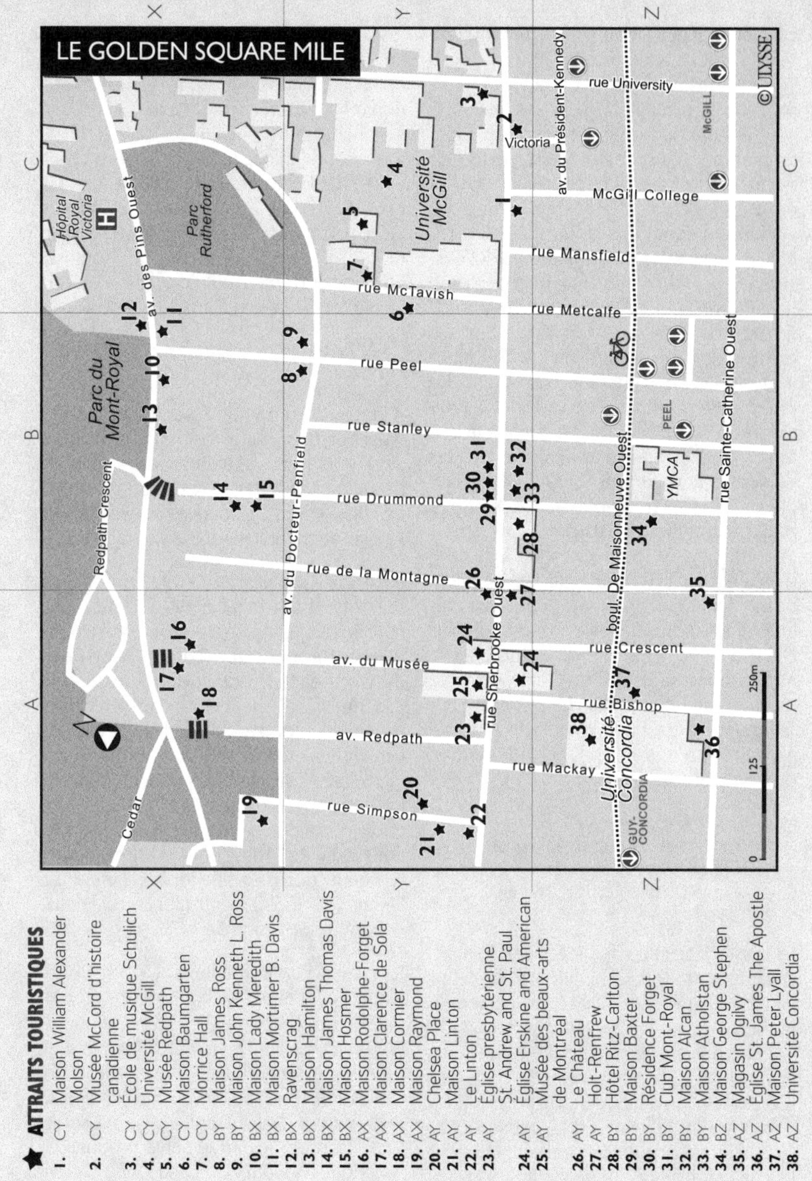

rare exemple d'édifice à ossature de fer et de pierre à affectation autre qu'industrielle ou commerciale.

Au sud du musée, on peut voir la bibliothèque et la salle Redpath, équipée d'un orgue mécanique de type français. Cette belle salle à charpente de bois apparente est le lieu de fréquents concerts de musique baroque. On remarquera, au passage, les gargouilles et les colonnettes abondamment sculptées de la bibliothèque, réalisée par Sir Andrew Taylor (1893), laquelle compte parmi les exemples du style néoroman les plus sophistiqués du Canada.

Empruntez le chemin qui conduit à la rue McTavish.

La **maison Baumgarten** *(3450 rue McTavish; métro McGill)*, située un peu plus bas dans la rue McTavish, abrite le cercle des professeurs de l'Université McGill, mieux connu sous le nom de McGill Faculty Club. On y trouve un restaurant, des salons de lecture de même qu'une salle de billard où ont été regroupées les tables de billard des anciennes demeures du Golden Square Mile qui appartiennent aujourd'hui à l'Université McGill. La maison fut construite par étapes, entre 1887 et 1902, pour Alfred Friedrich Moritz Baumgarten, fils du médecin personnel du roi Frédéric-Auguste de Saxe, chimiste, inspecteur des raffineries de sucre allemandes et fondateur de la raffinerie de sucre Saint-Laurent à Montréal. Sa maison se différencie d'autres demeures bourgeoises du Golden Square Mile, à la fois par sa sobriété extérieure et par la répartition des pièces d'apparat sur trois niveaux. Au premier palier de la cage d'escalier, les privilégiés qui auront accès à l'intérieur auront une vue en plongée sur le tableau représentant la bataille d'Arras (XVIIe siècle), rapporté de France par le recteur d'alors, Sir Arthur Currie. Du côté nord, on aperçoit le **Morrice Hall** *(3485 rue McTavish)*, édifice néogothique de 1881 qui abritait autrefois le collège théologique presbytérien de Montréal.

Montez la côte de la rue McTavish. Remarquez la vue de ***Ravenscrag*** *(voir p. 109), à flanc de colline, avant de tourner à gauche dans l'avenue du Docteur-Penfield puis à droite dans la rue Peel.*

La **maison James Ross** ★ *(3644 rue Peel; métro Peel)*, aujourd'hui le pavillon Chancellor Day de l'Université McGill, fut construite en 1890 pour l'ingénieur principal du Canadien Pacifique. Agrandie à plusieurs reprises, elle fut le théâtre de brillantes réceptions. Son allure de château médiéval contribua au charme du Golden Square Mile. On remarque tout particulièrement sa polychromie, faite d'un mélange de grès chamois, de granit rose et d'ardoise rouge. Depuis 1948, le pavillon Chancellor Day loge la faculté de droit de l'université. Le grand jardin qui l'entourait a été considérablement amputé lors du percement de l'avenue du Docteur-Penfield en 1957.

La **maison John Kenneth L. Ross** ★ *(3647 rue Peel; métro Peel)* était à l'origine la résidence du fils Ross. Il a mené un grand train de vie pendant plusieurs années, multipliant les yachts, les chevaux de course et les voyages. Une fois la fortune de son père épuisée, il dut vendre sa précieuse collection de tableaux chez Christie's, à Londres, sacrifice inutile puisque la crise de 1929 aura tout de même raison de lui. Sa maison (1909), un bel exemple du style Beaux-Arts, est l'œuvre des frères Edward et William Sutherland Maxwell, les architectes favoris de la bourgeoisie écossaise de Montréal. Elle abrite dorénavant une annexe de la faculté de droit de l'Université McGill.

Remontez la rue Peel jusqu'à l'avenue des Pins.

À une autre époque, les enfants descendaient en traîne sauvage (luge) la rue Peel, alors recouverte d'une épaisse couche de neige pour faciliter la circulation des traîneaux, comme d'ailleurs toutes les rues de la ville pendant les longs mois d'hiver.

La **maison Lady Meredith** ★ *(1110 av. des Pins O.)* est peut-être le meilleur exemple montréalais du courant pittoresque, éclectique et polychrome qui a balayé l'Amérique du Nord dans les deux dernières décennies du XIXe siècle. En effet, on y retrouve un mélange de styles allant de la période romane jusqu'au XVIIIe siècle finissant et des teintes fortes, en plus d'un merveilleux fouillis de tours, d'incrustations, de baies et de cheminées à mitrons. La maison fut construite en 1897 pour Andrew Allan, qui en fit don à sa fille lorsqu'elle épousa Henry Vincent Meredith, alors président de la Banque de Montréal.

La **maison Mortimer B. Davis** ★ *(1020 av. des Pins O.)* était autrefois la résidence du fondateur de l'Imperial Tobacco Company, Mortimer Barnett Davis. Elle fut par la suite habitée par Sir Arthur Purvis, avant d'être cédée à l'Université McGill. Sir Purvis était responsable de l'acheminement en secret vers l'Europe des armements produits en Amérique au cours de la Seconde Guerre mondiale. La maison Davis adopte le style Beaux-Arts, reconnaissable à sa balustrade de couronnement, à ses petits balcons en fer forgé supportés par des consoles et à sa composition grandiose et symétrique.

À l'époque, Montréal n'est pas une capitale politique. C'est avant tout une ville marchande dotée d'un port important. Son château n'est pas celui d'un roi, mais plutôt celui d'un magnat de la finance et du commerce. **Ravenscrag** ★★ *(1025 av. des Pins O.)* pourrait effectivement être catalogué comme le «château» de Montréal en raison de sa situation proéminente dominant la ville, de sa taille exceptionnelle (plus de 60 pièces à l'origine) et de son histoire riche en réceptions mémorables et en hôtes de prestige. Cette vaste demeure fut construite entre 1861 et 1864 pour le richissime Sir Hugh Allan, qui détenait à l'époque le quasi-monopole du transport maritime entre l'Europe et le Canada. De la tour centrale de sa maison, ce «monarque» écossais pouvait surveiller étroitement les allées et venues de ses navires dans le port.

La maison de Sir Hugh Allan est un des meilleurs exemples nord-américains du style néo-Renaissance inspiré des villas toscanes, caractérisé notamment par un plan irrégulier et une «tour-observatoire». Son intérieur, presque entièrement détruit à la suite de la reconversion du bâtiment en institut psychiatrique (1943), comprenait autrefois une salle de bal Second Empire pouvant accueillir 200 danseurs de polka. On remarquera, sur le pourtour de la maison, la très belle grille d'entrée en fonte, la maison du gardien et les luxueuses écuries transformées en bureaux.

››› 🚶 *Empruntez l'avenue des Pins vers l'ouest.*

La **maison Hamilton** *(1132 av. des Pins O.)* est une œuvre très personnelle des frères Maxwell, qui avaient développé leur propre style, marqué par un élargissement graduel de leurs structures vers la base et par de petites ouvertures fantaisistes, disposées dans un désordre savamment étudié. La maison Hamilton (1903) arbore des éléments Arts & Crafts, mais aussi des composantes qui préfigurent l'Art déco, comme ce jeu de briques en zig-zag à l'étage.

››› 🚶 *Descendez l'escalier qui conduit à la promenade Sir-William-Osler.*

La **maison James Thomas Davis** ★ *(3654 promenade Sir-William-Osler)* appartenait à l'origine à un entrepreneur de construction qui a doté sa maison d'une structure en béton armé. Ceux qui auront accès à l'intérieur verront les belles tapisseries d'origine encore en place ainsi que des toiles marouflées du peintre canadien Maurice Cullen. Comme tant d'autres demeures anciennes du secteur, la maison Davis appartient maintenant à l'Université McGill.

La **maison Hosmer** ★ *(3630 promenade Sir-William-Osler)* est sans contredit la plus exubérante des demeures de style Beaux-Arts à Montréal. Les plans ont été réalisés par Edward Maxwell à l'époque où son frère William étudiait à l'École des beaux-arts de Paris: les croquis envoyés d'outre-Atlantique ont grandement influencé le design de cette maison érigée en 1900 pour Charles Hosmer, lié au Canadien Pacifique et à 26 autres entreprises canadiennes. Chaque pièce de l'intérieur a été conçue dans un style différent afin de servir d'écrin à la collection d'antiquités variée de la famille Hosmer, qui a habité les lieux jusqu'en 1969, date à laquelle la maison est devenue partie intégrante de la faculté de médecine de l'Université McGill.

››› 🚶 *Tournez à droite dans l'avenue du Docteur-Penfield puis encore à droite dans l'avenue du Musée.*

Rares sont les demeures du Golden Square Mile ayant été construites pour des bourgeois canadiens-français. Ceux-ci, en général moins nantis que leurs confrères anglo-saxons, préféraient encore les environs du square Saint-Louis. Rodolphe Forget (1861-1919) faisait donc figure d'exception. Cet homme distingué et francophile a fondé la Banque internationale du Canada, a été membre du conseil de la Société Générale et a participé à la fondation du Crédit Foncier Franco-Canadien. La **maison Rodolphe-Forget** ★ *(3685 av. du Musée)*, inspirée des hôtels particuliers parisiens d'époque Louis XV, fut dessinée en 1912 par Jean-Omer Marchand, premier diplômé canadien-français de l'École des beaux-arts de Paris. Le bâtiment fait maintenant partie du consulat russe de Montréal.

››› 🚶 *Montez l'escalier de l'avenue du Musée pour bénéficier d'une belle vue sur le centre-ville et le fleuve.*

La **maison Clarence de Sola** ★ *(1374 av. des Pins O.)* est une demeure de style hispano-mauresque des plus exotiques qui tranche sur le bâti montréalais. Le contraste est encore plus amusant au lendemain d'une tempête de neige. La maison fut érigée en 1913 pour Clarence de Sola, fils d'un rabbin d'origine juive espagnole.

››› 🚶 *Suivez l'avenue des Pins vers l'ouest.*

La **maison Cormier** ★★ *(1418 av. des Pins O.)* fut dessinée en 1930 par l'architecte Ernest Cormier pour son propre usage. L'auteur du pavillon principal de l'**Université de Montréal** (voir p. 139) et de la Cour suprême à Ottawa en a fait un laboratoire, donnant à chacune des faces de sa maison une allure différente, à savoir Art déco pour la façade, monumental pour le côté est et nettement moderniste pour l'arrière. L'intérieur fut étudié avec minutie: Cormier a créé la plupart des meubles, les autres pièces du mobilier étant des acquisitions effectuées à l'Exposition des Arts décoratifs de Paris de 1925. La façade donnant sur l'avenue des Pins paraît bien petite, mais la maison compte, en réalité, quatre étages hors terre sur l'autre face en raison de la dénivellation prononcée du terrain au sud de l'avenue. L'ensemble, maintenant classé, a été restauré avec soin.

››› *Descendez l'escalier, sur votre gauche, pour rejoindre l'avenue Redpath, puis tournez à droite dans l'avenue du Docteur-Penfield.*

La **maison Raymond** *(1507 av. du Docteur-Penfield; métro Guy-Concordia)* fut une des dernières demeures unifamiliales érigées dans le Golden Square Mile (1930) et est toujours habitée de nos jours. Elle appartient à la famille de l'homme d'affaires Aldéric Raymond, propriétaire, dans les années 1950, du Forum de Montréal ainsi que de plusieurs grands hôtels montréalais. Il s'agit d'un autre excellent exemple du style Beaux-Arts.

››› *Descendez la petite rue Simpson jusqu'à la rue Sherbrooke.*

Chelsea Place ★ *(du côté est de la rue Simpson; métro Guy-Concordia)* est un subtil ensemble de résidences néogeorgiennes de taille plus modeste que les demeures vues précédemment. Il fut construit en 1926, à l'époque où la bourgeoisie montréalaise d'origine écossaise amorçait son déclin. On notera le beau jardin central qui confère à Chelsea Place un cachet particulier, à la fois communautaire et distingué. Summerhill Terrace est un ensemble similaire, construit par le même architecte sur le côté ouest de la rue Simpson.

La **maison Linton** *(3424 rue Simpson; métro Guy-Concordia)* est une des plus belles réussites du style Second Empire à Montréal. Mais il ne faut pas s'y tromper, la façade de la rue Simpson est en réalité le côté est de la maison, dont la façade principale donnait, à l'origine, sur une vaste pelouse s'étendant jusqu'à la rue Sherbrooke. Le portique et son escalier furent démontés, puis reconstruits pour faire face à la rue Simpson lors de la construction de l'immeuble résidentiel **Le Linton** *(1509 rue Sherbrooke O.; métro Guy-Concordia)* en 1907. On remarque les petits cartouches, les ouvertures à arcs segmentaires et, surtout, la toiture en mansarde, caractéristiques du style Second Empire, appelé aussi Napoléon III. La maison fut érigée en 1867.

››› *Tournez à gauche dans la rue Sherbrooke.*

Envie...

... de flâner? La rue Sherbrooke foisonne de galeries d'art. Parmi celles qui méritent un détour, nous vous suggérons la **Guilde canadienne des métiers d'art** (voir p. 304).

L'**église presbytérienne St. Andrew and St. Paul** ★★ *(angle rue Redpath; métro Guy-Concordia)* est une des principales institutions de la bourgeoisie écossaise de Montréal. L'édifice, construit en 1932, est le troisième temple de la communauté et illustre la persistance du vocabulaire d'inspiration médiévale dans la construction d'édifices religieux. L'intérieur en pierres recèle de magnifiques vitraux commémoratifs. Ceux des allées proviennent de la seconde église et sont, pour la plupart, des œuvres britanniques d'importance, telles les verrières d'Andrew Allan et de son épouse, réalisées dans l'atelier de William Morris d'après des cartons du célèbre peintre préraphaélite anglais Edward Burne-Jones. Le régiment canado-écossais des Black Watch est affilié à l'église depuis sa création en 1862.

Érigée en 1892, l'**église Erskine and American** ★ *(angle av. du Musée; métro Guy-Concordia)* est un excellent exemple du style néoroman. Le grès texturé, les grands arcs encadrés de colonnettes trapues ou allongées démesurément, de même que les suites de petites ouvertures cintrées, sont typiques du style. Sa chapelle intérieure recèle de magnifiques vitraux de la célèbre maison américaine Tiffany. Le **Musée des beaux-arts de Montréal** (voir p. 102) a acheté l'église pour en faire un pavillon d'art canadien.

Signe des temps, **Le Château** ★ *(1321 rue Sherbrooke O.; métro Guy-Concordia ou Peel)*, ce bel immeuble de style château, a été érigé en 1925 pour l'homme d'affaires canadien-français Pamphile du Tremblay, propriétaire du journal *La Presse*. Les architectes Ross et Macdonald ont réalisé ce qui était, à l'époque, le plus vaste immeuble résidentiel au Canada. Le chic magasin **Holt-Renfrew** *(1300 rue Sherbrooke O.)*, situé en face, a valu à ces mêmes architectes un prix de l'Institut Royal pour la qualité de son design. Le magasin de 1937 est un bel exemple du style Art déco, dans sa version aérodynamique aux lignes horizontales et arrondies.

Dernier survivant des vieux hôtels de Montréal, l'**Hôtel Ritz-Carlton** ★ *(1228 rue Sherbrooke O.; métro Guy-Concordia ou Peel)* a été inauguré en 1911 par César Ritz lui-même. Il fut pendant longtemps le lieu de rassemblement favori de la bourgeoisie montréalaise. Certains y résidaient même toute l'année, menant la belle vie entre les salons, le jardin et la salle de bal. L'hôtel, d'un luxe raffiné, a accueilli de nombreuses célébrités au cours de son histoire. Le Ritz-Carlton a récemment rénové et agrandi le bâtiment existant pour permettre l'ajout de résidences de prestige.

Continuez par la rue Sherbrooke jusqu'à l'entrée de la Maison Alcan.

En face, on aperçoit trois bâtiments dignes de mention. La **maison Baxter** *(1201 rue Sherbrooke O.; métro Peel)*, sur la gauche, possède un bel escalier en plusieurs volées. La **résidence Forget** *(1195 rue Sherbrooke O.; métro Peel)*, au centre, fut construite en 1883 pour Louis-Joseph Forget, l'un des seuls magnats canadiens-français à habiter le quartier au XIXe siècle. Le bâtiment sur la droite abrite un club privé pour gens d'affaires, le **Club Mont-Royal** *(1175 rue Sherbrooke O.; métro Peel)*; il a été érigé en 1905.

La **Maison Alcan** ★ *(1188 rue Sherbrooke O.; métro Peel)*, siège mondial de la compagnie d'aluminium Rio Tinto Alcan, représente un bel effort de conservation du patrimoine et d'invention en matière de réaménagement urbain. Pour réaliser la Maison Alcan, cinq bâtiments de la rue Sherbrooke, parmi lesquels on retrouve la belle **maison Atholstan** *(1172 rue Sherbrooke O.)*, premier exemple de style Beaux-Arts à Montréal (1894), ont été soigneusement restaurés, puis joints par l'arrière à un atrium qui relie la partie ancienne à un immeuble moderne en aluminium et qui donnait autrefois accès au hall de l'hôtel Berkeley. Ce dernier est bordé au sud par un jardin qui permet de passer subrepticement de la rue Drummond à la rue Stanley.

Pénétrez dans l'atrium par l'entrée de la Maison Alcan. Ressortez par le jardin donnant sur la rue Drummond.

Envie...

... de déjeuner? Dans ce petit jardin bien gardé de la Maison Alcan, **La Brûlerie Saint-Denis** (voir p. 231), une succursale de la célèbre maison de torréfaction de la rue Saint-Denis, propose des repas sur le pouce et de délicieux cafés. Une pause verdure au cœur du Golden Square Mile.

Tournez à gauche dans la rue Drummond.

Lord Mount Stephen, né à Stephen Croft en Écosse, était un homme déterminé. Cofondateur et premier président du Canadien Pacifique, il a mené à bien la construction du chemin de fer transcontinental canadien, qui s'étend sur plus de 5 000 km, de la Nouvelle-Écosse à la Colombie-Britannique. La **maison George Stephen** ★★ *(1440 rue Drummond; métro Peel)* (voir aussi «Restaurants» p. 234) est un véritable monument à la bourgeoisie écossaise de Montréal. Elle fut construite entre 1880 et 1883 au coût de 600 000$, une somme astronomique à l'époque. Stephen a fait appel aux meilleurs artisans du monde entier, qui ont recouvert les murs intérieurs de la maison de boiseries d'essences rares (noyer anglais, acajou cubain et bois de satin du Ceylan), de marbre et d'onyx. Les plafonds y sont tellement hauts qu'on la dirait construite pour des géants. Depuis 1925, elle abrite le Club Mount Stephen (pour gens d'affaires). À l'extrémité de la rue Drummond, vous croiserez la **rue Sainte-Catherine** (voir p. 95), la plus importante artère commerciale de Montréal, longue de 15 km.

Tournez à droite dans la rue Sainte-Catherine.

Le grand **magasin Ogilvy** *(1307 rue Ste-Catherine O.; métro Peel)*, le plus écossais des grands magasins de Montréal, a été racheté, il y a quelques années, par un groupe d'hommes d'affaires qui a tenu à conserver le cachet d'origine de cette institution, animée par son joueur de cornemuse chaque midi. Au dernier étage, la salle Tudor est le lieu de fréquents concerts et galas.

La **rue Crescent** ★ *(métro Guy-Concordia)*, perpendiculaire à la rue Sainte-Catherine, a une double personnalité. Au nord du boulevard De Maisonneuve, elle accueille, à l'intérieur d'anciennes maisons en rangée, des antiquaires et des boutiques de luxe, alors qu'au sud on retrouve une concentration de boîtes de nuit, de restaurants et de bars, la plupart précédés de terrasses ensoleillées. Pendant longtemps, la rue Crescent fut connue comme le pendant anglophone de la rue Saint-Denis. Même s'il est vrai qu'elle est toujours la favorite des visiteurs américains, sa clientèle est aujourd'hui plus diversifiée.

L'**église St. James The Apostle** *(1439 rue Ste-Catherine O., angle rue Bishop; métro Guy-Concordia)* a été élevée en 1864. À l'époque, elle était située en plein champ, et les officiers d'un régiment britannique, en garnison à Montréal, avaient l'habitude de jouer au cricket autour, d'où son surnom de *St. Cricket in the Fields* (saint croquet des champs). Peu de temps après, la rue Sainte-Catherine se voyait bordée de maisons en rangée qui ont depuis fait place à des édifices commerciaux.

Tournez à droite dans la rue Bishop.

La **maison Peter Lyall** *(1445 rue Bishop; métro Guy-Concordia)* se trouve au sud du boulevard De Maisonneuve. Tout au long du XIXe siècle, les Écossais ont immigré en grand nombre dans les colonies britanniques, parce qu'ils n'arrivaient pas à faire croître leurs modestes entreprises chez eux, le marché étant contrôlé par la grande bourgeoisie londonienne. Montréal représentait à cette époque le principal point d'arrivée de ces marchands, industriels et inventeurs de Glasgow ou d'Inverness, pressés d'ouvrir un magasin ou une usine dans ce pays neuf qui se peuplait rapidement et qui avait besoin de tout. Peter Lyall est un de ceux-là. Arrivé à Castleton (entre Kingston et Toronto) en 1870, il fonde aussitôt une entreprise de construction prospère, que l'on chargera même de rebâtir le parlement canadien à la suite de l'incendie de 1916. Sa maison éclectique, polychrome et pittoresque à souhait, fait penser à un gros gâteau recouvert de pain d'épice. Elle abrite maintenant des commerces et des bureaux.

En face se trouve le campus principal de l'**Université Concordia**, seconde université de langue anglaise à Montréal et dernière-née (1974) des quatre universités de la ville.

Pour retourner au point de départ, empruntez le boulevard De Maisonneuve ou la rue Sainte-Catherine, plus agréable, vers l'est jusqu'à l'angle de l'avenue McGill College, à proximité de laquelle est située l'entrée de la station de métro McGill. La station de métro Guy-Concordia est néanmoins plus proche; tournez à gauche dans le boulevard De Maisonneuve: l'entrée de la station se trouve à l'angle de la rue Guy.

Le Village Shaughnessy ★

p. 212 *p. 236* *p. 277* *p. 297*

trois heures

Lorsque les Messieurs de Saint-Sulpice prennent possession de l'île de Montréal en 1663, ils se réservent une partie des meilleures terres, sur lesquelles ils implanteront une ferme et un village amérindien en 1676. À la suite d'un incendie, le village est déplacé en différents endroits, avant de se fixer définitivement à Oka. Une section de la ferme, qui correspond à l'actuel territoire de Westmount, est alors concédée à des colons français. Sur la portion restante, les Sulpiciens aménagent un verger et un vignoble. Le lotissement de ces terres débute vers 1870: une partie d'entre elles servent à la construction de demeures bourgeoises, alors que de larges parcelles sont accordées aux communautés religieuses catholiques alliées des Sulpiciens. C'est à cette époque que l'on érige la maison Shaughnessy, qui donnera son nom au quartier. Depuis 1960, la population du secteur a considérablement augmenté, faisant du Village Shaughnessy l'une des zones les plus densément peuplées du Québec.

De la rue Guy (station de métro Guy-Concordia), prenez la rue Sherbrooke à gauche. Le circuit débute au 1850 Sherbrooke Ouest.

Les loges maçonniques, bien que déjà présentes en Nouvelle-France, prendront de l'ampleur avec l'immigration britannique. Ces associations de libres penseurs n'ont

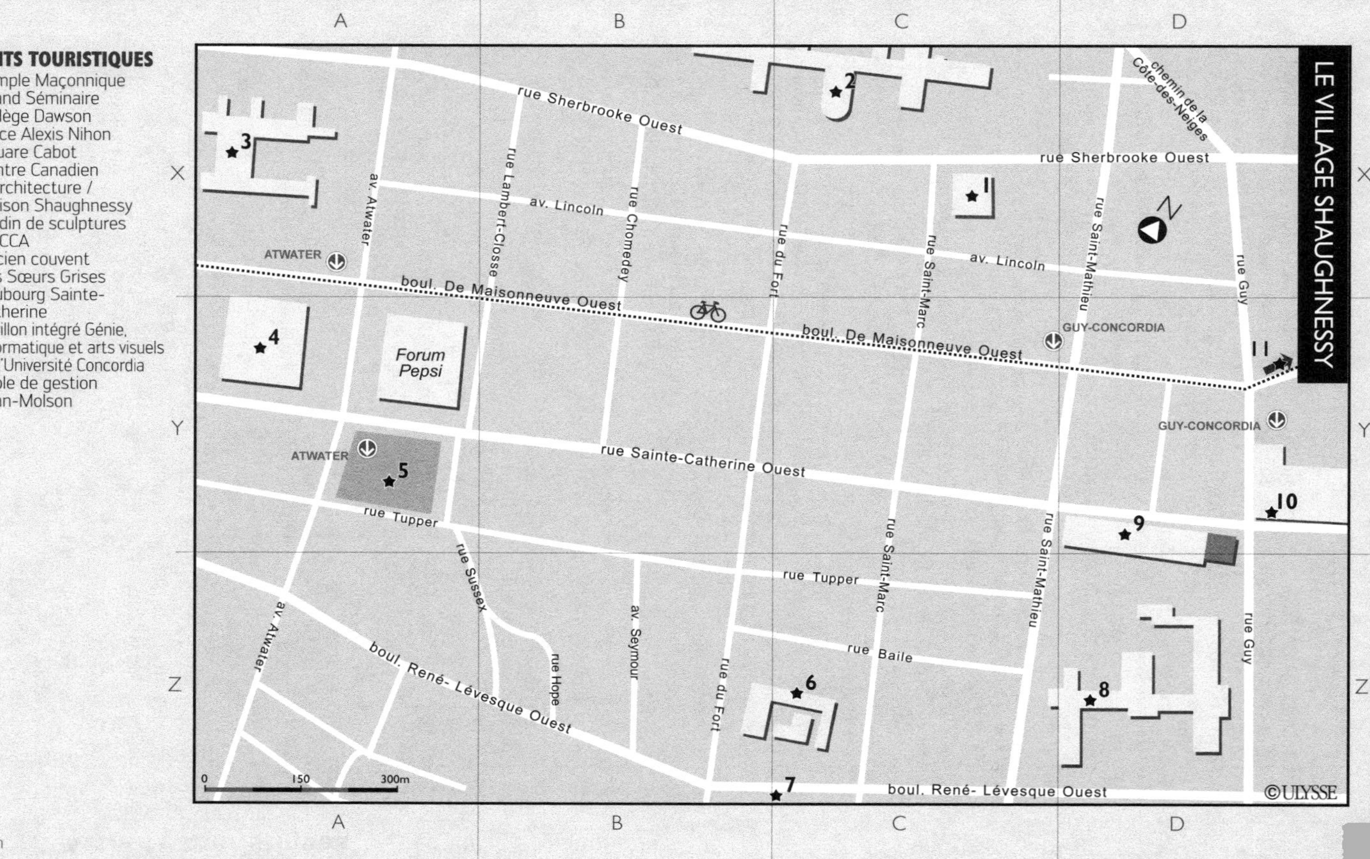

ATTRAITS TOURISTIQUES

1. CX Temple Maçonnique
2. CX Grand Séminaire
3. AX Collège Dawson
4. AY Place Alexis Nihon
5. AY Square Cabot
6. CZ Centre Canadien d'Architecture / Maison Shaughnessy
7. CZ Jardin de sculptures du CCA
8. DZ Ancien couvent des Sœurs Grises
9. DY Faubourg Sainte-Catherine
10. DY Pavillon intégré Génie, informatique et arts visuels de l'Université Concordia
11. DY École de gestion John-Molson

pas la faveur du clergé canadien, qui fustige leurs vues libérales. Ironiquement, le **Temple Maçonnique** ★ *(1850 rue Sherbrooke O.; métro Guy-Concordia, autobus 24)* des loges écossaises de Montréal est situé en face du Grand Séminaire, où l'on forme les prêtres catholiques. L'édifice, bâti en 1928, contribue à donner à la franc-maçonnerie son caractère mystique et secret grâce à sa façade hermétique sans fenêtres, dotée de vasques antiques et de luminaires bicéphales.

Il faut pénétrer à l'intérieur du **Grand Séminaire** ★★ *(visites guidées juin à août mar-sam 13h et 15h; 2065 rue Sherbrooke O., ☎ 514-935-7775, www.gsdm.qc.ca; métro Guy-Concordia, autobus 24)* pour voir la belle chapelle dessinée dans le style néoroman par Jean-Omer Marchand en 1905. Les 300 stalles en chêne, sculptées à la main, bordent la nef de 80 m de longueur, sous laquelle reposent les sulpiciens morts à Montréal depuis le XVIIe siècle. Rappelons que la compagnie des prêtres de Saint-Sulpice a été fondée à Paris par Jean-Jacques Olier en 1641 et que son église mère est la célèbre église parisienne Saint-Sulpice, sur la place du même nom.

La maison de ferme des Sulpiciens était entourée d'un mur d'enceinte relié à quatre tours d'angle en pierres, ce qui lui a valu le nom de «Fort des Messieurs». La maison a été détruite au moment de la construction (1854-1860) du Grand Séminaire, mais deux des tours érigées au XVIIe siècle selon les plans de François Vachon de Belmont, supérieur des Sulpiciens de Montréal, subsistent dans les jardins ombragés de l'institution. C'est dans l'une d'elles que Marguerite Bourgeoys enseignait aux petites Amérindiennes. Les longs bâtiments néoclassiques du Grand Séminaire, œuvre de l'architecte John Ostell, se sont vus coiffés d'une toiture en mansarde vers 1880. Un centre d'interprétation extérieur, aménagé dans la rue Sherbrooke dans l'axe de la rue du Fort, apporte des précisions sur la disposition des bâtiments de la ferme.

La congrégation de Notre-Dame, fondée par Marguerite Bourgeoys en 1671, possédait un couvent et une maison d'enseignement dans le Vieux-Montréal. L'ensemble, reconstruit au XVIIIe siècle, fut exproprié par la Ville au début du XXe siècle en vue du prolongement du boulevard Saint-Laurent jusqu'au port. Les religieuses durent se résoudre à quitter les lieux pour s'installer dans une nouvelle maison mère. C'est alors que la congrégation fit élever le couvent de la rue Sherbrooke selon les plans de Jean-Omer Marchand (1873-1936), premier architecte canadien-français diplômé de l'École des beaux-arts de Paris. L'immense complexe, où loge depuis 1987 le **Collège Dawson** ★ *(3040 rue Sherbrooke O.; métro Atwater)*, cégep (collège d'enseignement général et professionnel) de langue anglaise, témoigne de la vitalité des communautés religieuses québécoises avant la Révolution tranquille des années 1960. Sa chapelle néoromane, au centre, comporte un dôme de cuivre allongé rappelant l'architecture byzantine.

Le déclin de la pratique religieuse et la pénurie de nouvelles vocations ont obligé la communauté à s'installer dans des bâtiments plus modestes. Le couvent de la rue Sherbrooke fut vendu au gouvernement du Québec. L'édifice de briques jaunes, entouré d'un parc abondamment planté, est relié au métro et à la ville souterraine. L'ancienne chapelle, à peine modifiée, abrite la bibliothèque. C'est peut-être le plus beau de tous les cégeps du Québec.

Empruntez l'avenue Atwater vers le sud, puis tournez à gauche dans la rue Sainte-Catherine. Vous passerez devant l'ancien Forum de Montréal, reconverti en centre de divertissement.

Sur l'avenue Atwater se dresse la **Place Alexis Nihon**, un complexe multifonctionnel relié à la «ville souterraine» et comprenant un centre commercial, des bureaux et des appartements. Le **square Cabot**, au sud de l'ancien Forum, était autrefois le terminus des autobus pour tout l'ouest de la ville.

Tournez à droite dans la rue Lambert-Closse puis à gauche dans la rue Tupper.

Entre 1965 et 1975, le Village Shaughnessy a connu une vague massive de démolition. Quantité de maisons en rangée de l'ère victorienne ont alors été remplacées par des immeubles d'habitation que l'on a souvent qualifiées de «cages à poules», tellement leur architecture sommaire, caractérisée par une répétition sans fin des mêmes balcons de verre ou de béton, était caricaturale.

L'**avenue Seymour** ★ *(métro Atwater)* est une des seules rues du quartier qui ait échappé à cette vague, maintenant résorbée. On peut y voir de coquettes maisons de briques et de pierres grises présentant des détails Queen Anne, Second Empire ou néoroman.

››› Tournez à droite dans la rue du Fort puis à gauche dans la petite rue Baile (attention aux automobiles qui circulent trop rapidement dans ces rues environnant les accès de l'autoroute Ville-Marie).

Fondé en 1979 par Phyllis Lambert, le **Centre Canadien d'Architecture** ★★★ *(10$, entrée libre jeu 17h30 à 21h; mer et ven-dim 11h à 18h, jeu 11h à 21h; 1920 rue Baile, ☎ 514-939-7026, www.cca.qc.ca; métro Guy-Concordia, autobus 150 ou 15)* est un centre international de recherche et un musée. Fort de ses vastes collections, le CCA est un chef de file dans l'avancement du savoir, de la connaissance et de l'enrichissement des idées et des débats sur l'art de l'architecture, son histoire, sa théorie, sa pratique ainsi que son rôle dans la société.

Envie...

...de lire Montréal? Les passionnés pourront passer des heures dans la librairie du **Centre Canadien d'Architecture** (voir ci-dessus), dont les ouvrages mariant design, urbanisme et photographie sont une invitation à découvrir l'histoire de l'architecture montréalaise.

D'une superficie d'environ 12 000 m², le bâtiment s'est vu décerner de nombreux prix de design aux États-Unis et en Europe.

L'édifice principal en forme de *U*, conçu par Peter Rose avec Phyllis Lambert, est recouvert de calcaire gris extrait des carrières de Saint-Marc-des-Carrières, près de Québec. Le calcaire gris, autrefois extrait des carrières du Plateau Mont-Royal et de Rosemont, à Montréal, donne sa couleur aux rues de la ville.

L'édifice comprend la **maison Shaughnessy**, dont la façade donne sur le boulevard René-Lévesque. Cette maison est en fait constituée de deux habitations jumelées, construites en 1874 selon les plans de l'architecte William Tutin Thomas. Elle est représentative des demeures bourgeoises qui bordaient autrefois le boulevard René-Lévesque (anciennement la rue Dorchester puis le boulevard du même nom).

En 1974, la maison Shaughnessy fut au centre de la sauvegarde du quartier, décrépi en plusieurs endroits. La maison, elle-même menacée de démolition, fut rachetée *in extremis* par Phyllis Lambert, qui y a aménagé les bureaux et les salles de réception du Centre Canadien d'Architecture. Un ancien président du Canadien Pacifique, Sir Thomas Shaughnessy, qui a habité la maison pendant plusieurs décennies, a laissé son nom au bâtiment. Les habitants du secteur, regroupés en association, ont par la suite choisi de donner son nom au quartier tout entier.

Le **jardin de sculptures du CCA** ★ *(sur l'esplanade Ernest-Cormier, devant le Centre Canadien d'Architecture, du côté sud du boulevard René-Lévesque)* de l'artiste Melvin Charney, aménagé entre deux bretelles d'autoroute, fait face à la maison Shaughnessy. Il exprime les différentes strates de développement du quartier à travers un segment du verger des Sulpiciens, sur la gauche, et les limites de lots des demeures victoriennes indiquées par des lignes de pierres et des plantations de rosiers qui rappellent les jardins de ces maisons. L'esplanade Ernest-Cormier, le long de la falaise qui séparait autrefois le quartier riche des quartiers ouvriers, permet de contempler la basse ville (La Petite-Bourgogne, Saint-Henri, Verdun) et le fleuve Saint-Laurent. Certains points forts de ce panorama sont représentés de manière stylisée au sommet de mâts en béton.

››› Poursuivez par le boulevard René-Lévesque en direction est. Tournez à gauche dans la rue Saint-Marc puis à droite dans la rue Baile jusqu'à l'angle de la rue Saint-Mathieu, que vous prendrez à gauche.

L'**ancien couvent des Sœurs Grises** ★ *(entre 13h et 16h, appelez à l'avance pour les visites de groupe; 1190 rue Guy, ☎ 514-937-9501; métro Guy-Concordia)*, qui appartient aujourd'hui à l'Université Concordia, représente l'aboutissement d'une tradition architecturale québécoise développée à travers les siècles. Seule la chapelle présente une influence étrangère, soit le style néoroman, qui, avec le style néogothique, était privilégié par les Messieurs de Saint-Sulpice, par opposition aux styles néo-Renaissance et néobaroque, favorisés par l'évêché.

Les vitraux de la chapelle proviennent de la Maison Champigneulle de Bar-le-Duc, en France. En 1974, le couvent devait être démoli pour être remplacé par des immeubles d'habitation. Heureusement, les protestations des Montréalais ont permis de sauver l'ensemble, aujourd'hui classé. L'Université Concordia en fera, d'ici 2022, sa faculté des Beaux-Arts, avec résidence d'étudiants.

••• *Tournez à droite dans la rue Sainte-Catherine.*

Occupant un ancien garage recyclé, le **Faubourg Sainte-Catherine** *(1616 rue Ste-Catherine O., www.lefaubourg.com; métro Guy-Concordia)* abrite un marché composé de petites boutiques de spécialités locales et étrangères, ainsi qu'une aire de restauration rapide aménagée sous une longue verrière.

À l'angle des rues Guy et Sainte-Catherine se dresse le **pavillon intégré Génie, informatique et arts visuels de l'Université Concordia** ★ *(1515 rue Ste-Catherine O.)*. Un peu plus haut, à l'angle de la rue Guy et du boulevard De Maisonneuve, c'est un autre édifice du même style qui a vu le jour à l'été 2009, afin d'accueillir l'**école de gestion John-Molson** *(1455 boul. de Maisonneuve O.)*. Ces deux pavillons font partie du projet «Quartier Concordia», destiné, d'une part, à faire face à l'augmentation constante du nombre d'étudiants et, d'autre part, à moderniser le parc immobilier de l'université, jugé quelque peu vétuste. On remarquera le style de ce pavillon intégré ultramoderne, dont les parois de verre et les panneaux de bois intérieurs rappellent les plus récentes réalisations architecturales à Montréal, comme la **Grande Bibliothèque** (voir p. 124) et l'**Institut de tourisme et d'hôtellerie du Québec** (voir p. 121).

••• Ⓜ *Pour retourner à la station de métro Guy-Concordia, tournez à gauche dans la rue Guy.*

Le quartier Milton-Parc et la *Main* ★

p. 213 *p. 238* *p. 281* *p. 298*

trois heures

Le beau **quartier Milton-Parc** ★, également appelé le «ghetto McGill» en raison de la proximité de l'université du même nom, recèle une richesse architecturale qu'il fait bon parcourir pour en apprécier toute la beauté.

Le parcours révèle l'histoire des religieuses hospitalières de Saint-Joseph. En 1860, ces dernières quittent leur Hôtel-Dieu du Vieux-Montréal, fondé par Jeanne Mance en 1642, pour s'installer plus au nord, au pied du mont Royal (avenue des Pins). Victor Bourgeau conçoit les plans du nouvel hôpital, alors situé en rase campagne. Dans les années qui suivent, les religieuses lotissent leur propriété par étapes, perçant des rues bientôt bordées de jolies demeures du tournant du XXe siècle. Plusieurs de ces maisons en rangée seront menacées de démolition à la suite du dévoilement, en 1973, d'un gigantesque projet de développement immobilier. Les résidants de Milton-Parc s'opposent à la destruction massive de leur quartier: plusieurs maisons victoriennes en pierres grises allaient faire place à un vaste projet de revitalisation urbaine dont la première partie, et qui fut la seule construite, est le complexe La Cité.

Appuyés par Héritage Montréal et l'architecte Phyllis Lambert, fondatrice et premier directeur du Centre Canadien d'Architecture, et avec l'aide financière de la Société canadienne d'hypothèques et de logement (SCHL), les résidants créent entre 1979 et 1982 le plus important projet de coopératives d'habitation en Amérique du Nord, entraînant la rénovation de rangées entières de bâtiments construits au tournant du XXe siècle.

••• Ⓜ *Le circuit commence à la sortie du métro McGill. Empruntez la rue University vers le nord. À l'angle des rues Sherbrooke Ouest et University se trouve l'ancien Royal Victoria College, affilié à l'Université McGill.*

Le **collège Royal Victoria** *(555 rue Sherbrooke O.; métro McGill)* était autrefois une école professionnelle pour jeunes femmes de bonne famille. Il abrite de nos jours la faculté de musique de l'université McGill et sa salle Pollack de 300 places, parfaite pour les concerts de musique de chambre. Le bâtiment (1899) est précédé d'une belle statue en bronze de la reine Victoria, réalisée par sa propre fille, la talentueuse princesse Louise. En remontant la rue University, on aperçoit l'édifice en briques jaune pâle du Montreal High School.

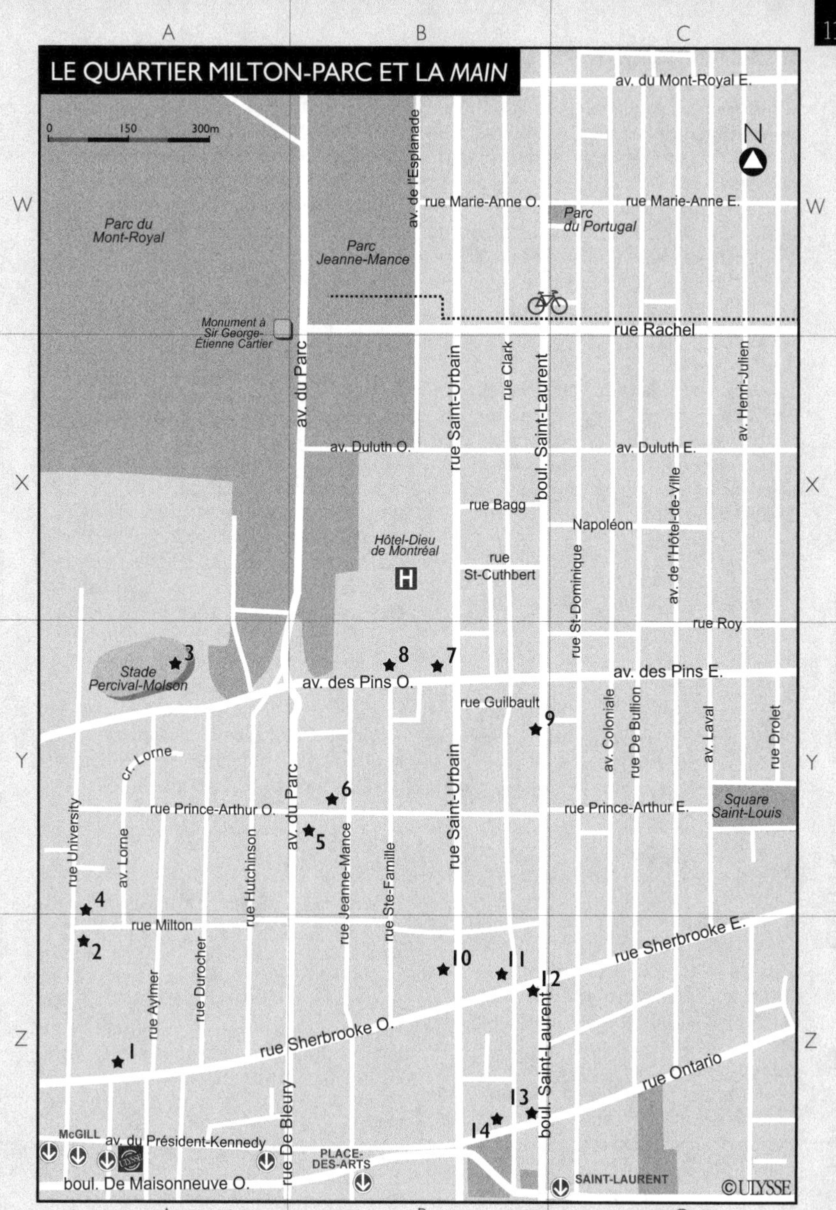

★ ATTRAITS TOURISTIQUES

1. AZ Collège Royal Victoria
2. AZ Séminaire théologique diocésain
3. AY Stade Percival-Molson
4. AY Maison Hans Selye
5. BY Complexe La Cité
6. BY Ancienne First Presbyterian Church
7. BY Musée des Hospitalières
8. BY Hôtel-Dieu
9. BY Ex-Centris
10. BZ Ancienne École des beaux-arts de Montréal
11. BZ Maison Notman
12. BZ Édifice Godin
13. BZ Édifice Grothé
14. BZ Jules Saint-Michel, Luthier – Économusée de la lutherie

Le **Séminaire théologique diocésain** ★ *(3473 rue University; métro McGill)* est voué à la formation des prêtres anglicans. L'édifice néogothique de 1896 est représentatif de la période pittoresque et polychrome de la fin de l'ère victorienne, avec ses murs à l'ornementation touffue combinant le grès beige et la brique rouge. Au bout de la rue University se cache le **stade Percival-Molson**, où les Alouettes de Montréal jouent la plupart de leurs parties de football.

Tournez à droite dans la rue Milton.

La **maison Hans Selye** *(659 rue Milton; métro McGill)* se trouve à l'angle de la rue University. Le célèbre docteur Hans Selye, spécialiste de la recherche sur le stress, y a habité et travaillé au cours des années 1940 et 1950.

Tournez à gauche dans l'avenue Lorne. Poursuivez au-delà de la rue Prince-Arthur pour découvrir la rue Lorne-Crescent, une artère résidentielle méconnue des Montréalais eux-mêmes.

On peut y voir d'intéressantes maisons victoriennes jumelées (vers 1875). Au cours de la guerre du Vietnam, des contestataires américains se sont réfugiés dans les environs pour échapper à l'enrôlement dans leur pays.

Tournez à droite dans la rue Aylmer, puis prenez à gauche la rue Prince-Arthur.

Le **complexe La Cité** *(angle av. du Parc et rue Prince-Arthur)* a été rebaptisé «Place du Parc» il y a quelques années. Il est distribué sur quatre quadrilatères de part et d'autre de la rue Prince-Arthur. Il s'agit de l'unique portion construite du vaste projet de redéveloppement du quartier qui prévoyait la destruction de la majeure partie des bâtiments victoriens des rues Hutchison, Jeanne-Mance et Sainte-Famille. Le complexe, érigé entre 1973 et 1977, est un des seuls de cette importance au monde à avoir été réalisé par une femme, l'architecte Eva Vecsei. Il comprend des immeubles d'habitations, un hôtel, un centre commercial, des salles de cinéma ainsi qu'un vaste centre sportif.

L'**ancienne First Presbyterian Church** *(3666 rue Jeanne-Mance)* est visible à l'angle de la rue Jeanne-Mance. L'édifice, construit en 1910 pour les presbytériens américains, a subi une transformation radicale en 1986, lorsque des logements ont été aménagés sous sa nef et jusqu'au sommet de son clocher. Derrière l'église se trouve l'ancienne école Strathearn, où sont maintenant regroupés les organismes communautaires du quartier, alors qu'en face on aperçoit la petite église luthérienne allemande St. John. Un peu plus loin dans la rue Prince-Arthur, on bénéficie d'une percée permettant de voir une ruelle complètement réaménagée en 1982, lors de la création d'un ensemble résidentiel coopératif. Les multiples hangars de tôle et les passerelles de bois ont alors fait place à de petites cours gazonnées entourées de clôtures.

Tournez à gauche dans la rue Sainte-Famille.

La rue Sainte-Famille offre une double perspective sur la chapelle de l'Hôtel-Dieu de l'avenue des Pins au nord et sur l'ancienne École de design de l'UQAM de la rue Sherbrooke au sud. Elle n'est pas sans rappeler les aménagements de l'urbanisme classique français, dont le Vieux-Montréal renfermait autrefois quelques exemples. Le célèbre physicien Ernest Rutherford habitait au 3702 de la rue Sainte-Famille à l'époque où il enseignait à l'Université McGill. Un peu plus haut dans la rue, on peut voir six immeubles résidentiels aux détails vaguement Art nouveau, élevés en 1910 pour les Hospitalières afin de loger les médecins de l'Hôtel-Dieu *(n°s 3705 à 3739 de la rue Ste-Famille)*.

Le **Musée des Hospitalières** ★ *(6$; mi-juin à mi-oct mar-ven 10h à 17h, sam-dim 13h à 17h; mi-oct à mi-juin mer-dim 13h à 17h; 201 av. des Pins O., ☎ 514-849-2919, www.museedeshospitalieres.qc.ca; métro St-Laurent et autobus 55 ou métro Sherbrooke et autobus 144)* est installé dans l'ancien logement des aumôniers, voisin de la chapelle de l'Hôtel-Dieu. Il raconte en détail l'histoire de la communauté des Filles hospitalières de Saint-Joseph, fondée à l'abbaye de La Flèche (Anjou) en 1634, ainsi que l'évolution de la médecine au cours des trois derniers siècles. On peut y voir l'ancien escalier en bois de l'abbaye de La Flèche (1634), offert à la Ville de Montréal par le département de la Sarthe en 1963. Il a été habilement restauré par les Compagnons du Devoir et a été intégré au joli pavillon d'entrée du musée.

L'**Hôtel-Dieu** ★ *(3840 rue St-Urbain; métro St-Laurent et autobus 55 ou métro Sherbrooke et autobus 144)* est toujours un des principaux hôpitaux de Montréal. Sa fondation et celle de la ville, pratiquement simultanées, participaient d'un même projet amorcé par un groupe de dévots parisiens, dirigé par Jérôme Le Royer de La Dauversière, qui ne viendra jamais en Amérique.

Grâce à la fortune d'Angélique Faure de Bullion, épouse du surintendant des finances de Louis XIV, et au dévouement de Jeanne Mance, originaire de Langres, l'institution prend rapidement de l'ampleur sur ses terrains de la rue Saint-Paul, dans le Vieux-Montréal. Mais le manque d'espace dans la vieille ville, l'air vicié et le bruit forcent les religieuses à relocaliser l'hôpital actuel sur leur ferme du Mont-Sainte-Famille au milieu du XIXe siècle. Le complexe, maintes fois agrandi, est aménagé autour d'une belle chapelle néoclassique coiffée d'un dôme, dont la façade rappelle les églises québécoises urbaines du Régime français. L'intérieur, épuré en 1967, a toutefois perdu plusieurs toiles marouflées d'un grand intérêt.

››› *Suivez l'avenue des Pins vers l'est jusqu'au boulevard Saint-Laurent.*

La section du boulevard Saint-Laurent située dans les environs de l'Hôtel-Dieu est bordée d'un mélange de boutiques d'alimentation spécialisées dans les produits de l'Europe de l'Est et d'ailleurs, de restaurants et de cafés à la mode, de brocanteurs et de librairies.

La découverte de la ***Main***, soit le **boulevard Saint-Laurent ★★**, surnommé ainsi car il constituait à la fin du XVIIIe siècle la principale artère du faubourg Saint-Laurent donnant accès à l'intérieur des terres, demeure une activité urbaine fort intéressante en raison de ses nombreux attraits tant commerciaux que multiculturels. D'abord créée à l'intérieur des fortifications en 1672 sous le patronyme de Saint-Lambert, la «rue Saint-Laurent» devient au XVIIIe siècle la première et la plus importante artère se développant vers le nord, divisant l'île de Montréal en deux jusqu'à la rivière des Prairies. Désignée officiellement en 1792 comme «ligne de partage» entre l'est et l'ouest de Montréal, elle est dénommée pendant quelque temps «Saint-Laurent du *Main*», puis surnommée «la *Main*» (encore aujourd'hui). En 1905, la Ville de Montréal lui donne le nom de «boulevard Saint-Laurent».

Entre-temps, vers 1880, la haute société canadienne-française conçoit le projet de faire de ce boulevard les «Champs-Élysées» montréalais. On démolit alors le flanc ouest pour élargir la voie et reconstruire de nouveaux immeubles dans le style néoroman de Richardson, à la mode en cette fin du XIXe siècle. Peuplé de vagues successives d'immigrants qui débarquent dans le port, le boulevard Saint-Laurent ne connaîtra jamais la gloire prévue par ses promoteurs. Le tronçon du boulevard compris entre les boulevards René-Lévesque et De Maisonneuve deviendra cependant le noyau de la vie nocturne montréalaise dès le début du XXe siècle. On y trouvait les grands théâtres, tel le Français, où se produisait Sarah Bernhardt. À l'époque de la Prohibition aux États-Unis (1919-1930), le secteur s'encanaille, attirant chaque semaine des milliers d'Américains qui fréquentent les cabarets et les lupanars (maisons de prostitution), nombreux dans le Red Light, le quartier chaud de Montréal, jusqu'à la fin des années 1950.

L'été est festif sur la *Main*! Chaque année, depuis 1979, les commerçants du boulevard Saint-Laurent s'associent, durant une fin de semaine de juin et d'août, pour une gigantesque braderie, la «Frénésie de la *Main*». L'un des axes routiers les plus fréquentés de Montréal, le boulevard Saint-Laurent devient alors piétonnier entre la rue Sherbrooke et l'avenue du Mont-Royal: c'est l'occasion de flâner, de chiner ou de déguster mangues et pina colada sur les terrasses, tout en se réappropriant le pavé montréalais.

Envie...

... de faire du lèche-vitrine? Au sud de l'avenue des Pins, les boutiques de prêt-à-porter du boulevard Saint-Laurent (voir p. 311) vous accueillent entre deux restaurants branchés.

››› *Prenez à droite le boulevard Saint-Laurent.*

On croise d'abord la **rue Prince-Arthur** *(entre le boulevard St-Laurent et l'avenue Laval)*. Cette artère piétonne était, dans les années 1960, le centre de la contre-culture et du mouvement hippie à Montréal. Elle est, de nos jours, bordée de nombreux restaurants qui étendent leur terrasse jusqu'au milieu de la rue. Les soirs d'été, une foule compacte se masse entre les établissements pour applaudir les amuseurs publics. De la rue Prince-Arthur, on peut rejoindre vers l'est le **square Saint-Louis** (voir p. 121) et la rue Saint-Denis.

Ex-Centris ★ *(3536 boul. St-Laurent, ☎ 514-847-2206, www.ex-centris.com; métro St-Laurent et autobus 55)* est confortablement logé dans un édifice en pierre qui se marie très bien avec ses voisins plus anciens. Complexe de nouveaux médias de Montréal, il a ouvert ses portes en 1999. Daniel Langlois, son fondateur, en a financé entièrement la construction. Jadis dédié au cinéma, le complexe a adopté en 2009 une programmation pour les arts de la scène et les arts visuels. Malgré tout, le Cinéma Parallèle poursuit ses activités au sein du complexe.

Envie...

... de déjeuner? Choisissez l'**Euro Deli** (voir p. 238) avec sa clientèle bigarrée. Si vous avez envie d'être vu, attablez-vous au **Café Méliès** (voir p. 241), dont le décor rend hommage au septième art.

··· *Tournez à droite dans la rue Milton, puis à gauche dans la rue Saint-Urbain.*

L'**ancienne École des beaux-arts de Montréal** ★ *(3450 rue St-Urbain, angle rue Sherbrooke)* a été érigée en 1922. Le petit édifice en briques rouges, doté d'une verrière et aménagé sur les terrains de l'école, est l'ancien studio d'Ernest Cormier (1923).

··· *Tournez à gauche dans la rue Sherbrooke Ouest.*

La **maison Notman** ★ *(51 rue Sherbrooke O.; métro Place-des-Arts)* fut habitée de 1876 à 1891 par le photographe montréalais William Notman, connu pour ses scènes de la vie canadienne et ses portraits de la bourgeoisie du XIXe siècle. Les inépuisables archives photographiques Notman peuvent être consultées au **Musée McCord** (voir p. 106). La maison, érigée en 1844, est un bel exemple du style néogrec tel qu'on l'exprimait alors en Écosse. Son extrême dépouillement n'est rompu que par de petites appliques décoratives, telles les palmettes en acrotère et les patères (rosaces) du portique. De 1894 à 1990, la résidence a abrité un hôpital de soins prolongés pour personnes âgées appelé St. Margaret's Home for the Incurables.

··· *Empruntez le boulevard Saint-Laurent vers le sud.*

L'**édifice Godin** ★ *(2112 boul. St-Laurent; métro St-Laurent)*, situé à l'angle de la rue Sherbrooke, est très certainement le plus audacieux exemple d'architecture moderne du début du XXe siècle au Canada (1914). L'œuvre de l'architecte Joseph-Arthur Godin, à qui l'on doit par ailleurs les appartements Riga, rue Christin, et le **Saint-Jacques** (voir p. 122), est marqué par les expériences d'Auguste Perret et de Paul Guadet avec ses structures de béton armé apparentes. À cela s'ajoutent quelques subtiles courbes Art nouveau qui donnent une allure très parisienne à l'immeuble, d'abord conçu pour l'habitation, avant d'être recyclé en manufacture de vêtements. Cet immeuble historique abrite maintenant un luxueux établissement d'hébergement: l'**Hôtel Opus Montréal** (voir p. 211), avec ses 136 chambres et ses 13 suites. On aura investi dans sa rénovation pas moins de 35 millions de dollars.

Le boulevard Saint-Laurent change plusieurs fois de visage sur son long parcours. Pendant un court instant, il adopte un air industriel avant de reprendre son allure commerçante et affairée. À l'angle de la rue Ontario, l'**édifice Grothé** *(2000 boul. St-Laurent; métro St-Laurent)*, une ancienne fabrique de cigares, est un austère bâtiment de briques rouges construit en 1906, maintenant recyclé en habitations. Alors que les grandes banques, les transports et l'énergie étaient contrôlés par les magnats anglo-saxons, l'entreprise Grothé témoigne de la force des Canadiens français dans les domaines de l'industrie alimentaire et du tabac au début du XXe siècle.

··· *Tout près de l'intersection du boulevard Saint-Laurent et de la rue Ontario, au sud de la rue Sherbrooke, se trouve un économusée de la lutherie.*

Jules Saint-Michel, Luthier – Économusée de la lutherie *(8$ visite individuelle; lun-ven 14h à 17h; 57 rue Ontario O., ☎ 514-288-4343, www.economusees.com)* est le meilleur endroit pour voir comment on fabrique un violon, cet instrument dont la forme n'a pas changé depuis 450 ans. Vous y apprendrez par exemple quelles sont les différentes parties du violon, qui furent les grands luthiers de l'histoire, quel rôle a joué le Québec dans la lutherie. Jules Saint-Michel vous fera visiter sa boutique, son atelier et son musée.

··· Ⓜ *Le circuit du quartier Milton-Parc et de la Main se termine à la station de métro Saint-Laurent, à l'angle du boulevard De Maisonneuve.*

Le Festival Juste pour rire: quand l'humour et la dérision débarquent à Montréal

Le Festival Juste pour rire, plus grand festival de comédie et d'humour au monde, se tient dans les rues et les salles de spectacle du Quartier latin. À cette occasion, les visiteurs sont invités à déambuler au gré du quartier, pour assister à différentes performances d'artistes de rue, et à participer à des défilés, notamment celui des jumeaux, qui attire bon nombre de curieux chaque année. En salle sont présentés des galas animés par des artistes de renom et des spectacles en solo d'humoristes venus du monde entier. Ce festival est suivi du volet anglophone Just for Laughs, dont les vedettes sont les *stand-up comics* de l'heure aux États-Unis et au Canada.

Le Quartier latin ★★

p. 214 *p. 242* *p. 282* *p. 297*

trois heures

Le Quartier latin, ce quartier universitaire qui gravite autour de la rue Saint-Denis, est apprécié pour ses théâtres, ses cinémas et ses innombrables cafés-terrasses d'où l'on peut observer la foule bigarrée d'étudiants et de fêtards. Son histoire débute en 1823, alors que l'on inaugure l'église Saint-Jacques, première cathédrale catholique de Montréal. Ce prestigieux édifice de la rue Saint-Denis a tôt fait d'attirer dans ses environs la crème de la société canadienne-française, composée surtout de vieilles familles nobles demeurées au Canada après la Conquête. En 1852, un incendie ravage le quartier, détruisant du même coup la cathédrale et le palais épiscopal de Mgr Bourget. Reconstruit péniblement dans la seconde moitié du XIXe siècle, le secteur conservera sa vocation résidentielle, jusqu'à ce que l'Université de Montréal s'y installe en 1893. S'amorce alors une période d'ébullition culturelle, qui sera à la base de la Révolution tranquille des années 1960. Assurant la prospérité du Quartier latin, l'Université du Québec à Montréal (UQAM), créée en 1969, a pris la relève de l'Université de Montréal, déménagée sur le versant nord du mont Royal.

Le circuit débute à la sortie de la station de métro Sherbrooke.

L'**Institut de tourisme et d'hôtellerie du Québec (ITHQ)** *(3535 rue St-Denis, 514-282-5108 ou 800-361-5111, www.ithq.qc.ca; métro Sherbrooke)*, implanté à l'est du square Saint-Louis, en bordure de la rue Saint-Denis, prend des allures ultramodernes avec ses parois de verre. On y donne des cours de cuisine, de tourisme et d'hôtellerie de tout premier ordre, en plus d'y offrir des services d'hébergement (**Hôtel de l'Institut**, voir p. 216). Essayez le **Restaurant de l'Institut** (voir p. 244) pour un avant-goût, à un prix raisonnable, de la cuisine des futurs grands chefs. Vous pouvez aussi vous lancer dans un cours pratique ou un «cours-repas» afin de connaître les recettes gourmandes de cette école, ouverte au grand public.

Traversez la rue Saint-Denis pour vous rendre au square Saint-Louis.

En 1848, la Ville de Montréal aménage un réservoir d'eau au sommet de la Côte-à-Barron, qui désigne à l'époque la pente ascendante au nord de la rue Sherbrooke. En 1879, le réservoir est démantelé et son site converti en parc de verdure sous le nom de **square Saint-Louis** ★★ *(métro Sherbrooke)*. Des entrepreneurs érigent alors autour du square de belles demeures victoriennes d'inspiration Second Empire, qui constituent ainsi le noyau du quartier résidentiel de la bourgeoisie canadienne-française. Ces ensembles forment l'un des rares paysages urbains montréalais où règne une certaine harmonie. À l'ouest, la **rue Prince-Arthur** (voir p. 119) débouche sur le square.

Prenez à droite l'**avenue Laval**, l'une des seules rues de la ville où l'on puisse encore sentir pleinement l'ambiance de la Belle Époque. Délaissées par la bourgeoisie canadienne-française à partir de 1920, ces maisons seront reconverties en pensions avant de retrouver la faveur des artistes québécois qui ont entrepris de les restaurer une par une. Le poète Émile Nelligan (1879-1941) a habité le n° 3688 avec sa famille au tournant du XXe siècle. Œuvre de Roseline Granet, un buste en bronze à la mémoire de l'auteur du *Vaisseau d'or* a récemment été inauguré à l'angle de l'avenue Laval et du square Saint-Louis. En faisant demi-tour vers la rue Sherbrooke, vous verrez la Maison des écrivains, au n° 3492, qui loge dans l'ancienne demeure du cinéaste Claude Jutra, à qui l'on doit des films comme *Mon oncle Antoine*.

Le **Mont-Saint-Louis** ★ *(244 rue Sherbrooke E.; métro Sherbrooke)*, un ancien collège pour garçons dirigé par les frères des Écoles chrétiennes, a été construit dans l'axe de l'avenue Laval en 1887. Il est un des exemples les plus probants du style Second Empire tel qu'adapté pour les grandes institutions montréalaises: longue façade ponctuée de pavillons, murs de pierres grises bossagées, ouvertures à arcs segmentaires et toitures en mansarde. L'institution a fermé ses portes en 1970, et l'édifice fut transformé en immeuble résidentiel en 1987. À cette occasion, un stationnement fut aménagé discrètement sous le jardin.

Le journaliste, poète et député Louis Fréchette (1839-1908) a habité la **maison Fréchette** *(306 rue Sherbrooke E.; métro Sherbrooke)*, de style Second Empire. Il a hébergé Sarah Bernhardt à quelques reprises quand elle effectuait ses tournées nord-américaines.

Dirigez-vous vers l'est juqu'à la rue Saint-Denis, que vous prendrez à droite; descendez la Côte-à-Barron en direction de l'Université du Québec à Montréal.

La montée du Zouave, sur la droite, aujourd'hui la **Terrasse Saint-Denis**, était le lieu de rencontre favori des poètes et des écrivains québécois au tournant du XXe siècle. L'ensemble de maisons a été aménagé sur l'emplacement de la demeure du sieur de Montigny, fier zouave pontifical.

L'architecte montréalais Joseph-Arthur Godin fut un des précurseurs de l'architecture moderne en Amérique du Nord. En 1914, il entreprend d'ériger trois immeubles de rapport, à structure de béton armé apparente, dans les environs du Quartier latin, dont le **Saint-Jacques** ★ *(1704 rue St-Denis; métro Berri-UQAM)*. À ce concept d'avant-garde, Godin marie de subtiles courbes Art nouveau qui donnent grâce et légèreté à ces bâtiments. L'entreprise fut cependant un échec commercial qui entraîna la faillite de Godin et mit un terme à sa carrière d'architecte.

La **bibliothèque Saint-Sulpice** ★ *(1704 rue St-Denis; métro Berri-UQAM)* fut d'abord aménagée pour les Messieurs de Saint-Sulpice, qui voyaient d'un mauvais œil la construction d'une bibliothèque municipale ouverte à tous rue Sherbrooke. Même si de nombreux ouvrages étaient encore à l'Index, donc interdits de lecture par le clergé, cette ouverture était vue comme de la concurrence déloyale. Annexe de la Bibliothèque nationale du Québec jusqu'à l'ouverture de la **Grande Bibliothèque** (voir p. 124), l'édifice fut dessiné en 1914 dans le style Beaux-Arts. Ce style, synthèse de l'architecture française de la Renaissance et du classicisme, était enseigné à l'École des beaux-arts de Paris, d'où son nom en Amérique. L'intérieur de la Bibliothèque Saint-Sulpice arbore de belles verrières réalisées par Henri Perdriau en 1915.

Envie...

... d'un thé? Venez humer les thés artisanaux de **Camellia Sinensis** (voir p. 242), ce petit salon de thé de la rue Émery. Vous y trouverez une sélection de thés parmi les meilleurs et y ferez une véritable pause détente au cœur de la ruche bourdonnante du Quartier latin.

Le **Théâtre Saint-Denis** *(1594 rue St-Denis, ☎ 514-849-4211, www.theatrestdenis.com; métro Berri-UQAM)* possède deux salles de spectacle parmi les plus courues de la ville. Depuis son ouverture, en 1916, le théâtre a vu défiler tous les grands noms du showbiz français et québécois, et même du monde entier. Modernisé à plusieurs reprises, il fut une nouvelle fois complètement rénové en 1989. On remarque la partie supérieure du bâtiment original, qui dépasse de la nouvelle façade de granit rose, ajoutée lors de la dernière rénovation.

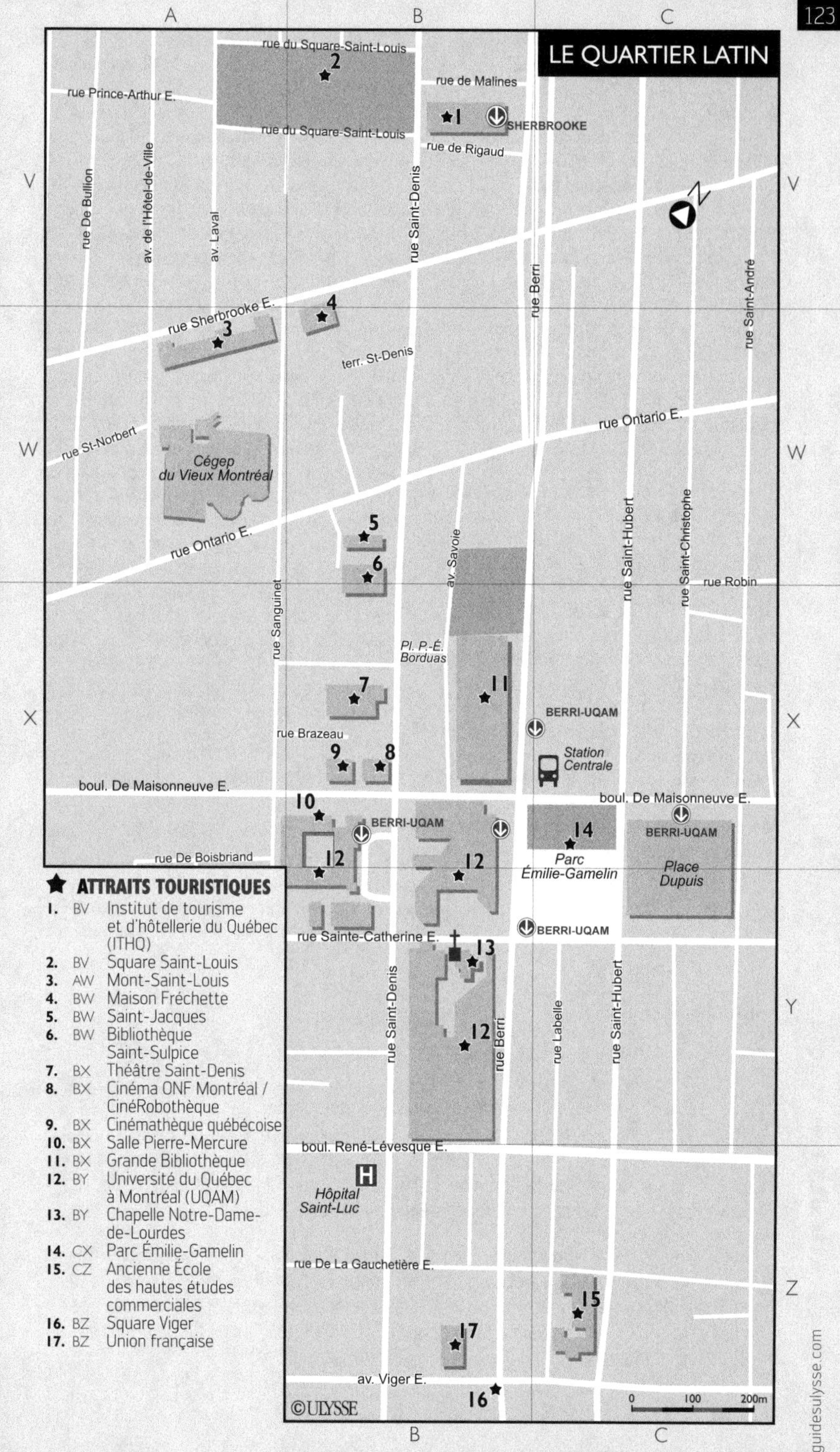
LE QUARTIER LATIN
A
B
C
V
W
X
Y
Z
rue du Square-Saint-Louis
rue Prince-Arthur E.
rue de Malines
SHERBROOKE
rue de Rigaud
rue De Bullion
av. de l'Hôtel-de-Ville
av. Laval
rue Saint-Denis
rue Berri
rue Saint-André
rue Sherbrooke E.
terr. St-Denis
rue St-Norbert
Cégep du Vieux Montréal
rue Ontario E.
av. Savoie
rue Saint-Hubert
rue Saint-Christophe
rue Robin
rue Sanguinet
Pl. P.-É. Borduas
rue Brazeau
BERRI-UQAM
Station Centrale
boul. De Maisonneuve E.
rue De Boisbriand
Parc Émilie-Gamelin
Place Dupuis
rue Sainte-Catherine E.
rue Labelle
boul. René-Lévesque E.
Hôpital Saint-Luc
rue De La Gauchetière E.
av. Viger E.
©ULYSSE
0
100
200m
ATTRAITS TOURISTIQUES
1. BV Institut de tourisme et d'hôtellerie du Québec (ITHQ)
2. BV Square Saint-Louis
3. AW Mont-Saint-Louis
4. BW Maison Fréchette
5. BW Saint-Jacques
6. BW Bibliothèque Saint-Sulpice
7. BX Théâtre Saint-Denis
8. BX Cinéma ONF Montréal / CinéRobothèque
9. BX Cinémathèque québécoise
10. BX Salle Pierre-Mercure
11. BX Grande Bibliothèque
12. BY Université du Québec à Montréal (UQAM)
13. BY Chapelle Notre-Dame-de-Lourdes
14. CX Parc Émilie-Gamelin
15. CZ Ancienne École des hautes études commerciales
16. BZ Square Viger
17. BZ Union française

À l'angle du boulevard De Maisonneuve se trouve le **Cinéma ONF Montréal** *(mar-dim 12h à 21h; 1564 rue St-Denis, ☎ 514-496-6887, www.onf.ca; métro Berri-UQAM)*, le centre de diffusion et de consultation montréalais de l'Office national du film du Canada (ONF). Il comprend la **CinéRobothèque** *(5,50$ pour 2h, 3$ pour 1h)*, qui permet aux usagers des 21 postes (individuels ou doubles) de visionner des films différents, et abrite deux salles de projection où l'on présente différents documentaires et films. Un incontournable pour les groupes d'enfants: l'atelier d'animation Norman McLaren. Petits cinéastes en herbe, ils partiront au bout de 2h avec leur propre film. On peut aussi y louer ou acheter plus de 9 000 titres de la collection de l'ONF à la boutique.

Un peu plus loin vers l'ouest, la **Cinémathèque québécoise** ★ *(expositions entrée libre, séance 7$; fermé lun; 335 boul. De Maisonneuve E., ☎ 514-842-9763, www.cinematheque.qc.ca; métro Berri-UQAM)* accueille également les cinéphiles. Elle possède une collection de 35 000 films canadiens, québécois et étrangers, ainsi que de nombreux appareils témoignant des débuts du cinéma. La Cinémathèque loge, en plus de ses salles de projection, des salles d'exposition, une médiathèque et une boutique, sans oublier son café-bar. En face se dresse la salle de concerts de l'Université du Québec à Montréal (UQAM), la **salle Pierre-Mercure** du Centre Pierre-Péladeau, aux qualités acoustiques exceptionnelles.

À l'est de ce même boulevard, à l'angle de la rue Berri se trouve la **Grande Bibliothèque** ★★ *(mar-ven 10h à 22h, sam-dim 10h à 17h; 475 boul. De Maisonneuve E., ☎ 514-873-1100, www.banq.qc.ca; métro Berri-UQAM)*, qui a ouvert ses portes le 30 avril 2005. Projet pharaonique de près de 100 millions de dollars, ce bâtiment lumineux de six étages, construit tout en contraste de bois et de verre, concentre plus de quatre millions de documents, soit la plus importante collection québécoise de livres et de supports multimédias. La Grande Bibliothèque répond ainsi aux besoins d'une grande métropole culturelle, alors que Montréal a été désignée «capitale mondiale du livre» par l'UNESCO pour 2005-2006. Après avoir jeté un coup d'œil, à l'entrée principale du bâtiment, sur cet arbre de la connaissance, véritable bouquet d'étincelles d'aluminium, conçu par l'artiste Jean-Pierre Morin, empruntez l'un des ascenseurs panoramiques jusqu'au dernier étage: vous y aurez une vue imprenable sur Montréal. La bibliothèque compte également d'autres œuvres d'art telles que la façade de verre donnant sur l'avenue Savoie et l'œuvre de verre et de métal de Louise Viger menant à la salle d'exposition au niveau du métro.

››› *Revenez à la rue Saint-Denis, où vous tournerez à gauche, puis prenez la rue Sainte-Catherine à gauche.*

Contrairement à la plupart des campus universitaires nord-américains, composés de pavillons disséminés dans un parc, le campus de l'**Université du Québec à Montréal (UQAM)** ★ est intégré à la ville à la manière

La tête à Papineau

Beau-fils de Louis-Joseph Papineau, l'artiste Napoléon Bourassa, dont la chapelle Notre-Dame-de-Lourdes, érigée dans la rue Sainte-Catherine à Montréal en 1876, est l'œuvre de sa vie, habitait dans une grande maison située rue Saint-Denis (nº 1242), non loin de cette chapelle. Petit détail: sur la façade de sa demeure se trouve la «tête à Papineau». Quoi de plus banal? Certes non!

Instigateur héroïque du mouvement des Patriotes, Louis-Joseph Papineau demeure sans contredit un acteur important dans le démantèlement d'un régime politique inacceptable pour le peuple du Bas-Canada. Sa réputation d'homme très intelligent survit encore aujourd'hui dans l'expression populaire *«Ça ne prend pas la tête à Papineau!»*.

des universités de la Renaissance en France ou en Allemagne. Il est en outre relié à la «ville souterraine» et au métro. L'UQAM occupe l'emplacement des premiers bâtiments de l'Université de Montréal et de l'église Saint-Jacques, reconstruite après l'incendie de 1852. Seuls le mur du transept droit et le clocher néogothique de l'église, conçue par Victor Bourgeau, ont été intégrés au pavillon Judith-Jasmin de 1979. L'UQAM fait partie du réseau de l'Université du Québec, fondé en 1969 et réparti dans différentes villes du Québec. Ce lieu de haut savoir, en pleine expansion, accueille chaque année plus de 40 000 étudiants.

L'artiste Napoléon Bourassa habitait une grande maison de la rue Saint-Denis (n° 1242), située aujourd'hui en face de l'un des pavillons de l'UQAM: remarquez sur la façade la «tête à Papineau», une sculpture représentant cette grande figure politique du XIXe siècle. La **chapelle Notre-Dame-de-Lourdes** ★ *(430 rue Ste-Catherine E., ☎ 514-845-8278; métro Berri-UQAM)*, érigée en 1876, est l'œuvre de sa vie. Elle a été commandée par les Messieurs de Saint-Sulpice, qui voulaient assurer leur présence dans ce secteur de la ville. Son vocabulaire romano-byzantin est en quelque sorte le résumé des carnets de voyage de son auteur. Il faut voir les fresques très colorées de Bourassa qui ornent l'intérieur de la petite chapelle, dont le fronton est surmonté d'une vierge dorée.

Le **parc Émilie-Gamelin** ★ *(angle rue Berri et rue Ste-Catherine E.; métro Berri-UQAM)* honore la mémoire de la fondatrice des sœurs de la Providence, dont l'asile occupait le lieu jusqu'en 1960. L'espace, autrefois baptisé «square Berri», fut aménagé en 1992 dans le cadre des fêtes du 350e anniversaire de Montréal. En fond de scène se trouvent de curieuses sculptures métalliques de l'artiste Melvin Charney, à qui l'on doit également le **jardin de sculptures du CCA** (voir p. 115).

Au nord du parc se trouve la gare routière (Station Centrale), aménagée au-dessus de la station de métro Berri-UQAM vers laquelle trois des quatre lignes du métro convergent. À l'est, la Place Dupuis, qui regroupe des commerces, des bureaux et un hôtel, occupe l'ancien grand magasin Dupuis Frères. Dans la rue Sainte-Catherine, on peut encore apercevoir certains magasins chers aux Montréalais, comme Archambault. La section de la rue Sainte-Catherine située entre les rues Amherst et Papineau est appelée le **Village gay** (voir p. 128).

››› *Tournez à droite dans la rue Saint-Hubert puis encore à droite dans l'avenue Viger.*

Cette section du quartier vous semblera peut-être moins agréable à parcourir que la rue Saint-Denis, en raison des nombreuses voies de circulation qui la traversent. L'autoroute Ville-Marie notamment, au sud du circuit, a largement contribué à défigurer un quartier pourtant historique de Montréal, qui abrite un patrimoine architectural très riche.

Symbole de l'ascension sociale d'une certaine classe d'hommes d'affaires canadiens-français au début du XXe siècle, l'**ancienne École des hautes études commerciales** ★★ *(535 av. Viger E.; métro Berri-UQAM ou Champ-de-Mars)* va modifier en profondeur le milieu de l'administration et de la finance à Montréal, jusque-là dominé par les Canadiens d'origine britannique. L'architecture Beaux-Arts très parisienne de cet imposant bâtiment de 1908, caractérisée par des colonnes jumelées, des balustrades, un escalier monumental et des sculptures pâteuses, témoigne de la francophilie de ses promoteurs. En 1970, l'École des hautes études commerciales (HEC) a rejoint le campus de l'Université de Montréal sur le flanc nord du mont Royal. Appelé «édifice Gilles-Hocquart», du nom du 14e intendant en titre de la Nouvelle-France (1731-1748), dont le rôle fut déterminant dans la sauvegarde des documents du Régime français, ce magnifique bâtiment renferme aujourd'hui le Centre d'archives de Montréal.

Le **square Viger** *(av. Viger E.; métro Berri-UQAM ou Champ-de-Mars)* est le premier square autour duquel la bourgeoisie canadienne-française va se regrouper au cours des années 1850, avant de lui préférer le square Saint-Louis à partir de 1880. Dénaturé par l'aménagement de l'autoroute Ville-Marie en sous-sol (1977-1979), il a été réaménagé en trois sections réalisées par autant d'artistes, qui ont préféré un design touffu à la sobriété du square du XIXe siècle. À l'arrière-plan, on aperçoit l'ancienne **gare Viger** (voir p. 87), aux allures de château fort.

L'**Union française** *(429 av. Viger E.; métro Berri-UQAM ou Champ-de-Mars; ☎ 514-845-5195)*, l'association culturelle française de Montréal, s'est installée dans une ancienne demeure patricienne en 1909. On y organise des conférences et des ateliers sur le Canada ou des visites guidées de musées montréalais. Chaque année, le 14 Juillet est célébré dans le square Viger, en face. La maison fut construite en 1867 pour l'armateur Jacques-Félix Sincennes, fondateur de la Richelieu and Ontario Navigation Company. Elle est un des premiers exemples d'architecture Second Empire à avoir été réalisé à Montréal.

Poursuivez par l'avenue Viger pour reprendre le métro à la station Champ-de-Mars.

Le Village ★

p. 217 p. 244 p. 286 p. 297

trois heures

Accueillant et animé, le Village vit au rythme de ses cafés, restos et bars, de jour comme de nuit..

Le quartier qui constitue le Village aujourd'hui, situé en marge du centre-ville, est né du prolongement du Vieux-Montréal vers l'est à la fin du XVIIIe siècle. D'abord connu sous le nom de «faubourg Québec», car il borde alors la route menant à Québec, il est rebaptisé «quartier Sainte-Marie» lorsqu'il s'industrialise, avant d'être surnommé «Faubourg à m'lasse» vers 1880, époque où l'on décharge tous les jours, sur les quais du port tout proche, des centaines de tonneaux de mélasse odorante.

Au milieu des années 1960, les fonctionnaires accoleront au quartier le nom peu romantique de «Centre-Sud». C'était avant que la communauté homosexuelle ne le reprenne en main en 1980 et fasse de la rue Sainte-Catherine le Village gay. Malgré ses multiples noms, il demeure un lieu grouillant de vie et sait être attachant, pour peu que l'on s'y attarde.

Le quartier se divise en trois lisières d'épaisseur variable du sud vers le nord: d'abord celle du port et des industries, presque infranchissable à pied depuis la construction de l'autoroute Ville-Marie (1974-1977), celle de Radio-Canada, dont l'aménagement (1970-1973) a entraîné la destruction du tiers du quartier, et enfin celle de la rue Sainte-Catherine, où l'on retrouve une importante concentration de cafés, de discothèques et de bars pour la communauté gay. Depuis 2008, la portion de cette artère qui se trouve entre les rues Berri et Papineau devient une rue piétonnière de la mi-juin au début de septembre.

De la station de métro Berri-UQAM, empruntez la rue Sainte-Catherine vers l'est.

La **Place Dupuis** *(en face du parc Émilie-Gamelin; métro Berri-UQAM)* a succédé en 1979 au grand magasin Dupuis Frères, pendant canadien-français des Eaton et Ogilvy, situés au centre-ville. La rue Sainte-Catherine aux environs de la rue Saint-Hubert était d'ailleurs considérée comme le noyau commercial des Canadiens français de Montréal jusqu'au milieu du XXe siècle.

Un peu plus loin à l'est se trouve l'**ancien magasin de mode Pilon** *(915 rue Ste-Catherine E.)*. Il est le doyen des bâtiments commerciaux du quartier, car sa structure à ossature de pierre remonte à 1878. La belle façade Art déco du n° 916 appartenait autrefois à la **Pharmacie Montréal** (1934), première institution du genre au Québec à livrer des médicaments à domicile et à être ouverte jour et nuit.

Les amateurs de culture industrielle et ouvrière ne manqueront pas de faire un crochet pour aller visiter l'**Écomusée du fier monde** ★ *(6$; mer 11h à 20h, jeu-ven 9h30 à 16h, sam-dim 10h30 à 17h; 2050 rue Amherst, 514-528-8444, www.ecomusee.qc.ca; métro Sherbrooke ou Berri-UQAM)*. Situé au nord de la rue Ontario, le musée est installé dans un ancien bain public, le Bain Généreux, construit en 1927 sur le modèle de la piscine de la Butte-aux-Cailles à Paris. On y présente, dans un cadre habilement recyclé, l'histoire sociale et économique du quartier Centre-Sud.

Envie...

... de chiner? Arpentez la rue Amherst où les brocanteurs et antiquaires du Village sont regroupés.

À l'est de la rue Amherst, on pénètre dans le Village gay de Montréal.

Auparavant regroupés dans «l'Ouest» dans les rues Stanley et Drummond, les bars homosexuels n'avaient pas toujours la

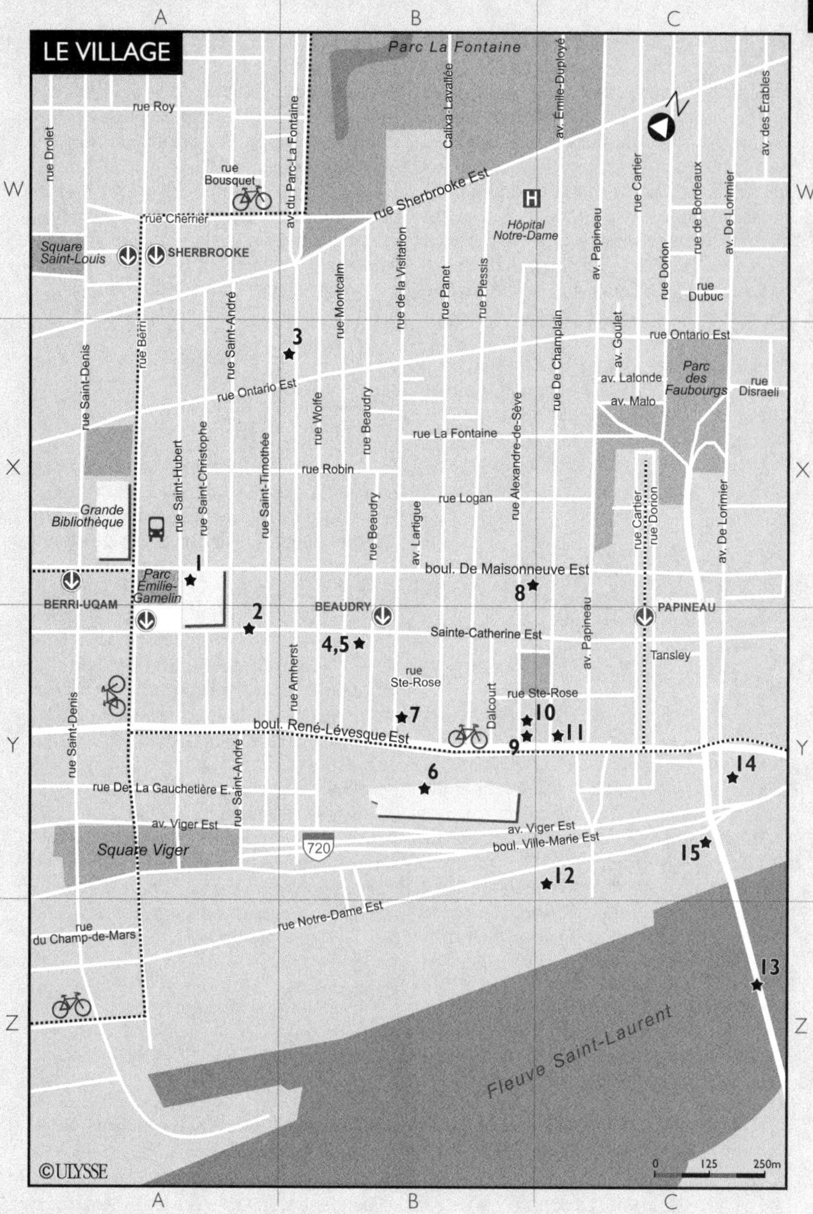

LE VILLAGE

A B C
W X Y Z
Parc La Fontaine
rue Roy
rue Drolet
rue Bousquet
av. du Parc-La Fontaine
Calixa-Lavallée
av. Émile-Duployé
av. des Érables
rue Sherbrooke Est
rue Cherrier
H
Hôpital Notre-Dame
rue Cartier
rue de Bordeaux
av. De Lorimier
Square Saint-Louis
SHERBROOKE
av. Papineau
rue Dorion
rue Dubuc
rue Montcalm
rue de la Visitation
rue Panet
rue Plessis
rue Berri
rue Saint-André
rue Saint-Denis
rue Ontario Est
av. Goulet
av. Lalonde
av. Malo
rue De Champlain
Parc des Faubourgs
rue Disraeli
rue Wolfe
rue Beaudry
rue La Fontaine
rue Alexandre-de-Sève
rue Robin
rue Saint-Hubert
rue Saint-Christophe
rue Saint-Timothée
rue Logan
Grande Bibliothèque
av. Lartigue
boul. De Maisonneuve Est
rue Cartier
rue Dorion
av. De Lorimier
Parc Émilie-Gamelin
BERRI-UQAM
BEAUDRY
PAPINEAU
Sainte-Catherine Est
av. Papineau
Tansley
rue Amherst
rue Ste-Rose
Dalcourt
rue Ste-Rose
boul. René-Lévesque Est
rue De La Gauchetière E.
av. Viger Est
Square Viger
720
av. Viger Est
boul. Ville-Marie Est
rue du Champ-de-Mars
rue Notre-Dame Est
Fleuve Saint-Laurent
0 125 250m
©ULYSSE

★ ATTRAITS TOURISTIQUES

1. AX Place Dupuis
2. AY Ancien magasin de mode Pilon / Pharmacie Montréal
3. BX Écomusée du fier monde
4. BY Ouimetoscope
5. BY Ancien Théâtre National
6. BY Maison de Radio-Canada
7. BY Église Saint-Pierre-Apôtre
8. BX TVA
9. BY Ancienne école Sainte-Brigide
10. BY Église Sainte-Brigide
11. CY Cathédrale St. Peter and St. Paul
12. CY Brasserie Molson
13. CZ Pont Jacques-Cartier
14. CY Prison des Patriotes / Monument aux Patriotes / Centre d'exposition de la Prison-des-Patriotes
15. CY Station de pompage Craig

faveur des promoteurs immobiliers et des édiles municipaux qui les trouvaient trop voyants. Le harcèlement continuel et les «grands ménages» épisodiques ont amené les propriétaires de bars, alors locataires au centre-ville, à acheter des bâtiments peu coûteux dans le Centre-Sud afin d'exploiter leurs commerces à leur guise. C'est ainsi qu'est né le **Village gay** *(rue Ste-Catherine E., entre la rue Amherst et l'avenue Papineau; métro Berri-UQAM, Beaudry ou Papineau)*, une concentration d'établissements desservant une clientèle homosexuelle (saunas, bars, restaurants, boutiques de vêtements, hôtels). Loin d'être cachés ou mystérieux, plusieurs de ces établissements s'ouvrent sur la rue et se prolongent à l'extérieur, en été, par des terrasses et des jardins.

Envie...

...d'une soirée karaoké? Ne manquez pas les spectacles du **Cabaret Mado** (voir p. 286): une atmosphère endiablée est garantie sur cette scène mythique des nuits gays, inspirée des cabarets berlinois des années 1920.

Léo-Ernest Ouimet (1877-1973), cinéaste, distributeur et propriétaire de salle, fut le pionnier de l'industrie cinématographique montréalaise. En 1906, il fait construire le **Ouimetoscope** *(1204 rue Ste-Catherine E.; métro Beaudry)*, première salle conçue et vouée exclusivement au cinéma dans tout le Canada. Le Ouimetoscope, relocalisé l'année suivante, modernisé puis fermé, n'est plus qu'un souvenir. Tout juste à l'est se trouve l'**ancien Théâtre National** *(1220 rue Ste-Catherine E.)*, dont la jolie petite salle néo-Renaissance, inaugurée en 1900, est toujours intacte. Devenu, depuis 2006, la salle de spectacle Le National, ce théâtre, autrefois spécialisé dans le burlesque et le vaudeville, a longtemps été dirigé par l'inénarrable Rose Ouellette, dite «La Poune», comme le mentionne une plaque apposée à l'entrée. Quelques autres théâtres anciens jalonnent la rue Sainte-Catherine Est jusqu'au pont Jacques-Cartier.

››› *Tournez à droite dans la rue de la Visitation. Derrière le clocher argenté de l'église Saint-Pierre-Apôtre, vous apercevrez l'édifice qui abrite les studios de Radio-Canada.*

La **Maison de Radio-Canada** *(1400 boul. René-Lévesque E.; métro Beaudry)* est cette construction hors d'échelle, isolée au milieu de son stationnement. La Maison fut érigée entre 1970 et 1973 pour loger l'ensemble des services en français de Radio-Canada, la radio-télévision nationale ainsi que les services locaux de langue anglaise. Lors de son édification, la trame urbaine traditionnelle fut complètement effacée. Six cent soixante-dix-huit familles, soit près de 5 000 personnes, furent déplacées. Déjà, 20 ans plus tôt, on avait triplé la largeur du boulevard Dorchester (aujourd'hui René-Lévesque), isolant la partie sud du quartier de sa contrepartie nord. Radio-Canada propose des visites guidées de ses studios de télévision, de sa salle de nouvelles ainsi que de son petit musée *(composez le ☎ 514-597-7787 pour réserver)*.

La Fierté gay

À Montréal, le défilé de la Fierté gay (ou plutôt de la Fierté LGB2T – «lesbienne, gaie, bisexuelle, transsexuelle et travestie») donne le coup d'envoi au Festival Divers/Cité. Semaine de célébration culminant avec une grande fête en plein air, ce festival est une occasion de réjouissances pendant lesquelles les homosexuels (hommes et femmes) s'offrent le luxe de descendre dans la rue pour faire valoir, plus que leur acceptation, la fierté qu'ils ont d'être ce qu'ils sont.

Événement festif réunissant toutes les tendances, toutes les orientations et tous les styles, le Festival Divers/Cité s'empreint d'un esprit d'ouverture sur le monde. Manifestation alliant l'expression de la différence à la revendication égalitaire, il se présente comme un des plus grands rassemblements annuels des communautés homosexuelles au monde.

L'**église Saint-Pierre-Apôtre** ★★ *(1201 rue de la Visitation, ☎ 514-524-3791; métro Beaudry)* est intégrée à l'ensemble conventuel des pères oblats, installés à Montréal en 1848 grâce aux bons soins de Mgr Ignace Bourget. Le bâtiment, terminé en 1853, est une œuvre majeure du style néogothique québécois et la première réalisation du prolifique architecte Victor Bourgeau dans ce style. On y retrouve notamment des arcs-boutants, éléments de support extérieur des murs de la nef rarement employés à Montréal, alors que la flèche culmine à 70 m, une hauteur exceptionnelle à l'époque. L'intérieur, délicatement orné, recèle d'autres éléments inusités, tels ces piliers en pierres calcaires séparant le vaisseau principal des nefs latérales, dans un pays où la structure des églises est généralement faite entièrement de bois. Certains des vitraux provenant de la Maison Champigneulle de Bar-le-Duc, en France, attirent l'attention, entre autres le *Saint Pierre* (1854) du chœur, haut de 9 m.

››› *Remontez la rue de la Visitation, puis tournez à droite dans la petite rue Sainte-Rose.*

Chemin faisant, on longe le presbytère néoclassique de Saint-Pierre-Apôtre et les anciens bâtiments de la maîtrise Saint-Pierre, école et résidence des prêtres aujourd'hui transformées en centre de services communautaires. La jolie petite rue Sainte-Rose, bordée au nord par une série d'habitations ouvrières à toitures mansardées, a conservé son apparence ancienne. Plusieurs cadres et artistes travaillant à Radio-Canada, tout proche, ont restauré des maisons du quartier depuis 1975.

››› *Tournez à gauche dans la rue Panet puis à droite dans la rue Sainte-Catherine.*

On croise alors la petite **rue Dalcourt**, sorte de rue secondaire entre deux rues principales, basée sur le modèle des *mews* londoniennes. Elle est bordée de logements exigus, autrefois destinés aux ouvriers les plus pauvres. La rue Dalcourt fut réaménagée par la Ville de Montréal en 1982 dans le cadre de son programme «Place au Soleil».

Les bureaux du réseau **TVA** *(1425 rue Alexandre-de-Sève, angle De Maisonneuve E.; métro Papineau)* occupent tout un quadrilatère du quartier. Fondé en 1961 par Alexandre de Sève sous le nom de Télé-Métropole, ce réseau de télévision privé a longtemps déclassé Radio-Canada dans les milieux ouvriers. Certains de ses studios occupent l'ancien théâtre Arcade et la pharmacie Gauvin de 1911, un bel édifice de quatre étages en terre cuite blanche vitrifiée, situé rue Sainte-Catherine. TVA forme avec Radio-Canada et Télé-Québec une véritable «cité des ondes» à l'est du centre-ville.

››› *Tournez à droite dans la rue Alexandre-de-Sève.*

L'édifice de briques rouges, précédé d'un parc de quartier, sur la gauche, est l'**ancienne école Sainte-Brigide** *(1125 rue Alexandre-de-Sève; métro Papineau)*, ouverte par les frères des Écoles chrétiennes en 1895. Elle a été transformée en résidence pour les aînés en 1989.

La forte concentration d'ouvriers catholiques dans le Faubourg à m'lasse à la fin du XIXe siècle, conjuguée à la concurrence que se livraient encore l'évêché et les Messieurs de Saint-Sulpice à l'époque, justifiait la construction en 1878 d'une seconde église à quelques centaines de mètres seulement de l'église Saint-Pierre-Apôtre, décrite plus haut. L'**église Sainte-Brigide** ★ *(1153 rue Alexandre-de-Sève, ☎ 514-522-4584; métro Papineau)* adopte le style néoroman, alors préconisé par les Sulpiciens. L'intérieur du lieu de culte de cette paroisse a peu changé depuis sa construction, laissant voir de beaux luminaires de la fin du XIXe siècle ainsi qu'un encombrement de statues de plâtre défraîchies, témoignage éloquent de meilleures années.

››› *Empruntez le boulevard René-Lévesque vers l'est.*

La **cathédrale St. Peter and St. Paul** ★ *(1151 rue De Champlain, ☎ 514-522-2801; métro Papineau)* est la cathédrale orthodoxe russe de Montréal. Cette ancienne église épiscopalienne fut érigée en 1853. Ceux qui se rendront à la messe du dimanche pourront voir le bel ensemble d'icônes et le trésor provenant de Russie, et écouter les chants envoûtants de la chorale.

La **brasserie Molson** *(1670 rue Notre-Dame E.)* est visible depuis le boulevard René-Lévesque. Le hall de la brasserie abrite des agrandissements de photos d'archives ainsi qu'une boutique de souvenirs. En face se trouve un monument en souvenir de l'*Accomodation*, le premier navire à vapeur lancé sur le fleuve Saint-Laurent par la famille Molson en 1809.

En 1786, un Anglais du nom de John Molson (1763-1836) ouvre dans le faubourg Québec une brasserie qui portera son nom, et qui deviendra par la suite une des principales entreprises canadiennes. Cette brasserie, maintes fois reconstruite et agrandie, existe toujours en bordure du port. Quant à la famille Molson, elle demeure à l'époque l'un des piliers de la haute bourgeoisie montréalaise, impliquée dans les banques (voir p. 77), dans la construction ainsi que dans le transport ferroviaire et maritime.

Au début du XIXe siècle, on retrouvait, dans les environs de la brasserie, un quartier bourgeois, une église anglicane et une place de marché (au sud de l'avenue Papineau). Les derniers fragments de cette époque ont disparu lors de la construction de l'autoroute Ville-Marie (1974-1977).

Poursuivez par le boulevard René-Lévesque vers l'est. Passez sous le pont Jacques-Cartier, puis tournez à droite dans l'avenue De Lorimier. Traversez à l'angle de l'avenue Viger pour rejoindre le siège social de la Société des alcools du Québec, installé dans l'ancienne prison de Montréal, mieux connue sous le nom de « prison du Pied-du-Courant » Ce trajet manque, il est vrai, cruellement d'attrait puisqu'il longe deux avenues où la circulation est constante, mais il s'agit d'un passage obligé pour rejoindre la prison.

Le **pont Jacques-Cartier** ★★ fut inauguré en 1930. Jusque-là, seul le pont Victoria, achevé en 1860, permettait d'atteindre la Rive-Sud sans avoir à emprunter un bac. Le pont Jacques-Cartier permettait en outre de relier directement le parc de l'île Sainte-Hélène aux quartiers centraux de Montréal. Sa construction fut un véritable casse-tête, les élus ne s'entendant pas sur un tracé qui éviterait les démolitions massives. Il fut finalement décidé de le doter d'une courbure (qu'on a adoucie récemment grâce à de gros travaux sur le tablier du pont) dans son approche montréalaise, ce qui le fit surnommer le «pont croche». Aujourd'hui on peut traverser le pont Jacques-Cartier aussi bien à pied (trottoir sur le côté est) et à vélo (piste cyclable sur le côté ouest), du printemps à l'automne, qu'en voiture, comme le font des milliers d'automobilistes qui se rendent au travail chaque jour.

La **Prison des Patriotes** ★★ *(2125 place des Patriotes; métro Papineau)* est appelée ainsi parce qu'elle est située en face du fleuve, au pied du courant Sainte-Marie, qui offrait autrefois une certaine résistance aux navires entrant dans le port. Elle consiste en un long bâtiment néoclassique en pierres de taille, précédé d'un porche de même matériau et construit entre 1830 et 1836. Il s'agit du plus ancien bâtiment public subsistant à Montréal.

Une maison pour le directeur de la prison est venue s'ajouter à l'angle de l'avenue De Lorimier en 1894. Les derniers détenus ont quitté la prison du Pied-du-Courant en 1912. Elle est devenue en 1921 le siège de la Commission des Liqueurs, future Société des alcools du Québec. Au fil des ans, des annexes et des entrepôts vinrent se greffer à la vieille prison oubliée. Cependant, entre 1986 et 1990, le gouvernement du Québec a procédé à la démolition des ajouts et a restauré la prison, ravivant le souvenir des événements tragiques qui y ont pris place peu après son inauguration.

C'est en effet en ces murs qu'ont été exécutés 12 des Patriotes ayant pris part à l'insurrection armée de 1837-1838 qui recherchait l'émancipation du Québec; parmi eux, le chevalier de Lorimier a laissé son nom à l'avenue voisine. Cinq cents autres y ont été emprisonnés, avant d'être déportés vers les colonies pénitenciaires de l'Australie et de la Tasmanie, dans le Pacifique Sud. Un beau **monument aux Patriotes** ★, œuvre d'Alfred Laliberté, se dresse sur les terrains de l'ancienne prison. La résidence néogothique du gouverneur de la prison abrite maintenant les salles de réception de la SAQ.

Situé au sous-sol de l'édifice du Pied-du-Courant, le **Centre d'exposition de la Prison-des-Patriotes** *(entrée libre; mer-ven 12h à 17h, sam-dim 9h30h à 17h; 903 av. De Lorimier, ☎ 450-787-9980 ou 888-999-1837, www.mndp.qc.ca; métro Papineau)*, réalisation de la SAQ, est géré par la Maison nationale des Patriotes et le Musée de Saint-Eustache et de ses Patriotes. On y présente une exposition thématique sur les Rébellions de 1837-1838. L'exposition compte sept volets: l'introduction, l'économie, l'identitaire, le politique, Avant les armes, Aux armes! et l'épilogue.

Vous apercevrez sans doute, en sortant du Centre d'exposition, la **station de pompage Craig** *(sur le terre-plein entre l'avenue Viger et le boulevard Ville-Marie, angle av. De Lorimier)*, située sous le pont Jacques-Cartier. Cette ancienne station de pompage, destinée à réguler le niveau du fleuve, a cessé toute activité à la fin des années 1950. Il y a quelques années, Champ Libre, un organisme à but non lucratif luttant pour la préservation du patrimoine architectural montréalais, a tenté de la réhabiliter.

Pour revenir à la rue Sainte-Catherine, empruntez l'avenue De Lorimier vers le nord, puis tournez à gauche en direction de la station de métro Papineau.

Le Plateau Mont-Royal ★★

p. 217 p. 246 p. 283 p. 298

trois heures

S'il existe un quartier typique à Montréal, c'est bien le Plateau Mont-Royal. Rendu célèbre par les écrits de Michel Tremblay, l'un de ses illustres fils, «le Plateau», comme l'appellent ses résidants, c'est le quartier des intellectuels fauchés autant que des jeunes professionnels et des vieilles familles ouvrières francophones. Ses longues rues sont bordées des fameux duplex et triplex montréalais, dont les longs et étroits appartements sont accessibles par des escaliers extérieurs aux contorsions amusantes. Ces derniers aboutissent à des balcons en bois ou en fer forgé, qui sont autant de loges fleuries d'où l'on observe le spectacle de la rue.

Le Plateau Mont-Royal est traversé par quelques artères bordées de cafés et de théâtres, comme la rue Saint-Denis, et ponctuées de bars et restaurants comme l'avenue du Mont-Royal, mais conserve dans l'ensemble une douce quiétude. Une visite de Montréal serait incomplète sans une excursion sur le Plateau Mont-Royal, ne serait-ce que pour flâner sur ses trottoirs et mieux saisir l'âme de Montréal.

Le circuit débute à la sortie de la station de métro Mont-Royal. Dirigez-vous vers la droite sur l'avenue du Mont-Royal.

Le **Sanctuaire du Saint-Sacrement** ★ *(500 av. du Mont-Royal E., 514-524-1131; métro Mont-Royal)* et son église Notre-Dame-du-Très-Saint-Sacrement ont été érigés à la fin du XIXe siècle. Derrière une façade quelque peu austère se cache un véritable petit palais vénitien: une église colorée conçue selon les plans de l'architecte Jean-Baptiste Resther. Ce sanctuaire voué à l'exposition et à l'adoration perpétuelle de l'Eucharistie est ouvert à la prière et à la contemplation tous les jours de la semaine. On y présente à l'occasion des concerts de musique baroque.

Suivez l'avenue du Mont-Royal vers l'est.

On côtoie sur l'**avenue du Mont-Royal**, principale artère commerciale du quartier, une population bigarrée qui magasine dans des commerces hétéroclites, allant des boulangeries artisanales aux magasins de babioles à un dollar, en passant par les boutiques où l'on vend des disques, livres et vêtements d'occasion.

Envie...

... de *bagels*? Vous ne pouvez pas manquer le **St. Viateur Bagel & Café** (voir p. 256), avec ses mini-*bagels* en devanture. Les fameux petits pains ronds, chauds et moelleux de cette institution montréalaise sortent tout droit du four à bois que l'on aperçoit derrière le comptoir.

Tournez à droite dans la rue Fabre.

La rue Fabre présente de bons exemples de l'habitat type montréalais. Ces maisons, construites entre 1900 et 1925, comprennent respectivement de deux à cinq logements, tous accessibles par des entrées individuelles donnant sur l'extérieur. On notera les détails d'ornementation qui varient d'un immeuble à l'autre, tels que les vitraux Art nouveau, les parapets et les corniches de brique et de tôle, les balcons aux colonnes toscanes ainsi que le fer forgé torsadé des balcons et des escaliers.

Tournez à gauche dans la rue Rachel.

À l'extrémité de la rue Fabre, on aperçoit le **parc La Fontaine** ★★ *(métro Sherbrooke)*, créé au début du XXe siècle sur l'emplacement de l'ancienne ferme Logan, qui servait alors de champ de tir militaire. Le parc devient rapidement un lieu fort d'appartenance des «Canadiens français», qui s'y rassemblent lors de fêtes populaires. Des monuments honorant la mémoire de Sir Louis-Hippolyte La Fontaine, de Félix Leclerc et de Dollard des Ormeaux y ont été élevés. Autrefois lieu de repos des travailleurs d'usine, le parc La Fontaine est paradoxalement devenu le principal espace vert des nouveaux habitants du Plateau Mont-Royal, souvent jeunes et très éduqués... En effet, le parc est envahi les fins de semaine d'été par les gens du quartier qui viennent profiter des belles journées ensoleillées.

D'une superficie de 36 ha, le parc est agrémenté de deux petits lacs artificiels et de sentiers ombragés que l'on peut emprunter à pied ou à vélo. Il est à noter que les deux pistes cyclables principales de Montréal s'y croisent (les axes nord-sud et est-ouest du réseau). Des terrains de pétanque et des courts de tennis sont aussi mis à la disposition des amateurs. En hiver, une grande patinoire éclairée est entretenue sur les étangs. On y trouve également le **Théâtre de Verdure** *(entrée libre; juil à mi-août; ☎ 514-872-4041)*, où sont présentés des concerts estivaux.

Envie...

...d'un petit café à l'italienne? On vous suggère un arrêt au **Café Bicicletta** (voir p. 246), ce petit café-bistro sympathique situé en face du parc La Fontaine, et halte préférée des cyclistes montréalais.

Pour votre traversée du parc, empruntez l'avenue Calixa-Lavallée ou les sentiers qui bordent les étangs jusqu'à l'angle de la rue Cherrier et de l'avenue du Parc-La Fontaine.

C'est au sud du parc que fut érigée la **statue de Sir Louis-Hippolyte La Fontaine** (1807-1864), ancien premier ministre du Canada et l'un des principaux défenseurs du français dans les institutions du pays. Vous passerez devant l'édifice Art déco de la petite **école Le Plateau** (1930). L'**obélisque de la place Charles-de-Gaulle** *(angle av. Émile-Duployé; métro Sherbrooke)*, réalisé par l'artiste français Olivier Debré, domine la rue Sherbrooke dans ce secteur. L'œuvre en granit bleu de Vire a été offerte par la Ville de Paris à la Ville de Montréal en 1992, à l'occasion du 350e anniversaire de la fondation de la métropole québécoise. L'**hôpital Notre-Dame**, l'un des principaux hôpitaux de la ville, lui fait face. On peut également apercevoir l'**ancienne Bibliothèque centrale de Montréal** ★ *(1210 rue Sherbrooke E.)*, qui a récemment trouvé une nouvelle vocation en accueillant le Conseil des arts de Montréal et le Conseil du patrimoine; par le fait même, elle a été renommée **édifice Gaston-Miron**.

*Empruntez la **rue Cherrier**, qui se détache de la rue Sherbrooke en face du monument dédié à La Fontaine.*

La rue Cherrier formait autrefois, avec le square Saint-Louis, à son extrémité ouest, le noyau du quartier résidentiel bourgeois canadien-français. Elle est bordée de jolies résidences cossues en pierres de taille, parfois divisées en duplex ou triplex. Au n° 840 de la rue Cherrier, on peut voir l'**Agora de la danse** *(☎ 514-525-1500, www.agoradanse.com)*, où sont regroupés les studios de diverses compagnies de danse. L'édifice de briques rouges, terminé en 1919, abritait auparavant la Palestre nationale, centre sportif pour les jeunes du quartier et lieu de nombreuses assemblées publiques houleuses au cours des années 1930.

Tournez à droite dans la rue Saint-Hubert, bordée de beaux exemples d'architecture vernaculaire. Puis tournez à gauche dans la rue Roy.

L'**église Saint-Louis-de-France**, aujourd'hui l'église évangélique La Restauration, fut reconstruite en 1936 après avoir été détruite par un incendie en 1933. On aperçoit d'ici le **parc du Mont-Royal** (voir p. 136) sur les hauteurs de la ville.

Aujourd'hui l'Agence de la santé et des services sociaux de Montréal, l'**ancien Institut des sourdes-muettes** *(3725 rue St-Denis; métro Sherbrooke)*, un vaste bâtiment de pierres grises composé de nombreuses ailes, érigées par étapes entre 1881 et 1900, couvre un quadrilatère complet et est typique de l'architecture institutionnelle de l'époque au Québec. L'ensemble de style Second Empire accueillait autrefois les sourdes-muettes de la région.

Empruntez la rue Saint-Denis vers le nord.

La section de la **rue Saint-Denis** entre le boulevard De Maisonneuve, au sud, et le boulevard Saint-Joseph, au nord, est bordée de nombreux cafés-terrasses et de belles boutiques installées à l'intérieur d'anciennes demeures Second Empire de la deuxième moitié du XIXe siècle. On y trouve également plusieurs librairies et restaurants qui sont devenus au fil des ans de véritables institutions de la vie montréalaise.

La rue Saint-Denis, artère-clé montréalaise

Le boulevard Saint-Laurent divise l'est et l'ouest de la ville, mais la rue Saint-Denis demeure la véritable colonne vertébrale de Montréal. S'étendant du Vieux-Montréal jusqu'à l'extrémité nord de la ville, cette route provinciale (route 335) borde la ligne de métro la plus fréquentée de la ville.

Le rôle de «transport de masse» de la rue Saint-Denis n'affecte pas l'irrésistible charme piétonnier de plusieurs de ses portions. Cette grande rue commence à l'angle de la rue Saint-Antoine, à la frontière du Vieux-Montréal. De la rue Saint-Antoine à la rue Sherbrooke, on plonge au cœur du Quartier latin. Des générations de Montréalais francophones ont fait leurs premières sorties dans ce secteur de la rue Saint-Denis, entre le boulevard De Maisonneuve et la rue Ontario, dont l'effervescence est partagée à la fois par les touristes et les résidants. Le secteur compte des institutions importantes telles que l'Université du Québec à Montréal, la Grande Bibliothèque, le Cégep du Vieux-Montréal et l'Office national du film. La Station Centrale (autocars) se trouve également à proximité, au-dessus de la station de métro Berri-UQAM, ce qui a entraîné une forte concentration de lieux d'hébergement à prix abordable dans le secteur (particulièrement aux abords de la rue Saint-Hubert).

Les curiosités et les beautés architecturales des résidences typiques de Montréal se déclinent tout au long de la rue Saint-Denis, et particulièrement autour du square Saint-Louis, qui fait face à l'Institut de tourisme et d'hôtellerie du Québec (ITHQ), construit au-dessus de la station de métro Sherbrooke.

Jusqu'à l'avenue Laurier, la rue Saint-Denis abrite plusieurs adresses chics du Plateau Mont-Royal. Restaurants courus, bars-terrasses et boutiques phares y défilent et font de ce lieu un baromètre de la vie branchée montréalaise.

Plus au nord, entre les rues Beaubien et Villeray, la rue Saint-Denis est l'axe nord-sud d'un quartier pluriethnique. Autrefois, les Québécois de souche y côtoyaient essentiellement les membres des grandes communautés italiennes et chinoises. Aujourd'hui, pratiquement toutes les nations du monde y sont représentées. L'intersection des rues Saint-Denis et Jean-Talon est entourée de grandes épiceries asiatiques; vers l'ouest, on trouve la Petite Italie et son célèbre marché Jean-Talon; à l'est apparaît désormais la plus grande concentration de citoyens hispanophones de la ville. Agréable à arpenter sur toute sa longueur, la rue Saint-Denis demeure l'un des meilleurs endroits pour prendre le pouls de la métropole québécoise.

Envie...

... de vous sucrer le bec? Succombez à la tentation et faites un arrêt **Au Festin de Babette** (voir p. 301), une boutique de produits fins qui dispose d'une charmante terrasse en été.

Tournez à gauche dans l'avenue Duluth puis à droite dans la rue Drolet.

La **rue Drolet** offre un bon exemple de l'architecture ouvrière des années 1870 et 1880 sur le Plateau, avant l'avènement de l'habitat vernaculaire, à savoir le duplex et le triplex dotés d'escaliers extérieurs tels qu'on a pu en apercevoir dans la rue Fabre. Vous serez surpris par la couleur des maisons: des briques vert amande, saumon, bleu nuit ou parme, recouvertes de lierre

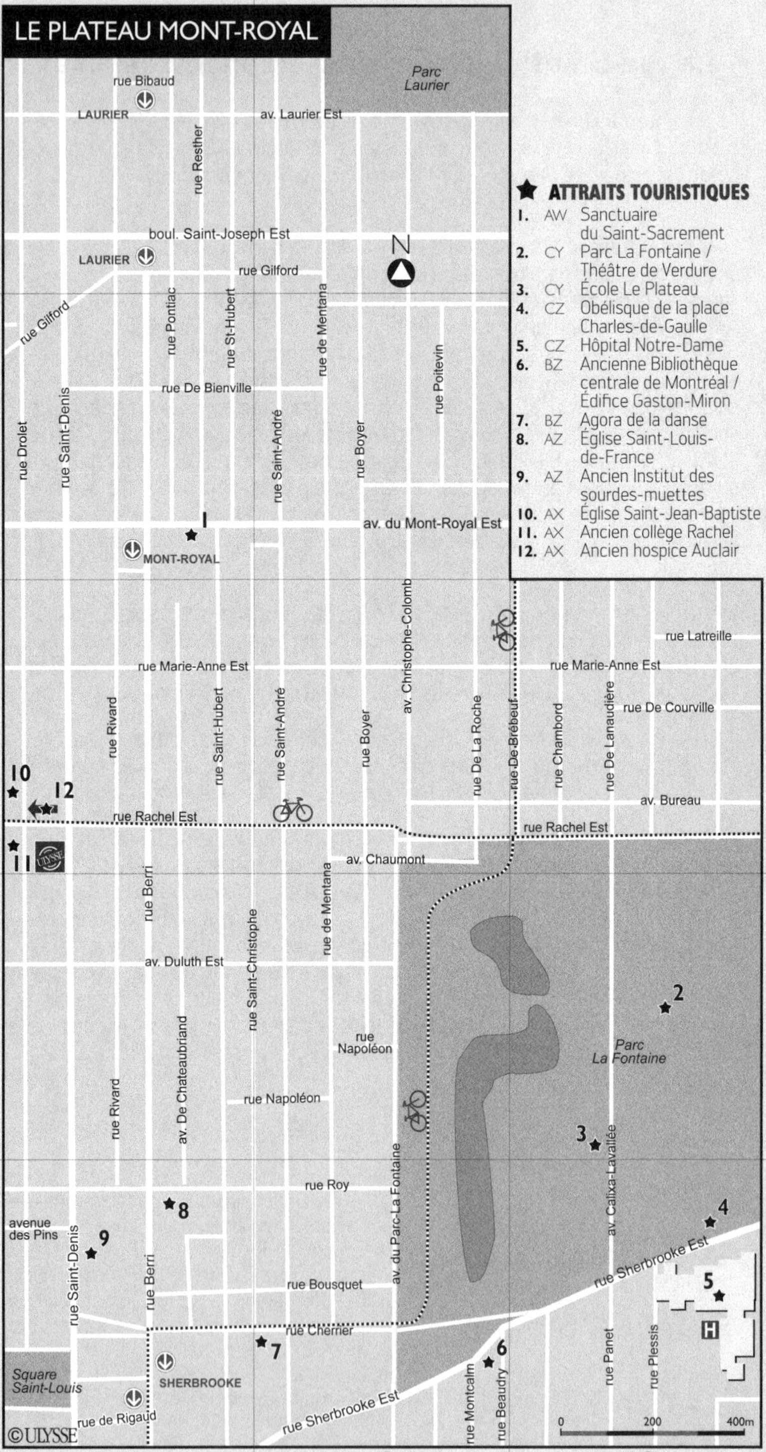

LE PLATEAU MONT-ROYAL

ATTRAITS TOURISTIQUES

1. AW Sanctuaire du Saint-Sacrement
2. CY Parc La Fontaine / Théâtre de Verdure
3. CY École Le Plateau
4. CZ Obélisque de la place Charles-de-Gaulle
5. CZ Hôpital Notre-Dame
6. BZ Ancienne Bibliothèque centrale de Montréal / Édifice Gaston-Miron
7. BZ Agora de la danse
8. AZ Église Saint-Louis-de-France
9. AZ Ancien Institut des sourdes-muettes
10. AX Église Saint-Jean-Baptiste
11. AX Ancien collège Rachel
12. AX Ancien hospice Auclair

A B C
V W X Y Z

Parc Laurier
rue Bibaud
LAURIER
av. Laurier Est
rue Resther
boul. Saint-Joseph Est
LAURIER
rue Gilford
rue Gilford
rue Pontiac
rue St-Hubert
rue de Mentana
rue Poitevin
rue De Bienville
rue Drolet
rue Saint-Denis
rue Saint-André
rue Boyer
av. du Mont-Royal Est
MONT-ROYAL
av. Christophe-Colomb
rue Latreille
rue Marie-Anne Est
rue Marie-Anne Est
rue De Courville
rue Rivard
rue Saint-Hubert
rue Saint-André
rue Boyer
rue De La Roche
rue De Brébeuf
rue Chambord
rue De Lanaudière
av. Bureau
rue Rachel Est
rue Rachel Est
av. Chaumont
rue Berri
rue de Mentana
rue Saint-Christophe
av. Duluth Est
rue Napoléon
Parc La Fontaine
rue Rivard
av. De Chateaubriand
rue Napoléon
av. du Parc-La Fontaine
av. Calixa-Lavallée
rue Roy
avenue des Pins
rue Saint-Denis
rue Berri
rue Bousquet
rue Sherbrooke Est
rue Cherrier
Square Saint-Louis
SHERBROOKE
rue de Rigaud
rue Sherbrooke Est
rue Montcalm
rue Beaudry
rue Panet
rue Plessis
0 200 400m

en été. À l'angle des rues Rachel et Drolet, on découvre l'église Saint-Jean Baptiste.

L'**église Saint-Jean-Baptiste** ★ ★ *(309 rue Rachel, www.eglisestjeanbaptiste.com; métro Mont-Royal)*, consacrée sous le vocable du saint patron des Canadiens français en général et des Québécois en particulier, est un gigantesque témoignage de la foi solide de la population catholique et ouvrière du Plateau Mont-Royal au tournant du XXe siècle, laquelle, malgré sa misère et ses familles nombreuses, a réussi à amasser des sommes considérables pour la construction d'églises somptueuses. Construite en 1875, l'église fut la proie des flammes en 1898 et en 1911 avant d'être reconstruite en 1912. L'intérieur, quant à lui, fut repris selon des dessins de Casimir Saint-Jean, qui en fit un chef-d'œuvre du style néobaroque à voir absolument. Le baldaquin de marbre rose et de bois doré du chœur (1915) protège l'autel de marbre blanc d'Italie qui fait face aux grandes orgues Casavant du jubé, lesquelles comptent parmi les plus puissantes de la ville. L'église, qui peut accueillir 3 000 personnes assises, est le lieu de fréquents concerts.

En face de l'église, on peut voir l'**ancien collège Rachel**, construit en 1876 dans le style Second Empire. Enfin, à l'ouest de l'avenue Henri-Julien, se trouve l'**ancien hospice Auclair** de 1894, avec son entrée semi-circulaire donnant sur la rue Rachel.

››› 🚶 Ⓜ *Avant de remonter la rue Saint-Denis jusqu'à l'avenue du Mont-Royal pour reprendre le métro, faites un crochet par la Librairie Ulysse (4176 rue St-Denis).*

Les *Tam-Tams*

Sur le flanc du mont Royal qui donne sur l'avenue du Parc, les dimanches après-midi de la belle saison sont marqués par un événement spontané haut en couleur, une fête qu'on appelle tout simplement les *Tam-Tams*. Une foule de jeunes et moins jeunes s'y rassemble, quand il fait beau temps, dans une ambiance très *Peace and Love*.

Plusieurs percussionnistes chevronnés ou amateurs prennent alors d'assaut le socle de l'immense monument à Sir George-Étienne Cartier et improvisent des airs de plus en plus entraînants qui se terminent souvent sur un crescendo. Puis des danseurs et des danseuses, tout aussi improvisés, suivent le rythme endiablé des tambours africains et autres congas, tandis qu'une foule joyeuse observe qui en pique-niquant, qui en prenant du soleil sur l'herbe.

Le mont Royal ★★★

p. 253

une journée

Le mont Royal, dénommé ainsi par Jacques Cartier en 1535, est un point de repère important dans le paysage montréalais, autour duquel gravitent les quartiers centraux de la ville. Appelée simplement «la montagne» par les citadins, cette masse trapue de 233 m de haut à son point culminant est en fait le «poumon vert» de Montréal. Elle est couverte d'arbres matures et apparaît à l'extrémité des rues du centre-ville, exerçant un effet bénéfique sur les Montréalais, qui ainsi ne perdent jamais totalement contact avec la nature. La montagne est protégée depuis 2003 par le statut d'Arrondissement historique et naturel du Mont-Royal. Un chemin de ceinture rend accessible aux piétons et aux cyclistes un parcours d'une dizaine de kilomètres autour de la montagne.

La montagne comporte en réalité trois sommets: le sommet Mont-Royal, le sommet Outremont (qu'on projette de mettre en valeur) et le sommet Westmount, du nom de la ville autonome aux belles demeures de style anglais. Les cimetières catholique, protestant et juifs de la montagne y forment ensemble la plus vaste nécropole du continent nord-américain.

Pour vous rendre au point de départ du circuit à partir du centre-ville, prenez l'autobus 80 en direction nord à la station de métro Place-des-Arts et descendez face au parc Jeanne-Mance, tout juste au nord de l'avenue Duluth. Si vous partez du Plateau Mont-Royal, prenez l'autobus 11 à la station de métro Mont-Royal, descendez à l'angle de l'avenue du Parc et de l'avenue du Mont-Royal et marchez vers le sud jusqu'au monument à Sir George-Étienne Cartier.

Vous pourrez débuter votre visite du mont Royal à l'imposant **monument à Sir George-Étienne Cartier**, élevé en honneur de l'un des pères de la Confédération canadienne et inauguré en 1919. Les abords du monument sont un lieu de rassemblement populaire pendant la saison estivale, alors que des centaines de Montréalais s'y rendent pour danser aux rythmes des *Tam-Tams* (voir p. 135).

Pour entreprendre l'ascension du mont Royal et vous rendre au prochain attrait du circuit, vous pourrez soit emprunter les sentiers pédestres du parc du Mont-Royal ou vous éviter cet effort en prenant l'autobus 11 à l'angle de l'avenue du Parc et de l'avenue du Mont-Royal. Descendez au belvédère Camillien-Houde.

Si vous avez stationné votre voiture dans les environs du parc Jeanne-Mance, vous pourrez vous rendre à l'attrait suivant en allant rejoindre l'avenue du Mont-Royal que vous prendrez vers l'ouest, puis en tournant à gauche dans la voie Camillien-Houde. Le belvédère Camillien-Houde, un peu plus loin sur votre gauche, dispose d'un stationnement.

Du **belvédère Camillien-Houde** ★★ *(voie Camillien-Houde)*, un beau point d'observation, on embrasse du regard tout l'est de Montréal. On voit, à l'avant-plan, le quartier du Plateau Mont-Royal, avec sa masse uniforme de duplex et de triplex, percée en plusieurs endroits par les clochers de cuivre verdi des églises paroissiales, et à l'arrière-plan, les quartiers Rosemont et Maisonneuve, dominés par le Stade olympique.

Montez l'escalier de bois à l'extrémité sud du stationnement du belvédère pour vous rendre au Chalet du Mont-Royal et au belvédère Kondiaronk. Vous passerez alors devant la croix du Mont-Royal.

La **croix du Mont-Royal** fut installée en 1927 pour commémorer le geste fait par le fondateur de Montréal, Paul Chomedey, sieur de Maisonneuve, lorsqu'il gravit la montagne en janvier 1643 pour y planter une croix de bois en guise de remerciement à la Vierge pour avoir épargné le fort Ville-Marie d'une inondation dévastatrice.

Le **parc du Mont-Royal** ★★★ *(www.lemontroyal.qc.ca)* a été créé par la Ville de Montréal en 1870 à la suite des pressions des résidants du Golden Square Mile qui voyaient leur terrain de jeu favori déboisé par divers exploitants de bois de chauffage. Frederick Law Olmsted (1822-1903), le célèbre créateur du Central Park à New York, fut mandaté pour aménager les lieux. Il prit le parti de conserver au site son caractère naturel, se limitant à quelques points d'observation reliés par des sentiers en tire-bouchon. Inauguré en 1876, ce parc de 190 ha, concentré dans la portion sud de la montagne, est toujours un endroit de promenade apprécié par les Montréalais.

Le **chalet du Mont-Royal** ★★★ *(tlj 10h30 à 16h; parc du Mont-Royal, ☎ 514-872-3911)*, au centre du parc, fut conçu par Aristide Beaugrand-Champagne en 1932 en remplacement de l'ancien qui menaçait ruine. Au cours des années 1930 et 1940, les big bands donnaient des concerts à la belle étoile sur les marches de l'édifice. L'intérieur est décoré de 17 toiles marouflées représentant des scènes de l'histoire du Canada et commandées à de grands peintres québécois, comme Marc-Aurèle Fortin et Paul-Émile Borduas.

Mais si l'on se rend au chalet du Mont-Royal, c'est d'abord pour la traditionnelle vue sur le centre-ville depuis le **belvédère Kondiaronk** ★★★ (du nom du grand chef huron-wendat qui a négocié le traité de la Grande Paix de Montréal en 1701), admirable en fin d'après-midi et en soirée, alors que les gratte-ciel s'illuminent.

Empruntez la route de gravier qui conduit au stationnement du chalet du Mont-Royal et à la voie Camillien-Houde. À droite se trouve une des entrées du cimetière protestant Mont-Royal.

Le **cimetière Mont-Royal** ★★ *(voie Camillien-Houde, www.mountroyalcem.com)* fait partie des plus beaux sites naturels de la ville. Conçu comme un éden pour ceux qui rendent visite à leurs défunts, il est aménagé tel un jardin anglais dans une vallée isolée; on a l'impression d'être à mille lieues de la ville alors qu'on est en fait en son centre. On y trouve une grande variété d'arbres

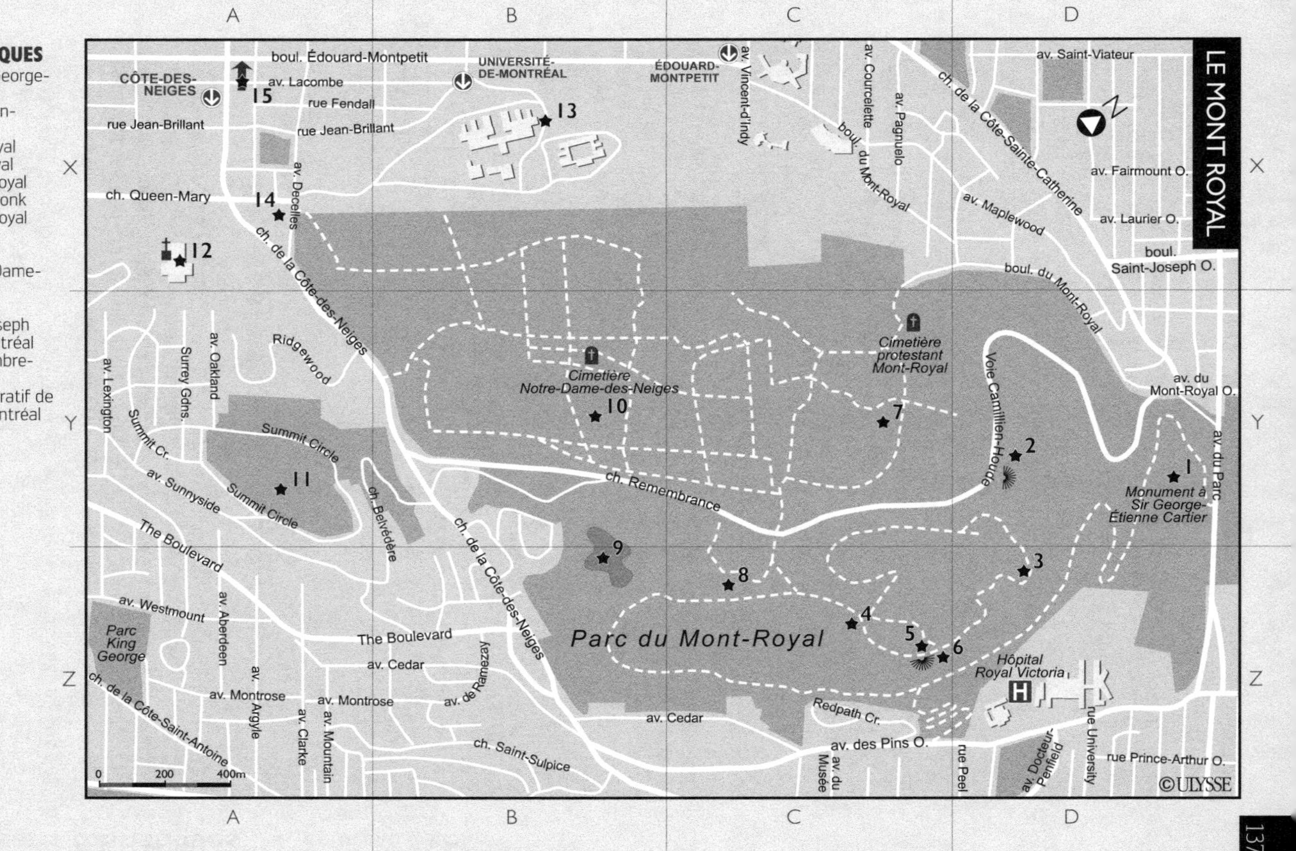

★ ATTRAITS TOURISTIQUES

1. DY Monument à Sir George-Étienne Cartier
2. DY Belvédère Camillien-Houde
3. DZ Croix du Mont-Royal
4. CZ Parc du Mont-Royal
5. CZ Chalet du Mont-Royal
6. CZ Belvédère Kondiaronk
7. CY Cimetière Mont-Royal
8. CZ Maison Smith
9. BZ Lac aux Castors
10. BY Cimetière Notre-Dame-des-Neiges
11. AY Parc Summit
12. AX Oratoire Saint-Joseph
13. BX Université de Montréal
14. AX Place du 6-Décembre-1989
15. AX Centre commémoratif de l'Holocauste à Montréal

fruitiers, sur les branches desquels viennent se percher environ 145 espèces d'oiseaux dont certaines sont absentes d'autres régions du Québec. Le cimetière, créé à l'origine par les Églises anglicane, presbytérienne, méthodiste, unitarienne et baptiste, a ouvert ses portes en 1852 et accueille à ce jour les citoyens de toutes confessions religieuses. Certains de ses monuments sont de véritables œuvres d'art créées par des artistes de renom. Parmi les personnalités et les familles qui y sont inhumées, il faut mentionner l'armateur Sir Hugh Allan, les brasseurs Molson, qui possèdent le plus imposant mausolée, ainsi qu'Anna Leonowens, gouvernante du roi de Siam au XIXe siècle, qui a inspiré les créateurs de la pièce *The King and I* (*Le roi et moi*).

En route vers le lac aux Castors, on remarquera la seule des anciennes maisons de ferme de la montagne qui subsiste encore, la **maison Smith** *(1620 ch. Remembrance, ☎ 514-843-8240, www.lemontroyal.qc.ca)*, quartier général des Amis de la montagne, organisme qui propose toutes sortes d'expositions et d'activités. La maison Smith offre également une exposition permanente, *Monte Real, Monreale, Mont Royal, Montréal,* sur l'histoire et la nature du mont Royal. Une boutique-nature permet de se familiariser avec l'ornithologie et l'observation des minéraux et des plantes. Durant la saison estivale, la terrasse du Café Smith privilégie les produits biologiques et équitables.

Le petit **lac aux Castors** *(en bordure du chemin Remembrance)* a été aménagé en 1958 sur le site des marécages se trouvant autrefois à cet endroit. En hiver, il se transforme en une agréable patinoire. Ce secteur du parc, aménagé de manière plus conventionnelle, comprend en outre des pelouses et un jardin de sculptures.

Envie...

... de patiner? Le lac aux Castors est une invitation aux plaisirs de l'hiver, au cœur du parc du Mont-Royal.

››› *Empruntez le sentier qui mène au chemin Remembrance, à l'entrée du cimetière Notre-Dame-des-Neiges.*

Le **cimetière Notre-Dame-des-Neiges ★★** *(ch. Remembrance, www.cimetierenddn.org)* est une véritable cité des morts, puisque près d'un million de personnes y ont été inhumées depuis 1855, date de son inauguration. Il succède au cimetière Saint-Antoine, qui occupait le square Dominion, maintenant square Dorchester. Contrairement au cimetière Mont-Royal, qui reçoit différentes confessions religieuses, il présente des attributs qui identifient clairement son appartenance au catholicisme. Ainsi, deux anges du paradis encadrant un crucifix

Le cimetière Notre-Dame-des-Neiges

C'est en 1855 que fut inauguré le désormais célèbre cimetière Notre-Dame-des-Neiges. Il s'étend à l'endroit même où, après la fonte de l'Inlandsis laurentidien (ce glacier continental d'une épaisseur d'au plus 3 km), il y a 10 000 ans, les vagues déferlaient sur une plage occupant le flanc nord d'une île perdue de l'ancienne mer de Champlain, là où se dresse aujourd'hui le mont Royal.

Le 29 mai 1855, Jane Gilroy, épouse de Thomas McCready, alors conseiller municipal de Montréal, fut la première «résidante» de la nouvelle cité des morts; elle est inhumée sur le lot F56. Depuis cette première inhumation, près d'un million de personnes reposent ici en paix, faisant ainsi du cimetière Notre-Dame-des-Neiges l'un des plus importants en Amérique du Nord. Il suffit d'arpenter les 55 kilomètres de sentiers qui sillonnent les lieux pour prendre conscience du fait que cette nécropole renferme un trésor unique en son genre, sur les plans patrimonial, culturel, historique et naturel.

accueillent les visiteurs à l'entrée principale, sur le chemin de la Côte-des-Neiges.

Le cimetière peut être visité tel un *Who's Who* des personnalités du monde des affaires, des arts, de la politique et de la science au Québec. Un obélisque à la mémoire des Patriotes de 1837-1838 et plusieurs monuments réalisés par des sculpteurs de renom parsèment les 55 km de routes et de sentiers qui sillonnent les lieux. Du cimetière et des chemins qui y conduisent, on jouit de plusieurs beaux points de vue sur l'oratoire Saint-Joseph.

En sortant du cimetière par le chemin Remembrance, prenez l'autobus 11 en direction de l'oratoire Saint-Joseph.

Vous croiserez sur votre route le **parc Summit** ★ *(Summit Circle; métro Côte-des-Neiges)*, véritable forêt urbaine et refuge d'oiseaux. Il s'agit du plus grand parc de Westmount. De son belvédère, on a une vue imprenable sur Montréal.

L'**oratoire Saint-Joseph** ★★ *(entrée libre; tlj 7h à 20h30, messe tlj, crèches de Noël du monde de nov à fin avr, tlj 10h à 17h; 3800 ch. Queen-Mary, ☎ 514-733-8211, www.saint-joseph.org; métro Côte-des-Neiges)*, dont le dôme en cuivre est le deuxième en importance au monde derrière celui de Saint-Pierre-de-Rome, est érigé à flanc de colline, ce qui accentue davantage son caractère mystique. De la grille d'entrée, il faut gravir plus de 300 marches pour atteindre la basilique ou prendre l'ascenseur. L'oratoire a été aménagé entre 1924 et 1967 à l'instigation du bienheureux frère André, de la Congrégation de Sainte-Croix, portier du collège Notre-Dame (situé en face) à qui l'on attribue de nombreux miracles. Ce véritable complexe religieux est donc à la fois dédié à saint Joseph et à son humble créateur. Il comprend la basilique inférieure, la crypte du frère André et la basilique supérieure, ainsi qu'un musée. La première chapelle du petit portier, aménagée en 1904, une cafétéria et un magasin d'articles de piété complètent les installations. De 2003 à 2013, on aura investi quelque 50 millions de dollars pour son réaménagement et pour la construction d'un observatoire.

L'oratoire est un des principaux lieux de dévotion et de pèlerinage en Amérique. Il accueille chaque année quelque deux millions de visiteurs. L'enveloppe extérieure de l'édifice fut réalisée dans le style néoclassique, mais l'intérieur est avant tout une œuvre moderne. Il ne faut pas manquer de voir dans la basilique supérieure les vitraux de Marius Plamondon, l'autel et le crucifix d'Henri Charlier ainsi que l'étonnante chapelle dorée, à l'arrière.

Depuis 1960, la basilique est dotée d'un orgue imposant en provenance de la ville d'Hambourg en Allemagne. Ce formidable instrument, dont la fabrication est attribuable au facteur d'orgue von Beckerath, possède 78 jeux, 118 rangs, 5811 tuyaux que l'on a pris soin de répartir sur cinq claviers et pédalier mécaniques. Le dimanche à 15h30, les visiteurs peuvent y entendre un récital de 30 min donné par l'organiste Philippe Bélanger. En été, le Festival des Mercredis de l'Orgue présente différents concerts.

À l'extérieur, on peut aussi voir le carillon de 56 cloches de bronze (10 900 kg) de la Maison Paccard et Frères, d'abord destiné à la tour Eiffel, puis offert à l'oratoire en 1954, et le beau chemin de croix dans les jardins à flanc de montagne, réalisé par Louis Parent et Ercolo Barbieri. Les jardins demeurent l'œuvre de l'architecte paysagiste Frederick G. Todd. L'observatoire de l'oratoire Saint-Joseph, d'où l'on embrasse du regard l'ensemble de Montréal, est le point culminant de l'île à 263 m de hauteur.

La réception est située dans le Pavillon des pèlerins en face d'une des deux boutiques que possède l'oratoire. Le bureau général est à l'entrée de la chapelle votive. C'est à cet endroit que les pèlerins font bénir leurs objets de piété.

L'accès à l'attrait suivant est assez éloigné du trajet suivi, aussi une visite du site constitue-t-elle une excursion supplémentaire à laquelle il faut consacrer environ une heure.

Une succursale de l'Université Laval de Québec ouvre ses portes dans le Château Ramezay en 1876, après bien des démarches entravées par la maison mère, qui voulait garder le monopole de l'éducation universitaire en français à Québec. Quelques années plus tard, en 1895, elle emménage dans la rue Saint-Denis, donnant ainsi naissance au **Quartier latin** (voir p. 121). En 1919, elle prend le nom d'**Université de Montréal** ★ *(2900 boul. Édouard-Montpetit, www.umontreal.ca; métro Université-de-Montréal)* après avoir obtenu finalement son autonomie en 1920, ce qui permet à ses directeurs d'élaborer des projets grandioses.

Ernest Cormier (1885-1980) est approché pour la réalisation d'un campus sur le flanc nord du mont Royal. Cet architecte, diplômé de l'École des beaux-arts de Paris, fut un des premiers à introduire l'Art déco en Amérique du Nord. Les plans du pavillon central évoluent vers une structure Art déco épurée et symétrique, revêtue de briques jaune clair et dotée d'une tour centrale, visible depuis le chemin Remembrance et le cimetière Notre-Dame-des-Neiges. La construction, amorcée en 1929, est interrompue par la crise américaine, et ce n'est qu'en 1943 que le pavillon central, sur le flanc de la montagne, accueille ses premiers étudiants. Depuis, une pléiade de pavillons se sont joints à celui-ci, faisant de l'Université de Montréal la deuxième université de langue française en importance au monde, avec plus de 58 000 étudiants.

L'Université de Montréal, plus spécifiquement l'École polytechnique, qui se trouve aussi sur le mont Royal, a été le témoin d'un événement tragique qui a marqué les citoyens de la ville et ceux de tout le Canada. Le 6 décembre 1989, 13 étudiantes et une employée ont été froidement assassinées dans l'enceinte même de Polytechnique. Afin de conserver vivant le souvenir de ces femmes et de toutes les femmes victimes de violence, on a inauguré le 6 décembre 1999 la **place du 6-Décembre-1989** *(angle Decelles et Queen-Mary)*. L'artiste Rose-Marie Goulet y a érigé la *Nef pour quatorze reines*, sur laquelle sont gravés les noms des victimes de Polytechnique.

Vous pouvez reprendre le métro à la station Côte-des-Neiges, près de l'intersection de l'avenue Lacombe et du chemin de la Côte-des-Neiges.

Hors circuit, mais facilement accessible par métro, le **Centre commémoratif de l'Holocauste à Montréal** *(8$; lun, mar et jeu 10h à 17h, mer 10h à 21h, ven 10h à 14h30, dim 10h à 16h; 5151 ch. de la Côte-Ste-Catherine, 514-345-2605, www.mhmc.ca; métro Côte-Ste-Catherine, autobus 129)* présente une collection comprenant entre autres des films et des photographies ainsi que des objets et des archives qui proviennent des descendants montréalais et des survivants de l'Holocauste.

Westmount ★

p. 253 *p. 285* *p. 297*

trois heures

Cette ville résidentielle cossue de plus de 20 000 habitants, enclavée dans le territoire de Montréal, a longtemps été considérée comme le bastion de l'élite anglo-saxonne du Québec. Après que le Golden Square Mile eut été envahi par le centre des affaires, Westmount a pris la relève. Ses rues ombragées et sinueuses, sur le versant sud-ouest du mont Royal, sont bordées de demeures de styles néo-Tudor et néogeorgien, construites pour la plupart entre 1910 et 1930. Des hauteurs de Westmount, on bénéficie de beaux points de vue sur les quartiers Notre-Dame-de-Grâce et Côte-des-Neiges, et sur la ville, en contrebas.

Le circuit débute à la station de métro Atwater, à l'angle de l'avenue Wood et du boulevard De Maisonneuve Ouest.

L'architecte Ludwig Mies van der Rohe (1886-1969), l'un des principaux maîtres à penser du mouvement moderne et le directeur du Bauhaus en Allemagne, a dessiné le **Westmount Square** ★★ *(angle av. Wood et boul. De Maisonneuve O.; métro Atwater)* en 1964. Cet ensemble est typique de la production nord-américaine de l'architecte, caractérisée par l'emploi de métal noir et de verre teinté. Il comprend un centre commercial souterrain, surmonté de trois immeubles de bureaux et d'appartements.

L'**avenue Greene** *(métro Atwater)*, un petit bout de rue au cachet typiquement canadien-anglais, regroupe plusieurs des boutiques bon chic bon genre de Westmount. Outre des commerces de services, on y trouve des galeries d'art, des antiquaires et des librairies remplies de beaux livres.

Envie...

... de flâner? Arpentez les trottoirs de briques rouges de l'avenue Greene, cette ravissante artère commerciale de Westmount.

Tournez à gauche dans la rue Sherbrooke Ouest et marchez jusqu'à l'angle de l'avenue Kitchener.

★ ATTRAITS TOURISTIQUES

1. CZ Westmount Square
2. BY Église The Ascension of Our Lord
3. BY Hôtel de ville de Westmount
4. AX Parc King George
5. AZ Parc Westmount
6. AY Bibliothèque de Westmount
7. BZ Église Saint-Léon

L'église catholique anglaise de Westmount, l'**église The Ascension of Our Lord** ★ *(angle av. Kitchener; métro Atwater)*, érigée en 1928, témoigne de la persistance du style néogothique dans l'architecture nord-américaine. On a l'impression d'avoir sous les yeux une authentique église de village anglais du XIVe siècle, avec son revêtement de pierres brutes, ses lignes étirées et ses fines sculptures.

Westmount est comme un morceau de Grande-Bretagne transposé en Amérique. L'**hôtel de ville de Westmount** ★ *(4333 rue Sherbrooke O.)* adopte le style néo-Tudor, inspiré de l'architecture de l'époque d'Henri VIII et d'Elizabeth I, et considéré dans les années 1920 comme le style national anglais, puisque émanant exclusivement des îles Britanniques. Celui-ci se définit entre autres par la présence d'ouvertures horizontales à multiples meneaux de pierre, d'oriels et d'arcs surbaissés. À l'arrière s'étend la pelouse irréprochable d'un club de bowling sur gazon, sur laquelle se détachent, en saison, les joueurs portant le costume blanc réglementaire.

››› *Empruntez le chemin de la Côte-Saint-Antoine jusqu'au parc King George.*

Le terme «côte» au Québec n'a, en général, rien à voir avec la dénivellation du terrain, mais réfère plutôt au système seigneurial de la Nouvelle-France. Les longs rectangles de terre distribués aux colons présentant leur «côté» face aux chemins qui relient les fermes les unes aux autres, ceux-ci ont pris le nom de «côte». La **côte Saint-Antoine** est un des premiers chemins de l'île de Montréal. Aménagé en 1684 par les Messieurs de Saint-Sulpice sur le tracé d'une ancienne piste amérindienne, ce chemin s'ouvre sur les plus anciennes maisons du territoire de Westmount. À l'angle de l'avenue Forden, une **borne** installée là au XVIIe siècle, discrètement identifiée par un aménagement rayonnant du trottoir, est la seule survivante d'une signalisation développée par les Sulpiciens sur leur seigneurie de l'île de Montréal.

Pour ceux qui voudraient s'imprégner d'une atmosphère Mid-Atlantic, faite d'un mélange d'Angleterre et d'Amérique, le **parc King George** *(au nord de l'avenue Mount Stephen)* offre la combinaison parfaite avec son terrain de football américain et ses courts de tennis dans un cadre champêtre.

››› *Descendez l'avenue Mount Stephen pour retourner à la rue Sherbrooke.*

Le **parc Westmount** ★ *(4575 rue Sherbrooke O.)* a été créé en 1895 par la Ville de Westmount sur des fermes rachetées. Quatre ans plus tard, on y construisait la première bibliothèque municipale du Québec, la **Bibliothèque de Westmount**. La province avait un retard considérable en la matière, les seules communautés religieuses ayant jusque-là pris en charge ce type d'équipement culturel. L'édifice de briques rouges se rattache aux courants éclectiques, pittoresques et polychromes des deux dernières décennies du XIXe siècle. Empruntez le passage qui mène au Conservatoire, dont les serres abritent régulièrement des expositions florales, ainsi qu'au Victoria Hall, une ancienne salle de spectacle érigée en 1924 dans le même style Tudor que l'hôtel de ville. Sa galerie sert de lieu d'exposition pour les artistes résidant à Westmount.

››› *Empruntez l'avenue Melbourne à l'est du parc pour voir de beaux exemples de maisons de style Queen Anne. Tournez à droite dans l'avenue Metcalfe, puis à gauche dans le boulevard De Maisonneuve.*

L'**église Saint-Léon** ★ *(360 av. Clarke, angle boul. De Maisonneuve O., ☎ 514-596-5720)* est la paroisse catholique de langue française de Westmount. Derrière une sobre et élégante façade d'inspiration néoromane se dissimule un décor d'une rare richesse, exécuté à partir de 1928 par l'artiste Guido Nincheri. Le sol et la base des murs sont revêtus des plus beaux marbres d'Italie et de France, alors que la portion supérieure de la nef est en pierre de Savonnières et que les salles du chœur ont été sculptées à la main par Alviero Marchi dans le plus précieux des noyers du Honduras. Les vitraux complexes représentent différentes scènes de la vie du Christ, incluant parfois des personnages contemporains de la construction de l'église qu'il est amusant de découvrir entre les figures de la Bible. Enfin, l'ensemble du panthéon chrétien est représenté dans le chœur et sur la voûte sous forme de fresques très colorées, réalisées selon la technique traditionnelle de l'œuf. Cette technique, qui fut notamment utilisée par Michel-Ange, consiste à faire adhérer le pigment sur la surface détrempée (la détrempe) à l'aide d'un enduit fait d'œuf. Comme chacun sait, l'œuf, une fois séché, devient très dur et résistant.

Poursuivez sur le boulevard De Maisonneuve Ouest, pour traverser l'ancien quartier francophone de Westmount, avant d'aboutir à l'avenue Greene, que vous prendrez à droite. Un corridor souterrain mène du Westmount Square à la station de métro Atwater.

Outremont et le Mile-End ★

p. 255 *p. 285* *p. 297*

trois heures

Il existe, de l'autre côté du mont Royal (c'est-à-dire «outre mont»), un quartier qui, comme Westmount (son vis-à-vis anglophone du côté sud), s'est accroché au flanc du massif montagneux et a accueilli au cours de son développement une population relativement aisée, composée de nombreux hommes et femmes influents de la société québécoise: **Outremont** ★.

Ce n'est pas d'hier qu'Outremont, autrefois une ville autonome et aujourd'hui un arrondissement de la Ville de Montréal, constitue un site de choix pour l'établissement humain. De récentes recherches avancent en effet que ce serait dans ce secteur qu'aurait probablement été situé le village amérindien d'Hochelaga, disparu entre les visites de Jacques Cartier et de Champlain. Le chemin de la Côte-Sainte-Catherine, axe principal de développement d'Outremont, serait d'ailleurs là pour témoigner d'une certaine activité amérindienne: il se superposerait à celui d'un ancien sentier aménagé par les Autochtones pour contourner la montagne.

Envie...

... de mode? Nombre de stylistes et créateurs montréalais se sont implantés dans le Mile-End et «Outremont-en-bas». Pour avoir un aperçu de leurs collections, allez au cinq à sept de **L'Assommoir** (voir p. 285), un bar branché qui organise parfois des défilés.

Après la venue des Européens, le territoire d'Outremont est d'abord devenu une zone agricole maraîchère (XVIIe et XVIIIe siècles), puis horticole et de villégiature (XIXe siècle) pour nombre de bourgeois de Montréal attirés par cette campagne toute proche. Les produits des terres outremontaises étaient alors de grande renommée pour toutes les tables importantes du Nord-Est américain. L'expansion urbaine de Montréal aura raison de cette vocation dès la fin du XIXe siècle et sera à l'origine de l'Outremont essentiellement résidentiel d'aujourd'hui.

L'itinéraire proposé pour explorer Outremont s'articule autour du chemin de la Côte-Sainte-Catherine et a pour point de départ l'intersection du boulevard du Mont-Royal et du chemin de la Côte-Sainte-Catherine (autobus 11 à partir de la station de métro Mont-Royal).

Voie de contournement de la montagne, le **chemin de la Côte-Sainte-Catherine** est curviligne sur une bonne partie de son parcours, ainsi qu'en angle par rapport à la trame générale des rues du secteur. Il constitue, en quelque sorte, la frontière entre deux types de relief en séparant du même coup ce qu'il est convenu d'appeler «Outremont-en-haut» (la partie la plus cossue d'Outremont, juchée sur la montagne proprement dite) du reste de l'arrondissement. Ce grand boulevard fut d'abord le lieu d'établissement de nombreuses résidences imposantes tirant notamment profit de la pente accentuée du côté sud *(maisons des héritiers du fabricant de cigares Grothé aux n°s 96 et 98)*. On remarquera, le long du chemin, l'aménagement des terrains: accès et façades du côté de l'avenue Maplewood, située derrière (pour certaines des résidences), terrassement en plateaux, conservation d'éléments de bois propres à retenir le sol, érection de murets de soutènement, etc.

Depuis une trentaine d'années, cependant, le développement sporadique et controversé d'immeubles résidentiels de prestige, du côté nord de la rue, est venu changer quelque peu l'allure générale du chemin, du moins dans la partie comprise entre le boulevard du Mont-Royal et l'avenue Laurier.

Rendez-vous jusqu'à l'angle de l'avenue Bloomfield et de l'avenue Laurier.

À l'angle de l'avenue Laurier et de l'avenue Bloomfield s'élève l'**église Saint-Viateur** ★ *(183 av. Bloomfield, 514-273-8576)*, qui date de la seconde décennie du XXe siècle. D'inspiration néogothique, son intérieur est remarquable, orné par des artistes

Les ruelles: la face cachée de Montréal

Derrière les artères animées de la métropole se cache un fascinant réseau de quelque 450 km de voies secondaires qui sont autant de petits mondes en soi: les ruelles. Rendez-vous depuis toujours des enfants montréalais qui y jouent à l'abri de la circulation automobile, les ruelles sont également envahies à la tombée du jour par une faune particulière, celle des chats errants qui se réunissent en comités et mangent à tous les râteliers. Durant les beaux jours, le badaud qui lève les yeux pourra y observer des alignements impromptus de «cordes à linge» avec leur kyrielle de vêtements colorés qui sèchent au soleil.

Créées au XIXe siècle et autrefois bordées par d'imposants hangars qui servaient à l'entreposage d'objets de la vie courante, plusieurs de ces ruelles ont été splendidement aménagées par leurs résidants, avec parterres fleuris et murales colorées.

La Ville de Montréal, par l'entremise de son programme d'action environnementale Éco-quartier, participe également à l'embellissement des ruelles depuis la fin des années 1990. Elle s'associe à des groupes de citoyens qui désirent remplacer une partie du bitume par des espaces verts et communautaires pour créer des **ruelles vertes**. Les citoyens s'engagent ensuite à entretenir ces îlots de verdure afin d'en d'assurer la viabilité à long terme. Une balade sur le Plateau Mont-Royal vous permettra d'en découvrir plusieurs.

La Ville a récemment annoncé la création de **ruelles champêtres** où l'asphalte sera complètement remplacé par des espaces verts. En 2008, la première ruelle champêtre a été aménagée dans le quadrilatère formé des rues Henri-Julien et Drolet, de l'avenue des Pins et du square Saint-Louis.

Voici quelques belles ruelles de Montréal que vous pourrez découvrir en empruntant les circuits du guide:

Plateau Mont-Royal:

- la voie secondaire entre les rues Drolet et Henri-Julien, au nord de l'avenue du Mont-Royal;
- la petite rue Demers, qui relie l'avenue de l'Hôtel-de-Ville à la rue De Bullion, au nord de la rue Villeneuve.

Mile-End:

- la minuscule rue Groll, qui relie les rues Saint-Urbain et Waverly au nord de la rue Fairmount.

Milton-Parc:

- le petit passage qui s'étend entre les rues Clark et Saint-Urbain au nord de la rue Milton.

renommés en peinture (Guido Nincheri), en verrerie (Henri Perdriau), en ébénisterie (Philibert Lemay) et en sculpture (Médard Bourgault et Olindo Gratton). Les peintures recouvrant le plafond des voûtes et racontant la vie de saint Viateur sont très particulières.

L'**avenue Laurier** ★, entre le chemin de la Côte-Sainte-Catherine et la rue Hutchison, est l'une des artères commerciales d'Outremont les plus fréquentées par la population aisée outremontaise et montréalaise. L'avenue a bénéficié d'un retapage et d'un réaménagement urbain qui participent au chic des commerces spécialisés: épiceries fines, boutiques de mode, cafés en terrasse et restaurants bordent cette avenue qu'on prend plaisir à arpenter.

N'hésitez pas à la parcourir aussi au-delà de la rue Hutchison jusqu'au boulevard Saint-Laurent, où elle forme, avec les avenues Fairmount et Saint-Viateur au nord, le cœur du **Mile-End** ★, ce quartier bourgeois-bohème en pleine effervescence. Surtout connu pour sa tradition d'accueil de populations immigrantes, le Mile-End représente très bien la diversité culturelle montréalaise, sur le plan résidentiel mais aussi commercial puisqu'on y voit fleurir un grand nombre d'agréables cafés, restaurants et boutiques en tous genres fréquentés par une clientèle bigarrée et polyglotte. On doit aussi l'ambiance populaire de ce quartier à son héritage ouvrier: plusieurs industries s'y implantèrent au XIXe siècle, notamment des carrières et des tanneries.

La meilleure façon de découvrir le quartier est peut-être tout simplement de se promener dans ses rues charnières pour goûter à cette ambiance éclectique qui le caractérise si bien. Curieux château au milieu des bâtiments résidentiels, la **caserne de pompiers n° 30**, construite en 1905 à l'angle de l'avenue Laurier et du boulevard Saint-Laurent, a été tout à la fois l'hôtel de ville de Saint-Louis-du-Mile-End, une banque, un bureau de poste, une prison et une caserne de pompiers dont elle conserve encore aujourd'hui la vocation. De biais avec la caserne se trouve le parc Lahaie, qui borde une église de style baroque: l'**église Saint-Enfant-Jésus du Mile-End** ★ *(5039 rue St-Dominique, ☎ 514-271-0943)*. Elle a été conçue au XIXe siècle, et sa coupole abrite des œuvres d'Ozias Leduc. Mais s'il est une église à découvrir dans le Mile-End, c'est bien l'**église Saint-Michel-Archange** ★ *(5580 rue St-Urbain, ☎ 514-277-3300)*. En 1914, l'architecte Aristide Beaugrand-Champagne s'inspira étonnamment du style byzantin pour créer ce lieu de culte catholique, qui détonne dans le paysage résidentiel ouvrier du quartier. D'abord destinée à la communauté irlandaise, cette église sert aujourd'hui de sanctuaire à la communauté polonaise. Son imposante dôme de 23 m de diamètre constituait, avant l'édification de l'oratoire Saint-Joseph, le dôme le plus important de la ville.

Les communautés juives

Fortes de 93 000 individus, les communautés juives de l'île de Montréal comptent parmi les plus anciennes et les plus importantes communautés juives d'Amérique du Nord. De ce nombre, les trois quarts sont ashkénazes et le quart sépharades. À Montréal même, les synagogues ashkénazes et sépharades sont en majorité situées dans le quartier Côte-des-Neiges. Comme les juifs pratiquants ne peuvent se déplacer en voiture le jour du sabbat, leurs synagogues sont donc situées à distance de marche de leurs résidences.

Une des minorités «visibles» les plus discrètes de Montréal, la communauté juive hassidique ultra-orthodoxe, avec ses 6 000 membres, habite Outremont et le Mile-End, cœur de l'ancien secteur résidentiel des immigrants juifs. Structurée autour de ses synagogues et de ses écoles, elle se mélange peu avec les autres communautés. La partie de la ville qu'elle occupe depuis les années 1950 se distingue d'ailleurs par la présence d'un grand nombre d'établissements juifs.

Envie...

... de *bagels*? Essayez ceux de la **Fairmount Bagel Bakery** (voir p. 255), qui propose aux Montréalais plus de 20 variétés de ces petits pains, et ce, 24 heures sur 24.

Si vous vous êtes baladé dans le Mile-End, revenez sur l'avenue Laurier à la hauteur de l'église Saint-Viateur et engagez-vous dans l'avenue Bloomfield.

On pense que le toponyme «Bloomfield» tirerait ses origines d'une ferme jadis située à cet endroit, dont les produits auraient été caractéristiques de l'époque des grandes cultures maraîchères et fruitières de la région. Aujourd'hui, l'avenue est le témoin des premiers lotissements de type urbain à avoir couvert la ville d'est en ouest.

La composition générale de la rue est très agréable (grands arbres, bons espaces en cour avant, architecture distinctive des bâtiments, sinuosité de la rue). Quelques immeubles, le long de cette artère, valent la peine d'être mentionnés: l'**académie Querbes,** aux n°s 215 à 235, construite en 1914, d'architecture originale (entrée monumentale, galeries de pierre développées jusqu'au deuxième étage) et d'aménagement avant-gardiste pour l'époque (avec piscine, bowling, gymnase, etc.); les n°s 249 et 253, avec leurs balcons en forme de dais, au-dessus d'entrées traitées à la manière de loggias; le n° 261, construit par le même architecte que les précédents et où a habité le chanoine Lionel Groulx, prêtre, écrivain, professeur d'histoire et grand nationaliste québécois (l'édifice abrite maintenant une fondation à son nom); le n° 262, qui se distingue par l'alternance des matériaux dans la composition de sa façade (briques rouges et pierres grises). Un peu plus loin, en face du parc Outremont, au n° 345, se trouve une maison construite en 1922 par et pour Aristide Beaugrand-Champagne, architecte, caractérisée par son toit cathédrale et son stuc blanc.

Tournez à gauche dans l'avenue Elmwood.

Le **parc Outremont** est une des nombreuses aires de détente et de jeux du quartier, très prisées de la population. Il a été aménagé à l'emplacement d'une mare recevant jadis l'eau d'un ruisseau des hauteurs limitrophes. Son aménagement, qui date du début du XXe siècle, confère à l'endroit une tranquille beauté. Au centre du bassin McDougall trône une fontaine qui s'inspire des *Groupes d'enfants* qui ornent le parterre d'eau du château de Versailles. Un monument se dresse en face de la rue McDougall à la mémoire des citoyens d'Outremont morts durant la Première Guerre mondiale.

Tournez à gauche dans l'avenue McDougall.

L'**avenue McDougall** abrite une maison qui a marqué l'histoire d'Outremont: la **ferme OutreMont**, construite pour L.-T. Bouthillier entre 1833 et 1838, aux n°s 221 et 223. De 1856 à 1887, la ferme est devenue la résidence de la famille du financier McDougall, pour servir par la suite de lieu d'enseignement de l'horticulture aux sourds-muets sous l'égide des clercs de Saint-Viateur. C'est là que fut célébrée la première messe à Outremont, le 21 avril 1887. La maison est considérée comme la troisième plus ancienne habitation de l'ancienne ville. Henri Bourassa, fondateur du journal *Le Devoir*, y aurait été locataire. Au n° 268, il faut voir la maison Gravel, conçue par l'architecte Ralston de Toronto dans le cadre d'un concours d'architecture. Cette résidence témoigne du style international du Bauhaus, qui fut, dans les années 1920, une école de pensée célèbre en architecture prônant le fonctionnalisme.

Tournez à droite dans le chemin de la Côte-Sainte-Catherine.

Le chemin de la Côte-Sainte-Catherine continue ici encore d'attirer la construction de résidences dont certaines sont d'un intérêt architectural indéniable. C'est le cas notamment du n° 325, avec sa vaste galerie et ses nombreux détails ornementaux.

Le **parc Beaubien** est situé à l'emplacement du domaine agricole de la famille Beaubien, famille outremontaise dont plusieurs membres ont été des acteurs importants de la scène québécoise. Les membres du clan Beaubien habitaient tous près les uns des autres sur le flanc de la colline dominant leurs terres (en partie sur les Terrasses Les Hautvilliers actuelles). Parmi ceux-ci, citons Justine Lacoste-Beaubien, fondatrice du réputé hôpital Sainte-Justine pour enfants, Louis Beaubien, député fédéral et provincial, et sa femme, Lauretta Stuart. Louis Riel, le chef métis du Manitoba au procès et à l'exécution célèbres, aurait travaillé sur les terres des Beaubien entre 1859 et 1864.

Rendez-vous jusqu'à l'avenue Davaar et empruntez-la à droite.

Le bâtiment qui abrite aujourd'hui l'**ancien hôtel de ville** (1817) *(543 ch. de la Côte-Ste-Catherine)* servit notamment d'entrepôt pour la Compagnie de la Baie d'Hudson, d'école et de prison. Un poste de péage se trouvait

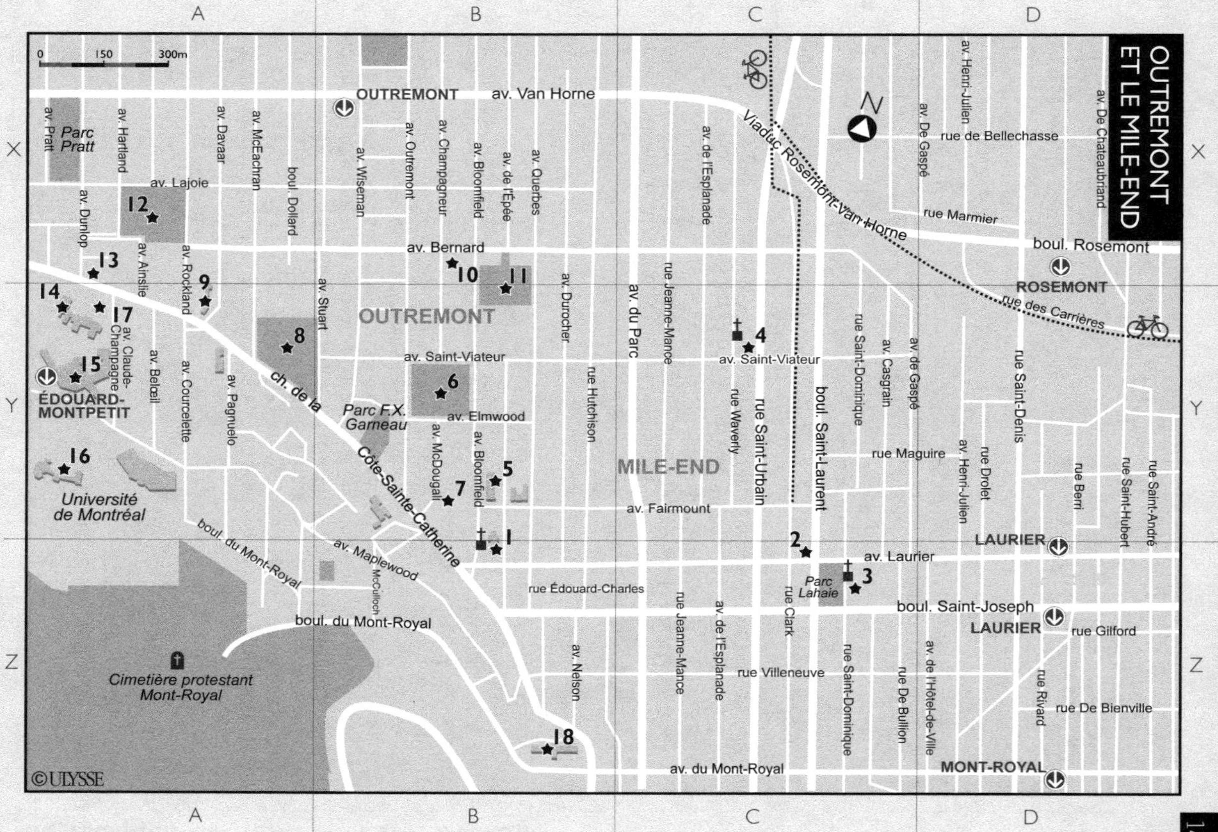

OUTREMONT ET LE MILE-END

★ ATTRAITS TOURISTIQUES

1. BZ Église Saint-Viateur
2. CZ Caserne de pompiers nº 30
3. CZ Église Saint-Enfant-Jésus du Mile-End
4. CY Église Saint-Michel-Archange
5. BY Académie Querbes
6. BY Parc Outremont
7. BY Ferme OutreMont
8. AY Parc Beaubien
9. AY Ancien hôtel de ville
10. BX Théâtre Outremont
11. BY Parc Saint-Viateur
12. AX Parc Joyce
13. AX Maison J.B. Aimbault
14. AY Pensionnat du Saint-Nom-de-Marie
15. AY Pavillon Marie-Victorin
16. AY Pavillon de la Faculté de musique / Salle Claude-Champagne
17. AY Villa Préfontaine
18. BZ Couvent des sœurs de Marie-Réparatrice

sur le chemin de la Côte-Sainte-Catherine à cet endroit, pour percevoir un droit d'utilisation destiné à l'entretien du chemin, afin d'isoler ce quartier aisé du reste des terres de l'île. Aujourd'hui le bâtiment loge la mairie d'arrondissement d'Outremont.

››› *Descendez l'avenue Davaar jusqu'à l'avenue Bernard.*

L'**avenue Bernard** ★ *(métro Outremont)* est à la fois une rue de commerces, de bureaux et de logements. Sa prestance (avenue large, grands terre-pleins de verdure, aménagement paysager sur rue, bâtiments de caractère) reflète la volonté d'une époque de confirmer formellement le prestige de la municipalité grandissante, aujourd'hui fusionnée à Montréal. C'est dans cette rue qu'est érigé notamment le **Théâtre Outremont** *(1234-1248 av. Bernard, ✆ 514-495-9944, www.theatreoutremont.ca)*, édifice Art déco classé monument historique, dont la vocation actuelle est dédiée aux spectacles et au cinéma. Sa décoration intérieure est d'Emmanuel Briffa.

Avec son étang, son petit pont et son joli pavillon revêtu de stuc blanc et érigé sur un îlot, le **parc Saint-Viateur** *(angle av. Bernard et av. Bloomfield)* ne manque pas d'intérêt. Le pavillon, qui date de 1927, présente de belles qualités de design pour un simple bâtiment de service, en grande partie grâce à sa loggia qui s'étend sur les quatre faces et invite à la promenade. S'y réunissent parfois les soirs d'été des danseurs de tango, alors que le parc fait le bonheur des patineurs en hiver.

Envie...

... d'une crème glacée? C'est au **Bilboquet** (voir p. 256) qu'il faut aller, ce petit café-glacier réputé pour ses saveurs originales et la touche «maison» apportée à ses produits.

D'autres édifices retiennent également l'attention sur l'avenue Bernard: l'ancien bureau de poste au n° 1145, le **Clos Saint-Bernard** aux n°s 1167 à 1175 (vaste garage recyclé en immeuble en copropriété) et l'ancien premier grand magasin d'alimentation à grande surface de la famille Steinberg (qui en viendra plus tard à posséder plus de 190 établissements du genre à travers le Québec, avant de faire faillite en 1992). Plusieurs immeubles résidentiels sont aussi d'une belle architecture: le **Montcalm** *(nos 1040 à 1050)*, le **Garden Court** *(nos 1058 à 1066)*, le **Royal York** *(nos 1100 à 1144)* et le **Parklane** *(n° 1360)*.

››› *Dirigez-vous vers l'ouest sur l'avenue Bernard jusqu'à l'avenue Rockland, pour pénétrer dans le parc Joyce.*

Le **parc Joyce** est situé à l'emplacement d'une vaste propriété d'un Canadien d'origine britannique, confiseur de son métier, James Joyce. Il est doucement accidenté et possède une végétation mature, héritée de l'époque du domaine.

L'avenue Ainslie, qui aboutit dans le parc, compte notamment deux résidences qui valent le déplacement, aux nos 18 et 22. Elles sont en effet particulièrement impressionnantes tant par l'ampleur des terrains sur lesquels elles ont été érigées que par le volume des constructions et la majesté de leur composition inspirée du style victorien.

››› *Reprenez le chemin de la Côte-Sainte-Catherine et passez l'avenue Claude-Champagne.*

On remarquera, du côté nord, trois résidences de valeur architecturale et patrimoniale plus qu'évidente: au n° 637, la **maison J.B. Aimbault**, construite vers 1820 et d'architecture rurale, un héritage rarissime d'une époque révolue de la municipalité; sa voisine (n° 645), au toit à pente raide, signature de l'architecte Beaugrand-Champagne; enfin, celle du n° 661, bâtie à la fin du XIXe siècle, dont le style relativement unique pour le secteur est plutôt d'inspiration georgienne de la Nouvelle-Angleterre.

››› *Revenez sur vos pas et engagez-vous sur l'avenue Claude-Champagne.*

L'enfilade de gros bâtiments institutionnels le long de l'avenue Claude-Champagne, qui se prolonge même au-delà dans la montagne et sur le boulevard du Mont-Royal, à savoir le **Complexe immobilier des sœurs des Saints-Noms-de-Jésus-et-de-Marie** *(métro Édouard-Montpetit)*, a déjà été propriété d'une seule et même congrégation de religieuses, les sœurs des Saints-Noms-de-Jésus-et-de-Marie. Arrivées à Outremont au XIXe siècle, les religieuses avaient essentiellement une mission éducative qu'elles ont su respecter dans le développement de ce vaste secteur.

En suivant l'avenue Claude-Champagne, on voit d'abord le **pensionnat du Saint-Nom-de-Marie**, construit en 1905, qui s'impose sur le chemin de la Côte-Sainte-Catherine tant par son architecture (portique Renaissance, toiture argentée, dôme) que par son volume et son emplacement sur un terrain surélevé. Plus haut, c'est-à-dire immédiatement derrière, se trouve le **pavillon Marie-Victorin**, de facture beaucoup plus moderne, qui abrita initialement une école supérieure des sœurs, avant d'être acquis par l'Université de Montréal pour loger sa faculté des sciences de l'éducation.

Encore plus haut, sur le flanc de la montagne, on aperçoit le **pavillon de la Faculté de musique** de l'Université de Montréal. L'acoustique de la salle de concerts de l'édifice, la **salle Claude-Champagne**, est d'une très grande qualité, et ce lieu de diffusion sert régulièrement aux enregistrements. La vue que l'on peut avoir, à partir du terrain du pavillon, sur Outremont ainsi que sur toute la partie nord de l'île de Montréal, est remarquable.

L'avenue Claude-Champagne, en tant que partie d'«Outremont-en-haut», est aussi bordée d'édifices résidentiels à la mesure de la réputation de ce secteur de la ville. L'imposante **villa Préfontaine**, au n° 22, est l'exemple même du style général que nombre de citoyens des environs ont voulu donner à leur propriété.

··· *Au bout de l'avenue Claude-Champagne, tournez à gauche dans le boulevard du Mont-Royal et continuez tout droit aux feux de signalisation pour vous engager sur l'avenue Maplewood.*

Appelée aussi l'«avenue du pouvoir», l'**avenue Maplewood** ★ *(métro Édouard-Montpetit)* est l'axe central de ce secteur appelé «Outremont-en-haut», où, souvent dans une topographie très accidentée, sont venues se percher des résidences cossues qu'ont habitées ou habitent toujours de nombreux personnages influents du Québec.

Au-delà de l'avenue McCulloch (qui a vu s'établir pour un temps la famille de Pierre Elliott Trudeau, ancien premier ministre du Canada, au n° 84), l'avenue Maplewood devient encore plus pittoresque. Sa petite pente ainsi que sa légère sinuosité, associées à la beauté des résidences et à l'aménagement soignée des cours qui la bordent, confirment l'attrait que peut exercer «Outremont-en-haut» sur l'intelligentsia québécoise. De multiples habitations valent à cet endroit le coup d'œil: le n° 77, bel exemple du style colonial américain; les n°s 69 et 71, du type pavillon de banlieue des années 1920; les n°s 47 et 49, maisons jumelées d'ambiance encore campagnarde qui datent de 1906 (elles sont les plus anciennes demeures de la rue); enfin le n° 41, qui évoque les grands manoirs français de la Renaissance.

··· *Empruntez le passage piétonnier, situé entre les n°s 52 et 54, qui mène au boulevard du Mont-Royal par la ruelle du même nom.*

Le **boulevard du Mont-Royal** est la deuxième grande artère d'«Outremont-en-haut». Son toponyme tire son origine du fait que le premier tronçon de cette voie conduisait au cimetière protestant Mont-Royal. Bien qu'elle soit strictement résidentielle, la rue a tendance de nos jours à être relativement encombrée: elle sert de chemin de transit pour de nombreux automobilistes qui se rendent à l'Université de Montréal. Elle est aussi très utilisée comme piste de jogging par les coureurs des environs.

La section du boulevard proposée ici est à l'image de la qualité architecturale et paysagère du quartier. De belles demeures y ont été érigées, dont certaines ont tenu compte de leur double accès au boulevard et à l'avenue Maplewood: c'est le cas notamment de celle située au n° 1151, qui présente des façades très équilibrées dans les deux rues. La maison du n° 1139 est, quant à elle, typique de l'Art déco. L'intégrité du vaste espace boisé, qui s'étend au sud du boulevard, ajoute à la beauté du secteur.

La belle vue sur l'est de Montréal (notamment sur le Plateau Mont-Royal) qui s'offre à vous au bout de la rue (au tournant du boulevard) révèle du même coup la différence radicale qui existe entre cette section d'Outremont et la ville à son pied. Après le tournant, sur la gauche, on peut voir, en terminant le parcours, le **couvent des sœurs de Marie-Réparatrice**, considéré comme très moderne pour son temps (1911) en raison de sa brique de couleur chamois.

Le **cimetière Mont-Royal** (voir p. 136), auquel on accède par le boulevard du Mont-Royal, est décrit dans un autre circuit.

Empruntez de nouveau le boulevard du Mont-Royal jusqu'à l'angle du chemin de la Côte-Sainte-Catherine pour reprendre l'autobus 11, qui vous conduira à la station de métro Mont-Royal, au cœur du Plateau, ou dans le parc du Mont-Royal, sur les hauteurs de la ville (circuit I).

Rosemont ★

p. 221 p. 260 p. 286 p. 297

trois heures

Avec la montée de l'industrialisation et de l'immigration à la fin du XIXe siècle, Montréal devient de plus en plus engorgée. Une décentralisation s'impose alors. C'est pendant cette période que fut créée la paroisse de Côte-de-la-Visitation, ancêtre de Rosemont. Il faut toutefois attendre 1905 pour que le village de Côte-de-la-Visitation soit incorporé à Québec et devienne la municipalité de Rosemont. À cette époque, le Canadien Pacifique (CP) inaugure une série d'usines sur le territoire, appelées les «Shops Angus», qui ouvrent leurs portes à plus de 7 000 employés. L'urbanisation s'amorce brutalement. Un quartier résidentiel, aujourd'hui appelé le «Vieux-Rosemont», se développe près du chemin de fer du CP entre la 1re Avenue et la 10e Avenue, et ce, jusqu'au boulevard Rosemont au nord. Pendant des décennies, les Shops Angus ont rythmé la vie des résidants du secteur, jusqu'à leur fermeture en 1992. Depuis quelques années toutefois, le secteur Angus est pris d'un second souffle avec l'arrivée de nombreuses entreprises œuvrant dans les nouvelles technologies ainsi que le développement résidentiel grandissant.

De la station de métro Laurier, empruntez l'avenue du même nom vers l'est jusqu'au ***parc Sir-Wilfrid-Laurier*** *(voir p. 190). Suivez la piste cyclable qui traverse le parc et débouche sur l'avenue Christophe-Colomb pour rejoindre le Réseau vert, qui longe la voie ferrée. Dirigez-vous vers l'est.*

Le **Réseau vert** longe le chemin de fer à la limite sud de l'arrondissement Rosemont–La Petite-Patrie. Ce chemin de gravier, qui s'étend de la rue Hutchison à la rue D'Iberville, fait découvrir les arrière-cours de la zone industrielle désaffectée.

À l'angle de la rue Chambord et de la rue des Carrières, l'**incinérateur des Carrières** est difficile à manquer avec ses deux cheminées de 70 m de hauteur. Le premier four d'incinération fut construit en 1931, projet mis de l'avant par l'échevin Desroches, dans le but de se débarrasser des dépotoirs à ciel ouvert qui prenaient de plus en plus de place sur l'île. Pendant une dizaine d'années, l'incinérateur brûle plus de 300 tonnes de déchets par jour. Mais la population avoisinante se plaint sans cesse de maux de tête et de gorge associés à la qualité de l'air du quartier. Un deuxième four, plus performant et moins polluant, est alors construit et inauguré en 1970. Ces efforts d'innovation s'avèrent toutefois insuffisants, et l'incinérateur ferme ses portes en 1993. Les activités industrielles y sont désormais absentes, mais l'incinérateur, avec ses cheminées, reste debout comme témoin du patrimoine industriel de Montréal.

Poursuivez vers l'est jusqu'à la fin du Réseau vert. Continuez tout droit pour rejoindre la rue Masson.

La **promenade Masson** ★, située sur le tronçon de la rue Masson compris entre la 1re Avenue et la 10e Avenue, n'a rien à envier à l'avenue du Mont-Royal. En effet, depuis quelques années, restaurants, cafés et boutiques en tous genres y poussent comme des champignons!

Envie...

... de faire une petite pause «café-gâteau»? La boulangerie artisanale **Les Co'pains d'Abord** (voir p. 300) saura vous rassasier!

Un peu plus loin vers l'est, vous croiserez l'**église Saint-Esprit-de-Rosemont** *(2851 rue Masson)*. Vous êtes ici dans la première paroisse à avoir vu le jour dans le village de Rosemont (1905-1910). En 1905, elle fut fondée canoniquement sous le nom de Sainte-Philomène par Mgr Paul Bruchési, archevêque de Montréal, en reconnaissance à Pierre Desforges, un paroissien qui céda deux lots de terre au Canadien Pacifique et dont l'épouse se prénommait Philomène... C'est en 1964 que le nom de Saint-Esprit remplaça celui de Sainte-Philomène. Ce n'est toutefois qu'en 1933 que la

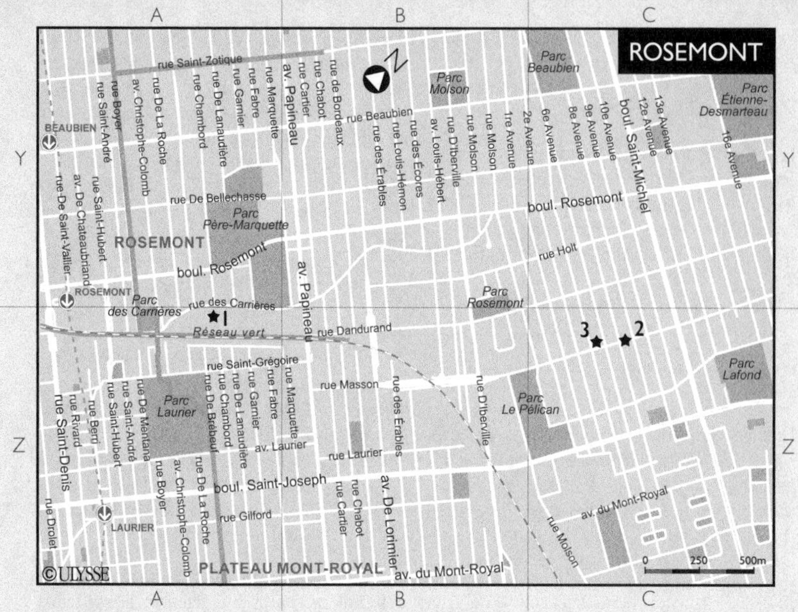

★ **ATTRAITS TOURISTIQUES**

1. AZ Incinérateur des Carrières
2. CZ Promenade Masson
3. CZ Église Saint-Esprit-de-Rosemont

construction de l'église de la paroisse prit fin, selon les plans de l'architecte Joseph-Égide-César Daoust. Les vitraux sont l'œuvre de Guido Nincheri, et son clocher en flèche qui dominait autrefois le quartier Rosemont, considéré comme dangereux, fut enlevé en 1949, laissant à l'église son apparence actuelle.

À l'intersection de la rue Masson et du boulevard Saint-Michel, prenez l'autobus 47 en direction ouest jusqu'à la station de métro Laurier pour boucler ce circuit.

La Petite Italie ★

p. 261 *p. 286* *p. 297*

trois heures

Montréal possède une importante communauté italienne. La *Piccola Italia* (Petite Italie) offre aux curieux une fenêtre ouverte sur le savoir-faire et les produits qui font la renommée de ce quartier attachant de Montréal.

Déjà au début du XIXe siècle, les meilleurs hôtels de la ville appartiennent aux Italiens. À la fin du même siècle, un premier groupe d'immigrants des régions pauvres du sud de l'Italie et de la Sicile s'installe dans les environs de la rue Saint-Christophe, au nord de la rue Ontario. Mais la plus importante vague arrive avec la fin de la Seconde Guerre mondiale. On voit alors débarquer dans le port de Montréal des milliers de paysans et d'ouvriers italiens. Nombre d'entre eux s'installent autour du marché Jean-Talon et de l'église Madonna della Difesa, donnant véritablement naissance à la Petite Italie, où se trouvent, de nos jours, cafés, trattorias, magasins d'alimentation spécialisés, etc. Depuis les années 1960, les Italiens de Montréal se sont déplacés vers Saint-Léonard, au nord-est de l'île, mais reviennent toujours faire leurs emplettes dans la Petite Italie.

De la station de métro Jean-Talon, empruntez la rue du même nom vers l'est.

La rue Jean-Talon honore la mémoire de celui qui fut intendant de la Nouvelle-

France de 1665 à 1668 puis de 1670 à 1672. Ses deux courts mandats auront permis de réorganiser les finances de la colonie et d'en diversifier l'économie.

La **Casa d'Italia** *(505 rue Jean-Talon E.; métro Jean-Talon)* abrite le centre communautaire italien. Elle fut construite en 1936 dans le style Art moderne, variante de l'Art déco qui privilégie les lignes horizontales et arrondies s'inspirant de l'aérodynamisme. Un groupe faciste y avait élu domicile avant la Seconde Guerre mondiale.

Dirigez-vous vers la rue Saint-Hubert, à l'est, et tournez à droite.

La **Plaza Saint-Hubert** *(rue St-Hubert entre les rues De Bellechasse E. et Jean-Talon E.; métro Jean-Talon ou Beaubien)* est une des principales artères commerciales de Montréal, reconnue pour ses boutiques bon marché. C'est notamment dans cette rue qu'a ouvert la première rôtisserie Saint-Hubert en 1951. En 1986, des marquises vitrées furent tendues au-dessus des trottoirs.

Tournez à droite dans la rue Bélanger et marchez jusqu'à la rue Saint-Denis.

Les **anciens cinémas Rivoli et Château** *(6906 et 6956 rue St-Denis; métro Jean-Talon)*, situés de part et d'autre de la rue Bélanger, font partie de ces palaces de quartier reconvertis à d'autres usages. Le cinéma Château a été construit en 1931. Le décor intérieur, exécuté dans un style Art déco exotique, est toujours en place. Le cinéma Rivoli n'aura pas eu cette chance, puisque seule la façade Adam de 1926 a été préservée, l'intérieur ayant fait place à une pharmacie. Cette section de la rue Saint-Denis est bordée de logements montréalais typiques, où l'on pénètre par les traditionnels escaliers de fer et de bois.

Poursuivez vers l'ouest par la rue Bélanger. Tournez à gauche dans la rue Drolet.

L'**ancienne école Sainte-Julienne-Falconieri** *(6839 rue Drolet; métro Jean-Talon)* a été dessinée en 1924 par Ernest Cormier, architecte à qui l'on doit le pavillon principal de l'**Université de Montréal** (voir p. 139). Il a visiblement été influencé dans son travail par les bâtiments de l'Américain Frank Lloyd Wright, réalisés une dizaine d'années auparavant.

Revenez à la rue Bélanger. Tournez à gauche, puis encore à gauche dans l'avenue Henri-Julien.

L'**église Madonna della Difesa** ★ *(6810 av. Henri-Julien; métro Jean-Talon)*, sous le patronage de Notre-Dame-de-la-Défense, tire son inspiration du style romano-byzantin, caractérisé par un traitement varié des matériaux disposés en bandes horizontales et par de petites ouvertures cintrées. Son plan basilical est inhabituel à Montréal. L'église fut dessinée en 1910 par le peintre, maître-verrier et décorateur Guido Nincheri. Il y travaillera pendant plus de 30 ans, exécutant l'ensemble du décor dans ses moindres détails. Nincheri avait l'habitude de représenter des personnages contemporains dans ses vitraux et dans ses fresques à l'œuf, dont il maîtrisait très bien la technique. L'une d'elles, qui représente Mussolini sur son cheval, a longtemps suscité la controverse: effacer ou ne pas effacer... Elle est toujours visible au-dessus du maître-autel.

Au n° 6841, on peut voir l'**école Madonna della Difesa** *(métro Jean-Talon)*, de style Art moderne. On remarquera tout particulièrement les bas-reliefs représentant des écoliers. À l'ouest de l'église s'étend le parc Dante, au centre duquel trône un modeste buste du poète italien sculpté par Carlo Balboni en 1924. Les amateurs de *bocce*, la pétanque italienne, s'y donnent rendez-vous pendant la belle saison.

Suivez la rue Dante vers l'ouest jusqu'au boulevard Saint-Laurent, et tournez à droite.

Le **boulevard Saint-Laurent** *(métro Jean-Talon)* peut être décrit comme le «couloir» de l'immigration à Montréal. Depuis 1880, les nouveaux arrivants s'installent le long d'un segment précis du boulevard selon leur appartenance culturelle. Au bout de quelques décennies, ils quittent le secteur, pour ensuite se disperser dans la ville ou se regrouper dans un autre quartier. Certaines communautés laissent peu de trace de leur passage sur le boulevard Saint-Laurent, alors que d'autres créent un quartier commercial où les descendants des premiers arrivants viennent se ressourcer en famille. Le boulevard regroupe, entre les rues De Bellechasse, au sud, et Jean-Talon, au nord, nombre de restaurants et de cafés italiens, ainsi que des magasins d'alimentation, tels que **Milano** (voir p. 301), très courus les fins de semaine par les Montréalais de toutes les origines.

LA PETITE ITALIE

★ ATTRAITS TOURISTIQUES

1. CX Casa d'Italia
2. CX Plaza Saint-Hubert
3. BY Anciens cinémas Rivoli et Château
4. BY Ancienne école Sainte-Julienne-Falconieri
5. BY Église Madonna della Difesa
6. BY École Madonna della Difesa
7. AY Caserne de pompiers nº 31
8. BX Marché Jean-Talon
9. BY Marché des Saveurs

Envie...

...d'un cappuccino? L'un des meilleurs en ville est servi au **Café Italia** (voir p. 261).

››› *Tournez à droite dans l'avenue Shamrock, nom associé au trèfle irlandais. Cette avenue nous rappelle que le quartier a déjà été celui des Irlandais avant de devenir celui des Italiens.*

La **caserne de pompiers nº 31** *(7041 rue St-Dominique; métro Jean-Talon)* est une réalisation du programme de création d'emploi de la Crise (1929). Le bâtiment de 1931 a été conçu dans le style Art déco. À l'angle des avenues Shamrock et Casgrain, on aperçoit un petit bâtiment de briques moderne aux coins arrondis qui abritait autrefois la clinique Jean-Talon, où plusieurs nouveaux arrivants allaient chercher soins et réconfort.

Le **marché Jean-Talon** ★★ *(entre l'avenue Casgrain et l'avenue Henri-Julien, et entre la rue Jean-Talon et l'avenue Mozart; métro Jean-Talon)* a été aménagé en 1933 à l'emplacement du terrain de crosse des Irlandais, le stade Shamrock. Le site devait à l'origine servir de terminus d'autobus, ce qui explique la présence de quais, avec marquises de béton. Le marché Jean-Talon est un lieu agréable à fréquenter car il regorge d'animation et de trouvailles. Des boutiques d'alimentation spécialisées, souvent aménagées dans les fonds de cours des immeubles dont les façades donnent sur les rues avoisinantes, encerclent le site du marché. Parmi ces boutiques, on retrouve le **Marché des Saveurs** *(angle av. Henri-Julien)*, qui étale une belle panoplie de produits du terroir québécois. Le centre du marché est occupé par les agriculteurs offrant leurs produits frais dès 8h le matin, pendant la belle saison. Un amoncellement de fruits et légumes de saison, ainsi que divers autres produits, vous sont offerts à des prix uniques en ville. Même s'il demeure ouvert toute l'année, le meilleur temps pour le visiter est la période s'échelonnant de la mi-avril à la mi-octobre.

Le marché Jean-Talon: nos marchands préférés

Le marché Jean-Talon permet de découvrir de beaux produits d'ici et d'ailleurs, particulièrement au temps des récoltes en été et en automne. Voici quelques marchands chez qui vous pourrez faire de belles trouvailles.

Boucheries et charcuteries: la **Boucherie du Marché** pour la qualité et la variété de ses produits, et **Les Cochons Tout Ronds** pour ses charcuteries madeliniennes raffinées.

Fruits et légumes: les fruiteries **Chez Nino** et **Chez Louis**, où s'approvisionnent plusieurs grands restaurants montréalais.

Fromageries: la **Fromagerie Hamel**, pour sa sélection imbattable et son service hors pair, et la **Fromagerie Qui lait cru!?!**, où les fromages québécois sont à l'honneur.

Épiceries fines: le **Marché des Saveurs** pour ses produits québécois, **La Dépense** pour ses produits du monde, **Olives & Épices** pour sa sélection phénoménale d'huiles d'olive et d'épices, et **Alfalfa** pour ses aliments naturels.

Pour prendre une bouchée: la **Crêperie du marché** pour ses authentiques crêpes bretonnes, le **Havre aux glaces** pour ses délicieux sorbets et glaces, la **Pâtisserie Wawel** pour ses délices polonais, la **Pâtisserie Le Ryad** pour ses succulents desserts marocains et le restaurant **Soupesoup**, pour ses savoureuses soupes et ses sandwichs.

Envie...

... de déjeuner? Au marché Jean-Talon, vous aurez sans doute fait provision de fromages, de charcuteries et de fruits: de quoi improviser un pique-nique sur les tables du marché. Cafés et trattorias foisonnent également dans les rues avoisinantes.

À travers le quartier, on remarque les potagers aménagés dans les maigres espaces disponibles, les madones dans leurs niches et les treillis accrochés aux balcons, sur lesquels grimpent des vignes chargées de raisins qui donnent à ce coin de Montréal un air méditerranéen.

Le Sault-au-Récollet ★

p. 264

trois heures

Le Sault-au-Récollet, cet agréable quartier de verdure qui vit au rythme des flots de la rivière des Prairies, témoigne d'un espace culturel et ludique qui ravira les amants de la nature et les historiens en herbe.

Vers 1950, le quartier du Sault-au-Récollet formait encore au bord de la rivière des Prairies un village agricole isolé de la ville. De nos jours, il est facile de s'y rendre par le métro (station Henri-Bourassa). L'histoire du «Sault» est cependant très ancienne, puisque, dès 1610, monsieur des Prairies emprunta la rivière qui porte désormais son nom, en pensant qu'il s'agissait du fleuve Saint-Laurent. Puis, en 1625, le récollet Nicolas Viel, missionnaire en Nouvelle-France, et son guide amérindien Ahuntsic se noyèrent dans les rapides du cours d'eau, d'où le nom de «Sault-au-Récollet». En 1696, les Sulpiciens y installèrent la mission huronne du fort Lorette.

Au XIXe siècle, le Sault-au-Récollet devient un lieu de villégiature apprécié par les Montréalais qui ne désirent pas trop s'éloigner de la ville pendant la belle saison. Voilà ce qui explique la présence de quelques maisons d'été ayant survécu au récent développement.

À la sortie de la station de métro Henri-Bourassa, suivez le boulevard du même nom vers l'est. Tournez à gauche dans la rue Saint-Hubert, puis à droite dans le boulevard Gouin Est; c'est là que commence le circuit.

Mgr Ignace Bourget, second évêque de Montréal, a courtisé plusieurs communautés religieuses françaises au cours des années 1840, afin qu'elles implantent des maisons d'enseignement dans la région de Montréal.

La communauté des Dames du Sacré-Cœur fait partie de celles qui ont accepté de faire le grand voyage. Elles s'installent en 1856 en bordure de la rivière des Prairies, où elles construisent un couvent pour l'éducation des filles. L'ancien externat (1858), au 1105 du boulevard Gouin Est, est tout ce qui reste du premier complexe. À la suite d'un incendie, le couvent fut reconstruit par étapes. Le bâtiment, à l'allure d'un austère manoir anglais, est la plus intéressante de ces nouvelles installations (1929). Le **Collège Sophie-Barat** *(1105 et 1239 boul. Gouin E.; métro Henri-Bourassa)* porte le nom de la fondatrice de la communauté des Dames du Sacré-Cœur.

Avant d'atteindre l'église La Visitation de la Bienheureuse-Vierge-Marie, on aperçoit plusieurs demeures ancestrales, comme la **maison Dumouchel**, au nº 1737, construite entre 1838 et 1848 pour un menuisier du Sault-au-Récollet. Elle est pourvue de hauts murs coupe-feu, même si aucun autre édifice ne lui est mitoyen, preuve que cette composante d'abord strictement utilitaire était devenue au XIXe siècle un élément du décor de la maison, symbole de prestige et d'urbanité.

L'**église La Visitation de la Bienheureuse-Vierge-Marie** ★★ *(tlj 8h à 11h30 et 13h30 à 16h; 1847 boul. Gouin E., ☎ 514-388-4050; métro Henri-Bourassa ou autobus 69)* est la plus ancienne église de style traditionnel québécois qui subsiste dans l'île de Montréal. Elle fut construite entre 1749 et 1752, mais fut considérablement remaniée par la suite tout en conservant cependant ses plus beaux attributs d'origine. Sa très belle façade palladienne, ajoutée en 1850, est l'œuvre de l'Anglais John Ostell, auteur de l'ancienne **maison de la Douane** (voir p. 81), devant la place Royale, et de l'ancien palais de justice, rue Notre-Dame. Le degré de raffinement atteint ici est tributaire de la féroce compétition que se livraient les paroissiens du Sault-au-Récollet et ceux de Sainte-Geneviève, plus à l'ouest, qui venaient de se doter d'une église du même style.

L'intérieur de l'église de la Visitation forme un des ensembles les plus remarquables de la sculpture sur bois au Québec. Les travaux de décoration entrepris en 1764 ne furent terminés qu'en 1837. Philippe Liébert, originaire de Nemours, en France, exécuta les premiers éléments du décor, entre autres les portes abondamment sculptées du retable, précieuses œuvres de style Louis XV. Mais c'est à David-Fleury David que revient la part du lion, car on lui doit la corniche, les pilastres Louis XVI et la voûte finement ciselée. De beaux tableaux ornent l'église, dont *La Visitation de la Vierge*, acquis par le curé Chambon en 1756 et attribué à Mignard.

À l'extrémité de la rue Lambert, on aperçoit l'ancien noviciat Saint-Joseph, qui abrite aujourd'hui le **collège du Mont-Saint-Louis** *(1700 boul. Henri-Bourassa E.)*. Le bâtiment néoclassique de 1852 a été agrandi par l'ajout d'un pavillon Second Empire en 1872.

Le noyau de l'ancien village du Sault-au-Récollet se trouve le long du boulevard Gouin Est, à l'est de l'avenue Papineau. Certains de ses bâtiments méritent d'être mentionnés: la maison Baudreau, au n° 1947, fut construite dès 1750; l'ancien magasin général, aux n°s 2012-2016, est un petit édifice Second Empire de type urbain, transposé en milieu rural; et enfin, la fière maison Persillier-Lachapelle, érigée vers 1840, au n° 2084, est l'ancienne demeure d'un meunier prospère et constructeur de ponts.

››› *Tournez à gauche dans la rue du Pressoir.*

Vers 1806, Didier Joubert érige un pressoir à cidre sur sa propriété du Sault-au-Récollet, aujourd'hui connu sous le nom de la **Maison du Pressoir** ★ *(entrée libre; fin avr à début sept tlj 12h à 18h, début sept à fin oct tlj 12h à 17h; 10865 rue du Pressoir, ☎ 514-280-6783 ou 514-850-4222)*. L'état des recherches actuelles permet d'affirmer qu'il s'agit de l'unique exemple de bâtiment en pieux maçonnés qui subsiste dans l'île de Montréal. Il servait entre autres à presser des pommes. Le bâtiment, restauré en 1982, abrite aujourd'hui un centre d'interprétation de l'histoire.

››› *Revenez sur vos pas en empruntant le boulevard Gouin vers l'ouest, et tournez à droite dans la rue du Pont pour rejoindre l'île de la Visitation.*

Le **parc-nature de l'Île-de-la-Visitation** ★★ *(chalet d'accueil, 2425 boul. Gouin E., ☎ 514-280-6733; métro Henri-Bourassa ou autobus 69)* comprend un vaste terrain en bordure de la rivière des Prairies, ainsi que l'île elle-même, longue bande de terre fermée à chacune de ses extrémités par des digues qui contrôlent le niveau et le débit de l'eau, éliminant du coup le fameux «sault» qui a donné son nom au quartier. On traverse la digue depuis la rue du Pont, en bordure de laquelle les Sulpiciens firent ériger de puissants moulins sous le Régime français. Il ne subsiste malheureusement plus que de maigres vestiges de ces installations. La **Maison du Meunier** *(entrée libre; fin avr à début sept tlj 12h à 18h, début sept à fin oct tlj 10h à 17h; 10897 rue du Pont, ☎ 514-280-6709 ou 514-850-4222)* possède elle aussi un centre d'interprétation de l'histoire qui permet de mieux comprendre quelle a été l'exploitation industrielle du site. De plus, le bistro-terrasse des Moulins *(mer-dim 11h30 à la tombée du jour, ☎ 514-850-4222)* qu'elle loge invite à la détente et à l'observation de la rivière des Prairies.

Cité historia – Musée d'histoire du Sault-au-Récollet *(10897 rue du Pont, ☎ 514-280-6709 ou 514-850-4222, www.citehistoria.qc.ca)*, qui anime le site historique du Sault-au-Récollet, situé dans le parc-nature de l'Île-de-la-Visitation, en se consacrant à mettre en valeur l'histoire du Sault-au-Récollet, de la Maison du Pressoir et du site des Moulins (y compris la Maison Meunier), en gère les activités et invite la population à venir découvrir trois siècles d'histoire.

Envie...

... de skier? Les amateurs de ski de fond pourront partir à la découverte du **parc-nature de l'Île-de-la-Visitation** cet hiver grâce aux sentiers aménagés tout autour (voir p. 197).

À l'extrémité est de l'île se trouve la centrale hydroélectrique de la Rivière-des-Prairies,

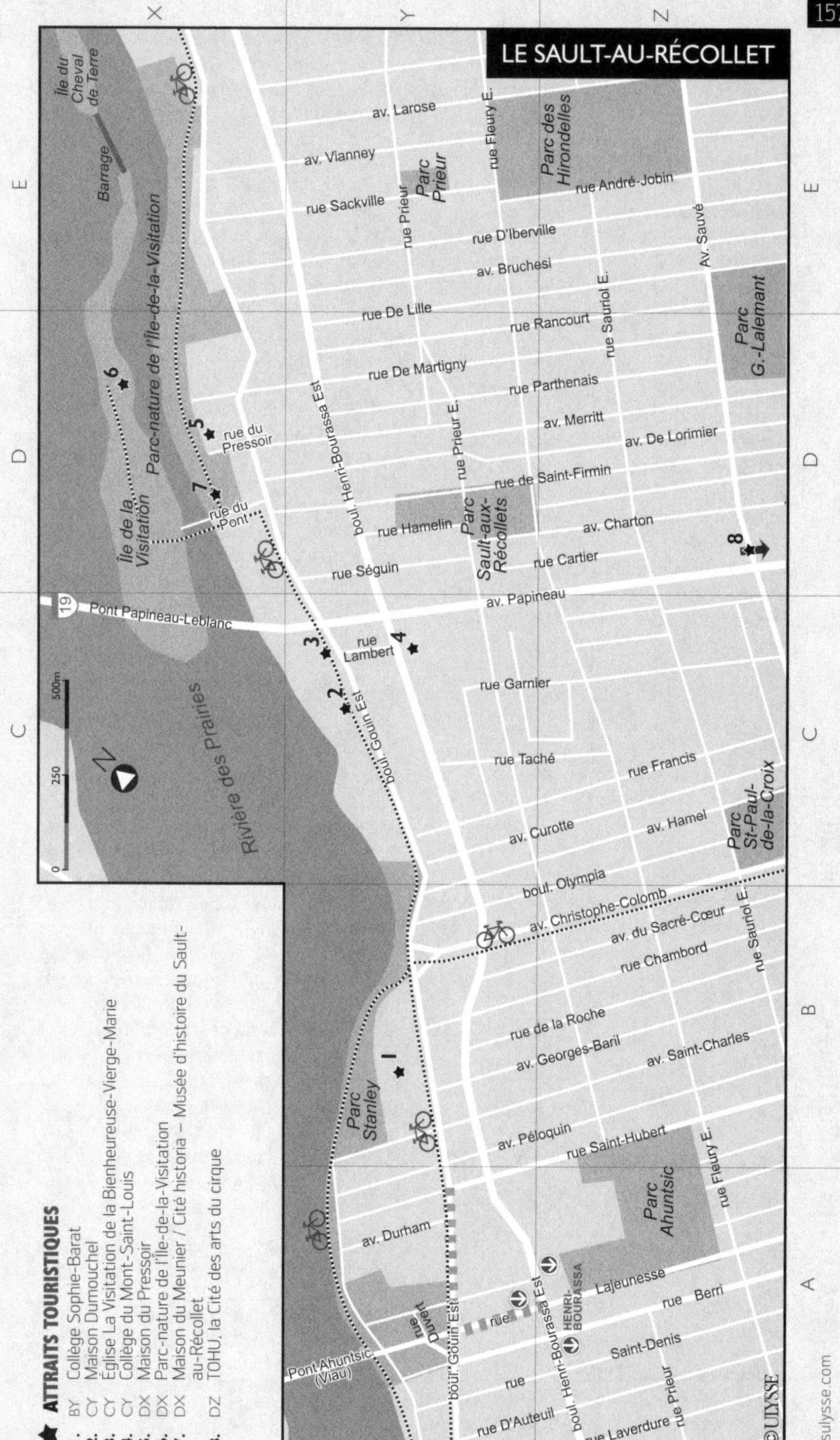
LE SAULT-AU-RÉCOLLET
ATTRAITS TOURISTIQUES
1. BY Collège Sophie-Barat
2. CY Maison Dumouchel
3. CY Église La Visitation de la Bienheureuse-Vierge-Marie
4. CY Collège du Mont-Saint-Louis
5. DX Maison du Pressoir
6. DX Parc-nature de l'Île-de-la-Visitation
7. DX Maison du Meunier / Cité historia – Musée d'histoire du Sault-au-Récollet
8. DZ TOHU, la Cité des arts du cirque
Rivière des Prairies
Île du Cheval de Terre
Barrage
Parc-nature de l'Île-de-la-Visitation
Île de la Visitation
Pont Papineau-Leblanc
Pont Ahuntsic (Viau)
boul. Gouin Est
boul. Henri-Bourassa Est
Parc Stanley
Parc Prieur
Parc des Hirondelles
Parc Sault-aux-Récollets
Parc G.-Lalemant
Parc St-Paul-de-la-Croix
Parc Ahuntsic
av. Papineau
rue du Pressoir
rue du Pont
rue Lambert
HENRI-BOURASSA
0 250 500m
©ULYSSE

aménagée en 1928 par la Montreal Island Power. C'est la seule installation hydroélectrique construite en milieu urbain au Québec.

Hors circuit, il ne faut pas manquer la visite, dans le quartier Saint-Michel, de la **TOHU, la Cité des arts du cirque** ★ *(2345 rue Jarry E., ☎ 514-376-8648 ou 888-376-8648, www.tohu.ca; métro Jarry et autobus 193 E.)*, qui fait de la métropole québécoise une des capitales mondiales des arts du cirque, en plus de participer à la réhabilitation d'un important site d'enfouissement de déchets. On y trouve le bâtiment qui abrite l'**École nationale de cirque** *(8181 2e Avenue)*, de même que le **Chapiteau des arts**, salle de spectacle unique au Canada conçue spécifiquement pour les arts du cirque en plus de servir de pavillon d'accueil au **Complexe environnemental Saint-Michel (CESM)** (voir p. 192), sans oublier le **siège social du Cirque du Soleil** *(8400 2e Avenue)* et son centre d'hébergement pour artistes. Des visites guidées *(entrée libre pour les résidants de Montréal, 6$ pour les gens de l'extérieur, réservations requises au ☎ 514-374-8648, poste 4000)* permettent de découvrir les différents pôles de la Cité, à la fois lieu de création et d'aménagement environnemental. En plus de profiter d'une grande place publique sur les lieux, les visiteurs découvrent l'historique de la TOHU et du CESM. Ils ont également accès, en minibus, à pied ou en vélo, à la salle de spectacle et à l'exposition permanente *Terra Cirqua*, qui présente l'une des plus importantes collections privées sur les arts du cirque.

Pour reprendre le métro à la station Henri-Bourassa, point de départ du circuit, empruntez le boulevard Gouin vers l'ouest jusqu'à l'angle de la rue Lajeunesse, que vous prendrez à gauche.

Les îles Sainte-Hélène et Notre-Dame ★★

p. 264 p. 277

une journée

Les îles Sainte-Hélène et Notre-Dame, situées au milieu du fleuve Saint-Laurent, demeurent des lieux de loisirs très animés, été comme hiver. Plage, parc d'attractions, circuit de course automobile, casino et autres services et installations se partagent ces îles magnifiques que les Montréalais de tous les âges aiment visiter durant les beaux jours.

Lorsque Samuel de Champlain aborde dans l'île de Montréal en 1611, il trouve, en face, un petit archipel rocailleux. Il baptise la plus grande de ces îles du prénom de sa jeune épouse, Hélène Boullé. À noter qu'en 1760 l'île sera le dernier retranchement des troupes françaises en Nouvelle-France, sous le commandement du chevalier François de Lévis.

L'importance stratégique des lieux est connue de l'armée britannique, qui aménage un fort dans la partie est de l'île au début du XIXe siècle. La menace d'un conflit armé avec les Américains s'étant amenuisée, l'île Sainte-Hélène est louée à la Ville de Montréal par le gouvernement canadien en 1874. Elle devient alors un parc de détente relié au Vieux-Montréal par un service de traversier et, à partir de 1930, par le pont Jacques-Cartier.

Au début des années 1960, Montréal obtient l'Exposition universelle de 1967. On désire l'aménager sur un vaste lieu attrayant et situé à proximité du centre-ville. Un tel emplacement n'existe pas. Il faut donc l'inventer de toutes pièces en doublant la superficie de l'île Sainte-Hélène et en créant l'île Notre-Dame à l'aide de la terre excavée des tunnels du métro. D'avril à novembre 1967, 45 millions de visiteurs fouleront le sol des deux îles et de la Cité-du-Havre, qui constitue le point d'entrée du site. «L'Expo», comme l'appellent encore familièrement les Montréalais, fut plus qu'un ramassis d'objets hétéroclites. Ce fut le réveil de Montréal, son ouverture au monde et, pour ses visiteurs venus de partout, la découverte d'un nouvel art de vivre, celui de la minijupe, des réactés, de la télévision en couleurs, des hippies, du *flower power* et du rock revendicateur.

Il n'est pas facile de se rendre du centre-ville à la Cité-du-Havre. Le meilleur moyen consiste à emprunter la rue Mill, puis le chemin des Moulins, qui court sous l'autoroute Bonaventure jusqu'à l'avenue Pierre-Dupuy. Celle-ci conduit au pont de la Concorde, qui franchit le fleuve Saint-Laurent pour atteindre les îles. On peut également s'y rendre avec l'autobus 168 à partir de la station de métro McGill.

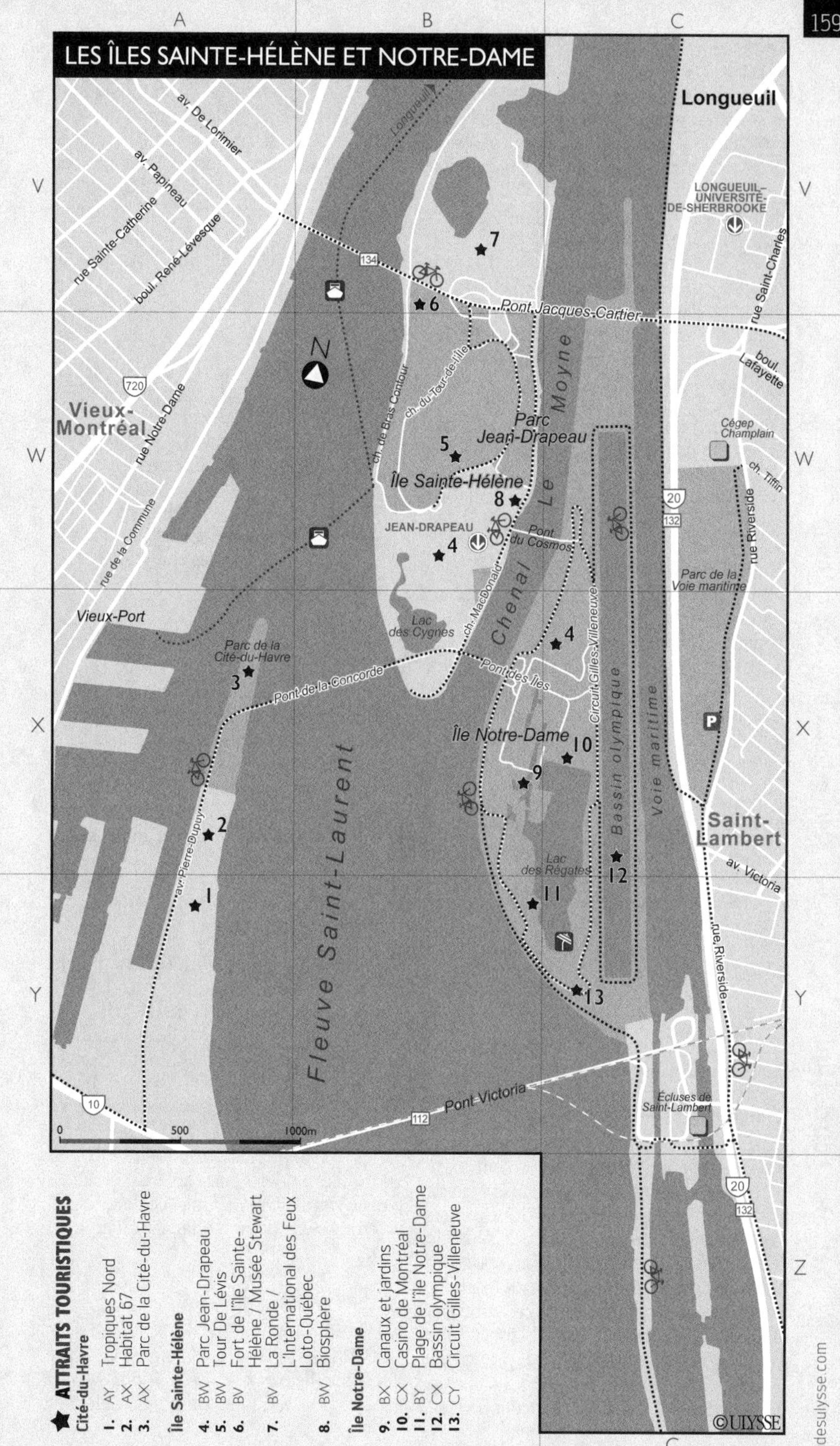
LES ÎLES SAINTE-HÉLÈNE ET NOTRE-DAME
A
B
C
V
W
X
Y
Z
Longueuil
av. De Lorimier
av. Papineau
rue Sainte-Catherine
boul. René-Lévesque
134
Pont Jacques-Cartier
LONGUEUIL–UNIVERSITÉ-DE-SHERBROOKE
rue Saint-Charles
boul. Lafayette
720
Vieux-Montréal
rue Notre-Dame
ch. de Bras Contour
ch. du Tour-de-l'île
Parc Jean-Drapeau
Le Moyne
Cégep Champlain
ch. Tiffin
Île Sainte-Hélène
JEAN-DRAPEAU
Pont du Cosmos
20
132
rue Riverside
rue de la Commune
Parc de la Voie maritime
ch. MacDonald
Chenal
Vieux-Port
Lac des Cygnes
Parc de la Cité-du-Havre
Pont de la Concorde
Pont des Îles
Circuit Gilles-Villeneuve
Bassin olympique
Voie maritime
Île Notre-Dame
Fleuve Saint-Laurent
av. Pierre-Dupuy
Saint-Lambert
av. Victoria
Lac des Régates
rue Riverside
Pont Victoria
10
112
Écluses de Saint-Lambert
0
500
1000m
©ULYSSE
ATTRAITS TOURISTIQUES
Cité-du-Havre
1. AY Tropiques Nord
2. AX Habitat 67
3. AX Parc de la Cité-du-Havre
Île Sainte-Hélène
4. BW Parc Jean-Drapeau
5. BW Tour De Lévis
6. BV Fort de l'île Sainte-Hélène / Musée Stewart
7. BV La Ronde / L'International des Feux Loto-Québec
8. BW Biosphère
Île Notre-Dame
9. BX Canaux et jardins
10. CX Casino de Montréal
11. BY Plage de l'île Notre-Dame
12. CX Bassin olympique
13. CY Circuit Gilles-Villeneuve

Tropiques Nord ★, **Habitat 67** ★★ et le **parc de la Cité-du-Havre** ★ sont construits sur une pointe de terre créée pour les besoins du port de Montréal, qu'elle protège des courants et de la glace, et qui offre de beaux points de vue sur la ville et sur l'eau. À l'entrée se trouvent le siège de l'administration du port ainsi qu'un groupe d'édifices qui comprenait autrefois l'Expo-Théâtre et le Musée d'art contemporain. Un peu plus loin, on aperçoit la grande verrière de Tropiques Nord, ce complexe d'habitation dont les appartements donnent sur l'extérieur, d'un côté, et sur un jardin tropical intérieur, de l'autre.

On reconnaît ensuite Habitat 67, cet ensemble résidentiel expérimental réalisé dans le cadre de l'Exposition universelle pour illustrer les techniques de préfabrication du béton et annoncer un nouvel art de vivre. Son architecte, Moshe Safdie, n'avait que 23 ans au moment de l'élaboration des plans. Habitat 67 se présente tel un gigantesque assemblage de cubes contenant chacun une ou deux pièces. Les appartements d'Habitat 67 sont toujours aussi prisés et logent plusieurs personnalités québécoises. Plusieurs années après leur construction, ils n'ont de cesse de choquer ou de séduire les Montréalais.

Le parc de la Cité-du-Havre comprend 12 panneaux qui retracent brièvement l'histoire du fleuve Saint-Laurent. La piste cyclable menant aux îles Notre-Dame et Sainte-Hélène passe tout près.

››› *Traversez le pont de la Concorde. Du printemps à l'automne, l'île Sainte-Hélène est également accessible par une navette fluviale, depuis les Quais du Vieux-Port (6$; ☎ 514-281-8000, www.navettesmaritimes.com).*

Le **parc Jean-Drapeau** ★★ *(☎ 514-872-6120, www.parcjeandrapeau.com; métro Jean-Drapeau)* est composé des îles Sainte-Hélène et Notre-Dame. À l'origine, le parc Hélène-de-Champlain, qui couvrait toute l'île Sainte-Hélène, avait une superficie de 50 ha. Les travaux d'Expo 67 ont permis d'étendre la surface de l'île à plus de 120 ha. La portion originale correspond au territoire surélevé et ponctué de rochers, composés d'une pierre d'un type particulier à l'**île Sainte-Hélène** appelée «brèche», une pierre très dure et ferreuse qui prend une teinte orangée avec le temps lorsqu'elle est exposée à l'air. En 1992, la portion ouest de l'île Sainte-Hélène a été réaménagée en un vaste amphithéâtre (le «parterre» du parc Jean-Drapeau) en plein air où sont présentés des spectacles à grand déploiement. Sur une belle place en bordure de la rive faisant face à Montréal, on aperçoit *L'Homme*, important stabile d'Alexander Calder réalisé pour l'Expo 67. Le parc renferme maintenant 14 œuvres d'art public, d'artistes d'ici et d'ailleurs, réparties sur les deux îles.

Envie...

... de faire du cyclisme sur les îles? Quoi de mieux en effet que d'explorer le parc Jean-Drapeau à vélo! Après avoir loué votre vélo aux **Quais du Vieux-Port** (voir p. 198) si vous n'en possédez pas, empruntez la piste cyclable du canal de Lachine. Suivez les indications vers la Cité-du-Havre, puis vers l'île Notre-Dame: 15 km de voies cyclables vous attendent dans le parc!

Un peu plus loin, à proximité de l'entrée de la station Jean-Drapeau, se dresse une œuvre de l'artiste mexicain Sebastián intitulée *La porte de l'amitié*. Cette sculpture, offerte à la Ville de Montréal par la Ville de México en 1992, fut installée là trois ans plus tard pour commémorer la signature des accords de libre-échange entre le Canada, les États-Unis et le Mexique (ALENA).

››› *Empruntez les sentiers qui convergent vers le centre de l'île.*

À l'orée du parc Hélène-de-Champlain original, on peut voir le pavillon des Baigneurs, aménagé pendant la crise des années 1930. On notera le revêtement en pierres de brèche du chalet. Les trois piscines originales de l'île ont été démolies puis reconstruites pour accueillir, au Complexe aquatique de l'île Sainte-Hélène, les XIes Championnats du monde FINA en 2005. L'île, au relief complexe, est dominée par la **tour De Lévis**, simple château d'eau aux allures de donjon érigé en 1936.

››› *Suivez les indications vers le fort de l'île Sainte-Hélène.*

À la suite de la guerre de 1812 entre les États-Unis et la Grande-Bretagne, le **Fort de l'île Sainte-Hélène** ★★ *(métro Jean-Drapeau)* est construit afin que l'on puisse défendre adéquatement Montréal. Les travaux effectués sont achevés en 1825. L'ensemble en pierres de brèche se présente tel un *U* échancré, entourant une place d'armes qui sert de nos jours de terrain de parade à la Compagnie Franche de la Marine et au 78e régiment des Fraser Highlanders. Ces deux régiments factices en costumes d'époque font revivre les traditions militaires françaises et écossaises du Canada, pour le grand plaisir des visiteurs. De la place d'armes, on bénéficie d'une belle vue sur le port et sur le pont Jacques-Cartier, inauguré en 1930, qui chevauche l'île et sépare le parc de verdure de La Ronde.

Le **Musée Stewart** ★★ *(✆ 514-861-6701, www.stewart-museum.org; métro Jean-Drapeau)*, installé dans l'arsenal du fort, est voué à l'histoire de la découverte et de l'exploration du Nouveau Monde. On y présente un ensemble d'objets des siècles passés, parmi lesquels figurent d'intéressantes collections de cartes, d'armes à feu, d'instruments scientifiques et de navigation, rassemblées par l'industriel montréalais David Stewart et son épouse Liliane. Au moment de mettre sous presse, le musée fermait ses portes temporairement au public pour des travaux de rénovation importants. La réouverture est prévue pour l'automne 2010.

La Ronde ★ *(40$; mi-mai à fin oct; ✆ 514-397-2000, www.laronde.com; métro Jean-Drapeau et autobus 167)*, ce parc d'attractions aménagé à l'occasion de l'Exposition universelle de 1967 dans l'ancienne île Ronde, ouvre chaque été ses portes aux jeunes et aux moins jeunes. **L'International des Feux Loto-Québec** (voir p. 294), un concours international d'art pyrotechnique, s'y tient pendant les mois de juin et de juillet.

››› 🚶 Empruntez le chemin qui longe la côte sud de l'île en direction de la Biosphère.

En chemin, vous verrez l'**ancien cimetière militaire** de la garnison britannique, stationnée dans l'île Sainte-Hélène de 1828 à 1870. La plupart des pierres tombales originales ont disparu. Un monument commémoratif installé en 1937 les remplace.

Bien peu de pavillons d'Expo 67 ont survécu à l'usure du temps et aux changements de vocation des îles. L'un des rares survivants est l'ancien pavillon américain, qui représente un véritable monument à l'architecture moderne. Il s'agit du premier dôme géodésique complet à avoir dépassé le stade de la maquette. De 80 m de diamètre, à structure tubulaire en acier, il a malheureusement perdu son revêtement translucide en acrylique lors d'un incendie en 1976. Son concepteur est le célèbre ingénieur Richard Buckminster Fuller (1895-1983).

Depuis 1995, l'ancien pavillon américain abrite la **Biosphère** ★★ *(12$, entrée libre pour les 17 ans et moins; juin à oct tlj 10h à 18h, nov à fin mai mar-dim 10h à 18h; ✆ 514-283-5000, www.biosphere.ec.gc.ca; métro Jean-Drapeau)*, un musée de l'environnement qui traite des grands enjeux liés à l'eau, aux changements climatiques, à l'écosystème Grands Lacs–Saint-Laurent, au développement durable et à la consommation responsable. Les expositions et activités interactives visent à sensibiliser le public et à l'amener à agir en faveur de l'environnement. Jeux, maquettes, modules, défis et expériences y sont offerts pour explorer, mieux comprendre et apprendre tout en s'amusant.

››› 🚶 Traversez le pont du Cosmos pour vous rendre à l'île Notre-Dame.

L'**île Notre-Dame** est sortie des eaux du fleuve Saint-Laurent en l'espace de 10 mois, grâce aux 15 millions de tonnes de roc et de terre transportés sur le site depuis le chantier du métro. Comme il s'agit d'une île artificielle, on a pu lui donner une configuration fantaisiste en jouant autant avec la terre qu'avec l'eau. Ainsi l'île est traversée par d'agréables **canaux** et **jardins** ★★ *(métro Jean-Drapeau et autobus 167)*, aménagés à l'occasion des Floralies internationales de 1980. Il est possible de louer des embarcations pour sillonner les canaux.

Situé sur l'île Notre-Dame, le **Casino de Montréal** (voir p. 288) *(entrée libre; 18 ans et plus; stationnement et vestiaire gratuits; tlj 24 heures sur 24; ✆ 514-392-2746 ou 800-665-2274, www.casinosduquebec.com; métro Jean-Drapeau et autobus 167)* est aménagé dans ce qui fut les pavillons de la France et du Québec lors de l'Exposition universelle de 1967. Dans le bâtiment principal, soit l'ancien **pavillon de la France** ★, conçu en aluminium, les galeries supérieures offrent une vue imprenable sur le centre-ville et le fleuve Saint-Laurent. Le bâtiment annexe, à l'allure d'une pyramide tronquée, que l'on voit immédiatement à l'ouest, est l'ancien **pavillon du Québec** ★.

Le visiteur trouvera au Casino de Montréal une gamme très variée de divertissements dans une atmosphère de fête: environ 15 000 personnes s'y rendent chaque jour. Ses 3 200 machines à sous et ses 115 tables de jeu, un salon keno, une piste électronique de courses de chevaux Royal Ascot et une aire de jeux à hautes mises en font l'un des 10 plus grands casinos du monde. L'établissement est aussi fréquenté pour ses bars et son cabaret (fermé pour rénovations jusqu'en 2014), ainsi que pour ses restaurants, parmi lesquels figure **Nuances** (voir p. 264), classé parmi les meilleurs restaurants au Canada.

À proximité se trouve l'accès à la **plage de l'île Notre-Dame** *(8$; mi-juin à fin août tlj 10h à 19h; ☎ 514-872-6120; métro Jean-Drapeau et autobus 167)*, qui donne l'occasion aux Montréalais de se prélasser sur une vraie plage de sable, même au milieu du fleuve Saint-Laurent. Le système de filtration naturel permet de garder l'eau du petit lac intérieur propre, sans devoir employer d'additifs chimiques. Le nombre de baigneurs que la plage peut accueillir est cependant contrôlé afin de ne pas déstabiliser ce système.

D'autres équipements de sport et de loisir s'ajoutent à ceux déjà mentionnés, soit le **Bassin olympique**, aménagé à l'occasion des Jeux de 1976, et le **circuit Gilles-Villeneuve** *(métro Jean-Drapeau et autobus 167)*, qui a accueilli pendant de nombreuses années le Grand Prix du Canada, une course de Formule 1.

Pour retourner au centre-ville de Montréal, prenez le métro à la station Jean-Drapeau.

Maisonneuve ★★

p. 221 p. 266 p. 277 p. 297

une journée

En 1883, la ville de Maisonneuve voit le jour dans l'est de Montréal à l'initiative de fermiers et de marchands canadiens-français. Dès 1889, les installations du port de Montréal la rejoignent, facilitant ainsi son développement. Puis, en 1918, cette ville autonome est annexée à Montréal, devenant de la sorte l'un de ses principaux quartiers ouvriers, francophone à 90%. Au cours de son histoire, Maisonneuve a été profondément marquée par des hommes aux grandes idées, qui ont voulu faire de ce coin de pays un lieu d'épanouissement collectif. Les frères Marius et Oscar Dufresne, à leur arrivée au pouvoir à la mairie de Maisonneuve en 1910, institueront une politique de démesure en faisant ériger de prestigieux édifices publics de style Beaux-Arts destinés à faire de «leur» ville un modèle de développement pour le Québec français. Puis, le frère Marie-Victorin y fonde en 1931 le Jardin botanique de Montréal, aujourd'hui l'un des plus importants au monde. Enfin, en 1971, le maire Jean Drapeau inaugure dans Maisonneuve les travaux de l'immense complexe sportif qui accueillera les Jeux olympiques de Montréal en 1976.

De la station de métro Pie-IX, montez la côte qui mène à l'angle de la rue Sherbrooke Est. Le circuit commence au Jardin botanique.

Jardin botanique et **Insectarium de Montréal** ★★★ *(16$, basse saison 13,50$; mi-mai à début sept tlj 9h à 18h, début sept à fin oct tlj 9h à 21h, nov à mi-mai mar-dim 9h à 17h; 4101 rue Sherbrooke E., ☎ 514-872-1400, www2.ville.montreal.qc.ca/jardin; métro Pie-IX)*. D'une superficie de 75 ha, le Jardin botanique de Montréal a été entrepris pendant la crise des années 1930 sur l'emplacement du Mont-de-La-Salle, la maison mère des frères des Écoles chrétiennes, grâce à une initiative du frère Marie-Victorin, célèbre botaniste québécois. Derrière l'édifice Marie-Victorin de style Art déco, qui abrite entre autres l'Institut de recherche en biologie végétale issu d'un partenariat entre l'Université de Montréal et le Jardin botanique, s'étirent les 10 serres d'exposition. Ouvertes tout au long de l'année et reliées les unes aux autres, on peut notamment y voir une précieuse collection d'orchidées ainsi qu'une partie du plus important regroupement de penjings hors d'Asie, dont fait partie la fameuse collection «Wu», donnée au jardin par le maître Wu Yee-Sun de Hong-Kong en 1984. Au mois d'octobre, les cucurbitacées sont de la fête dans la grande serre: plus de 800 citrouilles décorées célèbrent alors l'Halloween, pour le plus grand bonheur des enfants, petits et grands (*Le Grand Bal des citrouilles, oct tlj 9h à 21h*).

Trente jardins thématiques extérieurs, ouverts du printemps à l'automne, conçus pour instruire et émerveiller le visiteur, s'étendent au nord et à l'ouest des serres.

Le Parc olympique dans tous ses états

Montréal sera-t-elle prête à accueillir les Jeux olympiques en juillet 1976? Voilà une question qui demeure sur toutes les lèvres un an avant la tenue de ce prestigieux événement international.

À l'origine, le Parc olympique, dont la conception revient à l'architecte français Roger Taillibert, comprend trois infrastructures principales, c'est-à-dire le stade avec son mât et le vélodrome, qui est le premier des trois à être érigé. Comme les plans de Taillibert demeuraient inachevés pour des raisons obscures, ce n'est qu'à l'issue de l'été 1974 que les ouvriers entament les travaux du stade. Or, une première crise pétrolière mondiale et une inflation galopante viennent augmenter considérablement les coûts du chantier, sans oublier de nombreux conflits de travail et vols de matériaux qui nuiront au bon déroulement des travaux.

Bien informé de ces problèmes, le Comité International Olympique (CIO) est très inquiet et songe même à retirer les Jeux de Montréal au profit de la ville de México. Pour contrer la menace du CIO, le gouvernement du Québec réagit en mettant sous tutelle le Comité organisateur des Jeux olympiques et instaure en novembre 1975 la Régie des installations olympiques (RIO). Cette dernière aura la dure mission de terminer les installations à temps.

Le 17 juillet 1976, c'est dans un stade inachevé que se déroule la cérémonie d'ouverture des Jeux olympiques de Montréal. Son mât atteint à peine la moitié des 169 mètres prévus par l'architecte. Il faudra patienter encore 11 ans avant que la « plus haute tour inclinée du monde », avec 175 mètres de hauteur et une inclinaison de 45°, ne fasse partie du paysage montréalais.

Parmi ceux-ci, il faut souligner une belle roseraie, le Jardin japonais et son pavillon de style *sukiya*, ainsi que le très beau Jardin de Chine, dont les pavillons ont été réalisés par des artisans venus exprès de Chine. Montréal étant jumelée entre autres villes à Shanghai, on a voulu en faire le plus vaste jardin du genre hors d'Asie. Le soir, à la fin de l'été, le Jardin de Chine se pare de centaines de lanternes chinoises qui créent une merveilleuse féerie de lumière et de fleurs (*La Magie des lanternes, mi-sept à fin oct, tlj 9h à 21h*).

Il faut aussi voir le Jardin des Premières-Nations, inauguré en 2001. Sa réalisation est l'aboutissement du travail de plusieurs intervenants, dont plusieurs membres des Premières Nations. Dès la fondation du Jardin botanique, le frère Marie-Victorin avait imaginé un jardin de plantes médicinales utilisées par les Amérindiens. L'interprétation de ce jardin permet de se familiariser avec les cultures autochtones, et particulièrement avec leurs relations avec le monde végétal. On y apprendra, par exemple, les multiples utilisations que les Hurons-Wendat et les Mohawks faisaient du maïs, des courges et des haricots. Les 11 nations autochtones du Québec sont représentées dans leur milieu de vie (la forêt de feuillus, la forêt de conifères et les territoires nordiques). Un pavillon d'exposition complète la visite.

Un arboretum sillonné de sentiers occupe la partie nord du Jardin botanique. C'est dans ce secteur qu'a été érigée la Maison de l'arbre, véritable centre d'interprétation qui permet de mieux comprendre la vie d'un arbre et des forêts. L'exposition permanente que l'on y présente reprend d'ailleurs la forme d'une moitié de tronc d'arbre où le visiteur circule entre les anneaux de croissance. La structure du bâtiment, formée d'un assemblage de poutres d'épinettes, rappelle un alignement d'arbres urbains. On remarquera plus particulièrement les jeux d'ombre et de lumière qui suggèrent des ambiances forestières qui changent au fil des heures. À l'arrière, une terrasse permet de contempler l'étang, une diversité de plantes aquatiques et un charmant petit jardin d'arbres miniatures (genre bonsaïs) nord-américains. On peut se rendre à la Maison de l'arbre en montant à bord de la *Balade*, navette qui fait régulièrement le tour du Jardin botanique durant la haute saison, ou encore y accéder directement par l'entrée nord du Jardin, boulevard Rosemont (angle 29e avenue).

L'**Insectarium de Montréal** *(4581 rue Sherbrooke E., ☎ 514-872-1400)*, le plus important musée entièrement consacré aux insectes en Amérique du Nord, est situé à l'est des serres. Ce musée vivant invite les visiteurs à découvrir le monde fascinant de plus de 160 000 spécimens d'insectes à l'aide d'une fourmilière, d'une bourdonnière, d'une ruche, de vivariums et de jeux interactifs. Surveillez les diverses activités organisées tout au long de l'année!

Retournez au boulevard Pie-IX. Du côté ouest, tout juste au sud de la rue Sherbrooke Est, se dresse le Château Dufresne.

Le **Château Dufresne** ★★ *(7$; mer-dim 10h à 17h; 2929 rue Jeanne-d'Arc, ☎ 514-259-9201, www.chateaudufresne.com; métro Pie-IX)* est constitué en réalité de deux résidences bourgeoises jumelées de 22 pièces chacune, érigées derrière une façade unique. Le château fut réalisé en 1916 pour les frères Marius et Oscar Dufresne, fabricants de chaussures et promoteurs d'un projet d'aménagement grandiose pour Maisonneuve, auquel la Première Guerre mondiale allait mettre un terme, engendrant la faillite de la municipalité. Leur demeure, œuvre conjointe de Marius Dufresne et de l'architecte parisien Jules Renard, devait former le noyau d'un quartier résidentiel bourgeois qui n'a jamais vu le jour. Elle est un des meilleurs exemples d'architecture Beaux-Arts à Montréal. Le Château Dufresne, bâtiment historique classé, a été décoré par Guido Nincheri et est inspiré du Petit Trianon de Versailles. On y propose des visites des salles avec leur collection de meubles tout en faisant revivre l'histoire de ses occupants, de même que des expositions temporaires sur les arts visuels ou le patrimoine.

Redescendez la côte du boulevard Pie-IX, puis tournez à gauche dans l'avenue Pierre-De Coubertin.

Jean Drapeau fut maire de Montréal de 1954 à 1957 puis de 1960 à 1986. Il rêvait de grandes choses pour «sa» ville. D'un pouvoir de persuasion peu commun et d'une détermination à toute épreuve, il mena à bien plusieurs projets importants, notamment la construction du métro et de la Place des Arts, ainsi que la venue à Montréal de l'Exposition universelle de 1967 et, bien sûr, des Jeux olympiques d'été de 1976. Mais, pour cet événement international, il fallait doter la ville d'équipements à la hauteur.

Qu'à cela ne tienne, on irait chercher un visionnaire français qui dessinerait du jamais vu. C'est ainsi que naquirent, un milliard de dollars plus tard, le **Parc olympique** et sa pièce maîtresse, le Stade olympique, œuvre de l'architecte Roger Taillibert, également auteur du stade du Parc des Princes, à Paris.

Structure qui étonne par la courbure de ses formes organiques en béton, le **Stade olympique** ★★★ *(8$ visite du Stade et du Centre sportif, tlj entre 10h30 et 16h30 en été et entre 11h et 15h30 en basse saison; 4141 av. Pierre-De Coubertin, ☎ 514-252-4141 ou 877-997-0919, www.rio.gouv.qc.ca; métro Viau)*, de forme ovale, dispose de 56 000 places, et sa tour penchée fait 175 m de hauteur. Au loin, on aperçoit les deux immeubles de forme pyramidale du Village olympique qui ont logé les athlètes en 1976. Le Stade olympique accueille chaque année différents événements.

La tour du stade, la plus haute tour penchée du monde, a été rebaptisée la **Tour de Montréal** *(15$ incluant l'accès par le funiculaire; tlj 9h à 19h en été et 9h à 17h en basse saison, fermé jan à mi-fév)*. Un funiculaire grimpe à l'assaut de la structure, permettant de rejoindre l'Observatoire de la Tour d'où les visiteurs peuvent contempler l'ensemble de l'Est montréalais. Au second niveau de l'observatoire sont présentées des expositions diverses. On y trouve aussi une boutique en été, le Salon Montréal. Le pied de la tour abrite les piscines du Complexe olympique, alors qu'à l'arrière se profile un gros cinéma multisalles.

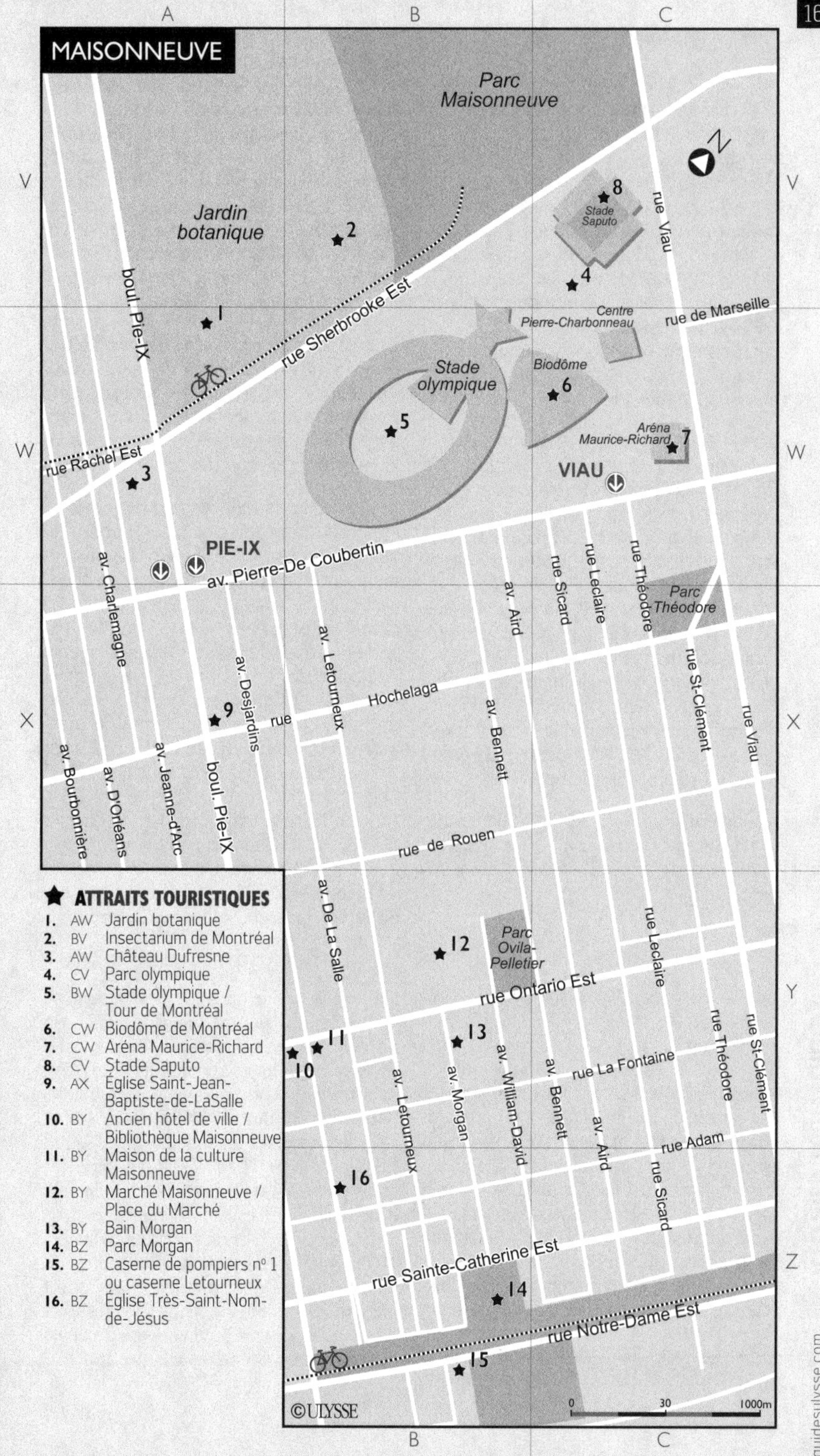

ATTRAITS TOURISTIQUES

1. AW Jardin botanique
2. BV Insectarium de Montréal
3. AW Château Dufresne
4. CV Parc olympique
5. BW Stade olympique / Tour de Montréal
6. CW Biodôme de Montréal
7. CW Aréna Maurice-Richard
8. CV Stade Saputo
9. AX Église Saint-Jean-Baptiste-de-LaSalle
10. BY Ancien hôtel de ville / Bibliothèque Maisonneuve
11. BY Maison de la culture Maisonneuve
12. BY Marché Maisonneuve / Place du Marché
13. BY Bain Morgan
14. BZ Parc Morgan
15. BZ Caserne de pompiers n° 1 ou caserne Letourneux
16. BZ Église Très-Saint-Nom-de-Jésus

L'ancien vélodrome, situé à proximité, a été transformé en un milieu de vie artificiel pour les plantes et les animaux, appelé le **Biodôme de Montréal** ★★★ *(16$; mi-juin à début sept tlj 9h à 18h, début sept à fin juin mar-dim 9h à 17h; 4777 av. Pierre-De Coubertin, ☎ 514-868-3000, www.biodome.qc.ca; métro Viau)*. Ce musée rattaché au Jardin botanique présente sur 10 000 m² quatre écosystèmes fort différents les uns des autres: la forêt tropicale, la forêt laurentienne, le Saint-Laurent marin et le monde polaire. Ce sont des microcosmes complets, qui comprennent végétation, mammifères et oiseaux en liberté, et qui offrent des conditions climatiques réelles.

L'**aréna Maurice-Richard** *(patinage libre adultes seulement; sept à avr mar et jeu 12h à 13h; 2800 rue Viau, ☎ 514-872-6666; métro Viau)* précède de 20 ans le Parc olympique, auquel il est maintenant rattaché. Sa patinoire est la seule, dans tout l'est du Canada, à respecter les normes internationales en matière de superficie. Depuis 1998, on peut admirer, devant l'entrée de l'aréna, une statue représentant Maurice Richard. Le hockey sur glace occupe une place bien particulière dans le cœur des Québécois. Plusieurs d'entre eux considèrent Maurice «Rocket» Richard (1921-2000) comme le plus grand hockeyeur de tous les temps.

Également situé dans le Parc olympique, le **Stade Saputo** (voir p. 290) est le nouveau domicile de l'équipe de soccer de la métropole, l'Impact de Montréal.

››› 🚶 *Revenez au boulevard Pie-IX et empruntez-le vers le sud.*

L'**église Saint-Jean-Baptiste-de-LaSalle** *(2585 boul. Pie-IX, angle rue Hochelaga, ☎ 514-255-7708; métro Pie-IX)* a été construite en 1964 à l'occasion du renouveau liturgique de Vatican II. Dans un effort visant à conserver ses ouailles, le clergé catholique a chambardé les règles du culte, en introduisant une architecture audacieuse qui n'atteint pas toujours son objectif. Ainsi, sous cette mitre d'évêque évocatrice, se cache un intérieur déprimant en béton brut qui donne l'impression de s'abattre sur l'assistance. L'église porte le nom du fondateur de l'Institut des Frères des écoles chrétiennes.

››› 🚶 *Poursuivez vers le sud par le boulevard Pie-IX, puis tournez à gauche dans la rue Ontario.*

Le coup d'envoi de la politique de grandeur de l'administration Dufresne fut donné en 1912 par la construction de l'**ancien hôtel de ville** ★ *(4120 rue Ontario E.)* selon les plans de l'architecte Cajetan Dufort. De 1925 à 1967, on y trouvait l'Institut du Radium, spécialisé dans la recherche sur le cancer. Depuis 1981, l'édifice abrite la **bibliothèque Maisonneuve**. À l'étage, un dessin «à vol d'oiseau» de Maisonneuve vers 1915 laisse voir les bâtiments prestigieux réalisés ainsi que ceux qui sont demeurés sur papier.

Depuis 2005, la **maison de la culture Maisonneuve** *(4200 rue Ontario E., ☎ 514-872-2200)* loge dans le très bel édifice de l'ancienne caserne de pompiers n° 45. Elle est entre autres l'initiatrice du festival Orgue et couleurs *(www.orgueetcouleurs.com)*.

Le **marché Maisonneuve** ★ *(4445 rue Ontario E.)* est un des agréables marchés publics de Montréal. Depuis 1995, il loge dans un bâtiment relativement récent si on le compare avec celui, voisin, qui l'abritait autrefois. Ce dernier s'inscrit dans un concept d'aménagement urbain hérité des enseignements de l'École des beaux-arts de Paris, appelé «Mouvement City Beautiful» en Amérique du Nord; il s'agit d'un mélange de perspectives classiques, de parcs de verdure et d'équipements civiques et sanitaires. Érigé dans l'axe de l'avenue Morgan en 1914, l'ancien Marché Maisonneuve, de Cajetan Dufort, est la réalisation la plus ambitieuse initiée par Dufresne. On trouve, au centre de la **place du Marché**, une œuvre importante du sculpteur Alfred Laliberté: *La fermière*.

››› 🚶 *Empruntez l'avenue Morgan.*

Malgré sa petite taille, le **Bain Morgan** ★ *(1875 av. Morgan, ☎ 514-872-6657)* en impose par ses éléments Beaux-Arts: escalier monumental, colonnes jumelées, balustrade de couronnement et sculptures pâteuses du Français Maurice Dubert. À cela, il faut ajouter un autre bronze d'Alfred Laliberté: *Les petits baigneurs*. À l'origine, les bains publics servaient non seulement à la détente et aux plaisirs de la baignade, mais aussi à se laver, dans ces quartiers ouvriers où les maisons n'avaient pas toutes de salle de bain. Ce magnifique bâtiment est l'œuvre de l'architecte Marius Dufresne et date de 1916. Sa piscine intérieure accueille des milliers de baigneurs chaque année.

Envie...

... de déjeuner? Essayez les petits plats du marché du sympathique bistro de quartier **La Bécane rouge** (voir p. 266).

Le **parc Morgan** *(à l'extrémité sud de l'avenue Morgan)* a été aménagé en 1933 sur l'emplacement de la maison de campagne de Henry Morgan, propriétaire des magasins du même nom. Du chalet, au centre, on peut contempler une étrange perspective où le marché Maisonneuve se superpose à l'énorme silhouette du Stade olympique.

Empruntez la rue Sainte-Catherine vers l'ouest jusqu'à l'avenue Letourneux. Tournez à gauche.

Maisonneuve pouvait s'enorgueillir de posséder deux casernes de pompiers, dont une tout à fait originale et réalisée selon les dessins de Marius Dufresne en 1915. Celui-ci, en plus de sa formation d'ingénieur et d'homme d'affaires, s'intéressait beaucoup à l'architecture. Fort impressionné par l'œuvre de Frank Lloyd Wright, il a conçu la **caserne de pompiers n° 1** ou **caserne Letourneux** ★ *(411 av. Letourneux, angle rue Notre-Dame)* telle une variante de l'Unity Temple d'Oak Park, en banlieue de Chicago (1906). L'édifice compte donc parmi les premières réalisations de l'architecture moderne au Canada.

Tournez à droite dans l'avenue Desjardins. Le sol instable dans cette partie de la ville laisse voir des maisons aux inclinaisons inquiétantes.

Derrière la façade néoromane quelque peu terne de l'**église Très-Saint-Nom-de-Jésus** ★ *(1645 av. Desjardins, angle rue Adam)*, qui date de 1906, s'élabore un riche décor polychrome auquel a contribué l'artiste d'origine italienne Guido Nincheri, dont l'atelier était situé dans Maisonneuve. On remarquera les grandes orgues des frères Casavant, réparties entre le jubé arrière et le chœur de l'église, ce qui est tout à fait inhabituel pour un temple catholique. Des tiges de métal retiennent la voûte de cette structure soumise aux mêmes caprices du sol que les maisons avoisinantes. Comme plusieurs autres églises à Montréal et ailleurs au Québec, elle est à vendre en raison de la baisse de la pratique religieuse.

Poursuivez par l'avenue Desjardins jusqu'à la station de métro Pie-IX.

Autour du canal de Lachine ★

La Petite-Bourgogne et Saint-Henri ★

p. 268

trois heures

La Petite-Bourgogne et Saint-Henri, deux quartiers ouvriers de Montréal, constituaient autrefois autant de municipalités autonomes. La ville de Saint-Henri-des-Tanneries et la Petite-Bourgogne, alors connue officiellement sous le nom de Ville de Sainte-Cunégonde, furent cependant toutes deux annexées à Montréal en 1905.

Saint-Henri fut fondée à la fin du XVIIIe siècle autour de la tannerie de la famille Rolland, aujourd'hui disparue (elle était située à l'angle du chemin Glen et de la rue Saint-Antoine). À la suite de l'ouverture du canal de Lachine en 1825, la petite ville connut une croissance importante, les industries s'agglutinant dans sa partie sud, aux abords du canal. La prospérité de La Petite-Bourgogne fut également assurée par les industries du canal de Lachine, mais aussi par le transport ferroviaire, car elle était traversée par une série de voies ferrées aboutissant à la gare Bonaventure de la rue Peel (détruite en 1952). Les voies, démantelées au cours des années 1970, ont fait place à des logements dont l'allure banlieusarde ne cadre pas du tout avec le reste du quartier.

De la station de métro Georges-Vanier, dirigez-vous vers le boulevard du même nom. Tournez à droite dans la petite rue Coursol.

La station de métro et le boulevard Georges-Vanier honorent tous deux la mémoire du général Georges-Philias Vanier (1888-1967), gouverneur général du Canada de 1959 à 1967.

La **rue Coursol** est bordée de coquettes maisons unifamiliales en rangée, construites vers 1875 pour les contremaîtres et les ouvriers spécialisés des usines de Sainte-Cunégonde. Les demeures Second Empire en pierres de la rue Saint-Antoine Ouest, plus au nord, étaient, quant à elles, habitées par les notables et des commerçants de la ville. Sainte-Cunégonde étant située à proximité des gares du centre-ville (**Bonaventure** et **Windsor,** voir p. 92), plusieurs des maisons de ces deux artères sont par la suite devenues des pensions pour les employés des chemins de fer travaillant sur les trains.

Avant 1960, la plupart de ces employés appartenaient à la communauté noire de Montréal. La **Petite-Bourgogne** a donc été identifiée à cette communauté dès la fin du XIXe siècle, bien que celle-ci n'ait jamais formé la majorité de la population du quartier. Plusieurs de ces immigrants, arrivés des États-Unis au cours des années 1880-1890 en espérant un meilleur sort, ont largement contribué à l'histoire de la musique à Montréal. La Petite-Bourgogne est en effet le lieu de naissance des célèbres pianistes de jazz Oscar Peterson et Oliver Jones, et s'y trouvait un cabaret fameux, le Rockhead's Paradise, ouvert en 1928 à l'angle des rues Saint-Antoine et de la Montagne, où Louis Armstrong et Cab Calloway ont joué et chanté régulièrement (il est fermé depuis 1984).

››› 🚶 *Tournez à gauche dans la rue Vinet.*

À l'angle des rues Vinet et Coursol se trouve l'**ancienne église St. Jude** *(2390 rue Coursol)*, aujourd'hui devenue The Bible-Way Pentecostal Church.

L'**église Sainte-Cunégonde** ★ *(2461 rue St-Jacques, ☎ 514-932-4041)* est un vaste temple catholique de style Beaux-Arts dessiné par l'architecte Joseph-Omer Marchand en 1906. L'édifice, dont on remarque l'étonnant chevet arrondi, comporte une ingénieuse toiture à armature d'acier d'une seule portée permettant de dégager le vaste intérieur, complètement libre de colonnes et de piliers. Celui-ci, orné de belles boiseries et de toiles marouflées très colorées, mises en valeur par l'éclairage naturel provenant des larges ouvertures, a été endommagé lors de la fermeture de l'église en 1971. Celle-ci devait alors être démolie. Elle fut heureusement sauvée *in extremis* et ouverte à nouveau au culte catholique. La communauté coréenne de Montréal la fréquente aujourd'hui.

››› 🚶 *Poursuivez par la rue Vinet jusqu'à la rue Notre-Dame Ouest.*

L'**ancien hôtel de ville de Sainte-Cunégonde** *(en face du parc Vinet)*, érigé en 1904, servait également de bureau de poste, de caserne de pompiers et de poste de police. Le célèbre homme fort Louis Cyr (on peut voir sa statue à l'angle des rues Saint-Jacques et De Courcelle, à Saint-Henri) a été membre du corps policier de la municipalité pendant quelques années.

››› 🚶 *Tournez à droite dans la rue Notre-Dame Ouest.*

Toute la section de la **rue Notre-Dame** comprise entre les rues Guy, à l'est, et Atwater, à l'ouest, est surnommée «la rue des antiquaires» en raison de la présence de plusieurs commerces qui font dans la brocante et, dans certains cas, dans les antiquités locales. Ces boutiques aux mille trouvailles occupent de beaux bâtiments commerciaux du XIXe siècle, tous situés sur le flanc sud de la rue. Derrière s'étalent les usines vétustes bordant le canal de Lachine. Certaines d'entre elles ont été transformées en complexes d'habitation au cours des années 1980. Au 2490 de la rue Notre-Dame Ouest, on peut voir la façade de l'ancien cinéma Corona de 1912, reconverti en salle de spectacle: le **Théâtre Corona** (voir p. 289).

Envie...

... de prendre une bouchée? Profitez de votre balade dans « la rue des antiquaires » de la Petite-Bourgogne pour faire un arrêt chez **Limon** (voir p. 269), qui propose une cuisine mexicaine revisitée et une jolie terrasse arrière.

››› 🚶 *Tournez à droite dans l'avenue Atwater.*

L'**église Saint-Irénée** *(3044 rue Delisle, ☎ 514-932-3341)* est une de ces églises dont les clochers de cuivre verdi percent le profil bas des quartiers ouvriers de Montréal. Elle fut construite en 1912 avec une partie des murs de l'église de 1904, incendiée en 1911. Son intérieur étriqué est l'œuvre des architectes MacDuff et Lemieux. On remarquera tout particulièrement les courbures exagérées des arcs et les motifs très «Belle Époque» employés dans la décoration.

Du côté ouest de l'avenue Atwater commence **Saint-Henri**. La romancière canadienne Gabrielle Roy a merveilleusement

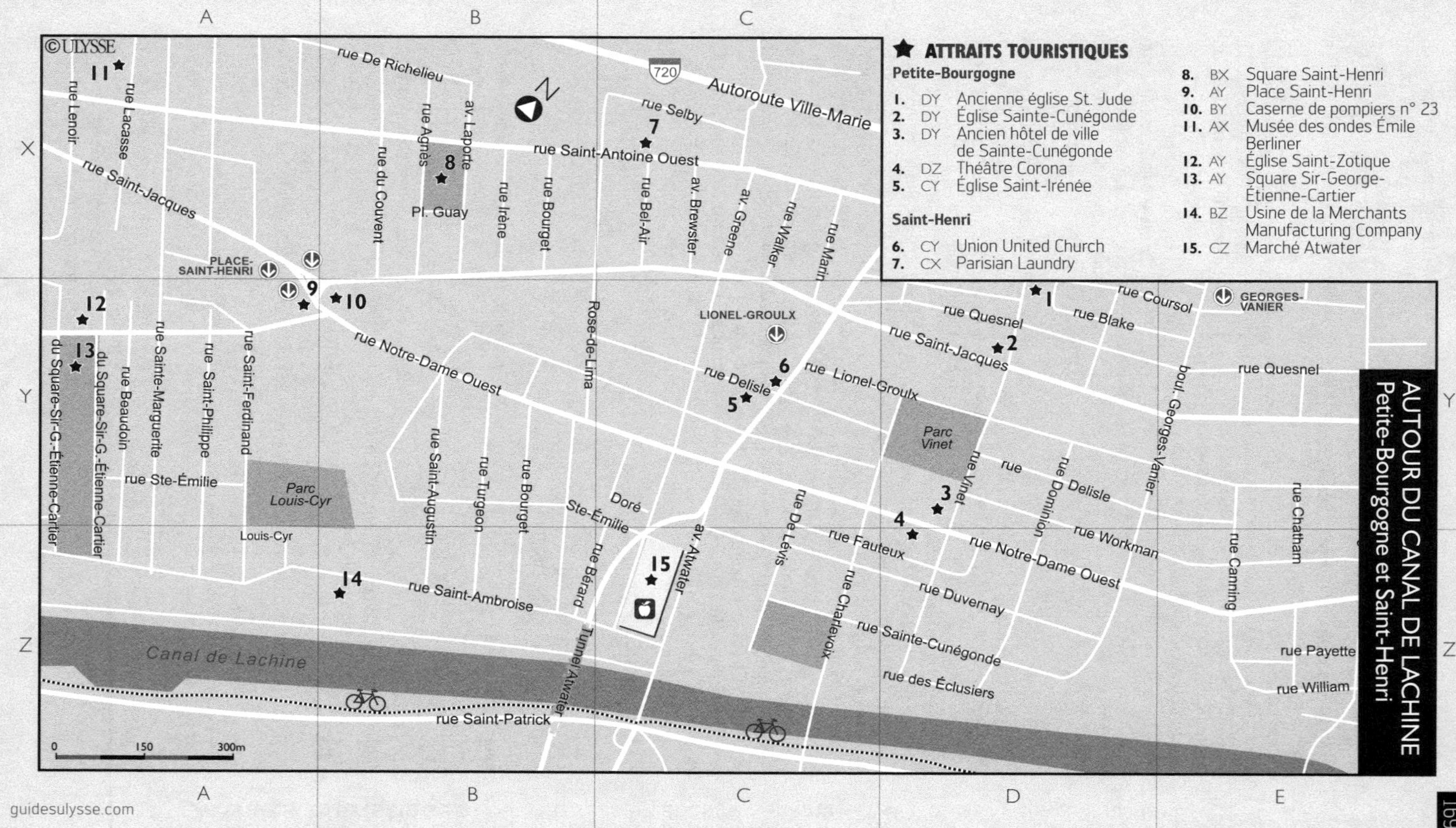
AUTOUR DU CANAL DE LACHINE
Petite-Bourgogne et Saint-Henri
ATTRAITS TOURISTIQUES
Petite-Bourgogne
1. DY Ancienne église St. Jude
2. DY Église Sainte-Cunégonde
3. DY Ancien hôtel de ville de Sainte-Cunégonde
4. DZ Théâtre Corona
5. CY Église Saint-Irénée
Saint-Henri
6. CY Union United Church
7. CX Parisian Laundry
8. BX Square Saint-Henri
9. AY Place Saint-Henri
10. BY Caserne de pompiers n° 23
11. AX Musée des ondes Émile Berliner
12. AY Église Saint-Zotique
13. AY Square Sir-George-Étienne-Cartier
14. BZ Usine de la Merchants Manufacturing Company
15. CZ Marché Atwater
©ULYSSE
Autoroute Ville-Marie
720
rue De Richelieu
rue Selby
rue Saint-Antoine Ouest
rue Saint-Jacques
rue Notre-Dame Ouest
rue Lenoir
rue Lacasse
rue Agnès
av. Laporte
rue du Couvent
Pl. Guay
rue Irène
rue Bourget
rue Bel-Air
av. Brewster
av. Greene
rue Walker
rue Marin
PLACE-SAINT-HENRI
LIONEL-GROULX
GEORGES-VANIER
rue Coursol
rue Quesnel
rue Blake
rue Lionel-Groulx
rue Delisle
Rose-de-Lima
du Square-Sir-G.-Étienne-Cartier
rue Beaudoin
rue Sainte-Marguerite
rue Saint-Philippe
rue Saint-Ferdinand
rue Ste-Émilie
Parc Louis-Cyr
Louis-Cyr
rue Saint-Augustin
rue Turgeon
Doré
Ste-Émilie
rue Bérard
Tunnel Atwater
av. Atwater
rue De Lévis
rue Charlevoix
rue Fauteux
rue Duvernay
rue Sainte-Cunégonde
rue des Éclusiers
Parc Vinet
rue Vinet
rue Dominion
rue Workman
boul. Georges-Vanier
rue Canning
rue Chatham
rue Payette
rue William
rue Saint-Ambroise
Canal de Lachine
rue Saint-Patrick
0
150
300m
A
B
C
D
E
X
Y
Z

décrit ce quartier et sa vie quotidienne dans son roman *Bonheur d'occasion* (1945).

··· 🚶 *Empruntez la rue Delisle vers l'ouest.*

À l'angle des rues, on aperçoit l'**Union United Church** *(3007 rue Delisle, ☎ 514-932-8731)*. Érigée en 1899, cette église est la première à avoir été fondée par la communauté noire au Québec. L'Union United Church a accueilli des événements ou personnalités emblématiques, comme ces conférences données par Nelson Mandela et Desmond Tutu. On y donne à l'occasion des concerts de musique gospel.

··· 🚶 *Tournez à droite dans la rue Rose-de-Lima, puis encore à droite dans la rue Saint-Antoine.*

La **Parisian Laundry** *(mar-sam 12h à 17h; 3550 rue St-Antoine O., ☎ 514-989-1056, www.parisianlaundry.com; métro Lionel-Groulx)*, tout comme la **Fonderie Darling** (voir p. 82), s'est ajoutée à la liste de ces édifices industriels réhabilités, devenus aujourd'hui des espaces de diffusion culturelle. La Laundry Company était en effet une blanchisserie commerciale avant d'être rachetée en 2001 par un grand collectionneur montréalais. Ses larges fenêtres ainsi que ses structures de béton et d'acier, qui rappellent la vocation industrielle du bâtiment, ont su être exploitées afin de mettre en valeur les œuvres exposées.

··· 🚶 *Reprenez la rue Saint-Antoine vers l'ouest et tournez à gauche dans l'avenue Laporte.*

Tout comme à Sainte-Cunégonde, le quartier des notables de Saint-Henri était situé en bordure de la rue Saint-Antoine. Le beau **square Saint-Henri** ★ *(entre l'avenue Laporte, la place Guay, la rue Agnès et la rue St-Antoine)*, orné d'une fontaine en fonte surmontée d'une copie de la statue de Jacques Cartier (1895) qui se trouve à l'intérieur de la station de métro Place-Saint-Henri, a servi de pôle d'attraction pour les nantis de la ville.

··· 🚶 *Reprenez la rue Saint-Antoine à gauche puis tournez à gauche dans la rue du Couvent. Poursuivez vers le sud, puis tournez à droite dans la rue Saint-Jacques pour rejoindre la place Saint-Henri, qui gravite autour de la station de métro du même nom.*

La **place Saint-Henri**, autrefois exceptionnelle, a été transformée au point d'être méconnaissable. Dans un effort effréné de modernisation, le collège, l'école, le couvent et l'église, dont la façade néo-Renaissance faisait front sur le flanc nord de la place, ont été rasés en 1969-1970 pour être remplacés par l'école polyvalente et la piscine publique, dont on aperçoit le mur de briques aveugle.

Seuls quelques bâtiments ont survécu à la vague de changements des années 1960, entre autres la **caserne de pompiers n° 23** datant de 1931, de style Art déco, érigée à l'emplacement de l'ancien hôtel de ville de Saint-Henri, la **caisse populaire** *(4038 rue St-Jacques)*, installée dans l'ancien bureau de poste, et la **Banque Laurentienne** *(4080 rue St-Jacques)*. Ce dernier édifice appartenait auparavant à la Banque d'Épargne de la Cité et du District de Montréal, dont les succursales bancaires à travers Montréal présentent une qualité architecturale qui mérite d'être soulignée.

Un crochet par le petit **Musée des ondes Émile Berliner** *(3$; ven-dim 14h à 17h, été mer-dim 10h à 17h; 1050 rue Lacasse, ☎ 514-932-9663, www.berliner.montreal.museum; métro Place-Saint-Henri)* vous permettra d'en savoir plus sur les inventions audiovisuelles mondiales. La mission du Musée des ondes Émile Berliner est de préserver et faire connaître le patrimoine de l'industrie du son. Le musée présente entre autres objets des téléviseurs ainsi qu'une variété d'appareils radio des années 1920 à 1970.

··· 🚶 *Revenez à la place Saint-Henri et traversez-la pour rejoindre la rue Notre-Dame. Tournez à droite dans cette rue et suivez-la jusqu'à l'église Saint-Zotique.*

L'**église Saint-Zotique** *(4565 rue Notre-Dame O., ☎ 514-932-3341)* a été érigée par étapes, entre 1910 et 1927, pour la paroisse la plus pauvre de Saint-Henri. C'est pourquoi l'église est revêtue de briques, matériau moins coûteux que la pierre. Ses clochers néobaroques sont posés sur une structure qui n'est pas sans rappeler les bâtiments industriels du canal de Lachine, tout proche. La caisse populaire voisine fait penser à un vaisseau spatial venu du futur.

Le **square Sir-George-Étienne-Cartier** ★ *(rue Notre-Dame O., en face de l'église St-Zotique)* honore la mémoire de l'un des pères de la Confédération canadienne. Il fait partie des améliorations sanitaires consenties par Montréal, qui avait fort mauvaise réputation en la matière, comme on le verra plus loin. L'espace vert, entouré de triplex montréalais, a remplacé en 1912 les abattoirs de Saint-Henri, desquels se dégageait une odeur putride qui avait envahi tout le secteur. On notera la présence d'une jolie fontaine en fonte au milieu du square.

››› *Traversez le square et empruntez la rue Sainte-Émilie vers l'est.*

La **rue Sainte-Émilie** est bordée de maisons ouvrières typiques du XIXe siècle. Saint-Henri, tout comme Sainte-Cunégonde et Pointe-Saint-Charles, correspond à la basse ville de Montréal. Avant 1910, celle-ci comptait parmi les zones les plus pauvres en Amérique du Nord. Les ouvriers vivaient dans la misère, enveloppés par la pollution.

De nos jours, les programmes de rénovation et d'aide sociale ont remis de l'ordre dans les rues du quartier, mais l'avenir de Saint-Henri n'est pas assuré pour autant, sa structure industrielle vieillissante ayant provoqué la fermeture de plusieurs des usines qui faisaient vivre ses familles. Comme pour exagérer le contraste entre la haute et la basse ville, la colline de Westmount, entourée de grandes demeures luxueuses noyées dans la verdure, est visible dans l'axe nord de la plupart des artères qui croisent la rue Sainte-Émilie.

››› *Tournez à droite dans la rue Saint-Ferdinand puis à gauche dans la rue Saint-Ambroise, qui longe le canal de Lachine.*

L'**usine de la Merchants Manufacturing Company** *(4000 rue St-Ambroise)* a été pendant longtemps le principal employeur de Saint-Henri. Dans cette usine acquise par la compagnie Dominion Textile au début du XXe siècle, on fabrique alors des tissus, des couvertures, des draps et des vêtements en tout genre. Les femmes travaillent en grand nombre dans l'usine, qui connaîtra la première grève du textile à Montréal, en 1891. L'édifice de briques rouges tout en longueur, érigé en 1880, est un bon exemple de l'architecture industrielle de la fin du XIXe siècle, caractérisée par de grandes ouvertures vitrées et par des tours d'escalier coiffées de corniches de briques.

La **rue Saint-Augustin** *(immédiatement à l'est de la voie ferrée qui desservait les usines du canal de Lachine)* regroupe certaines des maisons les plus anciennes de Saint-Henri, où ont longtemps vécu les familles les plus pauvres. Elles sont de bois (parfois recouvertes d'aluminium, plus récemment) et de taille modeste. L'une d'elles, la maison Clermont de 1870 *(110 rue St-Augustin)*, a été admirablement restaurée en 1982, ce qui donne une bonne idée de ce type d'habitat ouvrier à l'état neuf.

››› *Suivez la rue Saint-Ambroise jusqu'au marché Atwater.*

Le **marché Atwater** ★★ *(138 av. Atwater)* est un marché public très fréquenté par les amants de la vie BCBG de Montréal. Élégante réalisation Art déco, il fut construit en 1932 dans le cadre des programmes de création d'emplois de la Crise (1929). Renommé notamment pour ses boucheries de qualité et ses produits régionaux, le marché Atwater est devenu un véritable quartier général de ce qui se fait de mieux en matière d'agriculture biologique. Pour connaître nos marchands préférés, consultez l'encadré à la page suivante.

››› Ⓜ *Revenez à la station de métro Lionel-Groulx, érigée sur l'ancienne emprise des voies ferrées de Sainte-Cunégonde, en suivant l'avenue Atwater vers le nord.*

Pointe-Saint-Charles ★

p. 270

trois heures

La pointe Saint-Charles a été nommée ainsi par les marchands de fourrures Charles Le Moyne et Jacques Le Ber, à qui fut d'abord concédé le terrain. Ils le vendirent à Marguerite Bourgeoys, qui y aménagera la ferme Saint-Gabriel des sœurs de la Congrégation de Notre-Dame en 1668. La nature pastorale des lieux sera grandement troublée par la construction du canal de Lachine entre 1821 et 1825, qui va attirer dans le secteur des filatures et des moulins, berceau de la Révolution industrielle canadienne.

Le village de Saint-Gabriel se forme alors sur la pointe Saint-Charles au sud des manufactures. La construction du pont Victoria, entre 1854 et 1860, et l'aménagement de diverses infrastructures ferroviaires près du fleuve Saint-Laurent feront de Saint-Gabriel une véritable petite ville.

Les Irlandais, omniprésents sur les chantiers de ces deux projets majeurs (le canal et le pont), s'établiront nombreux à Saint-Gabriel et dans d'autres villages plus au nord (Griffintown, Sainte-Anne et Victoriatown), dont il ne reste malheureusement que peu de trace. Le village de Saint-Gabriel, annexé à Montréal en 1887 et rebaptisé «Pointe-Saint-Charles», est situé à proximité du centre-ville, mais en est isolé par le canal et des autoroutes, et est traversé en son centre par des voies ferrées. On y retrouve un riche patrimoine issu de la révolution industrielle.

De nos jours, Pointe-Saint-Charles se présente tel un quartier ouvrier dont la structure de production vieillissante ne génère plus guère d'emplois, sauf dans le Parc d'entreprises Saint-Charles, qui s'étend le long du fleuve Saint-Laurent entre les ponts Victoria et Champlain. Quelques usines ont été reconverties en complexes d'habitation, alors que les abords du canal de Lachine, fermé en 1970 et rouvert à la navigation de plaisance en 2002, ont été transformés en parc linéaire doté d'une agréable piste cyclable.

››› *De la station de métro Charlevoix, dirigez-vous vers l'est par la rue Centre. Le circuit peut aussi être facilement parcouru à bicyclette à partir de la piste cyclable du canal de Lachine.*

Victimes d'une famine épouvantable causée par la maladie de la pomme de terre, les Irlandais fuiront en grand nombre leur île pour trouver refuge au Canada. Beaucoup ne dépasseront cependant pas la Grosse Île, en aval de Québec. Parmi les autres, plusieurs se rendront travailler dans les chantiers coloniaux. Cette main-d'œuvre bon marché et non spécialisée vivra longtemps dans la misère. Ses premières maisons de bois d'allure médiévale, construites dans Victoriatown (aussi appelé «Village-aux-Oies»), n'ont pas survécu au progrès.

L'**église Saint-Gabriel** *(2157 rue Centre, 514-937-3597; métro Charlevoix)* fut érigée en 1893 par la communauté irlandaise catho-

Le marché Atwater: nos marchands préférés

En plus d'être agréable à visiter, le marché Atwater est l'endroit idéal pour faire le plein de provisions en vue d'un pique-nique aux abords du canal de Lachine. Voici quelques marchands chez qui vous pourrez faire de belles trouvailles.

Boucheries et charcuteries: haut lieu des amateurs de viande montréalais, le marché Atwater compte plusieurs boucheries et charcuteries de qualité, notamment la **Boucherie Adélard Bélanger**, la **Boucherie Les Fermes Saint-Vincent** et la **Boucherie charcuterie de Tours**, où s'approvisionnent plusieurs grands restaurants montréalais.

Fruits et légumes: la **Fruiterie Atwater** pour un peu de tout, et les colorés **étals extérieurs** où les producteurs québécois proposent leurs spécialités.

Fromagerie: la **Fromagerie du marché Atwater**, pour sa sélection et son personnel connaisseur.

Épicerie fine: Les **Douceurs du marché**, l'un des incontournables du marché Atwater. Ses tablettes débordantes cachent mille et un trésors, entre autres quelque 375 variétés d'huile!

Pour prendre une bouchée: la **Boulangerie Première Moisson** pour ses viennoiseries, la **Brûlerie aux Quatre Vents** pour ses bons cafés torréfiés sur place, **Chocolats Geneviève Grandbois**, probablement la meilleure chocolaterie en ville, et si Fido vous accompagne, **Boufido**, une charmante boutique de nourriture et d'accessoires pour animaux de compagnie.

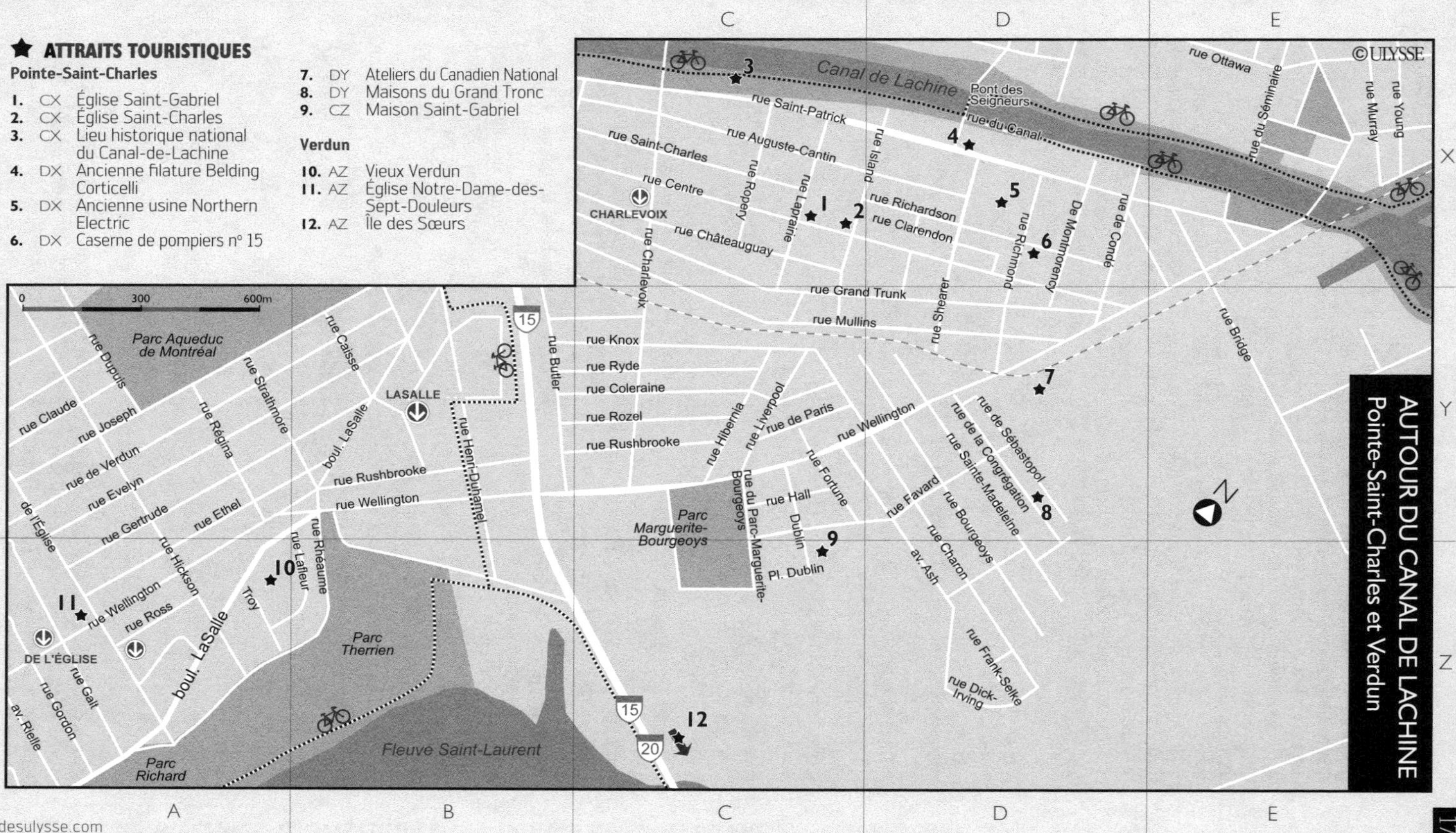

★ **ATTRAITS TOURISTIQUES**

Pointe-Saint-Charles

1. CX Église Saint-Gabriel
2. CX Église Saint-Charles
3. CX Lieu historique national du Canal-de-Lachine
4. DX Ancienne filature Belding Corticelli
5. DX Ancienne usine Northern Electric
6. DX Caserne de pompiers nº 15
7. DY Ateliers du Canadien National
8. DY Maisons du Grand Tronc
9. CZ Maison Saint-Gabriel

Verdun

10. AZ Vieux Verdun
11. AZ Église Notre-Dame-des-Sept-Douleurs
12. AZ Île des Sœurs

lique de Pointe-Saint-Charles. Au même moment s'élevait, sur la propriété voisine, l'église catholique des Canadiens français. Les deux édifices imposants ont en effet été construits côte à côte selon les plans des mêmes architectes (Perrault et Mesnard), vision inusitée qui permet véritablement d'attribuer à Montréal le surnom de «ville aux cent clochers». Le décor intérieur d'origine de l'église Saint-Gabriel a été détruit en 1959 par un incendie. Il a été remplacé par un décor minimaliste qui met en valeur les épais murs de moellons de l'édifice. On remarquera le beau presbytère néoroman aux accents Queen Anne qui avoisine l'église.

Détruite par les flammes en 1913, l'**église Saint-Charles** ★ *(2125 rue Centre, ☎ 514-932-5335; métro Charlevoix)* fut rebâtie l'année suivante avec son allure néoromane originale. L'intérieur, aux colonnes peintes en faux-marbre, mérite une petite visite. Le presbytère de la paroisse Saint-Charles est, à l'opposé de celui de l'église Saint-Gabriel, une œuvre symétrique influencée par l'École des beaux-arts.

››› *Tournez à gauche dans la rue Island. Traversez la rue Saint-Patrick pour rejoindre le canal de Lachine.*

Une ferme appartenant aux Messieurs de Saint-Sulpice, alors seigneurs de l'île de Montréal, occupait toute la partie nord de la pointe Saint-Charles au XVIIe siècle. Les Sulpiciens, soucieux de développer leur île, entreprennent en 1689 de creuser un canal à même la rivière Saint-Pierre, qui délimite leur propriété, afin de contourner les fameux rapides de Lachine, qui entravent la navigation sur le fleuve Saint-Laurent en amont de Montréal. Ces prêtres visionnaires entament les travaux avant même d'en demander la permission à leur ordre ou d'obtenir des fonds du roi, deux conditions qui leur seront refusées. Les travaux furent donc interrompus jusqu'en 1821, alors que commence le chantier du canal actuel. Le canal fut élargi à deux reprises par la suite. L'ouverture de la Voie maritime du Saint-Laurent en 1959 entraîne cependant la désuétude du canal, qui fermera en 1970.

En 1978, le Service canadien des parcs se porte acquéreur du canal et de ses berges, et crée le **Lieu historique national du Canal-de-Lachine** ★ *(entre le Vieux-Port de Montréal et le lac Saint-Louis à Lachine, ☎ 514-283-6054, www.parcscanada.gc.ca/canallachine)* pour préserver la mémoire du rôle majeur que le canal a joué dans l'histoire du pays. Puis naît l'idée de rouvrir le canal, de réaménager ses rives et de revitaliser les quartiers limitrophes. Le canal de Lachine est finalement rouvert à la navigation de plaisance en 2002. Une belle piste polyvalente suit le canal sur toute sa longueur, soit près de 15 km, du Vieux-Montréal au **Centre de services aux visiteurs de Lachine** (voir p. 178). Elle permet aux cyclistes, aux marcheurs et aux amateurs de patin à roues alignées de déambuler tranquillement au bord du canal et de ses beaux aménagements paysagers.

Envie...

... de naviguer sur le canal de Lachine? Bateaux, kayaks et pédalos peuvent être loués au kiosque de location qui se trouve à l'est du marché Atwater, de l'autre côté (sud) du canal.

››› *Longez le canal vers l'est pour jouir des vues sur les bâtiments industriels et sur les gratte-ciel du centre-ville de Montréal.*

L'eau du canal fut utilisée non seulement pour la navigation, mais également comme force motrice. Ainsi, l'énergie hydraulique servait à faire tourner les machines d'une filature de soie, l'**ancienne filature Belding Corticelli** ★ *(1790 rue du Canal; métro Charlevoix)*, érigée en 1884. Le bâtiment de briques rouges à structure de fonte a depuis été rénové pour accueillir des lofts. Un peu plus loin se dressent les anciens édifices de la raffinerie de sucre Redpath, fondée par John Redpath en 1854. Redpath, originaire du Berwickshire, en Écosse, était père de 17 enfants et fut un des principaux donateurs de l'Université McGill. Ces bâtiments sont aussi devenus des immeubles en copropriété.

››› *Revenez à la rue Saint-Patrick en traversant le complexe résidentiel de l'ancienne filature Belding Corticelli. Vous franchirez alors un des rares bras du canal qui n'ait pas été comblé. Tournez à gauche dans la rue Saint-Patrick puis à droite dans la rue Richmond, qui longe l'ancienne usine Northern Electric.*

L'**ancienne usine Northern Electric** *(1751 rue Richardson; métro Charlevoix)* abrite l'incubateur d'entreprises qu'est Le Nordelec.

Des dizaines de petites manufactures de vêtements et de meubles design se partagent des services de secrétariat ainsi que les conseils de spécialistes en marketing. Le vaste édifice monolithique a été construit entre 1913 et 1926 pour la Northern Electric Company, qui y fabriquait divers appareils d'usage courant fonctionnant à l'électricité. En face se trouve la vieille **caserne de pompiers n° 15** *(1255 rue Richmond)*, érigée en 1903 dans un style vaguement néoroman.

Continuez par la rue Richmond vers le sud.

Aux alentours de la rue Mullins, vous pourrez voir de bons exemples de l'architecture résidentielle ouvrière de Pointe-Saint-Charles. Certaines maisons ont même conservé leur fenestration d'origine.

Tournez à droite dans la rue Wellington puis à gauche dans la petite rue de Sébastopol.

Les **ateliers du Canadien National** *(à l'est de la rue de Sébastopol; métro Charlevoix)* étaient autrefois ceux du Grand Tronc, connu en anglais sous le nom de Grand Trunk Railway, société ferroviaire fondée à Londres en 1852 dans le but de développer les chemins de fer au Canada. Elle a fusionné avec la Canadian Northern Railway en 1923 pour former le Canadien National. Le Grand Tronc, à l'origine de la construction du pont Victoria, aménagera ses ateliers de réparation à proximité de la sortie du pont en 1856.

La rue de Sébastopol borde la cour de triage. Cette dernière rue fut ouverte en 1855, alors que sévissait la guerre de Crimée en Europe, guerre marquée par le siège de Sébastopol (Ukraine).

Les **maisons du Grand Tronc** *(n°s 422 à 444 rue de Sébastopol; métro Charlevoix)* comptent parmi les premiers exemples d'habitations spécialement conçues pour les ouvriers par une entreprise en Amérique du Nord. Ces «maisons de compagnie», inspirées de modèles britanniques, ont été construites en 1857 selon les plans de Robert Stephenson (1803-1859), ingénieur-concepteur du pont Victoria et fils de l'inventeur de la locomotive à vapeur. Des sept maisons de quatre logements chacune, dessinées par Stephenson, près de la moitié ont été démolies, alors que les autres ont bien triste mine.

De la rue de Sébastopol, empruntez la rue Favard.

La **rue Favard** et les rues avoisinantes sont bordées d'exemples variés d'architecture résidentielle ouvrière avec jeux de briques, boiseries et incrustations de terre cuite. Les noms des rues indiquent que nous sommes sur les anciennes terres des sœurs de la Congrégation de Notre-Dame. Ces terres furent loties graduellement, ce qui explique que le quartier semble de plus en plus neuf à mesure que l'on se rapproche de la maison de la ferme Saint-Gabriel.

Tournez à gauche dans la place Dublin.

La **Maison Saint-Gabriel** ★★ *(8$; visites guidées mi-avr à fin juin et début sept à fin déc mar-dim 13h à 17h, fin juin à début sept mar-dim 11h à 18h et visite gratuite jeu et ven; 2146 place Dublin, ☎ 514-935-8136, www.maisonsaint-gabriel.qc.ca; métro Charlevoix et autobus 57)* est un précieux témoin de la vie quotidienne en Nouvelle-France. La maison de ferme et la grange voisine, aujourd'hui entourées par la ville, ont été construites entre 1662 et 1698. L'ensemble fut acquis de la famille Le Ber par Marguerite Bourgeoys en 1668, afin d'y installer la communauté religieuse des Dames de la Congrégation de Notre-Dame, qu'elle a elle-même fondée en 1653. La maison a par la suite servi d'école pour les petites Amérindiennes et de foyer d'accueil pour les «filles du Roy», ces jeunes femmes sans famille envoyées de Paris à Montréal par Louis XIV pour y prendre mari.

En 1966, la maison fut restaurée et ouverte au public. On y expose depuis des objets des XVIIe et XVIIIe siècles appartenant à la communauté. Le bâtiment même présente un grand intérêt, puisqu'on peut notamment y voir une des seules authentiques charpentes du XVIIe siècle en Amérique du Nord ainsi que de rares éviers en pierre noire.

Empruntez la place Dublin puis la rue du même nom vers le nord. Tournez à gauche dans la rue Wellington.

Vous y verrez deux églises néogothiques en briques de la fin du XIXe siècle *(625 rue Fortune et 2183 rue Wellington)*, des bains publics *(2188 rue Wellington)* de style Art déco, construits pendant la crise des années 1930, ainsi qu'une rangée de maisons victoriennes, dessinées vers 1875 par l'architecte de l'hôtel de ville de Montréal, Henri-Maurice Perrault.

Verdun ★

p. 269

une à deux heures sans l'excursion à l'île des Sœurs

La promenade à pied conduisant à Verdun à partir de Pointe-Saint-Charles dure une dizaine de minutes. Longez la rue Wellington jusqu'au boulevard LaSalle. Tournez à gauche dans la rue Lafleur, qui débouche sur l'avenue Troy.

Aujourd'hui annexée à Montréal, Verdun était jadis une ville autonome d'environ 60 000 habitants. Nombre des descendants des immigrants irlandais catholiques, mélangés aux Canadiens français par métissage, y ont élu domicile dans l'entre-deux-guerres. Son histoire débute en 1665, alors que huit miliciens s'installent en bordure du fleuve à l'ouest de la ferme Saint-Gabriel. Ces colons armés, surnommés «les Argoulets», seront néanmoins massacrés par les Iroquois. En 1671, le territoire est concédé en fief à Zacharie Dupuis, originaire de Saverdun, près de Carcassonne, qui lui donne le nom de Verdun en souvenir de son ancienne ville. Entre 1852 et 1856, on aménage le canal de l'Aqueduc dans la partie nord des terres de Verdun. Un village voit le jour au sud du canal, mais mettra du temps à se développer à cause des crues printanières fréquentes. À la suite de l'aménagement d'une digue en bordure du fleuve (1895), le développement s'accélère. Verdun est aujourd'hui urbanisé à 97%. Le **vieux Verdun** *(à l'est de Willibrord; métro De l'Église)* recèle quantité d'immeubles montréalais typiques auxquels s'ajoutent de charmantes loggias dont on retrouve une étonnante variété.

Dans les années 1930 et 1940, plusieurs familles originaires des Îles de la Madeleine ont été attirées dans le secteur par les emplois offerts par l'hôpital du Christ-Roi, tout proche. On exigeait alors des infirmiers et infirmières le bilinguisme intégral, car l'hôpital desservait une population mi-francophone, mi-anglophone. Les Madelinots (comme on appelle les habitants des Îles de la Madeleine) comptaient, à l'époque, parmi les seuls Québécois à pouvoir s'exprimer aisément dans les deux langues officielles du Canada.

Au bout de l'avenue Troy se trouve une des entrées du parc Therrien, qui longe le fleuve Saint-Laurent. Dans le parc, on bénéficie d'une belle vue sur les gratte-ciel du centre-ville de Montréal, à l'est, et sur les immeubles d'habitation de l'île des Sœurs (voir ci-dessous), au sud.

Longez le parc Therrien vers l'ouest jusqu'à l'Auditorium de Verdun. Empruntez l'avenue de l'Église jusqu'à la rue Wellington.

Construite entre 1911 et 1914, l'**église Notre-Dame-des-Sept-Douleurs** ★ *(4155 rue Wellington, ☎ 514-761-3496; métro De l'Église)* est l'une des plus vastes églises paroissiales de l'île de Montréal. On remarquera particulièrement le décor néobaroque de l'intérieur. En face se trouve une belle banque Art déco de 1931.

La station de métro De l'Église, située sur la même ligne que la station Charlevoix, se trouve à proximité.

Ceux qui voudront se rendre à l'île des Sœurs devront en faire une excursion séparée, puisque l'île est difficile d'accès depuis le centre de Verdun. Pour s'y rendre, il faut suivre la rue Wellington vers l'est, puis prendre l'autoroute 20 en direction du pont Champlain. L'autobus 12, qui dessert l'île à partir de la station de métro LaSalle, peut également être une option intéressante pour ceux qui souhaitent la visiter mais qui ne sont pas véhiculés.

La visite de l'**île des Sœurs** ★ s'avère fort instructive pour les amateurs d'histoire ancienne et d'architecture contemporaine. Entre 1706 et 1769, les exploitations seigneuriales de l'île, baptisée «île Saint-Paul» en l'honneur de Paul de Chomedey, sont progressivement rachetées par les religieuses de la Congrégation de Notre-Dame. Vers 1720, un vaste manoir de pierres et divers bâtiments de ferme sont érigés dans la partie nord de l'île. À la suite du départ des religieuses en 1956, les bâtiments sont incendiés. L'île passe entre les mains d'un important promoteur qui trace les premières rues et qui fait construire des immeubles d'habitation modernes.

L'ouest de l'île ★★

une journée

Seul véritable circuit riverain dans l'île de Montréal, l'ouest de l'île compte plusieurs vieux villages et offre les plus beaux panoramas du fleuve Saint-Laurent, des lacs Saint-Louis et des Deux Montagnes. Bien que la plupart des agglomérations qui le forment aient été fondées par des colons français, nombre d'entre elles sont aujourd'hui peuplées d'une majorité d'anglophones, d'où le nom plus usité de *West Island*. Aussi ne faut-il pas s'étonner d'entendre davantage la langue de Shakespeare que celle de Molière dans les commerces et le long des rues résidentielles, qui ne sont pas sans rappeler celles des banlieues américaines aisées.

Ce circuit ne fait pas partie des circuits pédestres urbains, car il s'étend sur près de 50 km. Il peut cependant être parcouru à bicyclette, puisqu'une bonne part du trajet longe soit une piste cyclable bien aménagée ou des routes à vitesse réduite. Il est même possible de se rendre au point de départ du circuit en suivant la piste du canal de Lachine depuis le Vieux-Montréal. Les automobilistes qui partent du centre-ville devront quant à eux emprunter l'autoroute 20 Ouest puis, brièvement, la route 138 en direction du pont Mercier. Ensuite ils prendront la sortie de la rue Clément à LaSalle et tourneront à droite dans la rue Clément, à gauche dans la rue Saint-Patrick et, enfin, immédiatement à gauche dans l'avenue Stirling pour rejoindre la rive du fleuve.

Lachine ★★

p. 270 *p. 297*

En 1667, les Messieurs de Saint-Sulpice concèdent des terres dans l'ouest de l'île de Montréal à l'explorateur René Robert Cavelier de La Salle. Celui-ci, obsédé par l'idée de trouver un passage vers la Chine, «découvrira» finalement la Louisiane à l'embouchure du Mississippi. Par dérision, les Montréalais désigneront dorénavant ses terres comme étant «La Chine», nom qui est devenu officiel par la suite. En 1689, les habitants de Lachine ont été victimes du pire massacre iroquois du Régime français. Mais plutôt que de quitter les lieux, la population augmenta, et deux forts furent construits pour la protéger en raison du site stratégique de Lachine, en amont des rapides du même nom qui entravent toujours la navigation sur le fleuve Saint-Laurent. Aussi les précieuses fourrures de l'hinterland, destinées au marché européen, devaient-elles être débarquées à Lachine et transportées à pied jusqu'à Montréal, située en aval des rapides. Dans les années qui suivirent l'ouverture du canal de Lachine en 1825, plusieurs industries s'installèrent à Lachine, qui a alors connu une urbanisation importante. Aujourd'hui, son industrie vieillissante est heureusement compensée par son site enchanteur, qui attire toujours une population enthousiaste.

Le **moulin Fleming** *(entrée libre; début mai à fin août sam-dim 13h à 17h; 9675 boul. LaSalle, parc Stinson, ☎ 514-367-6439; métro Angrignon et autobus 110 ou 106)*, même s'il est situé sur le territoire de l'arrondissement de LaSalle, est étroitement lié au développement de Lachine, dont il faisait partie autrefois. Construit en 1816 pour un marchand écossais, il adopte la forme conique des moulins américains. Une exposition raconte son histoire. Le moulin propose aussi des animations théâtrales de 45 min les dimanches à 14h et à 15h30 à partir du début de juin jusqu'à la fin d'août.

Aujourd'hui disparu, le fort Rémy, l'une des deux enceintes de Lachine, était situé à proximité. Il avait été érigé pour protéger la première église en pierres du village, construite en 1703. L'ancienne usine de produits pharmaceutiques Burrows-Welcome, visible à l'ouest, abrite de nos jours la mairie d'arrondissement de LaSalle.

Suivez le boulevard LaSalle jusqu'au chemin du Musée. Tournez à gauche pour rejoindre le stationnement du Musée de Lachine, qui fait face au chemin de LaSalle.

Le **Musée de Lachine** ★ *(entrée libre; avr à déc mer-dim 11h30 à 16h30; 1 ch. du Musée, ☎ 514-634-3478; métro Angrignon et autobus 110)* loge dans un ancien comptoir de traite (**maison Le Ber-Le Moyne**, *110 ch. de LaSalle*) et dans l'ancien entrepôt de fourrures (**la Dépendance**) percé de meurtrières: ce sont les plus vieilles structures qui subsistent dans toute la région de Montréal: leur construction remonte à 1670. À cette époque, Lachine constituait le dernier lieu habité de la vallée du Saint-Laurent, avant les contrées sauvages à l'ouest, ainsi que le point d'arrivée des cargaisons de fourrures, qui ont représenté pendant longtemps la principale richesse naturelle du Canada et la véritable raison d'être de sa colonisation par la France. Le bâtiment a été érigé pour Jacques Le Ber et Charles Le Moyne, riches marchands de Montréal. Ce musée historique existe depuis 1948 et comprend aussi un centre d'arts visuels, le **Pavillon Benoît-Verdickt**.

Empruntez le chemin de LaSalle en face du musée. Tournez à droite dans le chemin du Canal puis à gauche dans le chemin du Musée.

Ce qu'on appelle le **Musée plein air de Lachine** ★ *(tlj du lever au coucher du soleil; 514-634-3478)* est en fait constitué d'environ 50 sculptures qui ponctuent le parc René-Lévesque (voir ci-dessous), d'autres parcs riverains du lac Saint-Louis et le site du Musée de Lachine.

Trois étroites langues de terre aménagées de main d'homme forment l'**embouchure du canal de Lachine**, à la manière d'un estuaire évasé et tentaculaire. Le **parc René-Lévesque** ★★, accessible à partir du chemin du Canal, est parsemé de plusieurs sculptures contemporaines et permet de découvrir le majestueux lac Saint-Louis. Le Yachting Club (club nautique) occupe la seconde bande de terre, alors que la **promenade du Père-Marquette** ★ et le **parc Monk** ★ s'inscrivent entre l'entrée initiale du canal, inauguré en 1825, et l'élargissement de 1848.

Érigé à l'entrée du canal et avoisinant l'écluse restaurée, le **Centre de services aux visiteurs de Lachine** *(entrée libre; mi-mai à mi-oct tlj 10h à 16h; 514-283-6054, www.pc.gc.ca)* permet de bien se préparer à la visite du canal. Ici on vous indiquera tous les services offerts le long du canal (**Lieu historique national du Canal-de-Lachine**, voir p. 174) et on vous racontera son histoire et son patrimoine. Vous y trouverez un casse-croûte, un comptoir de vente, des terrasses pour des vues d'ensemble, en plus de pouvoir y faire un circuit extérieur d'interprétation. En outre, les expositions *Un projet vieux de plus de 300 ans* et *Naviguer sur le canal de Lachine* y ont cours, avec photos et objets anciens, cartes et plans d'époque, ainsi que jeux interactifs. Un centre de documentation sur le canal *(sur rendez-vous: 514-283-6054)* s'y trouve également, avec 3 000 documents d'archives.

Envie...

... de sensations fortes? Les rapides de Lachine ne sont pas très loin. Dirigez-vous vers LaSalle pour affronter les vagues de Big John, du Diable et d'Outetoucos avec les **Excursions rapides de Lachine** (voir p. 194).

En suivant la promenade du Père-Marquette, il est possible d'atteindre le Lieu historique national du Commerce-de-la-Fourrure-à-Lachine.

La traite des fourrures a représenté, pendant près de deux siècles, la principale activité économique de la région montréalaise. Lachine a joué un rôle primordial dans l'acheminement des peaux vers le marché européen, à tel point que la fameuse Compagnie de la Baie d'Hudson en fit le centre névralgique de ses activités. Le **Lieu historique national du Commerce-de-la-Fourrure-à-Lachine** ★ *(3,90$; début avr à mi-mai lun-ven 9h30 à 12h30 et 13h à 17h, mi-mai à mi-oct tlj 9h30 à 12h30 et 13h à 17h, mi-oct à fin nov lun-ven 9h30 à 12h30 et 13h à 17h, fermé déc à mars; 1255 boul. St-Joseph, 514-637-7433, www.pc.gc.ca; métro Angrignon et autobus 195)* occupe l'ancien entrepôt de la compagnie, érigé en 1803. On y présente divers objets de traite et des exemples de fourrures et de vêtements fabriqués avec ces peaux. Une exposition interactive ramène le visiteur directement au XIXe siècle. De leur côté, des expositions temporaires retracent la vie des trappeurs, des «voyageurs», des communautés amérindiennes qui, au XVIIe siècle, effectuaient la plupart des prises, ainsi que celle des dirigeants des puissantes compagnies françaises et anglaises qui se livraient une lutte pour le monopole de ce commerce lucratif.

Reprenez le boulevard Saint-Joseph en direction ouest.

En 1861, les sœurs de Sainte-Anne acquièrent la maison construite en 1833 pour Sir George Simpson, alors gouverneur de la Compagnie de la Baie d'Hudson. Elles érigent leur maison mère puis le **couvent Sainte-Anne** ★ autour du bâtiment initial, qu'elles font finalement démolir pour le remplacer, en 1889, par l'imposante chapelle coiffée d'un dôme argenté aux accents russes. Aujourd'hui, l'ensemble conventuel abrite le **Centre historique des Sœurs de Sainte-Anne** ★ *(visites gratuites, dons appréciés; juin à fin oct mer-dim 10h à 12h et 13h à 17h, nov à fin mai*

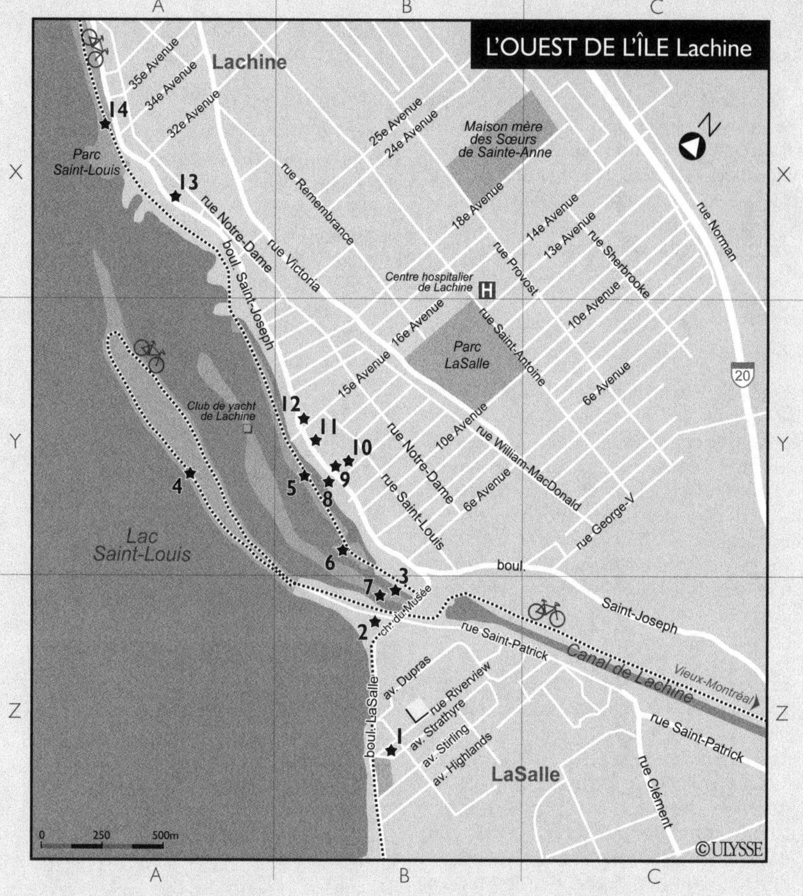

★ ATTRAITS TOURISTIQUES

1. BZ Moulin Fleming
2. BZ Musée de Lachine / Maison Le Ber-Le Moyne / La Dépendance / Pavillon Benoît-Verdickt
3. BZ Embouchure du canal de Lachine
4. AY Parc René-Lévesque
5. BY Promenade du Père-Marquette
6. BY Parc Monk
7. BZ Centre de services aux visiteurs de Lachine
8. BY Lieu historique national du Commerce-de-la-Fourrure-à-Lachine
9. BY Couvent Sainte-Anne / Centre historique des Sœurs de Sainte-Anne
10. BY Église anglicane St. Stephen's
11. BY Église Saints-Anges-Gardiens
12. BY Église St. Andrew's United
13. AX Complexe culturel Guy-Descary
14. AX Fort Rolland

lun-ven 9h30 à 12h et 13h à 16h30; 1280 boul. St-Joseph, ☎ 514-637-4616, poste 212, www.ssacong.org/musee; métro Angrignon et autobus 195). À travers ses expositions, le Centre historique permet de découvrir l'histoire de la bienheureuse Marie-Anne Blondin et de la congrégation des Sœurs de Sainte-Anne qu'elle a fondée. L'intérieur du Sanctuaire de Sainte-Anne, qui rappelle une salle de concerts de l'époque victorienne, est un joyau patrimonial.

Derrière le couvent se trouve l'**église anglicane St. Stephen's** *(25 12e Avenue)*, construite en 1831 pour servir de temple au personnel cadre de la Compagnie de la Baie d'Hudson. L'humble bâtiment de moellons vaguement néogothique fait contraste avec l'immense église catholique située à proximité (voir ci-dessous).

Jusqu'en 1865, l'église catholique de Lachine se trouvait plus à l'est, dans l'enceinte du fort Rémy. Cette année-là, on inaugura une église de style néogothique français sur le site actuel, au centre de la ville. Malheureusement, un violent incendie la détruisit en 1915. L'**église Saints-Anges-Gardiens** *(1400 boul. St-Joseph, ☎ 514-637-8345)* actuelle fut érigée sur les ruines de la précédente en 1919. Le vaste édifice paroissial arbore le style néoroman.

L'**église St. Andrew's United** *(1560 boul. St-Joseph, ☎ 514-634-1467)*, autrefois associée au culte presbytérien, avoisine l'église catholique. Elle a été construite dans le style néogothique en 1832. Un incendie a endommagé son clocher il y a quelques années. On remarque, au 1560 du boulevard Saint-Joseph, la belle résidence (1845) du pasteur de l'église, le révérend Doctor, aux ouvertures encadrées par des colonnettes néoclassiques.

La Dawes Brewery a ouvert ses portes à Lachine en 1811 afin de procurer de la bière aux trappeurs et marchands de passage. L'entreprise a fermé ses portes en 1922, à la suite de la fusion de plusieurs petites brasseries de la région. Ces installations, parmi les plus anciennes du genre en Amérique, ont toutefois survécu de part et d'autre du boulevard Saint-Joseph. Du côté du lac, on aperçoit la brasserie (deux bâtiments en moellons érigés vers 1850) ainsi que la résidence de Thomas Amos Dawes, fils du fondateur de l'entreprise, construite en 1862. Du côté de la ville se trouvent la grande glacière, transformée en appartements (1878), et le vieil entrepôt, situé à l'extrémité de la 21e Avenue (vers 1820). Les restes du quartier ouvrier qui gravitait autour de la brasserie complètent l'ensemble d'une rare valeur anthropologique.

Le **complexe culturel Guy-Descary** ★★ *(entrée libre; mer-ven 18h à 21h, sam-dim 12h à 17h; 2901 boul. St-Joseph, ☎ 514-634-3471, poste 302; métro Angrignon et autobus 195)* comprend en fait trois des anciens bâtiments de la Dawes Brewery: le Pavillon de l'Entrepôt, la Maison du brasseur et la Vieille brasserie. Il abrite une belle salle de spectacle de 320 places, une salle d'exposition temporaire et une autre salle pour son exposition permanente sur la fabrication de la bière, ainsi que des salles de réception.

Poursuivez vers l'ouest sur le boulevard Saint-Joseph.

Un monument commémoratif rappelle que le **fort Rolland** *(à l'ouest de la 34e Avenue)*, principal poste de traite à Lachine au XVIIe siècle, était situé à cet endroit. Une garnison militaire y était cantonnée pour assurer la défense des habitants et pour surveiller le transbordement des précieuses cargaisons de peaux. Au passage, on peut apercevoir quelques belles maisons datant du Régime français, entre autres la maison Quesnel *(5010 boul. St-Joseph)*, construite vers 1750, et la maison Picard *(5430 boul. St-Joseph)* datant de 1719.

À Dorval, le boulevard Saint-Joseph prend le nom de Lakeshore Drive (chemin du Bord-du-Lac), mais il s'agit essentiellement de la même route.

Dorval ★

▲ *p. 221*

En 1691, le sieur d'Orval acheta de la succession de Pierre Le Gardeur de Repentigny le fort de La Présentation, établi par les Sulpiciens en 1667, et lui donna son nom. Puis, de 1790 à 1821, la petite **île Dorval**, située en face de la ville, devint le point de départ des coureurs des bois et des «voyageurs» de la Compagnie du Nord-Ouest, qui se rendaient, chaque année, dans les régions de l'Outaouais et des Grands Lacs en quête de peaux de castor. Dorval fait partie de la banlieue aisée de Montréal et est surtout connue pour renfermer dans ses limites l'aéroport international Pierre-Elliott-Trudeau. On y trouve encore d'anciennes maisons de ferme soigneusement restaurées par des familles anglo-saxonnes qui ont su respecter l'héritage français du Québec, ou du moins son côté décoratif...

Les murs de pierres, à la base de la **maison Frederick Barlow** *(900 ch. du Bord-du-Lac)*, seraient ceux du fort de La Présentation des Messieurs de Saint-Sulpice, érigé au XVIIe siècle. Au no 940, on peut apercevoir la **maison André Legault dit Deslauriers**, dotée de murs coupe-feu décoratifs (1817). Elle a servi de maison d'été à Lord Strathcona, l'un des principaux actionnaires du Canadien Pacifique, avant d'être restaurée soigneusement en 1934.

La **maison Minnie Louise Davis** *(1240 ch. du Bord-du-Lac)*, qui date de 1922, montre l'intérêt porté par certains architectes d'origine britannique et leurs clients envers l'architecture traditionnelle du Québec dans l'entre deux-guerres, allant jusqu'à ériger de nouvelles demeures dans le style du XVIIIe siècle. Percy Nobbs, professeur d'architecture à l'université McGill, a tracé les plans de la maison Davis, que sa propriétaire a baptisé *Le Canayen*.

Certains des principaux clubs sportifs de la bourgeoisie anglo-saxonne de Montréal étaient autrefois installés à Dorval, entre autres le Royal Montreal Golf Club, le plus ancien club de golf en Amérique du Nord (il fut fondé en 1873), et le Royal St. Lawrence Yacht Club, fondé en 1888, dont on peut encore apercevoir les installations en bordure du lac Saint-Louis. Mais le plus étrange de ces clubs est sans contredit le Forest and Stream Club, qui loge dans l'ancienne villa d'Alfred Brown, la **maison Brown** *(1800 ch. du Bord-du-Lac)*, érigée en 1872. L'institution est toujours en activité, mais a connu de meilleurs jours dans les années 1920, alors qu'on servait le thé à des dizaines de personnes dans ses jardins, les samedis et les dimanches après-midi d'été.

Poursuivez en direction de Pointe-Claire.

Pointe-Claire ★

p. 271

L'une des premières missions implantées sur le pourtour de l'île de Montréal par les Messieurs de Saint-Sulpice, Pointe-Claire, bien qu'elle fasse partie de la banlieue aisée de Montréal, a conservé son noyau de village initial. Le chemin du Bord-du-Lac, qui traverse les localités de l'ouest de l'île, de Lachine à Sainte-Anne-de-Bellevue en passant par Pointe-Claire, était jusqu'en 1940 la seule route pour se rendre de Montréal à Toronto en voiture.

Stewart Hall *(entrée libre; parc ouvert toute l'année; galerie d'art lun-ven 13h à 17h et lun, mer 19h à 21h, sam-dim 13h à 17h; 176 ch. du Bord-du-Lac, 514-630-1220)*, une maison faite sur le long, a été construite en 1915 pour l'industriel Charles Wesley MacLean. Depuis 1963, elle abrite le **Centre culturel de Pointe-Claire** et est donc ouverte au public, ce qui permet d'en voir les intérieurs et de bénéficier depuis sa galerie arrière de vues imprenables sur le lac Saint-Louis.

La **maison Antoine-Pilon** *(258 ch. du Bord-du-Lac)*, une petite habitation en pièce sur pièce, est la plus ancienne structure de Pointe-Claire puisque sa construction remonte à 1710. Une restauration a permis de lui redonner son apparence d'antan.

Tournez à gauche dans la rue Sainte-Anne pour atteindre la pointe Claire, qui avance dans le lac Saint-Louis, où sont regroupés les bâtiments institutionnels du village traditionnel.

L'**église Saint-Joachim** ★ *(2 rue Ste-Anne)*, de style néogothique, date de 1882, et son clocher, fort original, domine l'ensemble institutionnel. Il s'agit de l'une des dernières œuvres de Victor Bourgeau, à qui l'on doit de nombreuses églises dans la région de Montréal. Son intérieur flamboyant en bois polychrome, orné de nombreuses statues, mérite une petite visite. Le **couvent des sœurs de la Congrégation de Notre-Dame** *(1 rue Ste-Anne)* a été construit en 1867 sur la portion sud de la pointe balayée par les vents. Quant au **moulin** *(1 rue St-Joachim)*, pour lequel on ne pouvait trouver meilleur emplacement, il a été érigé dès 1709 par les Messieurs de Saint-Sulpice.

Reprenez le chemin du Bord-du-Lac en direction de Beaconsfield et de Baie-d'Urfé. Ces deux municipalités forment le cœur du West Island. *On y trouve cependant des propriétés anciennes ayant appartenu à de grandes familles canadiennes-françaises.*

Beaconsfield

Jean-Baptiste de Valois, descendant direct de la famille royale de France, s'est installé au Canada en 1723. Son fils, Paul Urgèle Gabriel, fit construire **Le Bocage** ★ *(26 ch. du Bord-du-Lac)* en 1810. Notez que les maisons à façade en pierres de taille étaient chose rarissime en milieu rural au début du XIXe siècle et que celle-ci faisait donc état du statut particulier du propriétaire de la demeure. En 1874, cette dernière fut vendue à Henri Menzies, qui transforma la propriété en vignoble. L'expérience fut un échec lamentable en raison du sol peu propice, mais surtout à cause de l'exposition du site aux vents froids comme aux vents chauds. Menzies a eu davantage de succès en rebaptisant le domaine «Beaconsfield» en l'honneur du premier ministre britannique Disraeli, fait Lord Beaconsfield par la reine Victoria. De 1888 à 1966, la maison a accueilli un club privé avant de devenir le pavillon du club nautique de Beaconsfield.

Sainte-Anne-de-Bellevue ★

Tout comme Lachine, Sainte-Anne-de-Bellevue possède un centre plus ou moins dense, agglutiné le long de la route panoramique qui prend ici le nom de «rue Sainte-Anne». On y trouve de nombreuses boutiques et des restaurants qui sont, pour la plupart, dotés d'agréables terrasses donnant sur l'eau à l'arrière des immeubles. On peut alors apercevoir en face les maisons de l'île Perrot. Le village doit son existence à l'écluse qui permet, de nos jours, aux embarcations de plaisance de passer du lac Saint-Louis au très beau lac des Deux Montagnes, dans lequel se déverse la rivière des Outaouais.

En arrivant à Sainte-Anne-de-Bellevue, on est surpris d'apercevoir toute une série d'édifices néobaroques anglais, tel le **collège Macdonald** ★ *(21111 ch. du Bord-du-Lac)*, revêtus de briques orangées et entourant une vaste pelouse d'herbe rase. Ils font partie du campus Macdonald du département d'agriculture de l'Université McGill, érigé entre 1905 et 1908. Une partie des immeubles abrite aussi le cégep John Abbott.

L'**Écomuseum** ★ *(12,50$; tlj 9h à 16h; de Montréal, prendre l'autoroute 40 O., sortie 41, et suivre le chemin Ste-Marie; 21125 ch. Ste-Marie, ☎ 514-457-9449, www.ecomuseum.ca)* a pour mission de faire connaître la faune et la flore de la plaine du Saint-Laurent, et il présente, dans un vaste parc bien aménagé, quelques espèces animales comme le renard et l'ours noir. On y trouve également une volière d'oiseaux aquatiques.

Au centre du village se trouve le **magasin général D'Aoust** *(73 rue Ste-Anne, ☎ 514-457-5333)*. Ce type de commerce familial, autrefois très répandu, a presque disparu du paysage québécois. Fondé en 1902, le magasin D'Aoust vendait de tout, de la farine aux bottines, en passant par les couvertures de laine et le tabac à priser. De nos jours, on peut surtout s'y procurer des bibelots et des vêtements. Mais si l'on s'y rend, c'est d'abord pour observer le fonctionnement de son convoyeur de monnaie Lamson, l'un des seuls du genre au Canada encore en fonction. Ce système de câbles, de poulies et de rails suspendus reliant les différents rayons du magasin à une caisse centrale a été installé en 1924.

Vers 1960, la **maison Simon Fraser** *(153 rue Ste-Anne)* devait être démolie pour permettre la construction de la rampe du pont de l'autoroute 20. Elle fut sauvée par une société

★ ATTRAITS TOURISTIQUES

Dorval

1. CY Île Dorval
2. CY Maison Frederick Barlow
3. CY Maison André Legault dit Deslauriers
4. CY Maison Minnie Louise Davis
5. CY Maison Brown

Pointe-Claire

6. CY Stewart Hall
7. CY Maison Antoine-Pilon
8. CZ Église Saint-Joachim
9. CZ Couvent des sœurs de la Congrégation de Notre-Dame
10. CZ Moulin

Beaconsfield

11. BZ Le Bocage

Sainte-Anne-de-Bellevue

12. BZ Collège Macdonald
13. AY Écomuseum
14. AZ Magasin général D'Aoust
15. AZ Maison Simon Fraser
16. AZ Écluse de Sainte-Anne-de-Bellevue

Sainte-Geneviève

17. BY Église Sainte-Geneviève
18. BY Maison d'Ailleboust-de Manthet
19. BY Ancien monastère Sainte-Croix

Saint-Laurent

20. DX Pensionnat Notre-Dame-des-Anges
21. DX Église Saint-Laurent
22. DX Chapelle mariale Notre-Dame-de-l'Assomption / Presbytère / ancien hangar à grain
23. DX Collège de Saint-Laurent
24. DX Salle Émile-Legault
25. DX Musée des maîtres et artisans du Québec

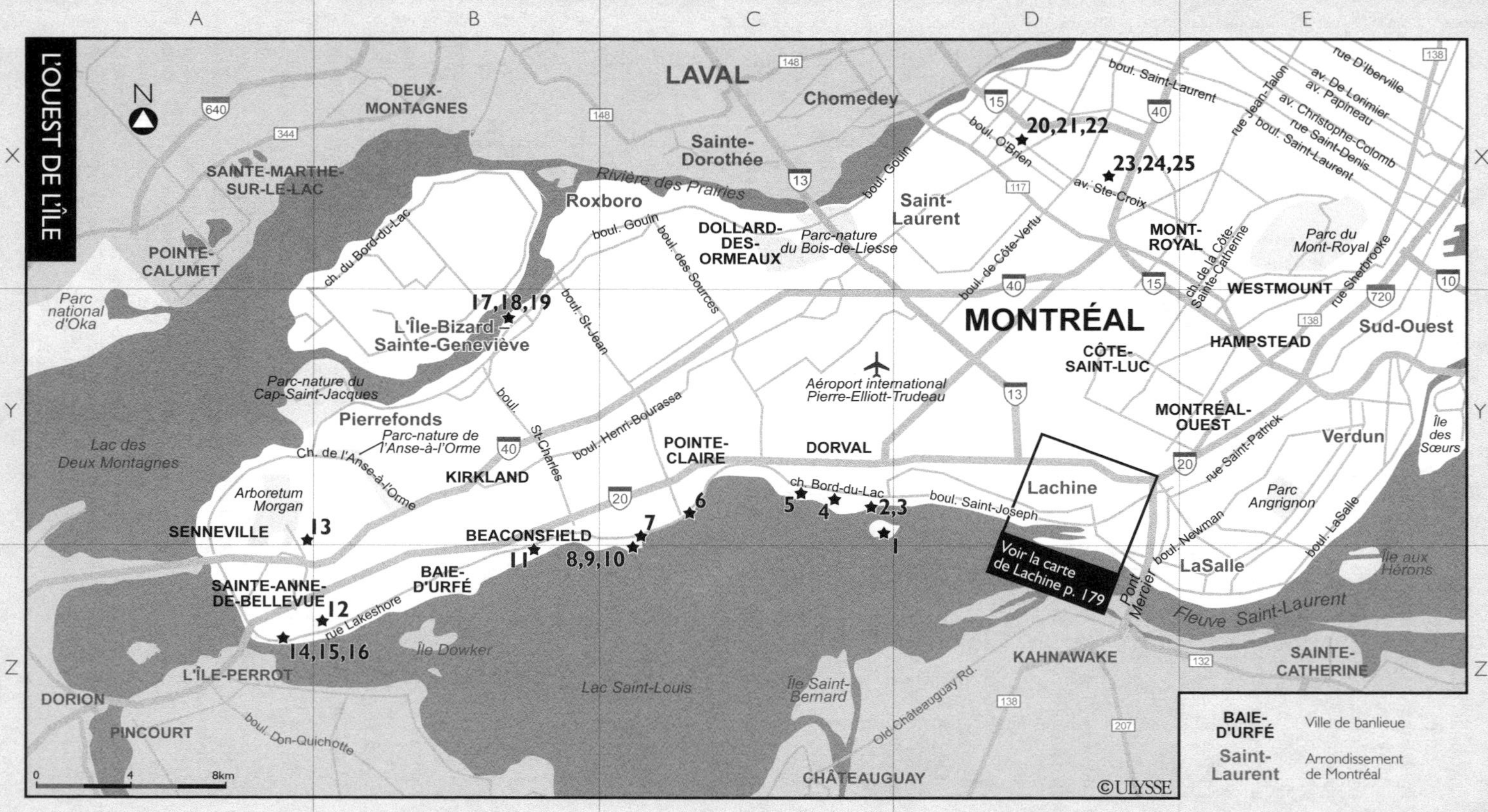
L'OUEST DE L'ÎLE
N
LAVAL
DEUX-MONTAGNES
Chomedey
Sainte-Dorothée
SAINTE-MARTHE-SUR-LE-LAC
POINTE-CALUMET
Parc national d'Oka
Rivière des Prairies
Roxboro
DOLLARD-DES-ORMEAUX
Parc-nature du Bois-de-Liesse
Saint-Laurent
MONT-ROYAL
Parc du Mont-Royal
WESTMOUNT
HAMPSTEAD
Sud-Ouest
MONTRÉAL
CÔTE-SAINT-LUC
MONTRÉAL-OUEST
Verdun
Île des Sœurs
Parc Angrignon
LaSalle
Île aux Hérons
Fleuve Saint-Laurent
SAINTE-CATHERINE
KAHNAWAKE
CHÂTEAUGUAY
Île Saint-Bernard
Lac Saint-Louis
Île Dowker
L'ÎLE-PERROT
DORION
PINCOURT
Lac des Deux Montagnes
L'Île-Bizard – Sainte-Geneviève
Parc-nature du Cap-Saint-Jacques
Pierrefonds
Parc-nature de l'Anse-à-l'Orme
Arboretum Morgan
SENNEVILLE
SAINTE-ANNE-DE-BELLEVUE
BAIE-D'URFÉ
KIRKLAND
BEACONSFIELD
POINTE-CLAIRE
DORVAL
Aéroport international Pierre-Elliott-Trudeau
Lachine
Voir la carte de Lachine p. 179
Pont Mercier
boul. Saint-Laurent
rue D'Iberville
av. De Lorimier
av. Papineau
av. Christophe-Colomb
rue Saint-Denis
rue Jean-Talon
boul. Saint-Laurent
boul. O'Brien
av. Ste-Croix
boul. Gouin
boul. de Côte-Vertu
ch. de la Côte-Sainte-Catherine
rue Sherbrooke
rue Saint-Patrick
boul. Newman
boul. LaSalle
boul. Saint-Joseph
ch. Bord-du-Lac
boul. Henri-Bourassa
boul. St-Charles
boul. St-Jean
boul. des Sources
boul. Gouin
ch. du Bord-du-Lac
Ch. de l'Anse-à-l'Orme
rue Lakeshore
boul. Don-Quichotte
Old Châteauguay Rd.
640
344
148
13
15
40
117
10
720
138
20
132
207
1
2,3
4
5
6
7
8,9,10
11
12
13
14,15,16
17,18,19
20,21,22
23,24,25
0
4
8km
A
B
C
D
E
X
Y
Z
BAIE-D'URFÉ
Ville de banlieue
Saint-Laurent
Arrondissement de Montréal
©ULYSSE

historique, mais le pont érigé quelques années plus tard passe à moins de 5 m de la maison. Ce marchand montréalais était l'un des dirigeants de la Compagnie du Nord-Ouest, spécialisée dans la traite des fourrures. C'est ici que le poète irlandais Thomas Moore (1779-1852) a séjourné lors de son voyage en Amérique en 1804. Il y a composé la célèbre *Canadian Boat Song*, qui honore la mémoire des «voyageurs» qui passaient par Sainte-Anne-de-Bellevue, en route vers les forêts du Bouclier canadien. La maison abrite maintenant un café à but non lucratif exploité par le Victorian Order of Nurses, une organisation charitable fondée au XIXe siècle pour venir en aide aux malades à domicile.

On se trouve ici sur la pointe occidentale de l'île de Montréal, soit à 50 km de Pointe-aux-Trembles, située à l'extrémité est. L'**écluse de Sainte-Anne-de-Bellevue** *(mi-mai à mi-oct; 170 rue Ste-Anne, ☎ 514-457-5546)* est bordée par une agréable promenade qui permet d'observer le fonctionnement des portes et le remplissage des bassins, dans lesquels se pressent les embarcations. Une minuscule plage et une aire de pique-nique se trouvent à proximité. L'église Sainte-Anne (1853-1875) et le couvent font face à l'écluse, au nord des ponts.

››› *Suivez la courbe de la rue Sainte-Anne, puis tournez à gauche dans le* ***chemin Senneville ★★****.*

Cette route traverse Senneville, la plus rurale de toutes les agglomérations de l'île de Montréal. On y voit en effet les dernières fermes de l'île ainsi que de vastes propriétés sur la rive du lac des Deux Montagnes. Le cadre champêtre se prête merveilleusement bien aux balades à bicyclette. On traverse ensuite Pierrefonds, où se trouvent deux parcs riverains: le **parc-nature de L'Anse-à-l'Orme** (voir p. 193) et le **parc-nature du Cap-Saint-Jacques** (voir p. 192).

Envie...

... de skier? Quelque 32 km de sentiers de ski de fond vous attendent au **parc-nature du Cap-Saint-Jacques** (voir p. 197).

››› *À Pierrefonds, le chemin Senneville prend le nom de «boulevard Gouin». Ce boulevard traverse tout le reste de l'île jusqu'à la pointe est.*

Sainte-Geneviève ★

Le vieux village de Sainte-Geneviève constitue une enclave francophone dans le territoire de Pierrefonds. Son origine remonte à 1730, alors que l'on construit un fortin pour défendre le portage des rapides du Cheval-Blanc, sur la rivière des Prairies, que longe le village. Au XIXe siècle, les «cageux», ces solides gaillards qui descendent par voie d'eau les trains de bois (aussi appelés les «cages») en direction de Québec, s'arrêtent à Sainte-Geneviève. Les cages y sont reformées en radeaux afin de «passer» les nombreux rapides de la rivière des Prairies. Cette méthode de flottage du bois sera graduellement remplacée par le transport ferroviaire à partir de 1880.

L'**église Sainte-Geneviève ★★** *(16037 boul. Gouin O., ☎ 514-696-4489)* est le seul bâtiment de la famille Baillairgé de Québec dans la région de Montréal. Thomas Baillairgé, qui en a conçu les plans en 1836, lui a donné une imposante façade néoclassique à deux clochers, qui a influencé l'architecture des églises catholiques de toute la région au cours des années 1840 et 1850. L'intérieur s'inspire d'une église de Rotterdam, de l'architecte Guidici, aujourd'hui disparue. On remarquera le tabernacle et son tombeau (Ambroise Fournier, sculpteur), ainsi que la *Sainte Geneviève* du chœur (Ozias Leduc, artiste peintre). L'église est encadrée par le couvent de Sainte-Anne et par le presbytère, et possède un chemin de croix extérieur en fonte bronzée, réalisé par l'Union artistique de Vaucouleurs, en France.

Tout comme l'église, la **maison d'Ailleboust-de Manthet** *(15886 boul. Gouin O.)* est de facture néoclassique. Elle a été construite en 1845 et habitée par les d'Ailleboust de Manthet, l'une des grandes familles canadiennes-françaises des XVIIIe et XIXe siècles qui s'est illustrée, à plusieurs reprises, dans les domaines tant militaire que civil.

Au tournant de la route, on aperçoit l'**ancien monastère Sainte-Croix ★** *(15693 boul. Gouin O.)*, de style lombard, que l'on dirait sorti tout droit du Moyen Âge. Il s'agit, en fait, d'un édifice construit en 1932, selon les plans du talentueux architecte Lucien Parent, pour les pères de Sainte-Croix. Le cloître, au centre, est un havre de paix et de sérénité. L'édifice, vendu en 1968, abrite désormais le collège Gérald-Godin.

Continuez sur le boulevard Gouin.

Après avoir traversé la portion est de Pierrefonds, on atteint Roxboro. Plus loin se trouvent deux espaces verts, le **parc-nature du Bois-de-Liesse** (voir p. 193) et le Bois-de-Saraguay.

Envie...

... d'une randonnée en forêt? Les sentiers aménagés dans le **parc-nature du Bois-de-Liesse** (voir p. 196) raviront les marcheurs.

Tournez à droite dans le boulevard O'Brien, puis prenez la voie d'embranchement qui conduit à l'avenue Sainte-Croix, que vous suivrez jusqu'à la fin du circuit.

Saint-Laurent ★

Le secteur résidentiel de Saint-Laurent est concentré sur le cinquième du territoire de ce qui était autrefois une municipalité autonome, aujourd'hui annexée à Montréal. Tout le reste est accaparé par un vaste parc industriel qui en faisait la seconde ville en importance au Québec sur ce plan. Saint-Laurent s'est développée à l'intérieur des terres à la suite de la signature du traité de la Grande Paix de Montréal avec les tribus iroquoises en 1701. La venue des pères, des frères et des sœurs de Sainte-Croix en 1847, à l'instigation de Mgr Ignace Bourget, second évêque de Montréal, va permettre la croissance du village dominé par les institutions de cette communauté originaire du Mans, en France.

L'ancien couvent des sœurs de Sainte-Croix, le **pensionnat Notre-Dame-des-Anges** *(821 av. Ste-Croix)*, a été fondé en 1862. La chapelle moderne de l'architecte Gaston Brault a été ajoutée en 1953. Une aile de l'édifice abritait autrefois le collège Basile-Moreau, l'une des seules institutions du Québec qui offrait un enseignement supérieur en français aux jeunes femmes avant la Révolution tranquille. En 1970, le couvent est devenu le cégep anglophone Vanier.

L'**église Saint-Laurent** ★ *(805 av. Ste-Croix)*, construite en 1835, s'inspire de la basilique Notre-Dame de Montréal, inaugurée six ans plus tôt. Malheureusement, les pinacles ainsi que les créneaux de la façade et des bas-côtés ont été supprimés dès 1868, et le magnifique décor intérieur néogothique, exécuté par François Dugal et Janvier Archambault entre 1836 et 1845, a été altéré lors de la frénétique vague de renouveau de Vatican II, au début des années 1960. Il s'agissait pourtant du plus ancien décor néogothique subsistant dans un lieu de culte catholique.

Au sud de l'église se trouvent la **chapelle mariale Notre-Dame-de-l'Assomption**, le **presbytère** et l'**ancien hangar à grain** (1810), où les paroissiens pouvaient payer leur dîme «en nature», c'est-à-dire sous forme de grains ou d'autres denrées. celui-ci abrite maintenant la salle paroissiale.

C'est dans la maison située au 696 de l'avenue Sainte-Croix que furent hébergés les pères et les frères de Sainte-Croix à leur arrivée au Canada en 1847. Dès 1852, ils emménageront dans leur collège, situé de l'autre côté de la rue. L'édifice a cependant été modifié et agrandi à plusieurs reprises. Au cours de son histoire, le **Collège de Saint-Laurent** ★ *(625 av. Ste-Croix; métro Du Collège)* s'est démarqué par son avant-gardisme. Ainsi, il n'a pas hésité à former des gens d'affaires à une époque où l'on privilégiait la prêtrise, le droit, la médecine ou le notariat. Au cours des années 1880, on y a créé un musée de sciences naturelles, qui sera logé dans une tour octogonale en 1896. La même année, le collège se dote d'un auditorium de 300 places pour les représentations de théâtre des élèves. En 1968, le collège devient cégep dans la foulée de la Révolution tranquille, et les prêtres qui ont fondé et piloté l'institution pendant plus de 100 ans n'ont que quelques jours pour faire leurs valises...

En 1928, la direction du Collège de Saint-Laurent décide de construire une nouvelle chapelle, car l'ancienne déborde d'élèves. Cependant, un ancien diplômé de l'institution, alors président du comité exécutif de la Ville de Montréal, propose le rachat et la reconstruction, à Saint-Laurent, de l'église presbytérienne St. Andrew and St. Paul, située boulevard Dorchester (aujourd'hui René-Lévesque) sur l'emplacement de l'actuel hôtel Fairmont Le Reine Elizabeth. L'édifice, exproprié par la société ferroviaire du Canadien National en 1926, doit être détruit pour faire place aux voies ferrées de la Gare centrale. Le projet de reconstruction est accepté malgré son caractère inusité.

En 1930-1931, le temple protestant, dessiné en 1866 selon les plans de l'architecte Frederick Lawford, est démonté pierre par pierre et remonté à Saint-Laurent, avec quelques modifications apportées par Lucien Parent, pour sa nouvelle vocation de chapelle catholique. Ainsi, le sous-sol est exhaussé pour permettre l'aménagement d'un auditorium moderne. Cette salle jouera au cours des années 1930 et 1940 un grand rôle dans l'évolution des arts au Québec grâce, notamment, aux Compagnons de Saint-Laurent, une troupe de théâtre fondée par le père Paul-Émile Legault en 1937, au sein de laquelle plusieurs comédiens québécois ont appris leur métier. Toujours active, la **Salle Émile-Legault** ★★ *(613 av. Ste-Croix, billetterie* ☎ *514-855-6110; métro Du Collège)* compte 680 sièges et présente régulièrement du théâtre, des concerts, des variétés, des ciné-conférences et du cinéma. Au moment de mettre sous presse, on projette de la rénover.

En 1968, lors de la transformation du collège en cégep, la chapelle perd son utilité. Le Musée d'art de Saint-Laurent, fondé en 1963 par Gérard Lavallée, s'y installe en 1979 et présente des collections de meubles québécois, d'outils et de tissus traditionnels, ainsi que plusieurs objets d'art religieux des XVIIIe et XIXe siècles. Modernisme oblige, le **Musée des maîtres et artisans du Québec** ★★ *(5$, mer entrée libre; mer-dim 12h à 17h; 615 av. Ste-Croix,* ☎ *514-747-7367, www.mmaq.qc.ca; métro Du Collège)* prend le relais du Musée d'art de Saint-Laurent le 1er avril 2003, avec une exposition permanente sur les métiers du bois, du métal et du textile. On y trouve toujours une collection de 8 000 objets d'art ancien et de tradition artisanale couvrant les XVIIIe et XIXe siècles. Le musée a ainsi été rebaptisé pour mieux signaler sa mission, tout en offrant un programme éducatif plus consistant et mieux adapté à sa collection. Une boutique proposant des produits artisanaux se trouve sur place.

Pour retourner au centre-ville de Montréal, poursuivez vers le sud par le chemin Lucerne, tournez à gauche dans la rue Jean-Talon et enfin à droite dans le chemin de la Côte-des-Neiges.

Les favoris des enfants

› Le Vieux-Montréal

Aux **Quais du Vieux-Port**, il existe toute une gamme d'activités destinées aux enfants et des spectacles où les animateurs de foule veillent à ce que chacun s'amuse.

Le **Centre des sciences de Montréal** promet aux petits comme aux grands de belles heures de plaisir et de connaissance. Il abrite aussi un cinéma IMAX, ainsi que le ciné-jeu interactif *Snowbirds*, particulièrement appréciés des enfants.

› Le centre-ville

Afin d'initier les jeunes au merveilleux monde de l'astronomie, le **Planétarium de Montréal** a mis sur pied plusieurs spectacles qui s'adressent à un public d'âges différents. Les spectacles sont construits autour de la thématique du système solaire et de ses mystères.

Durant l'été, le **Musée des beaux-arts de Montréal** organise des camps de jour dans le but d'éveiller la créativité des enfants.

Au **Musée d'art contemporain**, les enfants ont l'occasion de faire l'apprentissage de diverses techniques d'arts plastiques et de peinture grâce aux ateliers du dimanche.

L'**Orchestre symphonique de Montréal** (Salle Wilfrid-Pelletier de la Place des Arts) propose aux enfants âgés de cinq ans et plus de les initier de manière amusante aux grandes œuvres du répertoire symphonique. Cette activité familiale est dirigée par le chef Jean-François Rivet en compagnie d'artistes invités.

› Les îles Sainte-Hélène et Notre-Dame

Temple récréatif absolu de la jeunesse d'aujourd'hui, le parc d'attractions **La Ronde**, avec ses mille et un jeux et manèges renversants, saura plaire aux jeunes amateurs de sensations fortes.

› Le Quartier latin

La **CinéRobothèque du Cinéma ONF** permet aux usagers des 21 postes (individuels ou doubles) de regarder des films différents. Un incontournable pour les groupes d'enfants: l'atelier d'animation. Chacun des groupes de ces petits cinéastes en herbe partira au bout de 2h avec son propre film.

› Maisonneuve

Le **Biodôme**, avec ses reconstitutions d'habitats naturels peuplés d'une faune variée, émerveille toujours les enfants.

L'**Insectarium** s'est donné la mission de mieux faire connaître les insectes au public, en général, et aux enfants, en particulier, en présentant toute une sélection de ces petits êtres mystérieux et fascinants.

Au **Jardin botanique de Montréal**, en octobre, les cucurbitacées sont de la fête dans la grande serre: plus de 800 citrouilles décorées célèbrent alors l'Halloween, pour le plus grand bonheur des enfants (Le Grand Bal des citrouilles, oct tlj 9h à 21h).

› L'ouest de l'île

Le **Lieu historique national du Commerce-de-la-Fourrure-à-Lachine** présente une exposition sur ce lucratif commerce qui favorisa le développement de la colonie. Des fourrures à toucher, des jeux interactifs et lumineux, tout est sur place pour intéresser les enfants et leur dévoiler quelques aspects d'un pan de notre histoire.

Plein air

Parcs 190

Activités de plein air 193

Aux quatre coins de l'île de Montréal se trouvent des parcs offrant la possibilité de s'adonner à mille et une activités. En toutes saisons, les Montréalais profitent de ces îlots de verdure, le temps de se détendre loin de l'activité urbaine tout en restant au cœur même de leur ville. Parcs-nature, parcs métropolitains, grands parcs urbains, parcs de quartier et autres parcs récréatifs s'ouvrent à tous, été comme hiver.

Parcs

Vous trouverez de l'information utile sur le site Internet de la Ville de Montréal *(www.ville.montreal.qc.ca)* en naviguant par thématiques.

Le **parc La Fontaine** ★★ *(délimité par l'avenue du Parc-La Fontaine, la rue Sherbrooke E., la rue Rachel et l'avenue Papineau; Plateau Mont-Royal; voir p. 131)* et le **parc René-Lévesque** ★★ *(à l'extrémité ouest du canal de Lachine, voir p. 178)* s'avèrent bien agréables pour se détendre. Par ailleurs, tous deux, et quelques autres parcs montréalais, sont rattachés à la **Route verte** *(www.routeverte.com)*, ce réseau cyclable d'environ 4 300 km qui sillonne le Québec.

Le **parc Jeanne-Mance** *(délimité par l'avenue de l'Esplanade, la place du Parc, l'avenue du Mont-Royal O. et l'avenue des Pins; Plateau Mont-Royal)* porte depuis 1910 le nom de la fondatrice de l'Hôtel-Dieu, premier hôpital de la ville. Prolongement naturel du flanc est du mont Royal, le parc Jeanne-Mance fait partie officiellement du parc du Mont-Royal depuis 1990. Ce parc de près de 15 ha offre à la population de nombreux équipements et installations: aires de jeu pour les enfants et les tout-petits incluant une pataugeoire, des terrains de balle, de soccer et de tennis, des patinoires et une aire hivernale pour la pratique de la raquette.

Le **parc Sir-Wilfrid-Laurier** ★ *(délimité par l'avenue Laurier E., la rue De Mentana, la rue De Brébeuf et la rue St-Grégoire; Plateau Mont-Royal; métro Laurier)*, un beau parc récréatif de 10 ha, est surtout connu sous le nom de «parc Laurier», créé en 1925. Les résidants du coin profitent grandement de l'été grâce à sa belle piscine qui les incite à se rafraîchir, et de l'hiver aussi, en raison de la patinoire qu'on y entretient (une deuxième patinoire n'est accessible qu'aux sportifs). Les enfants ne sont pas en reste, car ils ont leur propre aire de jeux, tout comme les tout-petits. Le parc Laurier comprend également un terrain de balle et un terrain de soccer, et il est joliment arboré.

Le **parc Angrignon** ★★ *(délimité par LaSalle, le boulevard des Trinitaires et le boulevard De La Vérendrye, ✆ 514-872-3066; métro Angrignon)*, d'une superficie de 184 ha, devait à l'origine abriter un important jardin zoologique. Son réseau de sentiers pédestres et de pistes de ski de fond s'étend sur une dizaine de kilomètres; une petite route sinueuse traverse aussi le parc. Un sentier relie le parc à la piste cyclable du canal de Lachine. En plus d'un magnifique espace vert et d'un bel étang, il renferme aujourd'hui la Ferme Angrignon (voir ci-dessous) et le **Fort Angrignon** *(droit d'entrée variable entre 7,50$ et 12,50$ pour les activités familiales réservées aux groupes les fins de semaine, ✆ 514-872-3816, www.fortangrignon.qc.ca; métro Angrignon)*, ouvert toute l'année et offrant des épreuves intérieures d'habileté pour les enfants, les familles et même les adultes. Le Centre d'animation du parc Angrignon (CAPA) a pris en main les activités du Fort Angrignon.

Ferme d'animation sous la responsabilité du Jardin botanique de Montréal, la **Ferme Angrignon** *(3400 boul. des Trinitaires, angle rue Lacroix, ✆ 514-280-3744; métro Angrignon)* prend soin, depuis 1990, d'une centaine d'animaux de la ferme que les enfants peuvent approcher et qu'ils découvriront dans cinq volières, un clapier, un poulailler, une bergerie, une chèvrerie, une étable et deux étangs. Cueillette des œufs, alimentation des animaux, traite de la vache, visites guidées et plusieurs autres activités sont offertes à la Ferme Angrignon. Au cours de l'été, en plus des camps de jour qui y sont proposés, des journées thématiques agroalimentaires y ont lieu, avec petites dégustations instructives. La ferme a subi une cure de jouvence en 2009.

D'une superficie de 268 ha, le **parc Jean-Drapeau** ★★ *(✆ 514-872-6120, www.parcjeandrapeau.com; métro Jean-Drapeau)* englobe les **îles Sainte-Hélène et Notre-Dame** (voir p. 158). En été, les Montréalais s'y rendent nombreux, par jours de beau temps, pour goûter les plaisirs de sa plage. Des sentiers de randonnée, des voies cyclables et une piste pour le patin à roues alignées sillonnent le parc et révèlent plusieurs beaux paysages. Durant la saison hivernale, la **fête des Neiges** (voir p. 291) y a lieu. Le parc est également l'hôte, en juin et juillet, de **L'International des Feux Loto-Québec** (voir p. 294).

Tout au long de l'année, le **parc du Mont-Royal** ★★★ *(accès en voiture par la voie Camillien-Houde ou avec l'autobus 11 au départ de la station de métro Mont-Royal; ☎ 514-843-8240, www.lemontroyal.qc.ca; voir p. 136)*, ce vaste espace vert en plein cœur de la ville appelé tout simplement «la montagne» par les Montréalais, offre une foule d'activités de plein air. En été, on y entretient des sentiers de randonnée pédestre, la pratique du vélo de montagne étant restreinte au chemin Olmsted. En hiver, pour le plaisir de tous, les sentiers se transforment en pistes de ski de fond; le lac aux Castors devient une belle grande patinoire, et les flancs de la montagne inspirent de superbes glissades. Pendant la belle saison, le secteur à l'est du parc, le long de l'avenue du Parc près du monument à Sir George-Étienne Cartier, s'anime tous les dimanches au son des tam-tams. Une foule hétéroclite s'y rassemble alors pour s'amuser dans une atmosphère chaude et conviviale.

Un organisme montréalais prend à cœur la conservation du mont Royal: **Les Amis de la montagne**. Leur quartier général loge dans la **maison Smith** *(lun-ven 9h à 17h, sam-dim 9h à 19h; 1260 ch. Remembrance, parc du Mont-Royal, ☎ 514-843-8240, poste 0, www.lemontroyal.qc.ca)*. Ils organisent tout au long de l'année plusieurs activités mettant en valeur la beauté du parc.

Pour l'amant de la nature, le parc du Mont-Royal offre l'occasion d'admirer une faune et une flore riches en espèces. Les ornithologues seront émerveillés d'apprendre que cet éden recèle une variété d'oiseaux unique pour un milieu urbain comme Montréal. Parmi les espèces les plus splendides, il suffit de mentionner la crécelle d'Amérique, le pic mineur, le tangara écarlate, la sittelle à poitrine blanche, l'oriole du Nord et le chardonneret jaune, pour provoquer l'hystérie chez les amoureux de la faune ailée. Une grande variété d'arbres y est également présente. Parmi ceux-ci, signalons le bouleau pleureur, le chêne rouge, l'érable à sucre, le marronnier, le tilleul et le catalpa. Enfin, comment ne pas citer la présence de mammifères tels que l'écureuil, le tamia rayé, la marmotte, le raton laveur, la mouffette rayée et le renard roux?

Le **parc Maisonneuve** ★ *(délimité par le Jardin botanique, la rue Sherbrooke E., le boulevard Rosemont et la rue Viau; 4601 rue Sherbrooke E., ☎ 514-872-6555, métro Viau)*, un grand espace vert de 63 ha, est tout indiqué pour une promenade ou un pique-nique en été. En hiver, une belle patinoire et une dizaine de kilomètres de pistes de ski de fond font la joie des Montréalais.

Au cœur de l'arrondissement Rosemont–La Petite-Patrie, le **parc Molson** *(accès à l'angle des rues Beaubien et D'Iberville)* reflète l'ambiance familiale du quartier. Pour le plus grand bonheur de tous, les activités se succèdent tout au long de l'année : que ce soit pour pique-niquer, jouer à la pétanque ou organiser des fêtes d'enfants durant la saison estivale, ou bien pour patiner et participer au concours de sculptures de glace pendant l'hiver, le parc Molson est le lieu idéal pour prendre le pouls du quartier. Malgré que la rue D'Iberville partage le parc en deux parties, cet espace vert, avec ses gros arbres et sa rotonde en son centre, demeure paisible. Depuis 2009, on peut aussi déguster de la tire d'érable sur la neige pendant le temps des sucres, au mois de mars.

Le **parc Jarry** ★ *(délimité par le boulevard St-Laurent, la rue Faillon O., la rue Jarry et la voie ferrée; métro De Castelnau ou Jarry, ☎ 514-872-3466)* a été aménagé à l'emplacement de la ferme des clercs de Saint-Viateur, dont on aperçoit l'ancien Institut des sourds-muets au sud de la rue Faillon. Il est connu pour son Stade Uniprix, où se déroule la **Coupe Rogers** (voir p. 197). En plus de pouvoir y jouer au tennis, tant à l'intérieur qu'à l'extérieur, il est possible d'y faire du patin à roues alignées et de la planche à roulettes sur un circuit expressément aménagé pour ces activités.

Le parc Jarry est tapissé de plusieurs terrains de sport pour petits et grands (football, soccer, baseball, basketball, roller-hockey), d'une pataugeoire et d'une piscine. Trois patinoires y sont aménagées en hiver: une pour le patin libre et deux autres pour le hockey.

L'**Arboretum Morgan** ★★ *(5$; tlj 9h à 16h30; autoroute 40 O., sortie 41, 150 ch. des Pins, angle ch. Ste-Marie, Ste-Anne-de-Bellevue, ☎ 514-398-7811, www.morganarboretum.org)* s'étend sur 245 ha, ce qui en fait le plus grand arboretum du Canada. Un arboretum se définit comme un endroit destiné à être planté d'arbres d'espèces différentes qui font l'objet de cultures expérimentales. On y dénombre quelque 500 espèces végétales, principalement des arbres, et plus de 170 essences indigènes que l'on peut observer grâce à ses 20 km de pistes boisées et de sentiers écologiques.

Un agréable sentier de raquettes en boucle de 4,3 km a été aménagé et permet ainsi aux visiteurs d'observer les pistes bien marquées dans la neige des différents mammifères qui ont élu domicile sur le territoire.

Une visite de l'Arboretum serait incomplète sans un arrêt à l'**Écomuseum** (voir p. 182), où l'on peut voir et apprécier la flore et la faune de la vallée du Saint-Laurent (oiseaux de proie, loups, lynx, ours, caribous, oiseaux aquatiques, etc.).

Le **parc linéaire du Complexe environnemental Saint-Michel** *(délimité par l'avenue Papineau, la rue Jarry E., la 2e Avenue et la rue Champdoré; accès à l'angle des rues D'Iberville et de Louvain; St-Michel)* comprend, en plus de plusieurs terrains de jeu, des pistes cyclables (7 km) en été et des pistes de ski de fond en hiver, le tout sur 48 ha. Le Complexe même couvre 192 ha, dont une grande partie n'est pas encore exploitée. Cette ancienne carrière de calcaire, devenue site d'enfouissement de déchets aujourd'hui parvenu au stade de son recouvrement final, est en passe de devenir un véritable complexe environnemental grâce à un vaste projet de réhabilitation de la Ville de Montréal. On transforme peu à peu les lieux en un immense parc urbain réparti entre plusieurs pôles: culturel, éducatif, sportif, commercial, industriel. En plus du parc linéaire s'y trouve entre autres la **TOHU, la Cité des arts du cirque** (voir p. 158), accolée à des organisations à vocation environnementale.

Le **parc de la Promenade Bellerive** ★ *(délimité par le fleuve Saint-Laurent, la rue Bellerive, l'avenue Georges-V et la rue Liébert; quartier Mercier, ☎ 514-493-1967, www.promenadebellerive.com)* est devenu, grâce à la Société d'animation de la Promenade Bellerive, responsable des activités dans le parc et sur le fleuve, l'un des grands parcs urbains les plus animés de Montréal, surtout en été. De plus, du printemps à l'automne, un service de navette (fluviale) pour piétons et cyclistes le relie à l'île Charron, qui donne accès au parc national des Îles-de-Boucherville, au cœur du Saint-Laurent. Parc riverain avec ses 2,2 km de long, le parc de la Promenade Bellerive offre une fenêtre imprenable sur le fleuve Saint-Laurent.

Situé à LaSalle, le **parc des Rapides** ★★ *(entre le boulevard LaSalle et le fleuve Saint-Laurent, LaSalle; accès par la 6e Avenue; Héritage Laurentien ☎ 514-367-6540)* est le meilleur endroit pour voir, entendre et humer les célèbres rapides de Lachine qui font vibrer les visiteurs de tout leur être. Ouvert sur le fleuve, il permet aussi d'observer les oiseaux migrateurs qui ont trouvé refuge dans les environs, entre autres la plus grande colonie de hérons au Québec après celle du lac Saint-Pierre.

› Les parcs-nature

Sur l'île de Montréal, on trouve un intéressant réseau de parcs: les parcs-nature *(information générale: www.ville.montreal.qc.ca/parcs-nature)*. Ces parcs, dispersés dans l'île, sont entretenus religieusement. Ouverts depuis le début des années 1980, les parcs-nature sont accessibles au public à longueur d'année, tous les jours, du lever au coucher du soleil.

Notez que tous les chalets d'accueil et centres d'interprétation sont fermés de la fin octobre à la mi-décembre, ainsi qu'à Noël et au jour de l'An. Voici une brève description des six parcs-nature actuels (la Ville de Montréal projette d'en ouvrir trois autres à moyen terme: le Bois-de-Saraguay de 96 ha, le Bois-d'Anjou de 40 ha et le Bois-de-la-Roche de 191 ha).

Situé dans l'ouest de l'île de Montréal, le **parc-nature du Cap-Saint-Jacques** ★★ *(chalet d'accueil, 20099 boul. Gouin O., Pierrefonds, ☎ 514-280-6871)* occupe une pointe de 288 ha qui avance dans le lac des Deux Montagnes, sur les rives duquel s'étend une plage publique. Des sentiers ont été aménagés afin de mettre en valeur la faune et la flore variées du parc. Un **centre de plein air** *(205 ch. du Cap-St-Jacques, Pierrefonds, ☎ 514-280-6778)* propose l'hébergement aux groupes, et la **Ferme écologique du Cap-Saint-Jacques** *(183 ch. du Cap-St-Jacques, Pierrefonds, ☎ 514-280-6743)* offre des visites gratuites de ses installations. Par ailleurs, une cabane à sucre se trouve dans le parc.

Aménagé sur un site de 159 ha abritant une flore exceptionnelle, le **parc-nature du Bois-de-Liesse** ★ *(Maison Pitfield, 9432 boul. Gouin O., Pierrefonds, ☎ 514-280-6729; Accueil des Champs, 3555 rue Douglas-B.-Floreani, St-Laurent, ☎ 514-280-6678)* est pourvu d'une belle forêt d'arbres feuillus et de champs de fleurs sauvages. Une faune variée, tant aquatique qu'ailée (attirée par les mangeoires d'oiseaux), l'habite. Des sentiers de randonnée pédestre, des voies cyclables et des pistes de ski de fond sillonnent cet espace vert, également équipé pour la raquette et la glissade en hiver. Sur la péninsule du parc, aux abords de la rivière des Prairies, près de l'intersection du boulevard Gouin et de l'autoroute 13, se dresse la **Maison du Ruisseau** *(5 rue Oakridge, Cartierville, ☎ 514-280-6829, poste 1)*, un lieu d'hébergement tout équipé qui accueille les groupes.

Avec ses 201 ha, le **parc-nature de l'Anse-à-l'Orme** *(ch. de l'Anse-à-l'Orme, angle boulevard Gouin O., Pierrefonds, ☎ 514-280-6871)* est exclusivement destiné aux amateurs de planche à voile et de dériveur, car des vents d'ouest exceptionnels y soufflent. Une aire de pique-nique, des douches extérieures et deux rampes de mise à l'eau sont également proposées aux visiteurs.

Couvrant 201 ha, le **parc-nature du Bois-de-l'Île-Bizard** ★ *(chalet d'accueil, 2115 ch. du Bord-du-Lac, L'Île-Bizard, ☎ 514-280-8517)* se trouve à l'ouest de l'île de Montréal, sur l'île Bizard, au bord du lac des Deux Montagnes, à l'endroit où s'arrêtaient au XIXe siècle les «cageux» qui assuraient le transport des billots de bois sur la rivière des Prairies jusqu'au fleuve Saint-Laurent. En plus des sentiers de randonnée, de raquettes et de ski de fond, parsemés de mangeoires d'oiseaux, s'y trouvent des aires de pique-nique ainsi qu'une plage, une rampe de mise à l'eau et un quai (location d'embarcations). Enfin, une passerelle traversant le marais du parc permet d'y observer sa nature palustre.

Le **parc-nature de l'Île-de-la-Visitation** ★★ *(chalet d'accueil, 2425 boul. Gouin E., Ahuntsic, ☎ 514-280-6733)* attire sur ses 34 ha nombre de Montréalais en mal de nature, que ce soit pour y pique-niquer ou profiter de courts sentiers ponctués de mangeoires d'oiseaux (location de jumelles et guides), à parcourir à pied en été ou en skis de fond en hiver (aussi glissade: locations de traîneaux et de tapis-luges). Baignant dans la rivière des Prairies, il offre de magnifiques paysages. Sur le site, deux bâtiments historiques, la **Maison du Pressoir** (voir p. 156) et la **Maison du Meunier** (voir p. 156), abritent des centres d'interprétation de l'histoire du Saults-au-Récollet.

D'une superficie de 261 ha, le **parc-nature de la Pointe-aux-Prairies** ★ *(chalet d'accueil Héritage, 14905 rue Sherbrooke E., ☎ 514-280-6691; pavillon des Marais, 12300 boul. Gouin E., ☎ 514-280-6688)*, qui s'étend à l'extrémité est de l'île de Montréal, abrite un beau réseau de sentiers pédestres, de voies cyclables et de pistes de ski de fond (aussi en hiver: aire de pratique de raquette et pentes pour glissade, avec location de raquettes, de traîneaux et de tapis-luges). Les sentiers sillonnent tous des milieux boisés et des champs en bordure des marais d'où se prête merveilleusement bien l'observation de la faune ailée du parc, sans compter les nombreuses mangeoires d'oiseaux qui y attirent plusieurs espèces. Il est aussi possible d'y voir des cerfs à l'occasion. Le pavillon des Marais, pour sa part, loge un centre d'interprétation de la nature (location de jumelles et de guides).

Activités de plein air

➤ Baignade

La plupart des cégeps et universités de la ville ont leur propre centre sportif abritant une piscine ouverte à la baignade libre. De plus, la Ville de Montréal a construit dans plusieurs quartiers des piscines extérieures, très fréquentées en été. Sans compter les quelques plages publiques qui bordent l'île. Les prix et les horaires étant sujets à changement, il est préférable de s'en informer avant de se déplacer.

Piscine intérieure du **Campus John Abbott** *(21275 ch. du Bord-du-Lac, Ste-Anne-de-Bellevue, ☎ 514-457-6610)*.

Piscine intérieure du **Cégep du Vieux-Montréal** *(255 rue Ontario E., Quartier latin, ☎ 514-982-3437)*.

Piscine intérieure du **Complexe Sportif Claude-Robillard** *(1000 av. Émile-Journault, Abuntsic, ☎ 514-872-6905)*.

Piscine intérieure du **Parc olympique** *(3200 rue Viau, Maisonneuve, ☎ 514-252-4622)*.

Piscine intérieure de l'**Université de Montréal** *(CEPSUM, 2100 boul. Édouard-Montpetit, Outremont, ☎ 514-343-6150)*.

Piscines du **Complexe aquatique de l'île Sainte-Hélène** *(☎ 514-872-6120; www.parcjeandrapeau.com)*. Ces trois piscines olympiques (récréative, de compétition et de plongeon) ont été inaugurées en 2005 pour accueillir les XIes Championnats du monde FINA (Fédération Internationale de Natation).

Plages

Située en bordure du lac des Deux Montagnes, la plage de sable fin du **parc-nature du Cap-Saint-Jacques** (voir p. 192) se prête agréablement bien à la baignade.

Le **parc-nature du Bois-de-l'Île-Bizard** (voir p. 193) dispose d'une jolie plage où l'on peut s'adonner à diverses activités nautiques.

Sur l'**île Notre-Dame** (voir p. 158), l'eau de la plage du **parc Jean-Drapeau** (voir p. 160) est filtrée de façon naturelle, ce qui permet aux gens de se baigner dans une eau propre ne contenant aucun additif chimique. Le nombre de baigneurs admis étant limité, il faut arriver tôt quand les beaux jours d'été pointent à l'horizon.

› Descente de rivière

Vous recherchez une activité rafraîchissante par les chaudes journées d'été? La dynamique entreprise **Les Excursions rapides de Lachine** *(rafting 40$, jet-boating 49$; 8912 boul. LaSalle, LaSalle, ☎ 514-767-2230 ou 800-324-7238, www.raftingmontreal.com)* vous propose des circuits à travers les rapides de Lachine. Faisant appel au sens du travail en équipe, le rafting garantit rires et sensations fortes. Tout en naviguant à travers les petites îles, en direction des rapides, les guides vous rapporteront les anecdotes ayant marqué la région. Pour ceux qui préfèrent s'initier en douceur, le circuit «familial» emprunte un parcours plus calme. Une navette assure le transport entre le **Centre Infotouriste de Montréal** *(1001 rue du Square-Dorchester)* et le point de départ, situé à LaSalle. Des vêtements de rechange sont requis.

Avec **Saute-Moutons** *(rafting 65$, jet-boating 25$; 47 rue de la Commune O., départ au quai de l'Horloge, Quais du Vieux-Port; ☎ 514-284-9607, www.jetboatingmontreal.com)*, vous pourrez également prendre part à une excursion estivale au cœur des bouillonnants rapides.

› Escalade

Centre d'escalade Horizon Roc *(carte de membre 35$; lun-ven 17h à 23h, sam 9h à 18h, dim 9h à 17h; 2350 rue Dickson, Maisonneuve, ☎ 514-899-5000, www.horizonroc.com; métro Assomption)*. Il s'agit de l'un des plus grands centres d'escalade du monde. Proposant de l'escalade libre avec éducateurs pour les débutants ou des compétitions, organisées pour les plus chevronnés, le centre Horizon Roc est le paradis des grimpeurs montréalais.

› Glissade

À Montréal, plusieurs parcs comportent des pentes aménagées pour la glissade. Toutes conviennent aux familles qui désirent passer un après-midi sous le soleil hivernal, et certaines, plus casse-cou, ne manquent pas de plaire aux amateurs de sensations fortes. Parmi les plus belles figurent celles du **parc du Mont-Royal** (devant le lac aux Castors ou face à l'avenue du Parc) et du **parc Jean-Drapeau** (pendant la fête des Neiges).

› Golf

La très grande partie du terrain de golf qui se trouvait autrefois au nord du Stade olympique a été détruite lors de la construction du Village olympique. Il y reste toutefois le **Golf municipal de Montréal** *(début mai à mi-oct; 4235 rue Viau, entre le boulevard Rosemont et la rue Sherbrooke, ☎ 514-872-4653)*, qui compte neuf trous et est ouvert à tous.

› Navigation de plaisance

L'**École de Voile de Lachine** *(3045 boul. St-Joseph, Lachine, ☎ 514-634-4326, www.voilelachine.com)* fait la location de planches à voile, de petits voiliers ainsi que de dériveurs légers, et propose des cours privés ou de groupe.

La restauration des écluses du **canal de Lachine**, berceau de l'histoire industrielle du Canada, a enfin amené la réouverture de cette voie historique à la navigation de plaisance.

› Observation des oiseaux

Pour de l'information sur des publications spécialisées, des lieux d'observation ou des sorties de groupe, contactez le **Regroupement Québec Oiseaux** *(✆ 514-252-3190, www.quebecoiseaux.org)*.

L'île de Montréal compte plusieurs sites naturels et autres lieux uniques pour observer la faune ailée. Nous vous en proposons ici quelques-uns.

De nombreuses espèces d'oiseaux peuvent être observées aux abords du lac des Deux Montagnes, dans le **parc-nature du Bois-de-l'Île-Bizard** (voir p. 193); on y voit notamment des foulques d'Amérique ainsi que plusieurs espèces de canards.

Une centaine d'espèces peuvent être observées dans le **parc-nature du Cap-Saint-Jacques** (voir p. 192), parmi lesquelles se trouvent des échassiers, des rapaces, des passereaux ainsi que plusieurs oiseaux aquatiques. Canards branchus, grands ducs et buses à queue rousse profitent, entre autres, de ce milieu naturel.

Nombre d'oiseaux appartenant à plus de 125 espèces différentes viennent nicher dans le **parc-nature de la Pointe-aux-Prairies** (voir p. 193).

Le **Jardin botanique de Montréal** (voir p. 162) reçoit, tout au long de l'hiver, la visite de nombreuses espèces d'oiseaux. Parmi celles que vous aurez la chance de rencontrer figurent le gros-bec errant, le pic mineur, la mésange à tête noire, le sizerin flammé et la sittelle à poitrine rousse.

› Patin à glace

La popularité du patin à glace ne faiblit pas à Montréal. Cette activité extérieure est peu coûteuse et ne nécessite qu'un minimum d'équipement et de technique.

En hiver, dans plusieurs parcs, des patinoires sont aménagées pour le plus grand plaisir de tous. Parmi les plus belles, mentionnons celles du **lac aux Castors** *(parc du Mont-Royal; voir p. 136)*, de l'étang du **parc La Fontaine** (voir p. 131), des **Quais du Vieux-Port** *(6$; location de patins 7$; Quais du Vieux-Port, métro Champ-de-Mars, ✆ 514-496-7678, www.quaisduvieuxport.com)* et du **parc Maisonneuve** (voir p. 191).

L'**Atrium** *(6,50$; location de patins 6$; tlj, horaire variable; 1000 rue De La Gauchetière O., ✆ 514-395-0555, www.le1000.com; métro Bonaventure)*, situé dans la plus haute tour à bureaux de Montréal, soit le 1000 De La Gauchetière, renferme une grande patinoire de 900 m² ouverte toute l'année. Elle est entourée de comptoirs d'alimentation et d'aires de repos, et une mezzanine l'entoure. Au-dessus de la patinoire, il y a une superbe coupole vitrée qui diffuse les rayons du soleil.

› Patin à roues alignées et planche à roulettes

Selon le Code de sécurité routière, faire du patin à roues alignées dans les rues des villes est formellement interdit. Toutefois, cette pratique est tolérée sur les pistes cyclables et est même permise à l'**île Notre-Dame** (voir p. 158), sur le circuit Gilles-Villeneuve, où les amateurs peuvent patiner à loisir et en toute quiétude.

Plusieurs boutiques spécialisées vendent ou louent des patins ainsi que l'équipement nécessaire pour pratiquer le patin à roues alignées, et souvent proposent des cours. Voici les coordonnées de deux boutiques, l'une située dans le Vieux-Montréal et l'autre sur les Quais du Vieux-Port, d'où part la très populaire piste cyclable du canal de Lachine, ouverte non seulement aux cyclistes mais aussi aux amateurs de patin à roues alignées.

Ça roule Montréal
9$/h
27 rue de la Commune E., Vieux-Montréal
✆ 514-866-0633
www.caroulemontreal.com

Vélo Aventure Montréal
8,50$/h
Quais du Vieux-Port, près du Centre des sciences
✆ 514-288-8356

Ceux qui désirent pratiquer le patin à roues alignées ou la planche à roulettes à l'intérieur, sur des installations dernier cri, peuvent se rendre au **Taz, centre multidisciplinaire et communautaire** *(Skatepark: 12,50$-13,50$,* *lun-ven 16h à 21h, sam-dim 13h à 21h; Roulodôme: 10$ patinage libre sam-dim 13h à 18h; Complexe environnemental Saint-Michel, 8931 av. Papineau entre les rues Émile-Journault et Lecocq, St-Michel, ☎ 514-284-0051, www.taz.ca).* Ouvert depuis mars 2009, le centre s'adresse autant aux professionnels de ces sports qu'au grand public.

› Randonnée pédestre

Montréal est une ville qui se laisse découvrir aisément en marchant. Mais à ceux qui désirent parcourir des coins de verdure magnifiques, où l'asphalte et le béton ne sont pas encore maîtres, la ville offre des centaines de kilomètres de sentiers de randonnée pédestre. Pour en connaître davantage sur ces sentiers pédestres de la ville, il faut se procurer le guide Ulysse ***Marcher à Montréal et ses environs***. Nous vous proposons ici quelques balades.

L'**Arboretum Morgan** (voir p. 192) offre un lacis de sentiers aménagés pour la randonnée pédestre. Des sentiers tracés pour l'aménagement forestier s'enfoncent dans la forêt et sont bordés de panneaux qui permettent de se renseigner sur les différentes méthodes d'aménagement forestier et sur les écosystèmes qui caractérisent la forêt.

Les sentiers orange, rouge et jaune sont réservés uniquement aux randonneurs membres qui souhaitent s'y promener sans tenir leur chien en laisse. Au total, c'est plus de 20 km de sentiers qui sont offerts aux marcheurs.

Tout près du centre-ville, le **parc du Mont-Royal** (voir p. 136) est une oasis de verdure qui se prête bien à la randonnée pédestre. Le parc compte une vingtaine de kilomètres de sentiers, incluant de nombreux petits sentiers secondaires ainsi que le magnifique chemin Olmsted et la boucle du sommet.

Le **parc-nature du Bois-de-Liesse** (voir p. 193) compte 11 km de sentiers de marche dont certains consacrés à l'interprétation de la nature. Ce parc abrite la superbe maison Pitfield (1954) ainsi qu'une magnifique passerelle japonaise au tracé irrégulier.

Le **parc-nature du Cap-Saint-Jacques** (voir p. 192) dispose de 17 km de sentiers pédestres parcourant une forêt mature (érablière à caryers et érablière à hêtres), des zones de transition (bouleaux et peupliers) ainsi que des étendues où pousse une grande diversité de plantes aquatiques et riveraines.

Le **parc-nature de l'Île-de-la-Visitation** (voir p. 193) offre 8 km de sentiers pédestres à vocation écologique. On y trouve des étendues vallonnées, de petits sous-bois, les berges de la rivière des Prairies ainsi que la très jolie île de la Visitation.

Le **parc-nature de la Pointe-aux-Prairies** (voir p. 193) est pourvu de 15 km de sentiers de randonnée sillonnant une variété d'écosystèmes. Ce parc abrite les seuls bois matures à l'est du mont Royal. S'étendant, en différents secteurs, de la rivière des Prairies jusqu'au fleuve Saint-Laurent, il comporte également des marais ainsi que des champs.

Le **parc-nature du Bois-de-l'Île-Bizard** (voir p. 193) offre 10 km de sentiers de randonnée pédestre. Il est divisé en deux zones: la pointe aux Carrières et le boisé. S'y trouvent une jolie plage de sable naturelle ainsi qu'une superbe passerelle de 406 m aménagée au-dessus d'un marais.

Le **parc Maisonneuve** (voir p. 191), situé en face du Stade olympique, compte une dizaine de kilomètres de sentiers de randonnée pédestre.

Quelques kilomètres de sentiers sillonnent le **parc La Fontaine** (voir p. 131), où les Montréalais viennent se reposer sous les grands arbres ou près des étangs.

Le **parc Jean-Drapeau** (voir p. 160) compte une douzaine de kilomètres de sentiers. Il offre une multitude de petits chemins ainsi que des sentiers mieux aménagés et de petites routes.

Le **parc Angrignon** (voir p. 190) compte plusieurs petits sentiers ainsi qu'une petite route principale, pour un total d'une dizaine de kilomètres.

La piste du **canal de Lachine**, longue de 14,5 km et très prisée des cyclistes, peut également être parcourue à pied. Elle relie le Vieux-Port et le parc René-Lévesque, à Lachine.

Le **canal de Sainte-Anne-de-Bellevue** est situé à l'extrémité ouest de l'île de Montréal. Le réseau compte 2 km de sentiers de randonnée incluant la promenade de Sainte-Anne-de-Bellevue.

› Ski de fond

Montréal regorge d'endroits facilement accessibles par métro ou autobus où il est possible de faire de belles randonnées à skis dans des décors qui, souvent, font oublier la ville. Admirer du haut du mont Royal, skis aux pieds, les gratte-ciel du centre-ville est une expérience inoubliable que peu de villes peuvent offrir!

Plus de 25 km de pistes de ski de fond, qui avoisinent des plantations de plusieurs espèces d'arbres, sont entretenues durant la saison hivernale à l'**Arboretum Morgan** (voir p. 192). Au printemps, on y trouve une coquette cabane à sucre, considérée comme la plus vieille de l'île de Montréal qui soit toujours en exploitation.

En hiver, le **parc-nature du Cap-Saint-Jacques** (voir p. 192) offre 32 km de pistes de ski de fond. Location d'équipement.

Le **parc-nature de la Pointe-aux-Prairies** (voir p. 193) compte 23,5 km de sentiers de ski de randonnée agréablement aménagés parmi une végétation abondante. Location d'équipement.

Dans le **parc-nature de l'Île-de-la-Visitation** (voir p. 193), 8 km de sentiers de ski de fond permettent d'en faire le tour. Location d'équipement.

Le **parc-nature du Bois-de-Liesse** (voir p. 193) compte 16 km de sentiers de ski de fond. Location d'équipement.

Le **parc-nature du Bois-de-l'Île-Bizard** (voir p. 193) offre 20 km de sentiers de ski de fond répartis en trois boucles. Location d'équipement.

Il est possible de s'adonner aux plaisirs du ski de randonnée à travers la végétation hivernale du **Jardin botanique de Montréal**. Près de 6 km de sentiers y font découvrir aux skieurs les nombreuses espèces d'arbres. Du côté du **parc Maisonneuve** (voir p. 191), une dizaine de kilomètres de sentiers permettent d'en faire le tour complet tout en admirant le mât du Stade olympique.

Le **parc du Mont-Royal** (voir p. 136) offre plusieurs pistes de ski de fond bien conçues, en plus d'une belle vue sur la ville. Plus de 25 km de sentiers permettent de découvrir ce poumon vert de la ville.

Le **parc Angrignon** (voir p. 190) dispose de deux pistes de ski de fond longues de 12 km.

› Spéléologie

Hors circuit se trouve le **Site cavernicole de Saint-Léonard** *(9$; mi-mai à mi-août; parc Pie-XII, 5200 boul. Lavoisier, St-Léonard, ☎ 514-252-3323 – sur réservation à la Société québécoise de spéléologie)*. Il est possible d'explorer dans l'île de Montréal une formation rocheuse datant de 10 000 à 20 000 ans. La visite commentée comprend un diaporama et l'exploration de la caverne. Des vêtements longs, des bottes de pluie et des gants sont exigés. Un casque muni d'une lampe frontale est fourni sur place.

› Tennis

Plusieurs parcs urbains ou récréatifs mettent des courts de tennis à la disposition des amateurs en été. Quelques-uns de ces terrains sont payants, tandis que d'autres sont gratuits. Avec ses courts intérieurs et extérieurs, le **Stade Uniprix** *(le coût de réservation d'un terrain varie de 10$ à 30$ en fonction de l'emplacement et de l'horaire; 285 rue Faillon O., ☎ 514-273-1234, www.stadeuniprix.com; métro De Castelnau)* est des mieux équipés pour satisfaire les mordus tout au long de l'année. Construit pour Tennis Canada, qui y présente la Coupe Rogers, il est toutefois ouvert à tous. Parmi les services et installations, on y retrouve entre autres des douches, des vestiaires, des casiers et un restaurant.

› Trapèze volant

Ouvert depuis 1998, **Trapezium** *(40$ cours individuel de 2h et plusieurs autres options; lun-ven soirs, sam-dim après-midis; 2550 rue Dickson, Studio 50, Maisonneuve, ☎ 514-251-0615, www.trapezium.qc.ca; métro Assomption)* est le seul centre de trapèze volant à Montréal offrant des cours récréatifs pour tous les niveaux. Activité accessible à tous, le trapèze volant, c'est de la haute voltige et des émotions fortes garanties!

› Vélo

La **Société de transport de Montréal (STM)** *(☎ 514-786-4636, www.stm.info)* permet aux usagers de transporter un vélo dans le métro, à condition toutefois de respecter certaines règles, affichées sur son site Internet.

En tout temps, les cyclistes peuvent garer leur vélo près d'une station de métro, la STM mettant à leur disposition plusieurs supports à bicyclettes.

Sur les trains de banlieue, qui sont sous la responsabilité de l'**Agence métropolitaine de transport (AMT)** *(☎ 514-287-8726, www.amt.qc.ca)*, on peut aussi transporter un vélo.

Notez qu'il est possible de participer au **Tour de l'Île de Montréal** (voir p. 290), qui a lieu le premier dimanche du mois de juin et qui est l'événement le plus important de la **Féria du vélo de Montréal**, un festival sur deux roues pendant lequel beaucoup de cyclistes amateurs et chevronnés s'en donnent à cœur joie.

La Maison des cyclistes *(1251 rue Rachel E., ☎ 514-521-8356, poste 344, www.velo.qc.ca)* propose différents services. En plus d'un café (Café Bicicletta, voir p. 246), s'y trouve une boutique spécialisée.

Vélo Montréal *(3880 rue Rachel E., ☎ 514-259-7272, www.velomontreal.com)* se spécialise dans le cyclotourisme et organise des visites autoguidées sur l'île de Montréal.

Montréal offre environ 650 km de pistes cyclables. On peut se procurer une carte de ces pistes aux bureaux d'information touristique, ou encore acheter dans les librairies le guide Ulysse ***Le Québec cyclable*** ou la carte-guide Ulysse ***Montréal à vélo***. Nous vous proposons ici quelques promenades.

Les abords du **canal de Lachine** ont été réaménagés dans le but de mettre en valeur cette voie de communication importante au cours des XIXe et XXe siècles. Depuis, une piste cyclable fort agréable longe le canal (sur une section, il y en a même une de chaque côté du canal). Très prisée des Montréalais, surtout le dimanche, elle mène du **Vieux-Port** au **parc René-Lévesque** (voir p. 178), cette mince bande de terre qui avance dans le lac Saint-Louis à Lachine et d'où la vue est splendide. Le parc René-Lévesque dispose de quelques bancs et de tables de pique-nique. On peut boucler sa promenade vers le Vieux-Port en empruntant la piste du **Pôle des Rapides**, qui longe le fleuve à LaSalle et Verdun. Plusieurs oiseaux fréquentent les abords du Saint-Laurent en cette partie de l'île, et vous aurez peut-être la chance d'apercevoir des hérons et des canards.

Dans le nord de l'île (on peut s'y rendre par la piste cyclable qui traverse l'île de Montréal du sud au nord ou par métro), une piste cyclable a été aménagée sur le **boulevard Gouin** et sur le bord de la rivière des Prairies. Elle se rend au **parc-nature de l'Île-de-la-Visitation** (voir p. 193). Longeant ainsi la rivière, la piste conduit les cyclistes en une partie tranquille de Montréal. Il est possible de continuer la balade jusqu'au **parc-nature de la Pointe-aux-Prairies** (voir p. 193). De là, on peut suivre la piste qui se rend au Vieux-Montréal en passant par le sud-est de l'île (comptez une bonne demi-journée).

En partant du Vieux-Montréal, on peut se rendre aux **îles Notre-Dame et Sainte-Hélène** (voir p. 158). La piste traverse d'abord un secteur où sont établies diverses usines, puis passe par la Cité-du-Havre et traverse le pont de la Concorde. Il est facile de circuler d'une île à l'autre. Celles-ci, joliment paysagées, constituent un havre de détente où il fait bon se promener en contemplant, au loin, la silhouette de Montréal.

Le **parc-nature du Bois-de-Liesse** (voir p. 193) est sillonné par un réseau de 8 km de voies cyclables en pleine forêt de feuillus.

Location de vélos

Plusieurs boutiques de vélos ont un service de location. Vous pouvez aussi vous adresser à **Vélo Québec** *(1251 rue Rachel E., ☎ 514-521-8356)*, qui vous indiquera les établissements offrant ce service. Il est conseillé de se munir d'une bonne assurance. Certains de ces établissements incluent une assurance vol dans le prix de location. Il est préférable de se renseigner au moment de la location.

La Bicycletterie J.R.
201 rue Rachel E., Plateau Mont-Royal
☎ 514-843-6989
www.labicycletteriejr.com

Ça Roule Montréal
27 rue de la Commune E., Vieux-Montréal
☎ 514-866-0633
www.caroulemontreal.com

La Cordée
2159 rue Ste-Catherine E., Centre-Sud
☎ 514-524-1106
www.lacordee.com

Pignon sur Roues
1308 av. du Mont-Royal E., Plateau Mont-Royal
☎ 514-523-6480
www.pignonsurroues.com

De début mai à la mi-novembre, la Ville de Montréal propose **Bixi** *(www.bixi.com)*, son service de location de vélos. Moyennant des frais d'abonnement *(5$/24h; 28$/30 jours; 78$/1 an)* et des frais d'utilisation calculés par tranche de 30 min *(de 1,50$ à 6$ et plus; les premières 30 min sont gratuites)*, ce service permet d'emprunter l'un des 3 000 vélos Bixi à l'une des 300 stations disséminées dans la ville. Relativement cher pour la location de plus longue durée, Bixi demeure très pratique pour les courts déplacements de 30 min ou moins. En 2009, il a servi à plus d'un million de déplacements.

Hébergement

Le Vieux-Montréal 204
Le centre-ville et le Golden Square Mile 208
Le Village Shaughnessy 212
Le quartier Milton-Parc et la *Main* 213
Le Quartier latin 214
Le Village 217
Le Plateau Mont-Royal 217
Notre-Dame-de-Grâce 219
Côte-des-Neiges 219
Rosemont 221
Maisonneuve 221
L'ouest de l'île 221

Montréal compte une myriade d'hôtels et d'auberges de toutes catégories. Le prix des chambres varie grandement d'une saison à l'autre. La semaine du Festival international de jazz de Montréal, au début du mois de juillet, est la plus demandée de l'année; il est donc recommandé de réserver longtemps à l'avance si vous prévoyez séjourner à Montréal pendant cette période.

Le choix est grand et, suivant le genre de tourisme qu'on recherche, on choisira l'une ou l'autre des nombreuses formules proposées. Les prix varient selon le type d'hébergement choisi. Il faut généralement ajouter aux prix affichés une taxe de 5% (la TPS: taxe fédérale sur les produits et services) et la taxe de vente du Québec de 7,5%. Une taxe applicable sur les frais d'hébergement est en vigueur à Montréal. Appelée «Taxe spécifique sur l'hébergement», elle a été instaurée pour soutenir l'infrastructure touristique de la région. Il s'agit d'une somme de 2$ par nuitée (peu importe le total de la note), non remboursable, et qui n'est pas imposé aux campings et aux auberges de jeunesse.

Dans la mesure où vous souhaitez réserver (fortement conseillé pour l'été), une carte de crédit s'avère indispensable, car, la plupart du temps, on vous demandera de payer à l'avance la première nuitée.

› Prix et symboles

Les tarifs mentionnés dans ce guide s'appliquent, sauf indication contraire, à une chambre standard pour deux personnes, en haute saison.

$	moins de 60$
$$	de 60$ à 100$
$$$	de 101$ à 150$
$$$$	de 151$ à 225$
$$$$$	plus de 225$

Les prix indiqués sont ceux qui avaient cours au moment de mettre sous presse. Ils sont, bien sûr, sujets à changement en tout temps. De plus, souvenez-vous de bien vous informer des forfaits proposés et des rabais offerts aux corporations, membres de diverses associations, etc.

Les divers services offerts par chacun des établissements hôteliers sont indiqués à l'aide d'un petit symbole qui est expliqué dans la liste des symboles se trouvant dans les dernières pages du guide. Rappelons que cette liste n'est pas exhaustive quant aux services offerts par chacun des établissements hôteliers, mais qu'elle représente les services les plus demandés par leur clientèle.

Il est à noter que la présence d'un symbole ne signifie pas que toutes les chambres du même établissement hôtelier offrent ce service. Vous aurez à payer parfois des frais supplémentaires pour avoir par exemple une baignoire à remous dans votre chambre.

› Label Ulysse 

Le pictogramme du label Ulysse est attribué à nos établissements favoris (hôtels et restaurants). Bien que chacun des établissements inscrits dans ce guide s'y retrouve en raison de ses qualités ou particularités, en plus de son rapport qualité/prix, de temps en temps un établissement se distingue parmi d'autres. Ainsi il mérite qu'on lui attribue un label Ulysse. Les labels Ulysse peuvent se retrouver dans n'importe quelle catégorie d'établissements: supérieure, moyenne-élevée, petit budget. Quoi qu'il en soit, dans chacun de ces établissements, vous en aurez pour votre argent. Repérez-les en premier!

› Hôtels

Les établissements hôteliers sont nombreux à Montréal, et ils varient du modeste hôtel au palace luxueux. Les chambres d'hôtel ont leur propre salle de bain. Les prix mentionnés sont basés sur les tarifs en haute saison.

Dans la plupart des établissements, les tarifs de fin de semaine sont souvent plus bas, jusqu'à 50%, parce que l'importante clientèle d'affaires loge à l'hôtel surtout en semaine. Les associations professionnelles, les membres de clubs automobiles et les aînés peuvent profiter de bons rabais. En réservant votre chambre, renseignez-vous sur les forfaits, primes et réductions possibles.

› Gîtes touristiques

Contrairement aux hôtels, les chambres des gîtes touristiques n'ont pas toujours leur propre salle de bain. Il en existe plusieurs à Montréal. Ils offrent l'avantage, outre le prix, de faire partager une ambiance plus familiale. Attention cependant, les cartes de crédit ne sont pas acceptées partout. Le petit déjeuner est toujours compris dans le prix de la chambre.

L'Association de l'Agrotourisme et du Tourisme Gourmand du Québec, anciennement la Fédération des Agricotours du Québec, publie, chaque année, le guide des ***Gîtes et Auberges du Passant & Tables et Relais du Terroir*** *(www.giteetaubergedupassant.com)*, dans lequel se trouvent le nom et l'adresse des membres de cette fédération qui proposent des chambres aux voyageurs. Les chambres ont été sélectionnées en fonction des critères de qualité de la fédération. Elles sont généralement abordables. Ce guide est en vente au Québec, en France, en Belgique et en Suisse.

› Auberges de jeunesse

Elles sont peu nombreuses à Montréal, mais quelques gîtes touristiques font office d'auberges de jeunesse. **Hostelling International** *(www.hihostels.ca/quebec)*, l'un des plus importants réseaux d'hébergement pour petits budgets, est néanmoins présent au centre-ville.

› Universités

L'hébergement dans les universités reste assez compliqué à cause des nombreuses restrictions qu'il comporte: il n'est proposé qu'en été (de la mi-mai à la mi-août), et l'on doit réserver longtemps à l'avance. Toutefois, ce type d'hébergement reste moins cher que les formules «classiques» et peut s'avérer agréable. Il faut compter en moyenne une somme de 35$, plus les taxes, pour les personnes possédant une carte d'étudiant (un peu plus pour les non-étudiants). La literie est fournie dans le prix, et en général une cafétéria sur place permet de prendre le petit déjeuner (non compris).

Université de Montréal (voir p. 219)
Université du Québec à Montréal (voir p. 208 et 214)
Université McGill (voir p. 208)
Université Concordia (voir p. 219)

› Camping

La pratique du camping et du caravaning n'est pas possible à Montréal même, mais les campeurs et caravaneurs trouveront par contre de nombreux terrains tout autour de l'île, soit à Laval, en Montérégie, dans les Laurentides et dans la région de Lanaudière. Le site Internet *www.campingquebec.com* ainsi que le **Centre Infotouriste** *(☎ 514-873-2015)* sauront guider les amateurs d'hébergement en plein air.

Les favoris d'Ulysse

➤ Les grands classiques
Fairmont Le Reine Elizabeth 211
Ritz-Carlton Montréal 212

➤ Pour la chaleur de l'accueil
Anne ma sœur Anne 219
L'Auberge de la Fontaine 219

➤ Pour la piscine
Hilton Montréal Bonaventure 212
Hôtel de la Montagne 211

➤ Pour les amateurs d'histoire
Auberge du Vieux-Port 205
Hostellerie Pierre du Calvet 205

➤ Pour les gens d'affaires
Hilton Montréal Bonaventure 212
Hôtel Omni Mont-Royal 211
Hôtel Opus Montréal 211
InterContinental Montréal 205
Le Centre Sheraton 212
Loews Hôtel Vogue 212
Montréal Marriott Château Champlain 212
Novotel Montréal Centre 210

Le Vieux-Montréal

Le Vieux-Montréal sert de terreau fertile à l'ouverture d'un grand nombre d'hôtels haut de gamme. Cette vague surprenante est constituée, pour la plupart, de ces hôtels appelés **hôtels-boutiques**, où le design fait preuve d'innovation et de créativité. Plusieurs des anciens édifices du quartier ont donc fait l'objet d'intenses travaux de rénovation qui leur ont redonné lustre et éclat. Chacun de ces hôtels rivalise de beauté et d'originalité, et toutes leurs chambres sont équipées pour répondre aux besoins des gens d'affaires comme des voyageurs. Presque tous offrent aussi en location des suites pour long séjour.

Auberge Alternative
$-$$ bc @
358 rue St-Pierre
514-282-8069
www.auberge-alternative.qc.ca
L'Auberge Alternative est installée dans un immeuble rénové datant de 1875. Les lits des chambres privées et des dortoirs sont rudimentaires mais confortables, et les salles de bain sont très propres. Murs aux couleurs gaies, beaucoup d'espace, vaste salle de «repos-cuisinette» avec murs de pierres et vieux planchers de bois, galerie d'art, salle de performance, bref, l'ambiance est conviviale.

Auberge Bonaparte
$$$$ @ ≡
447 rue St-François-Xavier
514-844-1448
www.bonaparte.ca
Le restaurant Bonaparte (voir p. 228), bien connu pour sa délicieuse cuisine française, se double d'une auberge. Une trentaine de chambres occupent donc ses étages supérieurs, et toutes offrent un bon confort ainsi qu'une décoration agréable. Celles situées à l'arrière de l'édifice, qui date de 1886, ont vue sur le jardin des Sulpiciens, derrière la basilique Notre-Dame.

Le Petit Hôtel
$$$$ @ ≡ ❄
168 rue St-Paul O.
514-940-0360
www.petithotelmontreal.com
Situé au cœur du Vieux-Montréal, le Petit Hôtel a su garder le cachet historique de l'édifice qui l'abrite. Cette ancienne manufacture de cuir s'est transformée en un magnifique hôtel-boutique de style contemporain et d'influence européenne. Les chambres, spacieuses et chaleureuses, combinent un design moderne avec des éléments anciens. Parmi ses autres installations, l'établissement compte un petit spa et un café où l'on sert un délicieux petit déjeuner à l'européenne. Un excellent endroit pour s'évader à Montréal.

Les Passants du Sans Soucy
$$$$ ≡ @
171 rue St-Paul O.
514-842-2634
www.lesanssoucy.com
Les Passants du Sans Soucy est une charmante

auberge aménagée dans une maison construite en 1723 et rénovée dans les années 1990. Elle propose neuf coquettes chambres meublées d'antiquités.

Marriott SpringHill Suites Vieux-Montréal
$$$$ @
445 rue St-Jean-Baptiste
514-875-4333 ou 866-875-4333
www.springhillsuites.com
Bien qu'il soit niché dans une petite rue du Vieux-Montréal, le Marriott Spring-Hill Suites Vieux-Montréal est pourtant imposant. Il compte des suites récemment rénovées et équipées d'une cuisinette, d'un sofa, d'une table de travail et d'un accès Internet. Vieux-Montréal oblige, les suites ne sont pas très grandes, et leur décor, similaire d'une chambre à l'autre, rappelle celui des grandes chaînes, mais elles restent tout de même confortables. L'hôtel s'est associé à un restaurant, **Le Saint-Gabriel** (voir p. 229), accessible par un passage intérieur.

Hôtel Gault
$$$$-$$$$$ @
449 rue Ste-Hélène
514-904-1616 ou 866-904-1616
www.hotelgault.com
L'Hôtel Gault est un petit hôtel de 30 chambres d'où se dégage une ambiance d'hôtel particulier dans lequel on peut rapidement prendre ses habitudes. Il exhibe des meubles et objets design créés spécialement pour apparaître ici ou là dans les agencements novateurs qui le composent. Dans le hall, une grande table étale les petits déjeuners en toute convivialité. Les chambres, réparties sur quatre étages, sont toutes décorées selon les règles du design contemporain. Elles ne sont pas très grandes (sauf pour les lofts), mais leur espace soigneusement pensé les rend confortables. Les belles salles de bain modernes sont équipées d'une baignoire, d'un plancher chauffant et de tout le nécessaire pour vous faire dorloter. Certaines chambres disposent d'une terrasse, et toutes les fenêtres s'ouvrent sur la rue et sur les jolies boîtes à fleurs qui ornent la façade.

InterContinental Montréal
$$$$-$$$$$
@
360 rue St-Antoine O.
514-987-9900 ou 800-361-3600
www.montreal.intercontinental.com
Tout près du Palais des congrès, l'hôtel InterContinental Montréal s'élève aux abords du Vieux-Montréal. Relié au Centre de commerce mondial et à plusieurs boutiques, il est aisément reconnaissable grâce à sa jolie tourelle aux multiples fenêtres, dans laquelle le salon des suites a été aménagé. Les chambres, garnies de meubles aux lignes harmonieuses, sont décorées sans surcharge et avec goût, et comprennent entre autres une salle de bain spacieuse. L'accueil est empressé et poli.

Le Saint-Sulpice
$$$$-$$$$$
@
414 rue St-Sulpice
514-288-1000 ou 877-785-7423
www.lesaintsulpice.com
Pénétrer dans l'immense hall du Saint-Sulpice, c'est accéder à un monde de luxe et de confort aux accents du Vieux-Montréal. Un peu partout dans l'hôtel et dans sa cour, des éléments du décor rappellent constamment qu'on est ici au cœur de l'histoire. Après tout, les Sulpiciens ont joué un grand rôle dans l'histoire de Montréal! L'hôtel se targue de ne proposer que des suites; vous y aurez donc assez d'espace pour vous sentir à l'aise et disposerez même d'une cuisinette. Plaisir suprême: certaines suites disposent d'un balcon ou d'une terrasse sur le toit.

Auberge du Vieux-Port
$$$$$ @
97 rue de la Commune E.
514-876-0081 ou 888-660-7678
www.aubergeduvieuxport.com
Située juste en face du Vieux-Port de Montréal, l'Auberge du Vieux-Port, qui a ouvert ses portes en août 1996, est un bijou à découvrir. Le hall, chic et agréablement décoré, laisse voir les murs de pierres du bâtiment historique, érigé en 1882. Les chambres et lofts sont décorés dans un esprit historique, et le résultat est tout à fait remarquable. Au sous-sol, où le Narcisse Bistro + Bar à vin sert de la cuisine française, on peut voir une partie des anciennes fortifications de la vieille ville. L'établissement réserve une autre surprise: deux terrasses romantiques affiliées au Narcisse, dont une sur le toit, offrent aux clients une vue splendide sur le fleuve et la rue de la Commune.

Hostellerie Pierre du Calvet
$$$$$ @
405 rue Bonsecours
514-282-1725 ou 866-544-1725
www.pierreducalvet.ca
Non loin de la station du métro Champ-de-Mars, l'Hostellerie Pierre du Calvet loge dans une des plus anciennes maisons de Montréal (1725). Entièrement res-

taurées, ses chambres ont su conserver leur charme d'époque et sont munies d'un foyer, lambrissées de jolies boiseries anciennes et rehaussées de vitraux et d'antiquités. À cela vient s'ajouter un mobilier qui comprend des lits à baldaquins et des armoires en acajou plaqués de feuilles d'or. Par ailleurs, une jolie cour intérieure et une salle de séjour ont été aménagées. Le petit déjeuner est servi dans une serre victorienne. L'hostellerie abrite également l'excellent restaurant **Les Filles du Roy** (voir p. 230).

Hôtel Nelligan
$$$$$ ≡ @
106 rue St-Paul O.
514-788-2040 ou 877-788-2040
www.hotelnelligan.com
Un hôtel de luxe à la mémoire d'un grand poète: on ne sait trop ce qu'en aurait pensé Nelligan lui-même, mais l'établissement a de la gueule. Établi dans le Vieux-Montréal, cet hôtel-boutique propose une centaine de chambres et de suites tout confort. Entre le hall et le restaurant s'étend une agréable petite cour intérieure où est servi le petit déjeuner continental. Les fenêtres de certaines chambres donnent sur cette cour, ce qui, faute de vue, assure un peu de tranquillité. Les chambres sont belles, avec leurs murs de pierres ou de briques et leurs salles de bain modernes. Le thème de la poésie se retrouve un peu partout dans l'hôtel, particulièrement dans les tableaux accrochés aux murs des chambres où sont calligraphiés des vers de Nelligan. À noter que les occupants du Nelligan ont aussi accès au spa de l'hôtel Le Place d'Armes (voir ci-dessous), situé tout près.

Le Place d'Armes Hôtel & Suites
$$$$$ ≡ @
55 rue St-Jacques O.
514-842-1887 ou 888-450-1887
www.hotelplacedarmes.com
Parmi les hôtels-boutiques du Vieux-Montréal figure Le Place d'Armes. Il se dresse à l'un des angles de la place d'Armes, devant laquelle s'élève aussi la magnifique basilique Notre-Dame. Équipées de lecteurs CD et DVD, de cinéma maison et de salles de bain modernes, les chambres sont confortables et pratiques.

St Paul Hotel
$$$$$ ≡ @
355 rue McGill
514-380-2222 ou 866-380-2202
www.hotelstpaul.com
Les chambres et suites de l'hôtel St Paul ont pour cadre un magnifique édifice historique entièrement rénové. Différents matériaux s'y côtoient pour créer un style moderne saisissant. Albâtre et feu, fourrure et vinyle, carrelage noir et tissus crème, on est loin de la sobriété et du classique!

Delta Centre-Ville
$$$$$ ≡ @
777 rue University
514-879-1370 ou 888-890-3222
www.deltahotels.com
En entrant à Montréal par l'autoroute Bonaventure, vous apercevrez le Delta Centre-Ville avec ses quelque 700 chambres, jolies mais un peu petites. Au dernier étage se trouve un restaurant panoramique tournant qui propose de la cuisine régionale et d'où vous jouirez d'une belle vue de la ville.

Hôtel Le St-James
$$$$$ ≡ @
355 rue St-Jacques
514-841-3111 ou 866-841-3111
www.hotellestjames.com
Voici l'hôtel le plus chic au Canada. Le St-James comble une clientèle fortunée qui désire visiter Montréal tout en prenant ses aises dans un environnement somptueux et raffiné. Pourvus d'installations modernes et d'un équipement de haute technologie, son hall, ses couloirs et ses chambres et suites renferment également des meubles, des antiquités, des tableaux et des sculptures triés sur le volet. L'architecture de l'édifice, avec ses frises et ses moulures, est rehaussée par la chaleur et l'opulence du décor qui s'accompagne de services et d'équipements haut de gamme, tel le spa pour les soins du corps.

Hôtel XIXe Siècle
$$$$-$$$$$ ≡ @
262 rue St-Jacques O.
514-985-0019 ou 877-553-0019
www.hotelxixsiecle.com
Aménagé dans une ancienne banque à l'architecture Second Empire, l'Hôtel XIXe Siècle exhibe un charme certain. Ses chambres sont spacieuses, avec de hauts plafonds et de grandes fenêtres. Des couleurs chaudes, des meubles qui ont du style, de jolis tissus et de belles salles de bain confèrent à chacune un décor confortable et douillet.

LE VIEUX-MONTRÉAL

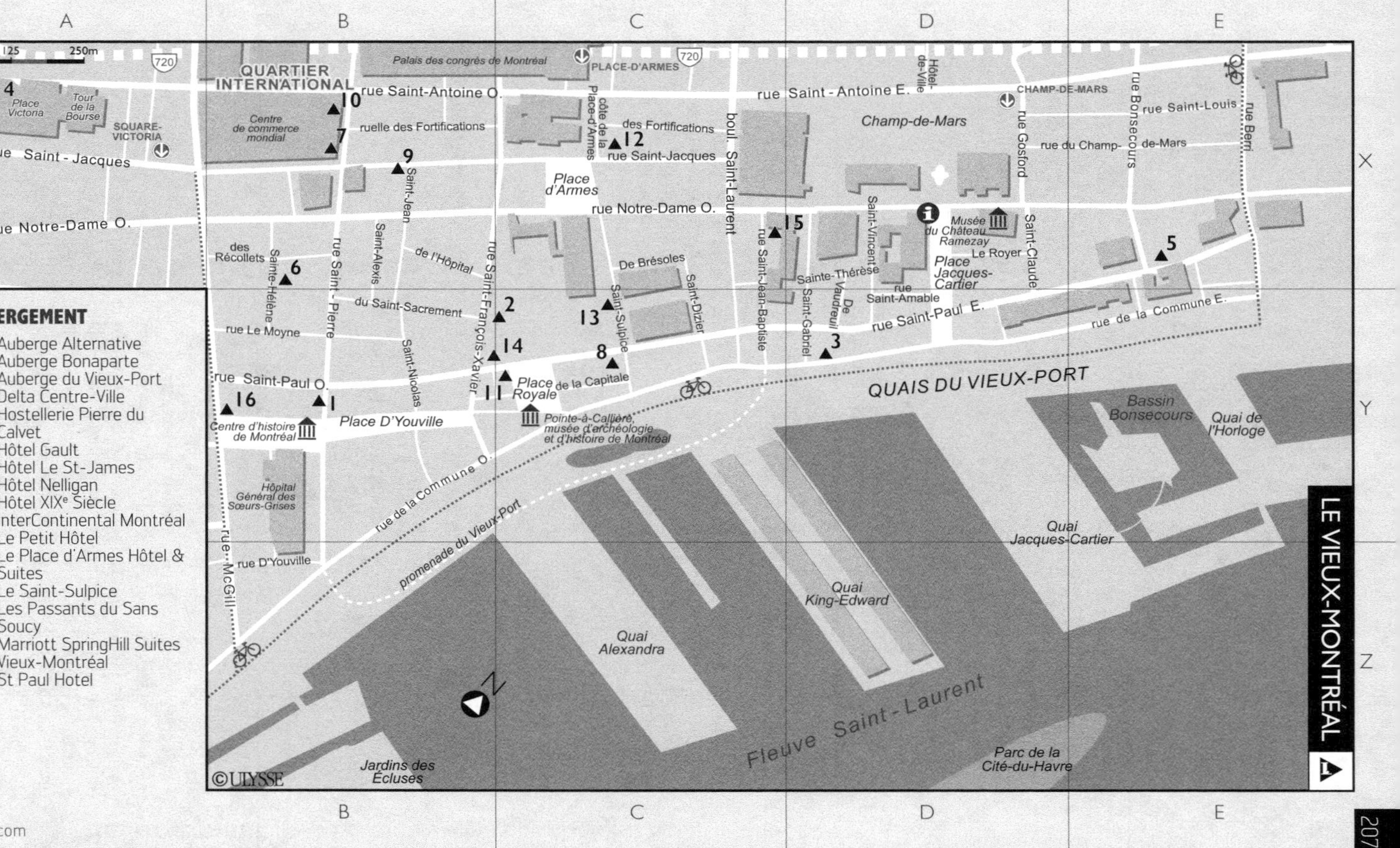

▲ HÉBERGEMENT

1. BY Auberge Alternative
2. CY Auberge Bonaparte
3. DY Auberge du Vieux-Port
4. AX Delta Centre-Ville
5. EX Hostellerie Pierre du Calvet
6. BX Hôtel Gault
7. BX Hôtel Le St-James
8. CY Hôtel Nelligan
9. BX Hôtel XIXe Siècle
10. BX InterContinental Montréal
11. CY Le Petit Hôtel
12. CX Le Place d'Armes Hôtel & Suites
13. CY Le Saint-Sulpice
14. BY Les Passants du Sans Soucy
15. CX Marriott SpringHill Suites Vieux-Montréal
16. BY St Paul Hotel

Le centre-ville et le Golden Square Mile

Auberge de jeunesse de Montréal
$-$$ ≡ @
1030 rue Mackay
514-843-3317 ou 866-843-3317
www.hostellingmontreal.com
L'Auberge de jeunesse de Montréal, située à deux pas du centre-ville, dispose de dortoirs ainsi que de chambres privées équipées de salles de bain complètes. Membre du réseau Hostelling International, cette auberge compte parmi les moins chères à Montréal.

L'Abri du voyageur
$-$$ bc ≡
9 rue Ste-Catherine O.
514-849-2922 ou 866-302-2922
www.abri-voyageur.ca
Au cœur d'une portion très animée de la rue Sainte-Catherine où se côtoient bars de danseuses nues, sex-shops et faune hétéroclite, cet hôtel ne conviendra pas à tous les voyageurs, mais constitue un très bon choix pour les petites bourses qui veulent résider au centre-ville. Les chambres sont simples mais propres, et l'accueil est souriant.

Résidences de l'Ouest de l'UQAM
$-$$ bc/bp @
mi-mai à mi-août
2100 rue St-Urbain
514-987-7747
www.residences-uqam.qc.ca
Les Résidences de l'Ouest de l'UQAM représentent une excellente option pour les voyageurs qui veulent se loger de façon économique. En plein cœur du Quartier des spectacles, la proximité de ces résidences permet d'y assister sans avoir recours aux moyens de transport.

Université McGill
$-$$ bc
mi-mai à mi-août
3935 rue University
514-398-6368
www.residences.mcgill.ca/summer.html
Si vous désirez loger dans le centre-ville même, vous pouvez opter pour les résidences de l'Université McGill, situées sur le flanc du mont Royal. Bien qu'elles soient petites, les chambres sont convenables et certaines offrent une vue magnifique sur le mont Royal. Sur le campus, on peut profiter de la piscine, d'un gymnase et d'un court de tennis (frais supplémentaires).

Hôtel du Nouveau Forum
$$ bc/bp ≡
1320 rue St-Antoine O.
514-989-0300 ou 888-989-0300
www.nouveau-forum.com
Érigé juste à côté du Centre Bell et pas très loin du Vieux-Montréal, l'Hôtel du Nouveau Forum propose de petites chambres sans prétention mais convenables. Il est aménagé dans une maison historique dont l'intérieur a été entièrement remis à neuf. L'atmosphère aseptisée des couloirs et de la salle à manger est heureusement réchauffée par un personnel très sympathique et un petit déjeuner des plus copieux.

Gîte Couette et Chocolat
$$-$$$ bc ≡ @
1074 rue St-Dominique
514-876-3960
www.couetteetchocolat.net
Situé tout près du Quartier chinois, le Gîte Couette et Chocolat est niché dans une belle maison de ville de style victorien. L'établissement a été entièrement décoré à neuf.

Hôtel Casa Bella
$$-$$$ bc/bp ≡ @
264 rue Sherbrooke O.
514-849-2777 ou 888-453-2777
www.hotelcasabella.com
Situé rue Sherbrooke près de la Place des Arts, l'Hôtel Casa Bella, installé dans une maison centenaire, offre un bon rapport qualité/prix pour le centre-ville. Les chambres sont jolies, et l'on sent qu'un effort a été porté à la décoration. Le petit déjeuner est servi dans les chambres. L'accueil courtois ajoute aux qualités de l'établissement.

Manoir Ambrose
$$-$$$ bc/bp ≡ @
3422 rue Stanley
514-288-6922 ou 888-688-6922
www.manoirambrose.com
Le Manoir Ambrose se compose de deux maisons victoriennes placées côte à côte dans une rue tranquille. L'hôtel, dont la décoration n'a rien de celle d'un manoir, vous semblera suranné et vous fera peut-être sourire, mais les chambres, refaites à neuf, sont bien tenues, et l'accueil est sympathique.

Hôtel Le Dauphin Montréal Centre-Ville
$$$ ≡ @
1025 rue De Bleury
514-788-3888 ou 888-784-3888
www.hotelsdauphin.ca
La chaîne hôtelière Le Dauphin a ouvert un nouvel établissement au centre-ville. Avoisinant le Palais des congrès dans le Quartier international de Montréal, l'hôtel bénéficie d'un emplacement idéal pour les gens d'affaires. Les chambres du Dauphin sont modernes et spacieuses.

LE CENTRE-VILLE ET LE GOLDEN SQUARE MILE

▲ HÉBERGEMENT

1. AZ Auberge de jeunesse de Montréal
2. BX Best Western Ville-Marie Hôtel & Suites
3. CX Castel Durocher
4. AX Château Versailles
5. CX Courtyard Marriott Montréal
6. CX Delta Montréal
7. BY Fairmont Le Reine Elizabeth
8. DY Gîte Couette et Chocolat
9. BZ Hilton Montréal Bonaventure
10. DZ Holiday Inn Select Montréal Centre-Ville
11. CX Hôtel Casa Bella
12. AY Hôtel de la Montagne
13. AZ Hôtel du Nouveau Forum
14. CZ Hôtel Le Dauphin Montréal Centre-Ville
15. BX Hôtel Le Germain
16. BX Hôtel Omni Mont-Royal
17. DX Hôtel Opus Montréal
18. CZ Hôtel W
19. DY Hyatt Regency Montréal
20. DY L'Abri du voyageur
21. BY Le Centre Sheraton
22. AX Le Méridien Versailles Montréal
23. AY Loews Hôtel Vogue
24. BX Manoir Ambrose
25. BX Marriott Residence Inn Montréal centre-ville
26. BZ Montréal Marriott Château Champlain
27. AY Novotel Montréal Centre
28. AY Quality Inn Centre-ville
29. DX Résidences de l'Ouest de l'UQAM
30. AX Ritz-Carlton Montréal
31. BX Sofitel Montréal Golden Mile
32. CY Square Phillips Hôtel & Suites
33. DY Travelodge Montréal Centre
34. CX Université McGill

Travelodge Montréal Centre
$$$-$$$$ ≡ @
50 boul. René-Lévesque O.
514-874-9090 ou 800-363-6535
www.travelodgemontreal.ca
L'hôtel Travelodge Montréal Centre propose des chambres confortables au décor moderne mais conventionnel. Son emplacement en fait un établissement offrant un bon rapport qualité/prix.

Quality Inn Centre-ville
$$$-$$$$ ≡ @
1214 rue Crescent
514-878-2711 ou 800-950-1363
www.choicehotels.ca
Établi dans une section tranquille de la rue Crescent, le Quality Inn Centre-ville se trouve à deux pas d'un quartier riche en restaurants et en boutiques. Ses chambres simplement meublées offrent un confort adéquat et ont l'avantage de posséder un agréable petit balcon.

Delta Montréal
$$$-$$$$ ≡
475 av. du Président-Kennedy
514-286-1986 ou 877-286-1986
www.deltamontreal.com
L'hôtel Delta Montréal dispose de deux entrées, l'une donnant sur la rue Sherbrooke et l'autre sur l'avenue du Président-Kennedy. Il propose des chambres agréables et joliment garnies.

Castel Durocher
$$$ bc/bp *chambres*
$$$$$ *appartements*
@ ≡
3488 rue Durocher
514-282-1697
www.casteldurocher.com
Construite en 1898 et située à deux pas de la rue Sainte-Catherine et de la Place des Arts, cette belle demeure de style Queen Anne a été reconvertie en gîte touristique. Les deux étages de l'établissement peuvent aussi être loués comme appartement privé. La touche gourmande de ce gîte: les chocolats belges Chic Choc, fabriqués de façon artisanale.

Best Western Ville-Marie Hôtel & Suites
$$$$ ≡ @
3407 rue Peel
514-288-4141 ou 800-361-7791
www.hotelvillemarie.com
Au cœur du centre-ville, le Best Western Ville-Marie Hôtel & Suites propose des chambres au décor sans âme, mais de bon confort ainsi que des suites aménagées pour les gens d'affaires. Le hall, où sont regroupés divers petits commerces, a des allures froides et se révèle peu invitant.

Courtyard Marriott Montréal
$$$$ ≡ @
410 rue Sherbrooke O.
514-844-8855 ou 800-449-6654
www.courtyard.com
L'hôtel Courtyard Marriott Montréal se dresse à l'orée du centre-ville. Ses chambres au décor agréable offrent une belle vue sur la montagne ou sur le fleuve.

Holiday Inn Select Montréal Centre-Ville
$$$$ ≡ @
99 av. Viger O.
514-878-9888 ou 877-660-8550
www.hiselect.com/yul-downtown
Le Holiday Inn Select Montréal Centre-Ville offre tout le confort d'un hôtel de qualité supérieure. Cet établissement étant situé au cœur du Quartier chinois, on reconnaît de loin son toit en pagode. À l'intérieur, il présente aussi un décor à l'orientale. En plus d'être pourvues de literies hypoallergènes, les chambres sont impeccables et spacieuses, tandis que le service est empressé et courtois. S'y trouve aussi un bon restaurant: **Chez Chine** (voir p. 232).

Novotel Montréal Centre
$$$$ ≡ @
1180 rue de la Montagne
514-861-6000 ou 866-861-6112
www.novotelmontreal.com
La chaîne hôtelière Novotel, d'origine française, s'est implantée à Montréal. Elle vise à répondre aux besoins de sa clientèle de gens d'affaires en lui proposant des chambres comprenant un bureau de travail spacieux et l'accès Internet.

Square Phillips Hôtel & Suites
$$$$ ≡ @
1193 rue du Square-Phillips
514-393-1193 ou 866-393-1193
www.squarephillips.com
Le Square Phillips Hôtel & Suites a ouvert ses portes en 2003. Situé au sud de la rue Sainte-Catherine, cet établissement offre des appartements meublés. Les studios et suites se louent à la journée, à la semaine ou au mois. S'y trouve aussi une piscine intérieure flanquée d'une belle terrasse qui permet de jouir d'une vue intéressante sur le centre-ville.

Château Versailles
$$$$-$$$$$
≡ @
1659 rue Sherbrooke O.
514-933-8111 ou 888-933-8111
www.versailleshotels.com
Installé dans le bâtiment constitué du Château et de la Tour de Versailles, l'hôtel Château Versailles est un charmant hôtel-boutique. Les chambres arborent certains attributs du bâtiment ancien, agencés à des éléments de décor victorien et à des accessoires modernes. De l'hôtel se dégage une belle atmosphère de détente.

Hôtel de la Montagne
$$$$-$$$$$
1430 rue de la Montagne
514-288-5656 ou 800-361-6262
www.hoteldelamontagne.com

Outre ses chambres, l'Hôtel de la Montagne dispose d'un excellent restaurant, Aux Beaux Jeudis, et d'un bar au personnel chaleureux, le Thursday's. L'été, il faut monter sur le toit à la belle Terrasse Magnétic, avec bar et piscine, pour profiter d'une vue imprenable sur la ville.

Marriott Residence Inn Montréal centre-ville
$$$$-$$$$$
2045 rue Peel
514-982-6064 ou 888-999-9494
www.marriott.com

Le Marriott Residence Inn renferme des studios et des suites équipés d'une cuisinette complète. Il est possible de louer une suite pour une journée ou pour plusieurs mois. Grande terrasse et piscine sur le toit.

Hôtel Omni Mont-Royal
$$$$-$$$$$
1050 rue Sherbrooke O.
514-284-1110
www.omnihotels.com

Un des hôtels les plus réputés de Montréal, l'Hôtel Omni Mont-Royal offre des chambres spacieuses et très confortables. Toutefois, les chambres régulières ont un décor banal, et les salles de bain sont bien petites pour un établissement de cette réputation. L'hôtel dispose d'une piscine extérieure chauffée, ouverte toute l'année.

Hôtel Le Germain
$$$$$
2050 rue Mansfield
514-849-2050 ou 877-333-2050
www.hotelboutique.com

En plein cœur de l'animé centre-ville se dresse un ancien immeuble de bureaux reconverti en hôtel: l'Hôtel Le Germain. Cet établissement, nouvellement rénové, a lancé la vague des hôtels-boutiques à Montréal, ces établissements où le service est personnalisé et où une attention particulière a été portée à la décoration. Chacune des chambres est aménagée avec soin, dans un style minimaliste.

Hôtel Opus Montréal
$$$$$
10 Sherbrooke O.
514-843-6000 ou 866-744-6346
www.opushotel.com

Conçues pour le globe-trotter du XXe siècle, les chambres et suites de l'Hôtel Opus Montréal apportent une touche fonctionnelle qui plaira aux gens qui se rendent à Montréal pour affaires. Tout en gardant le cachet de l'édifice Godin d'origine (voir p. 120) et en évoquant un retour au design des années 1960, la décoration minimaliste donne un aspect très moderne à l'établissement, idéalement situé entre la *Main* et le centre-ville. À noter le nouveau chic restobar asiatique Koko, ouvert depuis 2009 dans l'établissement.

Hyatt Regency Montréal
$$$$$
1255 rue Jeanne-Mance
514-982-1234 ou 800-361-8234
www.montrealregency.hyatt.com

Intégré au complexe Desjardins et situé en face de la Place des Arts, le Hyatt Regency Montréal bénéficie d'un emplacement favorable, particulièrement durant le Festival de jazz et les FrancoFolies, qui ont lieu juste à côté. Ses chambres et suites, vastes et tout confort, répondent à ce que l'on attend d'un hôtel de cette catégorie. Terrasse estivale en plein air.

Hôtel W
$$$$$
901 rue du Square-Victoria
514-395-3100 ou 888-627-7081
www.whotels.com

Première implantation de la chaîne W au Canada, cet établissement prestigieux a ouvert ses portes en 2004 et est installé dans l'imposant édifice de l'ancienne Banque du Canada, au cœur du Quartier international de Montréal. Confort et design résument l'esprit des chambres et des suites de l'hôtel. Les chambres, dont les fenêtres donnent sur le square Victoria, sont décorées dans des tons de noir et de bleu, couleurs désormais emblématiques de l'Hôtel W de Montréal. Le spa Sweat, le Wunderbar, le Salon Du Plateau, le W Café Bartini et le Ristorante Otto font partie des nombreuses installations destinées à vous faire vivre une véritable expérience hôtelière à Montréal.

Fairmont Le Reine Elizabeth
$$$$$
900 boul. René-Lévesque O.
514-861-3511 ou 866-540-4483
www.fairmont.com

Le Reine Elizabeth est un des symboles de la personnalité de Montréal (voir p. 94). Les chambres, dont certaines ont été complètement rénovées, sont relativement petites, mais l'emplacement de l'hôtel et tous ses services demeurent irrésistibles pour qui voyage pour affaires. Son hall orné de boiseries est splendide. Au rez-de-chaussée se trouve une galerie de boutiques d'où l'on rejoint aisément la gare ferroviaire ainsi que le Montréal souterrain.

Hilton Montréal Bonaventure
$$$$$
900 rue De La Gauchetière O.
514-878-2332 ou 800-267-2575
www.hiltonmontreal.com

L'hôtel Hilton Montréal Bonaventure est un établissement idéal pour la détente aux limites du centre-ville et du Vieux-Montréal. Il est possible de se baigner, tout au long de l'année, dans la piscine extérieure chauffée. L'hôtel dispose d'un charmant jardin et d'un accès à la «ville souterraine».

Le Centre Sheraton
$$$$$
1201 boul. René-Lévesque O.
514-878-2000
www.sheraton.com/lecentre

Récemment rénové, le Centre Sheraton s'élève sur plus de 30 étages et dispose d'une très grande capacité d'accueil. En entrant, prenez le temps de profiter du très beau hall orné de baies vitrées et de plantes tropicales. Les chambres, quant à elles, présentent une jolie décoration.

Le Méridien Versailles Montréal
$$$$$
1808 rue Sherbrooke O.
514-933-8111 ou 888-933-8111
www.versailleshotels.com

Situé juste en face du **Château Versailles** (voir p. 210), géré par la même administration, Le Méridien Versailles Montréal n'est pas, contrairement au Château, un hôtel-boutique. On retrouve plutôt ici des chambres où la décoration, bien qu'agréable, se rapproche plus de celle des chaînes. L'établissement propose tous les services aux gens d'affaires ainsi que des salles de réunion.

Loews Hôtel Vogue
$$$$$
1425 rue de la Montagne
514-285-5555 ou 800-465-6654
www.loewshotels.com

Au premier abord, le bâtiment de verre et de béton sans ornement qui abrite le Loews Hôtel Vogue peut sembler dénué de grâce. Le hall, agrémenté de boiseries aux couleurs chaudes, donne une idée plus juste du luxe et de l'élégance de l'établissement. Mais avant tout, ce sont les vastes chambres, garnies de meubles aux lignes gracieuses, qui révèlent le confort de cet hôtel.

Montréal Marriott Château Champlain
$$$$$
1050 rue De La Gauchetière O.
514-878-9000 ou 800-200-5909
www.marriott.com

Le Château Champlain est installé dans un bâtiment blanc aux fenêtres en demi-lune, ce qui lui a valu le surnom de «râpe à fromage». Cet hôtel réputé dispose malheureusement de petites chambres moins belles que celles auxquelles on pourrait s'attendre d'un établissement de cette classe. Accès direct à la «ville souterraine».

Ritz-Carlton Montréal
$$$$$
1228 rue Sherbrooke O.
514-842-4212 ou 800-363-0366
www.ritzmontreal.com

Le Ritz-Carlton fut inauguré en 1912 et n'a cessé depuis de s'embellir, afin d'offrir à sa clientèle un confort toujours supérieur tout en conservant son élégance et son charme d'antan. Dignes d'un établissement de grande classe, ses chambres sont décorées de superbes meubles anciens et offrent un confort supérieur. Un excellent restaurant (**Café de Paris**, voir p. 235) se double en été d'un agréable jardin où l'on peut casser la croûte (**Le Jardin du Ritz**, voir p. 235). L'établissement fait l'objet d'une rénovation complète et sera agrandi pour accueillir des résidences de prestige. Ces travaux devraient se terminer fin 2010 ou début 2011. Notez que durant les travaux l'hôtel sera fermé.

Sofitel Montréal Golden Mile
$$$$$
1155 rue Sherbrooke O.
514-285-9000
www.sofitel.com

Le Sofitel propose des chambres à la fois élégantes et épurées, décorées de meubles en teck et baignées de couleur ambre. Les salles de bain modernes sont enjolivées de marbre italien. Le personnel multilingue est serviable.

Le Village Shaughnessy

Residence Inn by Marriott Montreal Westmount
$$$
2170 av. Lincoln
514-935-9224 ou 800-678-6323
www.residencemontreal.com

Le Residence Inn by Marriott Montreal Westmount est d'aspect plutôt modeste; mais ainsi situé, à la limite ouest du centre-ville, dans une rue paisible, et avec ses chambres équipées d'une cuisinette, il constitue une excellente adresse où loger.

Hôtel du Fort
$$$-$$$$$
1390 rue du Fort
514-938-8333 ou 800-565-6333
www.hoteldufort.com

L'Hôtel du Fort offre confort, sécurité et service

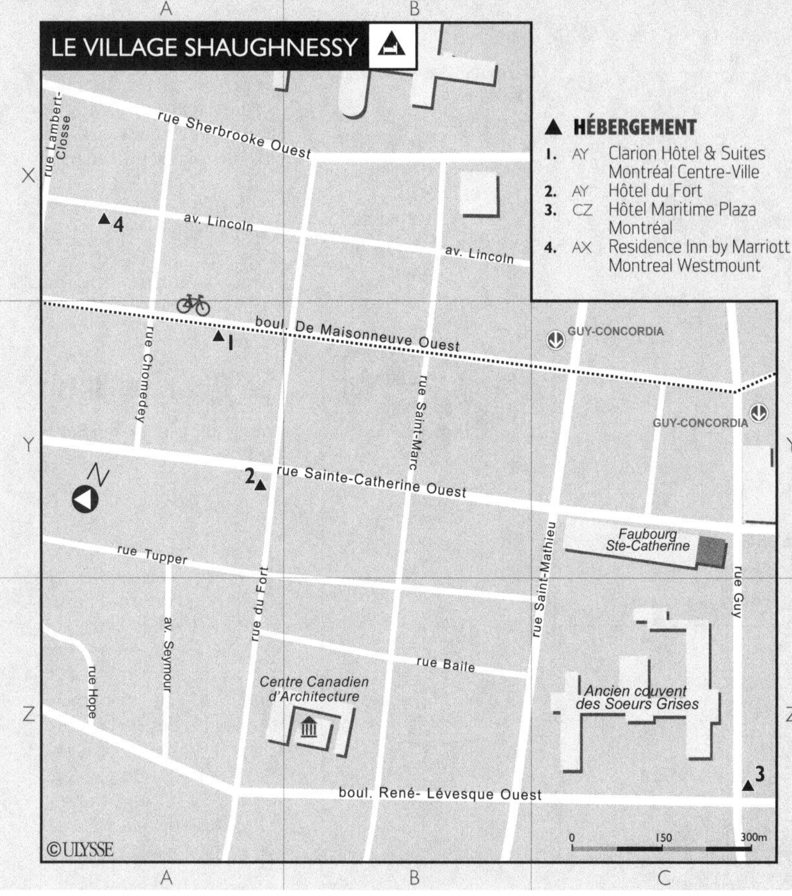

personnalisé. Chacune des chambres est munie d'une cuisinette équipée.

Clarion Hôtel & Suites Montréal Centre-Ville
$$$$ ≡ @
2100 boul. De Maisonneuve O.
514-931-8861 ou 800-361-7191
www.clarionmontreal.com
Situé entre les stations de métro Atwater et Guy-Concordia, le Clarion Hôtel & Suites Montréal Centre-Ville a emménagé dans un ancien immeuble résidentiel. L'établissement propose des suites spacieuses et lumineuses, toutefois décorées sommairement. Toutes sont dotées d'une cuisine entièrement équipée. Favorisant les séjours prolongés, le Clarion pratique des tarifs dégressifs (semaine, mois).

Hôtel Maritime Plaza Montréal
$$$$ ≡ @
1155 rue Guy
514-932-1411 ou 800-363-6255
www.hotelmaritime.com
L'Hôtel Maritime Plaza Montréal se dresse à deux minutes de marche de la rue Sainte-Catherine. L'établissement compte des chambres un tant soit peu exiguës, mais qui se révèlent toutefois élégantes et bien équipées, pour offrir tout le confort moderne dont les gens d'affaires ou les vacanciers ont besoin durant leur séjour.

Le quartier Milton-Parc et la *Main*

Pensione Popolo
$-$$ bc/bp @
4873 boul. St-Laurent
514-284-2863
www.casadelpopolo.com
La Pensione Popolo propose des chambres modestes mais coquettes, avec accès à une cuisinette. On vous donnera un laissez-passer pour un des concerts de la **Casa del Popolo** (voir p. 281), mais sachez toutefois que certaines chambres se trouvent justement au-dessus de cette salle de spectacle. Le

bruit peut donc être incommodant, mais le prix des chambres plaira aux mélomanes à petit budget.

Bienvenue Bed & Breakfast
$$-$$$ bc/bp ≡ @
3950 av. Laval
514-844-5897 ou 800-227-5897
www.bienvenuebb.com
À deux pas de l'avenue Duluth se trouve le Bienvenue Bed & Breakfast. Situé dans une rue tranquille, cet établissement dispose de chambres plutôt petites mais décorées de façon charmante. Il est installé dans une maison joliment entretenue d'où se dégage une atmosphère paisible et amicale. Le petit déjeuner, très copieux, est servi dans une agréable salle à manger.

Le Quartier latin

Auberge de jeunesse de l'Hôtel de Paris
$ bc @
901 rue Sherbrooke E.
514-522-6861 ou 800-567-7217
www.hotel-montreal.com
L'Auberge de jeunesse de l'Hôtel de Paris, qui appartient à l'Hôtel de Paris (voir p. 216), est divisée en dortoirs comptant de 4 à 20 lits. La cuisine commune, bien qu'elle soit petite, dispose du nécessaire pour permettre de se faire à manger, et une terrasse offre une vue agréable. Pas de couvre-feu.

Résidences René-Lévesque de l'UQAM
$-$$ bc/bp ❄ @
mi-mai à mi-août
303 boul. René-Lévesque E.
514-987-6669
www.residences-uqam.qc.ca
Loger dans les Résidences René-Lévesque de l'UQAM, à un prix plus que raisonnable, permet de découvrir le Quartier latin, le Quartier chinois et le Vieux-Montréal, tous situés à proximité. Comme dans les **Résidences de l'Ouest de l'UQAM** (voir p. 208), on y compte un grand nombre de chambres et cinq modes d'hébergement distincts, de la formule Multi avec salle de bain et cuisinette communes aux studios-suites tout équipés.

LE QUARTIER LATIN

▲ HÉBERGEMENT

1. AX Armor Manoir Sherbrooke
2. CW Auberge de jeunesse de l'Hôtel de Paris
3. CY Auberge Le Pomerol
4. AW Aux portes de la nuit
5. CW Doubletree Plaza Hotel Centre-Ville
6. AZ Gîte Angelica Blue
7. BW Hôtel de l'Institut
8. CW Hôtel de Paris
9. CZ Hôtel Gouverneur Place Dupuis
10. CZ Hôtel Le Saint André
11. BZ Hôtel Lord Berri
12. CY Le Chasseur
13. BX Le Jardin d'Antoine
14. AZ Résidences René-Lévesque de l'UQAM

Le Chasseur

$$ bc/bp ≡ @

1567 rue St-André

514-521-2238 ou 800-451-2238

www.lechasseur.com

Près du Village gay, le gîte touristique Le Chasseur propose, avec le sourire, des chambres décorées avec goût. Pendant la belle saison, la terrasse permet de se soustraire à l'activité de la ville et de se détendre un peu.

Armor Manoir Sherbrooke

$$-$$$ ≡ @

157 rue Sherbrooke E.

514-845-0915 ou 800-203-5485

www.armormanoir.com

L'Armor Manoir Sherbrooke, installé dans une ancienne demeure en pierre, compte des chambres au décor tout de simplicité. L'accueil est poli et efficace.

Gîte Angelica Blue

$$-$$$ ≡ @

1213 rue Ste-Élisabeth

514-844-5048 ou 800-878-5048

www.angelicablue.com

Le Gîte Angelica Blue, un gîte touristique invitant, propose plusieurs chambres thématiques différentes aux dimensions variées. Chacune des chambres exhale toutefois un cachet chaleureux.

Hôtel de Paris

$$-$$$ ≡ @

901 rue Sherbrooke E.

514-522-6861 ou 800-567-7217

www.hotel-montreal.com

L'Hôtel de Paris, aménagé dans une belle maison construite en 1870, offre des chambres confortables. Bien que rénové, l'hôtel conserve un cachet particulier avec ses magnifiques boiseries dans l'entrée.

Aux portes de la nuit

$$$ @

3496 av. Laval

514-848-0833

www.auxportesdelanuit.com

Donnant sur le square Saint-Louis, ce gîte touristique niché dans une jolie maison victorienne abrite de jolies et chaleureuses chambres.

Auberge Le Pomerol

$$$-$$$$ ≡ @

819 boul. De Maisonneuve E.

514-526-5511 ou 800-361-6896

www.aubergelepomerol.com

L'Auberge Le Pomerol propose un hébergement de qualité supérieure. Le décor de verre, de béton, de bois, de briques et de pierres confère à cet endroit une ambiance toute particulière. Les chambres du Pomerol sont douillettes et ont un décor soigné.

Hôtel de l'Institut

$$$-$$$$ ≡ @

3535 rue St-Denis

514-282-5120 ou 800-361-5111

www.ithq.qc.ca/hotel

Juste en face du square Saint-Louis, l'Hôtel de l'Institut occupe deux des étages supérieurs de l'Institut de tourisme et d'hôtellerie du Québec (ITHQ). Cet établissement résolument moderne et très confortable dispose de tous les services d'un grand hôtel. Car faut-il savoir que l'hôtel est tenu par les étudiants qui y font leur stage; ils sont suivis de près par des professeurs qui s'assurent de l'excellence de leur travail selon les standards de l'hôtellerie quatre étoiles. Le petit déjeuner-buffet est servi dans le magnifique **Restaurant de l'Institut** (voir p 244).

Hôtel Le Saint André

$$$-$$$$ ≡ ❄ @

1285 rue St-André

514-849-7070 ou 800-265-7071

www.hotelsaintandre.ca

Charmant hôtel à l'accueil chaleureux, Le Saint André, situé à proximité des bars et restaurants du Village gay, de la rue Saint-Denis, du Vieux-Montréal et du centre-ville, renferme des chambres confortables et bien décorées. On vous servira un petit déjeuner continental dans votre chambre le matin.

Le Jardin d'Antoine

$$$-$$$$ ≡ @

2024 rue St-Denis

514-843-4506 ou 800-361-4506

www.hotel-jardin-antoine.qc.ca

Réparties sur trois étages, les chambres du Jardin d'Antoine sont décorées avec soin, certaines exhibant mur de briques et plancher de bois franc. Plusieurs suites confortables et bien équipées sont proposées. Petit jardin à l'arrière.

Hôtel Lord Berri

$$$-$$$$$ ≡ ❄ @

1199 rue Berri

514-845-9236 ou 888-363-0363

www.lordberri.com

La façade illuminée qu'arbore l'Hôtel Lord Berri cache un hall dépouillé et des chambres vastes, mais au décor un peu fade et sans grande originalité.

Doubletree Plaza Hotel Centre-Ville

$$$$-$$$$$

≡ @

505 rue Sherbrooke E.

514-842-8581 ou 800-561-4644

www.cpmontreal.com

Le Doubletree Plaza Hotel Centre-Ville, au décor moderne, offre des chambres spacieuses et une ambiance de détente et de confort.

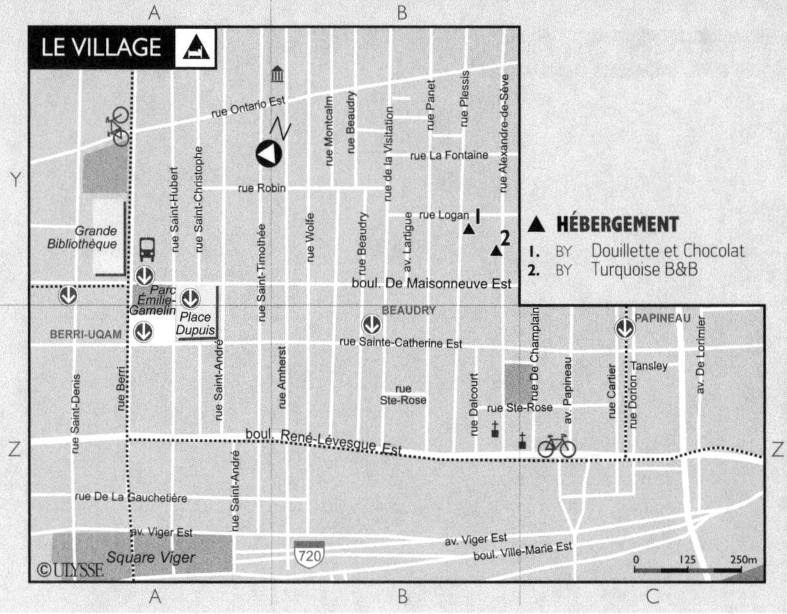

Hôtel Gouverneur Place Dupuis
$$$$-$$$$$
1415 rue St-Hubert
514-842-4881 ou 888-910-1111
www.gouverneur.com

Situé au cœur du Quartier latin, le confortable Hôtel Gouverneur Place Dupuis est relié aux nombreuses boutiques de la Place Dupuis, au métro ainsi qu'à l'Université du Québec à Montréal (UQAM) et à la Grande Bibliothèque, et se trouve tout près des cafés-terrasses de la rue Saint-Denis et du Village gay.

Le Village

Douillette et Chocolat
$$ bc
1631 rue Plessis
514-523-0162

Douillette et Chocolat, un petit gîte aménagé avec goût, niche dans une vieille demeure victorienne. Les chambres, grandes et claires, ont un cachet particulièrement séduisant. Le petit déjeuner est copieux et servi dans une belle salle à manger.

Turquoise B&B
$$ bc
1576 rue Alexandre-de-Sève
514-523-9943 ou 877-707-1576
www.turquoisebb.com

En plein cœur du Village gay, le Turquoise B&B compte cinq chambres. Cette maison victorienne dont seul l'intérieur témoigne de cette époque a été rénovée. Une terrasse permet également de se faire servir le petit déjeuner buffet à l'extérieur, dans le grand jardin privé, lorsque le temps est clément.

Le Plateau Mont-Royal

Le Gîte du parc Lafontaine
$$ bc/bp
début juin à mi-sept
1250 rue Sherbrooke E.
514-522-3910 ou 877-350-4483
www.hostelmontreal.com

Au Gîte du parc Lafontaine, une auberge de jeunesse aménagée dans une maison centenaire, les clients peuvent profiter de chambres meublées, de dortoirs, d'une cuisine, d'un salon, d'une laverie, d'une terrasse, d'un accueil sympathique et surtout d'une situation géographique favorable: à deux pas du parc La Fontaine et non loin de la rue Saint-Denis.

Le Gîte du Plateau Mont-Royal
$$ bc/bp @
185 rue Sherbrooke E.
514-522-3910 ou 877-350-4483
www.hostelmontreal.com

Le Gîte du Plateau Mont-Royal est une magnifique maison de ville de trois étages avec terrasse sur le toit, typique du quartier avec ses poutres de bois et ses hauts plafonds. On y propose des chambres simples, doubles, triples, quadruples et des dortoirs. Cet établissement est entretenu avec soin par des employés sympathiques.

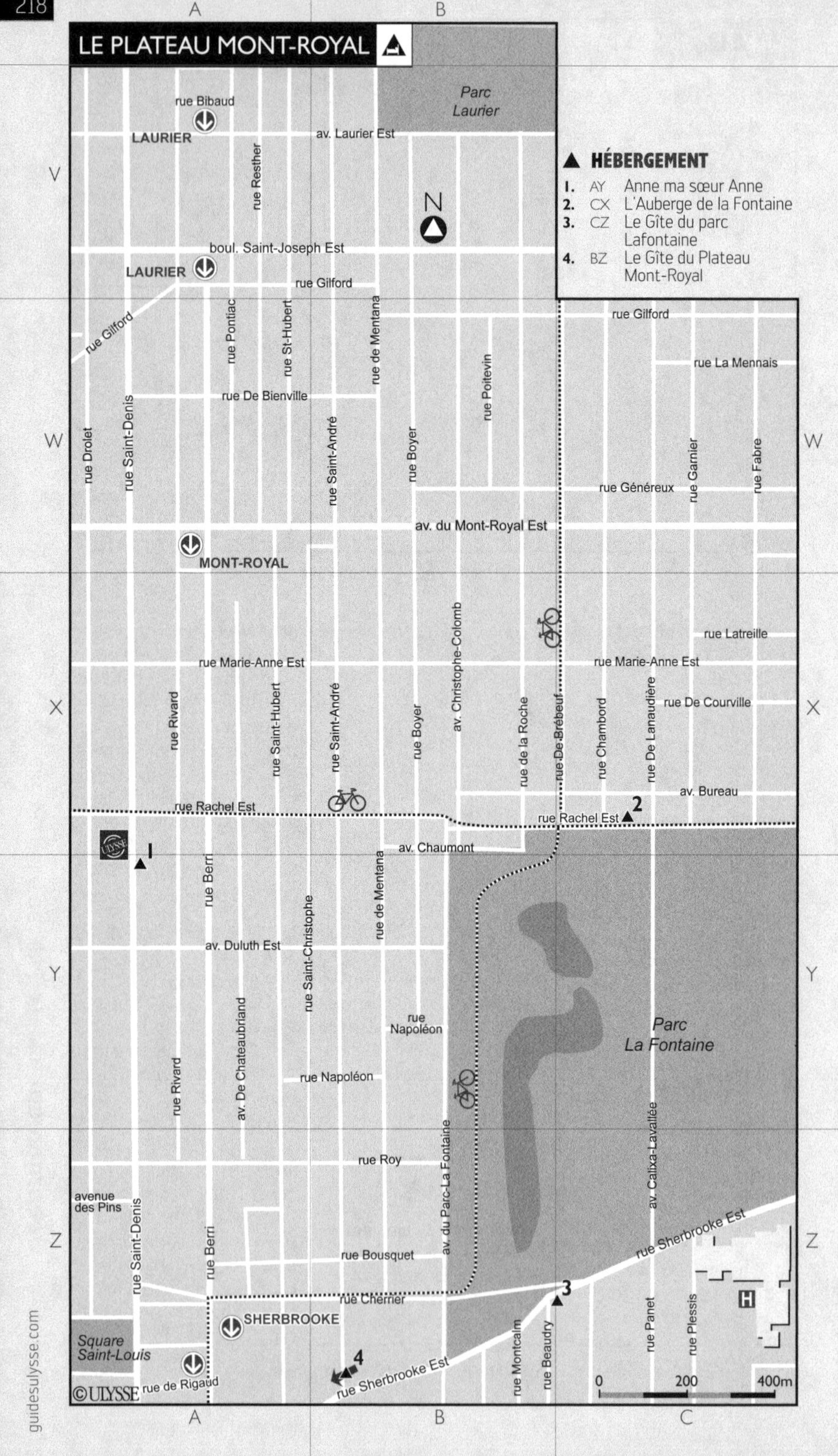
LE PLATEAU MONT-ROYAL
▲ HÉBERGEMENT
1. AY Anne ma sœur Anne
2. CX L'Auberge de la Fontaine
3. CZ Le Gîte du parc Lafontaine
4. BZ Le Gîte du Plateau Mont-Royal
Parc Laurier
Parc La Fontaine
Square Saint-Louis
LAURIER
MONT-ROYAL
SHERBROOKE
rue Bibaud
av. Laurier Est
rue Resther
boul. Saint-Joseph Est
rue Gilford
rue Pontiac
rue St-Hubert
rue de Mentana
rue Poitevin
rue La Mennais
rue De Bienville
rue Drolet
rue Saint-Denis
rue Saint-André
rue Boyer
rue Garnier
rue Fabre
rue Généreux
av. du Mont-Royal Est
av. Christophe-Colomb
rue Latreille
rue Marie-Anne Est
rue De Courville
rue Rivard
rue Saint-Hubert
rue de la Roche
rue De Brébeuf
rue Chambord
rue De Lanaudière
av. Bureau
rue Rachel Est
av. Chaumont
rue Berri
rue Saint-Christophe
av. Duluth Est
rue Napoléon
av. De Chateaubriand
av. du Parc-La Fontaine
av. Calixa-Lavallée
rue Roy
avenue des Pins
rue Sherbrooke Est
rue Bousquet
rue Cherrier
rue Montcalm
rue Beaudry
rue Panet
rue Plessis
rue de Rigaud
0 200 400m
©ULYSSE
A B C
V W X Y Z

Anne ma sœur Anne
$$$-$$$$ ≡ @
4119 rue St-Denis
514-281-3187
www.annemasoeuranne.com
Nichées dans un bel édifice de pierre datant du XIXe siècle, les chambres-studios d'Anne ma sœur Anne offrent une formule intéressante en plein cœur du Plateau. Décorées très sobrement, elles sont aisément modulables en bureaux le jour, grâce au mobilier mural intégré, et chacune d'entre elles dispose d'une cuisinette entièrement équipée. La petite touche personnelle: les croissants et le café gratuits, livrés à votre porte chaque matin, et l'accueil chaleureux.

L'Auberge de la Fontaine
$$$$-$$$$$ ≡ ❄ @
1301 rue Rachel E.
514-597-0166 ou 800-597-0597
www.aubergedelafontaine.com
Si vous cherchez un établissement sachant allier charme, confort et tranquillité, descendez à l'Auberge de la Fontaine, qui, en plus d'abriter des chambres décorées avec goût, se trouve en face du beau parc La Fontaine. Un sentiment de calme et de bien-être vous envahira dès l'entrée. Avec autant de qualités, l'auberge est vite devenue populaire, et les réservations sont fortement recommandées.

Notre-Dame-de-Grâce

Université Concordia
$-$$ bc
début juin à début août
7141 rue Sherbrooke O.
514-848-2424, poste 4999
http://residence.concordia.ca
Il est possible de louer des chambres dans les résidences de l'Université Concordia situées à l'ouest du centre-ville, à 15 min d'autobus de la station de métro Vendôme.

Côte-des-Neiges

Université de Montréal
$-$$ bc @
mi-mai à fin août
2350 boul. Édouard-Montpetit
514-343-8006
www.studioshotel.ca
Les résidences des étudiants de l'Université de Montréal ont été construites au pied du mont Royal dans un quartier tranquille. Elles se trouvent à quelques kilomètres du centre-ville et sont facilement accessibles par autobus ou métro. L'hébergement à la semaine ou au mois est également proposé.

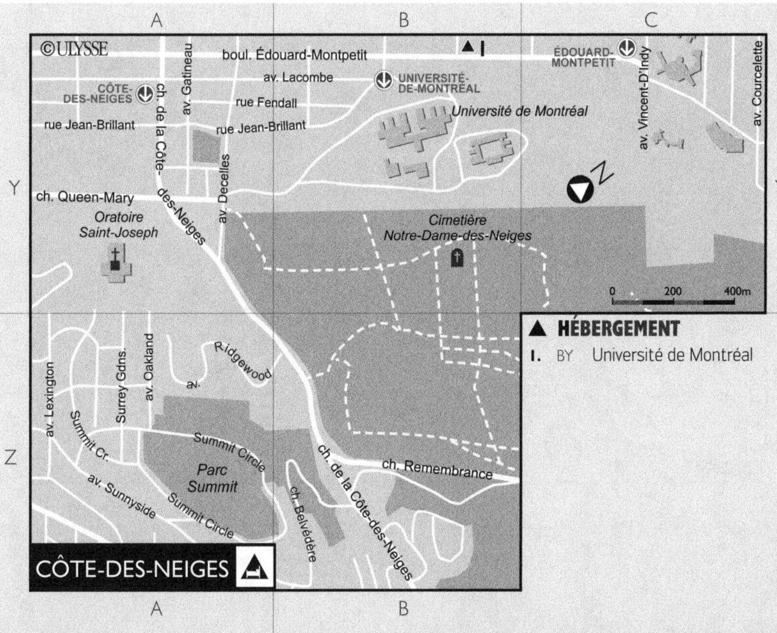

CÔTE-DES-NEIGES

©ULYSSE
boul. Édouard-Montpetit
av. Lacombe
rue Fendall
rue Jean-Brillant
ch. Queen-Mary
ch. de la Côte-des-Neiges
av. Gatineau
av. Decelles
av. Vincent-D'Indy
av. Courcelette
Université de Montréal
Oratoire Saint-Joseph
Cimetière Notre-Dame-des-Neiges
Parc Summit
Summit Circle
Ridgewood av.
av. Lexington
Surrey Gdns.
av. Oakland
Summit Cr.
av. Sunnyside
ch. Belvédère
ch. Remembrance
CÔTE-DES-NEIGES
UNIVERSITÉ-DE-MONTRÉAL
ÉDOUARD-MONTPETIT
0 200 400m

▲ **HÉBERGEMENT**
1. BY Université de Montréal

ROSEMONT

▲ **HÉBERGEMENT**

1. CY À la Carte Bed and Breakfast

©ULYSSE

MAISONNEUVE

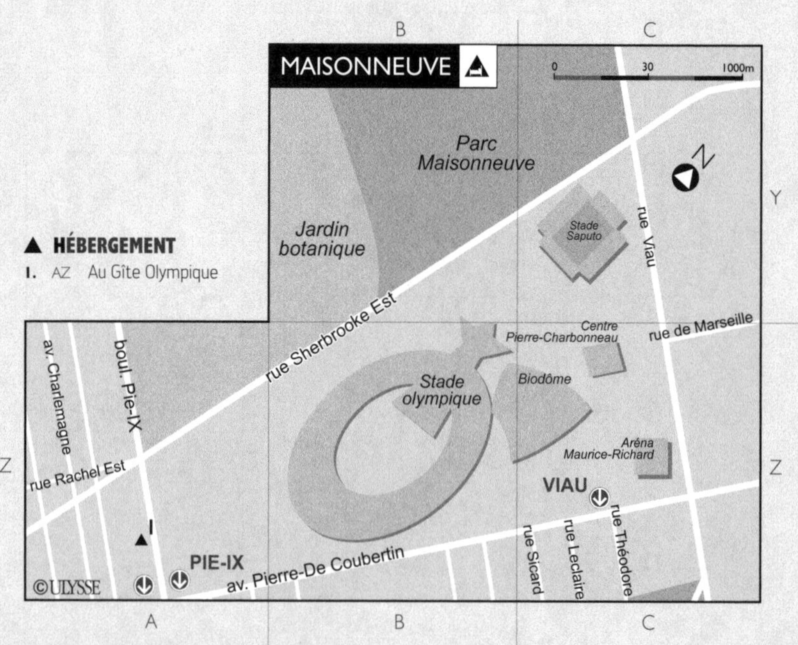

▲ **HÉBERGEMENT**

1. AZ Au Gîte Olympique

Rosemont

À la Carte Bed and Breakfast
$$$ @ ≡
5477 10e Avenue
514-593-4005 ou 877-388-4005
www.alacartebnb.com
Aménagé dans un charmant édifice du début du XXe siècle, le gîte À la Carte propose des chambres, appartements et studios pouvant accueillir jusqu'à six personnes et décorés avec goût. Même si l'établissement est plutôt excentré par rapport aux secteurs touristiques de la ville, les installations sont idéales pour un séjour de longue durée.

Maisonneuve

Au Gîte Olympique
$$-$$$ ≡ @
2752 boul. Pie-IX
514-254-5423 ou 888-254-5423
www.gomontrealgo.com
Bien qu'il soit situé sur le passant boulevard Pie-IX, Au Gîte Olympique bénéficie de chambrestranquilles qui offrent une vue prenante sur le Stade olympique. Un salon est mis à la disposition des visiteurs, qui peuvent s'y détendre ou faire connaissance avec d'autres voyageurs. À l'arrière s'étend une large terrasse où l'on sert le petit déjeuner pendant la belle saison.

L'ouest de l'île

Dorval

Hôtel Best Western Montréal Aéroport
$$$-$$$$
≡ @
13000 ch. de la Côte-de-Liesse
514-631-4811 ou 800-361-2254
www.bestwestern.com
Les chambres de l'Hôtel Best Western Montréal Aéroport sont agréables et économiques. L'hôtel offre à ses clients un service aussi rare qu'intéressant : on peut y garer sa voiture pour près de trois semaines. Un service de navette pour l'aéroport Montréal-Trudeau y est offert gratuitement.

Hilton Montréal Aéroport
$$$$ ≡ @
12505 ch. de la Côte-de-Liesse
514-631-2411 ou 800-567-2411
www.1.hilton.com
Le Montréal Aéroport Hilton propose des chambres agréables à proximité de l'aéroport Montréal-Trudeau.

Hôtel Marriott Courtyard Aéroport de Montréal
$$$$ @ ≡
7000 pl. Robert-Joncas
514-339-5339 ou 888-339-5339
www.mmtla.ca
Situé à quelques minutes de l'aéroport Montréal-Trudeau, le Marriott Courtyard Aéroport de Montréal est un hôtel conçu pour les voyageurs d'affaires. Les chambres offrent toutes les commodités pour le travail et la détente. Des salles de réunion tout équipées sont également disponibles.

Restaurants

Le Vieux-Montréal 225
Le centre-ville et le Golden Square Mile 231
Le Village Shaughnessy 236
Le quartier Milton-Parc et la *Main* 238
Le Quartier latin 242
Le Village 244
Le Plateau Mont-Royal 246
Le mont Royal 253
Westmount, Notre-Dame-de-Grâce et Côte-des-Neiges 253
Outremont et le Mile-End 255
Rosemont 260
La Petite Italie 261
Le Sault-au-Récollet 264
Les îles Sainte-Hélène et Notre-Dame 264
Maisonneuve 266
Autour du canal de Lachine 268
Pointe-Saint-Charles et Verdun 269
L'ouest de l'île 270

La réputation de Montréal en ce qui concerne sa gastronomie n'est plus à faire. De tous les horizons, on salue le travail de nombreux chefs montréalais qui, par leur talent, ont su innover depuis les dernières décennies pour le plus grand plaisir des gourmands. Ils rivalisent d'inventivité à mettre en valeur la qualité des produits frais du terroir québécois tout en prodiguant un intérêt certain pour les saveurs du monde entier. Résultat: une cuisine inventive, colorée et savoureuse, aux accents d'ici et d'ailleurs.

Le rapport qualité/prix des restaurants de Montréal est également exceptionnel, et même les grandes tables y sont nettement plus abordables que dans la plupart des grandes villes. L'originalité et la qualité de sa restauration rapide sont aussi remarquables. Montréal est reconnue à travers le Canada pour ses hot-dogs à la vapeur, ses souvlakis, sa poutine et en particulier pour ses spécialités d'origine juive: les *bagels* et le *smoked meat* (viande fumée).

Les Québécois appellent le petit déjeuner le «déjeuner», le déjeuner le «dîner» et le dîner le «souper». Ce guide suit cependant la nomenclature internationale, à savoir petit déjeuner, déjeuner et dîner. Dans la majorité des cas, les restaurants proposent un menu du jour. Servi le midi (et parfois le soir), il offre souvent un choix d'entrées et de plats, un café et un dessert. Au dîner, la table d'hôte (même formule, mais légèrement plus chère) est également intéressante.

La sélection qui suit est classée selon l'ordre des circuits proposés afin de faciliter la découverte de la perle rare, où que l'on soit dans la ville.

› Prix et symboles

Sauf indication contraire, les prix mentionnés dans ce guide s'appliquent à un repas pour une personne, excluant les boissons, les taxes (voir p. 71) et le pourboire (voir p. 69).

$	moins de 15$
$$	de 15$ à 25$
$$$	de 26$ à 50$
$$$$	plus de 50$

Label Ulysse

Le pictogramme du label Ulysse est attribué à nos établissements favoris (hôtels et restaurants). Bien que chacun des établissements inscrits dans ce guide s'y retrouve en raison de ses qualités ou particularités, en plus de son rapport qualité/prix, de temps en temps un établissement se distingue parmi d'autres. Ainsi il mérite qu'on lui attribue un label Ulysse. Les labels Ulysse peuvent se retrouver dans n'importe quelle catégorie d'établissements: supérieure, moyenne-élevée, petit budget. Quoi qu'il en soit, dans chacun de ces établissements, vous en aurez pour votre argent. Repérez-les en premier!

Apportez votre vin

Il se trouve en effet des restaurants où l'on peut apporter sa bouteille de vin. Cette particularité étonnante pour les Européens vient du fait que, pour pouvoir vendre du vin, il faut posséder un permis de vente d'alcool assez coûteux. Certains restaurants voulant offrir à leur clientèle des formules économiques possèdent dès lors un autre permis qui permet aux clients d'apporter leur bouteille de vin. Dans la majorité des cas, un panonceau vous signalera cette possibilité.

➤ Index par types de cuisine

Pour choisir un restaurant selon sa spécialité, consultez l'index à la p. 272.

Les favoris d'Ulysse

➤ Les grandes tables de Montréal

Bistro Cocagne 252
Brontë 235
Chez la Mère Michel 236
Europea 235
La Chronique 260
Le Club Chasse et Pêche 229
Nuances 264
Raza 260
Toqué! 236

➤ Pour apporter son vin

La Prunelle 241
Le Pégase 252
Le Piton de la Fournaise 252
Les Infidèles 253
Zeste de folie 260

➤ Pour les noctambules

Café du Nouveau Monde 232
Ferreira 235
L'Express 252
La Banquise 247
Leméac Café Bistrot 259
Shed Café 240

➤ Pour la terrasse

Boris Bistro 226
Café Daylight Factory 231
Caffè Grazie Mille 256
Chez Gautier 241
La Moulerie 258

➤ Pour la vue

Nuances 264

➤ Pour les amateurs d'histoire

Gibby's 229
Le Saint-Gabriel 229
Les Filles du Roy 230
Maison George Stephen 234

➤ Pour les brunchs

Caffè della posta 259
L'Express 252
Le Cartet 226
Le Jurançon 261
Leméac Café Bistrot 259
Le Moineau / The Sparrow 258
M sur Masson 260
Toi Moi et Café 256

Le Vieux-Montréal

Si, par une belle journée d'été pendant votre visite du Vieux-Montréal, vous êtes pris d'une irrésistible envie de crème glacée, pas de panique, vous trouverez de quoi vous sustenter!

Dans la rue de la Commune et autour, les bars laitiers sont légion, certains étant même jouxtés d'une agréable petite terrasse.

Beniamino
$
32 rue McGill
☎ 514-284-1711
Beniamino demeure un incontournable de la rue McGill. Il s'agit là d'une véritable épicerie, pourvue de produits de base et de produits fins, doublée d'un comptoir d'excellents plats prêts à manger, qu'on peut déguster sur place. On y présente chaque jour de nouvelles recettes italiennes et des paninis, qui seraient les meilleurs en ville!

Bio train
$
410 rue St-Jacques O.
☎ 514-842-9184
Le Bio train est le restaurant libre-service que privilégient les gens d'affaires du quartier pour sa cuisine santé.

Crémerie Saint-Vincent
$
153 rue St-Paul E.
514-392-2540
Ouverte uniquement durant l'été, la Crémerie Saint-Vincent est un des rares établissements à Montréal où l'on peut savourer une excellente crème glacée molle garnie de sucre d'érable. Une grande variété de glaces figure au menu.

Nomad Station
$
407 rue McGill, local 105
514-844-7979
www.nomadmoments.tv
Doté d'une hallucinante murale où s'entrecroisent des personnages fantastiques de bandes dessinées, le café Nomad Station s'inscrit dans un projet d'art médiatique. Dans ce local lumineux, les clients peuvent casser la croûte (sandwichs, pizzas, calzones, gelatos et sélection de bonbons), boire un café équitable biologique et lever les yeux sur la multitude de petits écrans au mur qui présentent en boucle de courts films, comme autant de cartes postales, produits par des artistes du monde entier.

Olive + Gourmando
$
351 rue St-Paul O.
514-350-1083
www.oliveetgourmando.com
Les deux fondateurs de ce bistro de la rue Saint-Paul ont fait leurs armes au Toqué!, l'une des grandes tables de la métropole. Ils proposent ici un menu composé de délicieux sandwichs, salades et soupes, et l'on peut terminer son repas en s'offrant l'un de leurs fameux brownies à saveur de café Illy. Inutile d'en rajouter: c'est une halte sans prétention, mais charmante et gourmande, dans le Vieux-Montréal.

Soupesoup
$
649 rue Wellington
514-759-1159
www.soupesoup.com
Voir description p. 240.

Titanic
$
fermé sam-dim
445 rue St-Pierre
514-849-0894
Voici un restaurant tout petit et très achalandé à découvrir en semaine pour le déjeuner. Installé dans un demi-sous-sol, le Titanic offre une myriade de sandwichs sur pain baguette et de salades aux accents de la Méditerranée: feta et autres fromages, poisson fumé, pâtés, légumes marinés... Délicieux!

Gandhi
$$
230 rue St-Paul O.
514-845-5866
Le décor sobre et lumineux ainsi que les plats faisant honneur aux plus pures traditions de la cuisine indienne font de cette adresse une véritable perle dans l'univers gastronomique du Vieux-Montréal. Les tandouris sont particulièrement recommandés.

Casa de Matéo
$$
440 rue St-François-Xavier
514-844-7448
La Casa de Matéo est un joyeux restaurant mexicain garni de hamacs, de cactus et de bibelots latino-américains. Le personnel sera heureux de vous faire potasser votre espagnol. Les plats sont typiques et excellents.

Le Cartet
$$
106 rue McGill
514-871-8887
La sympathique et lumineuse boutique Le Cartet comprend un comptoir de plats cuisinés et de sandwichs, et propose aussi des produits fins dont une vaste sélection de chocolats. La section restaurant, quant à elle, se démarque par ses brunchs animés la fin de semaine et sa cuisine de style bistro abordable et savoureuse.

Stew Stop
$$
372 rue St-Paul O.
514-303-0370
www.stewstop.ca
Les comptoirs du Stew Shop débordent de produits gastronomiques et d'excellents plats mijotés. Sa sélection quotidienne de mets végétaliens (chili, marengo de tofu) ou de viande («porc curcuma citron», *picadillo* cubain) se déguste sur place dans une atmosphère décontractée. On accompagne cette cuisine réconfortante de vins vendus au verre ou en bouteille.

Boris Bistro
$$-$$$
465 rue McGill
514-848-9575
www.borisbistro.com
Les habitués du Boris Bistro vous diront sans doute que ce qu'ils préfèrent dans ce restaurant du Vieux-Montréal, c'est son cadre: la terrasse, aménagée sur deux niveaux, confère un charme certain à l'établissement. Sa cuisine de bistro toute simple et son service décontracté en font également une halte très agréable pour le déjeuner.

LE VIEUX-MONTRÉAL

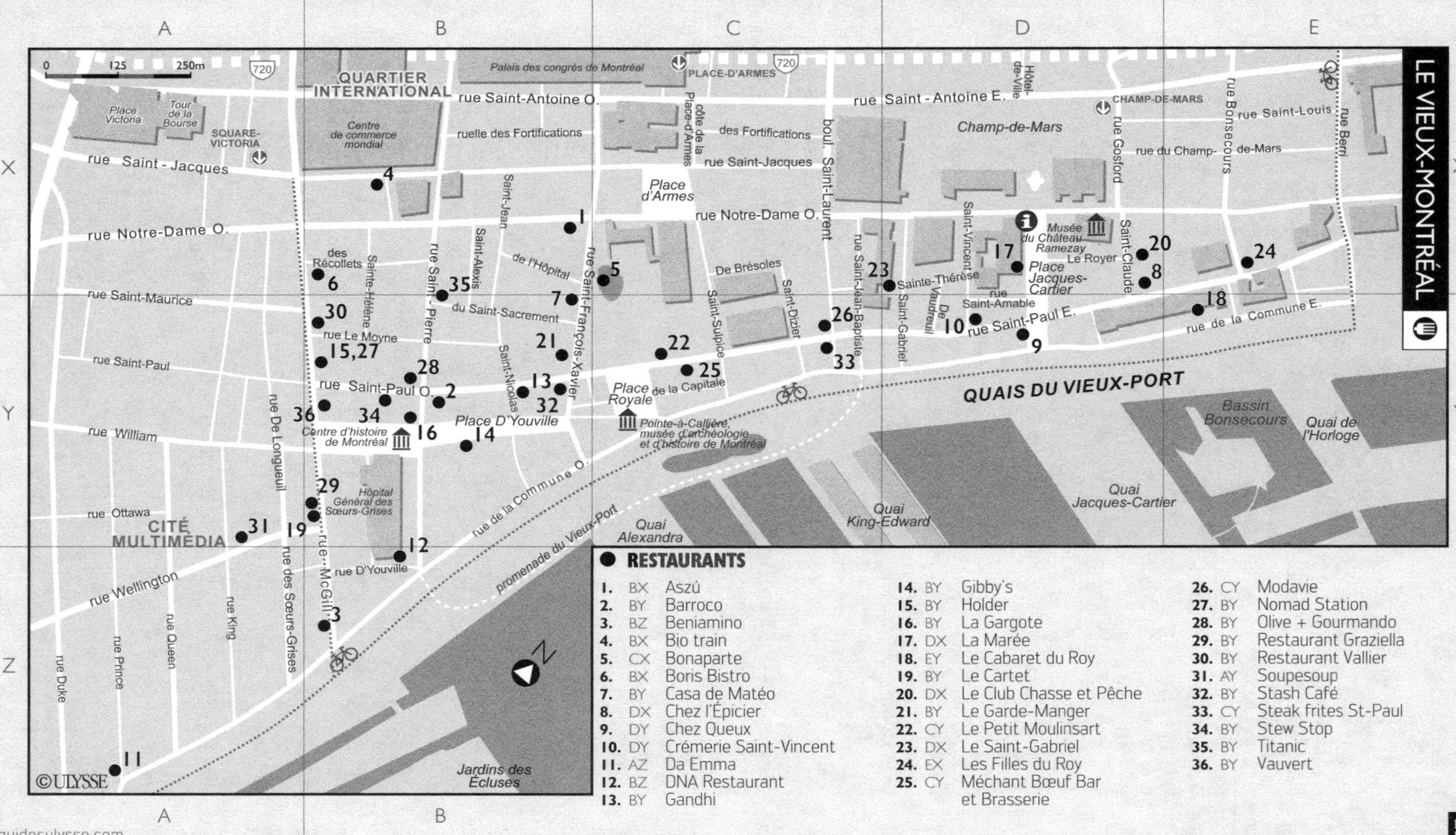

RESTAURANTS

1. BX Aszú
2. BY Barroco
3. BZ Beniamino
4. BX Bio train
5. CX Bonaparte
6. BX Boris Bistro
7. BY Casa de Matéo
8. DX Chez l'Épicier
9. DY Chez Queux
10. DY Crémerie Saint-Vincent
11. AZ Da Emma
12. BZ DNA Restaurant
13. BY Gandhi
14. BY Gibby's
15. BY Holder
16. BY La Gargote
17. DX La Marée
18. EY Le Cabaret du Roy
19. BY Le Cartet
20. DX Le Club Chasse et Pêche
21. BY Le Garde-Manger
22. CY Le Petit Moulinsart
23. DX Le Saint-Gabriel
24. EX Les Filles du Roy
25. CY Méchant Bœuf Bar et Brasserie
26. CY Modavie
27. BY Nomad Station
28. BY Olive + Gourmando
29. BY Restaurant Graziella
30. BY Restaurant Vallier
31. AY Soupesoup
32. BY Stash Café
33. CY Steak frites St-Paul
34. BY Stew Stop
35. BY Titanic
36. BY Vauvert

La Gargote
$$-$$$
351 place D'Youville
✆ 514-844-1428
Le restaurant La Gargote ne correspond peut-être pas à l'idée qu'on se fait généralement d'un tel établissement. Mais il correspond exactement à ce que l'on s'attend d'un petit restaurant français où se retrouvent habitués et curieux. Son décor est chaleureux, sa cuisine savoureuse, et ses prix sont abordables.

Le Petit Moulinsart
$$-$$$
fermé dim
139 rue St-Paul O.
✆ 514-843-7432
Installé dans le quartier depuis plus de 20 ans, Le Petit Moulinsart est un bistro belge qui prend des allures de petit musée consacré aux personnages des aventures de Tintin, la bande dessinée créé par Georges Rémi dit Hergé. Au menu, quelques spécialités wallonnes et flamandes et de bonnes bières belges, il va sans dire.

Modavie
$$-$$$
1 rue St-Paul O.
✆ 514-287-9582
www.modavie.com
Avec ses fenêtres surmontées d'auvents et son beau décor où se côtoient le moderne et l'antique, une douce atmosphère se dégage du restaurant Modavie. Les plats inspirés des cuisines méditerranéennes sont aussi savoureux que les concerts de jazz qui y sont offerts tous les soirs.

Stash Café
$$-$$$
200 rue St-Paul O.
✆ 514-845-6611
Décoré sans artifice, le Stash Café, un charmant petit restaurant polonais, s'avère tout indiqué pour les amateurs de pirojkis farcis de fromage, de saucisse et de choucroute. La vodka y est excellente.

Steak frites St-Paul
$$-$$$ 🍷
12 rue St-Paul O.
✆ 514-842-0972
www.steakfrites.ca
Le midi, les gens d'affaires se pressent au Steak frites St-Paul, tout à fait à l'aise dans cette salle relativement petite et bruyante. Ils y viennent pour manger de bons steaks-frites nappés de sauces diverses, mais aussi des plats de poisson, de fruits de mer et de confit de canard. Autres succursales au centre-ville (voir p. 235), à Outremont (voir p. 259) et sur le Plateau Mont-Royal (voir p. 251).

Barroco
$$$
312 rue St-Paul O.
✆ 514-544-5800
www.barroco.ca
La clientèle du Barroco se délecte d'une cuisine française et espagnole rustique. Au menu figurent des plats copieux et réconfortants, longuement mijotés ou braisés. Dans l'esprit du nom de l'établissement, le décor s'avère à la fois chic et chaleureux, les convives prenant place à d'élégantes tables garnies d'assiettes dépareillées.

ULYSSE

Bonaparte
$$$
Auberge Bonaparte
447 rue St-François-Xavier
✆ 514-844-4368
www.restaurantbonaparte.ca
Le restaurant de l'**Auberge Bonaparte** (voir p. 204) est l'endroit tout indiqué pour renouer avec une cuisine française classique dans un cadre élégant. Les convives s'attablent dans une des trois salles de l'établissement, toutes richement décorées dans le style Empire.

Chez l'Épicier
$$$
311 rue St-Paul E.
✆ 514-878-2232
www.chezlepicier.com
Auriez-vous pensé à manger chez votre épicier? Pourtant, quel merveilleux établissement pour goûter des produits frais et une cuisine du marché! L'Épicier, qui fait effectivement office d'épicerie fine, est surtout un restaurant où l'on déguste une formidable cuisine créative, présentée de manière spectaculaire. Des murs de pierres, de grandes fenêtres qui donnent sur la magnifique architecture du Marché Bonsecours et un décor bistro confèrent à l'établissement à la fois l'ambiance des lieux très fréquentés et une certaine intimité. L'Épicier se fait aussi sommelier derrière son bar à vins.

Chez Queux
$$$
fermé lun
158 rue St-Paul E.
✆ 514-866-5194
www.chezqueux.com
Bénéficiant d'un emplacement des plus agréables face à la place Jacques-Cartier, Chez Queux sert une délicieuse cuisine française dans un cadre des plus classiques. Certains plats (grillades et mets flambés) sont habilement préparés en salle.

Holder
$$$
407 rue McGill
✆ 514-849-0333
www.restaurantholder.com
À la fois chic et conviviale, cette brasserie à l'européenne est devenue une

véritable institution dans la rue McGill. La foule animée qui prend d'assaut le bar à l'heure de l'apéro s'attable avec joie dans la soirée pour déguster une bonne cuisine de style bistro. On y sert également des brunchs gourmands.

Le Cabaret du Roy
$$$
Marché Bonsecours
363 rue de la Commune E.
514-907-9000

Ne vous attendez pas, en vous attablant dans ce restaurant du Vieux-Montréal, à passer une soirée tranquille. Une foule de personnages sortis tout droit des beaux jours de la fondation de Montréal attendent les convives dans un décor d'époque pour les entraîner dans une reconstitution historique amusante. Vous n'apprendrez peut-être pas tout un chapitre de l'histoire en une soirée, mais le divertissement en vaut la peine. Sans parler de la boustifaille! Des mets traditionnels repensés composent un menu résolument réussi. Dimanches du conte en soirée.

Le Saint-Gabriel
$$$
fermé dim-lun
426 rue St-Gabriel
514-878-3561
www.lesaint-gabriel.com

On va au Saint-Gabriel d'abord et avant tout pour profiter d'un décor enchanteur évoquant les premières années de la Nouvelle-France. En effet, le restaurant est aménagé dans une maison qui, déjà en 1754, abritait une auberge (voir p. 84). Le menu, quant à lui, est sans extravagance et présente des plats d'inspiration française et méditerranéenne.

Méchant Bœuf Bar et Brasserie
$$$
124 rue St-Paul O.
514-788-4020
www.mechantboeuf.com

Le Méchant Bœuf s'inspire à la fois des gastropubs britanniques et des bistros français. On y propose un menu affichant de goûteux et généreux hamburgers et toute une panoplie de plats alléchants comme des tartares, du poulet à la bière et des poissons bien apprêtés, qui peuvent tous êtres accompagnés de bières artisanales. Ambiance décontractée et animée.

Restaurant Vallier
$$$
425 rue McGill
514-842-2905
www.restaurantvallier.com

Quelques classiques de la gastronomie québécoise sont revisités dans cette cantine de luxe au décor rétro des plus réussis. En plus des mets réconfortants comme le pâté chinois au confit de canard et le macaroni au fromage et lardons, le menu affiche des plats de style bistro, sans oublier les excellents hamburgers.

Gibby's
$$$-$$$$
298 place D'Youville
514-282-1837
www.gibbys.com

Le restaurant Gibby's est installé dans une ancienne étable rénovée et propose de généreuses portions de steak de bœuf ou de veau; on les déguste à des tables en bois bordées d'un muret de briques et de pierres, disposées devant un feu de braise. Pendant la belle saison, on peut manger confortablement dehors dans une très grande cour intérieure. Somme toute, un décor assez extraordinaire mais qui se reflète dans les prix plutôt élevés. Végétariens s'abstenir.

Le Club Chasse et Pêche
$$$-$$$$
423 rue St-Claude
514-861-1112
www.leclubchasseetpeche.com

Si le nom vous surprend, le décor vous étonnera davantage: fauteuils profonds et abat-jour kitsch, photos abstraites accrochées aux murs de couleurs sombres, le tout affichant un heureux mariage de rusticité et de finesse, comme sa table, d'ailleurs. Le chef concocte des mets créatifs et raffinés, allant du foie gras poêlé au délicieux carré d'agneau. En été, une superbe terrasse fleurie donnant sur le Jardin du Gouverneur, derrière le Château Ramezay, accueille les convives pour le déjeuner.

Le Garde-Manger
$$$-$$$$
408 rue St-François-Xavier
514-678-5044

Le Garde-Manger offre probablement la table la plus éclatée et la plus amusante du Vieux-Montréal. L'ambiance toute new-yorkaise et la générosité des propriétaires ont fait de ce resto un lieu de rassemblement pour les jeunes Montréalais branchés. On vous y servira principalement des fruits de mer variés, apprêtés et présentés de manière simple et originale. Idéal pour ceux qui aiment bien manger et faire la fête en un seul et même endroit.

Aszú
$$$$
212 rue Notre-Dame O.
514-282-2020
www.aszu.ca

Le restaurant Aszú propose un véritable voyage gastronomique où chaque bouchée s'harmonise parfaitement avec des vins minutieusement sélectionnés. Dans une ambiance invitante, avec son superbe mur de pierres et ses celliers apparents, on y déguste de petits plats variés et succulents. L'Aszú offre aussi un vaste choix de vins au verre. En été, la terrasse fleurie devient le repaire parfait des amoureux en quête d'expériences culinaires voluptueuses.

Da Emma
$$$$
777 rue de la Commune O.
514-392-1568
www.daemmarestaurant.com
Autrefois la première prison montréalaise pour femmes, cet établissement primé pour son design intérieur est à la fois charmant, soigné et chic, avec ses poutres massives et ses pierres grises. La cuisine italienne traditionnelle de Madame Emma vaut le détour, et le service est impeccable. Essayez la spécialité de la famille: les tripes à la romaine. Mais attention, elles ne sont offertes que certains jours. Faute de quoi, vous devrez vous consoler avec un excellent plat d'agneau braisé ou l'un des meilleurs tiramisus en ville.

DNA Restaurant
$$$$
355 rue Marguerite-D'Youville
514-287-3362
www.dnarestaurant.com
Primé pour l'exceptionnelle créativité de son design intérieur, le DNA Restaurant occupe un vaste espace habilement aménagé afin de l'habiter sans l'alourdir. Certaines tables ont été surélevées et entourées de cloisons de verre, tandis que la section *lounge* du restaurant abrite d'invitants canapés et affiche des couleurs chaudes qui contrastent fortement avec les tons neutres de la salle à manger. En plus de proposer une sélection de plus d'une dizaine d'assiettes de charcuteries artisanales, le menu d'inspiration méditerranéenne fait honneur aux produits du terroir. Particulièrement appréciées, les entrées présentent des mariages de saveurs des plus convaincants.

La Marée
$$$$
404 place Jacques-Cartier
514-861-9794
Situé sur la trépidante place Jacques-Cartier, le restaurant La Marée a su conserver, avec les ans, une excellente réputation. On y apprête à merveille le poisson et les fruits de mer. La salle étant spacieuse, chacun y est à son aise.

Les Filles du Roy
$$$$
Hostellerie Pierre du Calvet
405 rue Bonsecours
514-282-1725
www.pierreducalvet.ca
Fleuron de l'hôtellerie montréalaise, l'**Hostellerie Pierre du Calvet** (voir p. 205) abrite une des très bonnes tables de Montréal. Cet établissement est en effet particulièrement recommandé pour sa délicieuse cuisine imaginative qui célèbre les produits du terroir. De plus, son cadre élégant, ses antiquités, ses plantes ornementales et la discrétion de son service vous feront passer une soirée des plus agréables dans l'historique **maison Pierre du Calvet** (voir p. 88), qui date de 1725.

Restaurant Graziella
$$$$
116 rue McGill
514-876-0116
Superbe établissement d'une luminosité enveloppante, le Restaurant Graziella affiche un design harmonieux et inspirant. Les gastronomes et les amoureux de la cuisine italienne trouveront ici un menu qui se démarque par la fraîcheur de ses produits et le mariage de saveurs classiques et inusitées de ses plats. On passerait une journée entière dans cette salle à manger dotée de hauts plafonds, de magnifiques lustres en tissu et d'œuvres d'artistes talentueux. Excellente carte des vins, incluant des produits biologiques et des cuvées de petits producteurs.

Vauvert
$$$$
St Paul Hôtel
355 rue McGill
514-876-2823
www.restaurantvauvert.com
Situé dans le **St Paul Hôtel** (voir p. 206), le Vauvert offre à ses convives un voyage imaginaire au pays de la Chasse-galerie, une légende québécoise. Les murs noirs, les flammes de l'enfer qui rougeoient ainsi que les petites lumières blanches qui descendent du plafond telles des lucioles, tout est mis à profit afin de vous imprégner de cette ambiance sulfureuse. L'établissement, ouvert midi et soir, propose une excellente cuisine méditerranéenne inspirée des classiques québécois. N'oubliez pas de goûter aux «fricots», leur adaptation libre des tapas. Mais attention, ils ne sont disponibles qu'en soirée.

Le centre-ville et le Golden Square Mile

Cali
$
1011 boul. St-Laurent
514-876-1064
Lumineux, grand, propre, souriant, ce temple de la soupe tonkinoise et du rouleau de printemps propose des plats frais et complets pour moins de 10$ (taxes et thé compris). C'est une adresse incontournable dans le Quartier chinois.

La Brûlerie Saint-Denis
$
Maison Alcan
1188 rue Sherbrooke O.
514-985-9159
www.brulerie.com
La Brûlerie Saint-Denis, située au centre-ville, sert les mêmes délicieux cafés, repas légers et desserts que les autres bistros du même nom. Bien que le café ne soit pas torréfié sur place, il y arrive directement du siège social, rue Saint-Denis.

Nocochi
$
2156 rue Mackay
514-989-7514
On vient dans ce petit café au décor épuré pour… les desserts! Y sont apprêtées de fines bouchées sucrées à emporter ou à déguster sur place. Mais Nocochi propose aussi des casse-croûte (salades, omelettes, sandwichs), clientèle estudiantine oblige: ce café-pâtisserie est proche de l'Université Concordia.

Soupesoup
$
2183 rue Crescent
514-903-8628
www.soupesoup.com
Voir description p. 240.

Mangia
$-$$
1101 boul. De Maisonneuve O.
514-848-7001
Savourer une nourriture raffinée et de qualité à peu de frais dans un beau décor n'est pas toujours facile au centre-ville de Montréal. Mangia a trouvé la solution à cette problématique: salades et pâtes, toutes plus appétissantes les unes que les autres, vendues au poids, ou sandwichs et plats plus élaborés, comme le steak aux poivrons, sont au menu.

Café Daylight Factory
$-$$
1030 rue St-Alexandre
514-871-4774
www.daylightfactory.ca
Le décor minimaliste du Café Daylight Factory a su intégrer le cachet historique de l'ancien édifice Unity (1913) qui l'abrite. Dans un décor sobre, presque austère, on y sert salades et sandwichs, parfaits pour un repas rapide le midi, et un brunch couru les week-ends. L'été, l'immense terrasse attire bon nombre de travailleurs du centre-ville. Il faut impérativement réserver sa table pour le lunch!

Bombay Palace
$$
1172 rue Bishop
514-932-7141
Le Bombay Palace présente un décor à l'indienne et offre une ambiance tranquille. Le menu propose d'excellents currys et spécialités de tandouri, auxquels s'accommodent assez mal les estomacs délicats car la cuisine est ici très épicée. Le buffet indien du midi vaut vraiment la peine. Amateur de pain nan, sachez qu'il est offert ici à volonté.

Café Vasco da Gama
$$
1472 rue Peel
514-286-2688
www.vascodagama.ca
Voilà certainement la sandwicherie la plus chic de Montréal. On commande au comptoir et on se fait servir à table, installé quelque peu incommodément sur de petites chaises d'école, dans un très beau décor aux tons de mer et de sable. La qualité de la nourriture compense toutefois cet inconfort, et l'on aura plaisir à découvrir le sandwich au confit de canard et figues, ou encore le burger de bœuf et foie gras. Tous les sandwichs sont accompagnés d'une excellente salade.

La Maison Kam Fung
$$
1111 rue St-Urbain, unité M05
514-878-2888
www.maisonkamfung.com
Sur l'heure du midi, ce restaurant chinois aux allures d'une grande cafétéria sert des *dim sum*, ces espèces de raviolis à la cantonaise. Le personnel circule avec des chariots qui contiennent tous des *dim sum* différents et d'autres plats encore. Les clients interpellent les serveurs et vice-versa, ça questionne et discute en quatre langues et finalement on fait un festin, car ce sont les meilleurs *dim sum* en ville. On trouve ici de grandes tables rondes pour les groupes de 8 à 10 personnes, mais aussi de plus petites tables pour les repas plus intimes, quoique les annonces des serveurs, les appels des clients et les bruits de vaisselle rendent l'expérience plus exotique qu'intime.

Le Lutétia
$$
Hôtel de la Montagne
1430 rue de la Montagne
514-288-5656

Dans son chic décor victorien, le restaurant de l'**Hôtel de la Montagne** (voir p. 211), Le Lutétia, vous propose le petit déjeuner tous les jours jusqu'à 11h.

Le Commensal
$$
1204 av. McGill College
514-871-1480
www.commensal.com

Le restaurant Le Commensal a opté pour une formule buffet. Les plats, tous végétariens, sont vendus au poids. Son décor moderne et chaleureux, ainsi que ses grandes fenêtres sur le centre-ville, en font un établissement agréable. Ouvert tous les jours, jusque tard dans la soirée.

Reuben's
$$
1116 rue Ste-Catherine O.
514-866-1029

Il lui aura fallu quelques décennies pour se trouver une place de choix parmi les meilleurs *delicatessens* de Montréal. Reuben's, inauguré en 1976, est maintenant une valeur sûre. Ses sandwichs à la viande fumée sont juteux et délicieux. Ses grillades de bœuf et de poulet sont succulentes et de qualité. Et ses desserts «cochons» sont à proscrire de toute réunion des diététistes. Le midi, l'atmosphère est survoltée; le soir, c'est nettement plus feutré. Le service est compétent en tout temps.

Café des beaux-arts
$$-$$$
fermé lundi
Musée des beaux-arts de Montréal
accès au café par le 1380 ou le 1384 de la rue Sherbrooke Ouest
514-843-3233

Le Café des beaux-arts du Musée des beaux-arts de Montréal offre une cuisine créative et alléchante ainsi qu'un service empressé. Salon privé du bistro, Le Collectionneur fait honneur aux groupes qui le louent pour des événements ou autres lancements, cocktails et conférences.

Le Caveau
$$-$$$
2063 rue Victoria
514-844-1624
www.lecaveau.ca

Le restaurant Le Caveau, qui semble caché derrière les gratte-ciel du centre-ville, a été aménagé dans une coquette maison blanche. Le chef y élabore avec art les plats d'une cuisine française raffinée.

Wienstein 'n' Gavino's Pasta Bar Factory Co.
$$-$$$
1434 rue Crescent
514-288-2231

Le Wienstein 'n' Gavino's Pasta Bar Factory Co. exhibe un beau décor aux murs de briques apparentes, aux sols carrelés à la méditerranéenne et aux conduits de ventilation visibles au plafond, le tout dans un édifice récent que l'on perçoit volontiers comme partie du décor montréalais depuis nombre d'années déjà. Côté menu, les pizzas sont respectables, mais sans éclat, tandis que les plats de pâtes sont franchement délicieux.

Beaver Hall
$$$
lun-ven déjeuner, mar-sam dîner
1073 côte du Beaver Hall
514-866-1331
www.beaverhall.ca

Tenu par la même équipe qui dirige le réputé Europea (voir p. 235, le bistro Beaver Hall permet aux nombreux cols blancs du centre-ville de s'offrir un repas raffiné à l'heure du midi, les restos de ce type étant plutôt rares dans le secteur. Le Beaver Hall étant très populaire, il est nettement préférable de réserver.

Café du Nouveau Monde
$$$
fermé dim
Théâtre du Nouveau Monde
84 rue Ste-Catherine O.
514-866-8669

Quel bel ajout dans ce secteur que ce Café du Nouveau Monde, où il fait bon simplement prendre un verre, un café ou un dessert dans le décor déconstructiviste du rez-de-chaussée ou encore un bon repas à l'étage, dont l'atmosphère rappelle les brasseries parisiennes. Le menu s'associe au décor et affiche les classiques de la cuisine française de bistro. Service impeccable, belle présentation et cuisine irréprochable, que demander de plus?

Chez Chine
$$$
Holiday Inn Select Montréal Centre-Ville
99 av. Viger O.
514-878-9888

L'hôtel **Holiday Inn Select Montréal Centre-Ville** (voir p. 210), qui s'élève aux limites du Quartier chinois, renferme un restaurant digne de ce quartier, Chez Chine, qui

LE CENTRE-VILLE ET LE GOLDEN SQUARE MILE

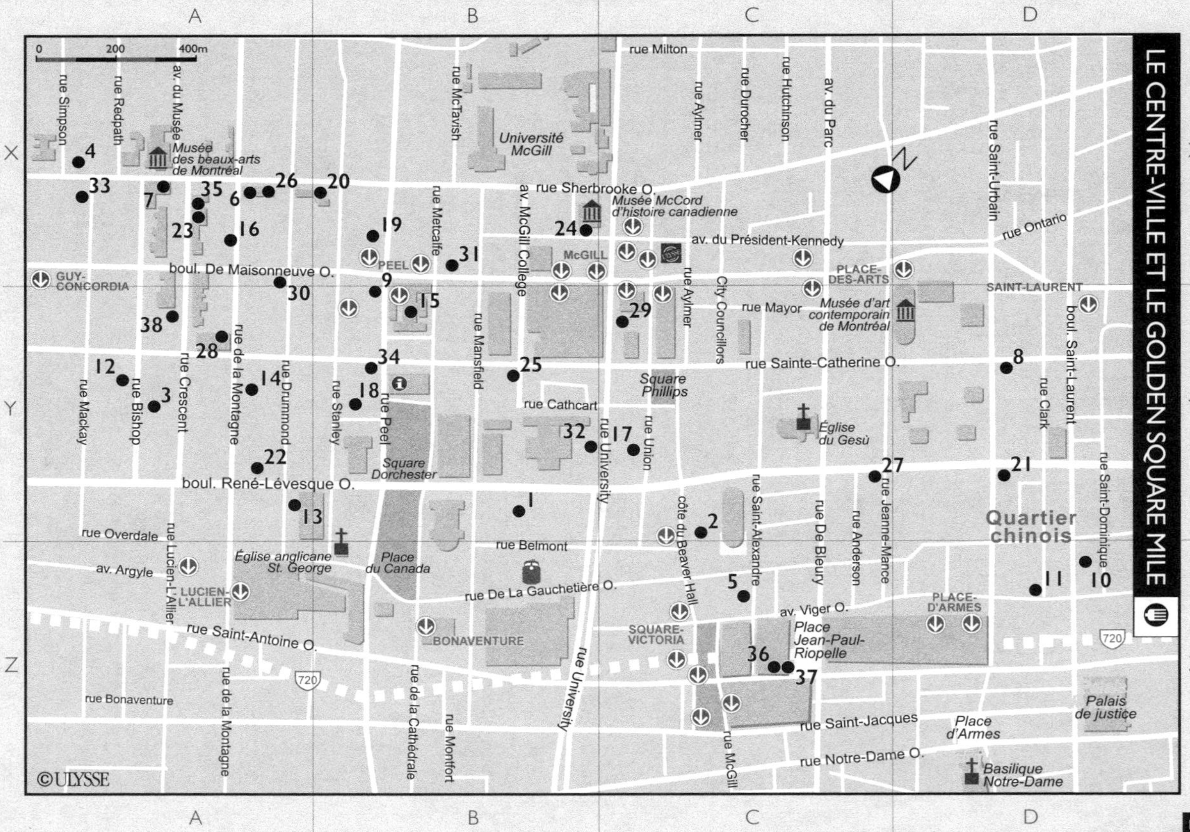

RESTAURANTS

1. BY Beaver Club
2. CY Beaver Hall
3. AY Bombay Palace
4. AX Brontë
5. CZ Café Daylight Factory
6. AX Café de Paris
7. AX Café des beaux-arts
8. DY Café du Nouveau Monde
9. BY Café Vasco da Gama
10. DZ Cali
11. DZ Chez Chine
12. AY Da Vinci
13. AY Decca 77
14. AY Europea
15. BY Ferreira
16. AX Jardin Sakura
17. CY Julien
18. BY L'Actuel
19. BX L'Entrecôte Saint-Jean
20. BX La Brûlerie Saint-Denis
21. DY La Maison Kam Fung
22. AY La Queue de Cheval
23. AX La Troïka
24. BX Le Caveau
25. BY Le Commensal
26. AX Le Jardin du Ritz
27. CY Le Latini
28. AY Le Lutétia
29. CY Le Parchemin
30. AX Maison George Stephen
31. BX Mangia
32. BY Mr Ma
33. AX Nocochi
34. BY Reuben's
35. AX Soupesoup
36. CZ Steak frites Quartier International
37. CZ Toqué!
38. AY Wienstein 'n' Gavino's Pasta Bar Factory Co.

©ULYSSE

propose de délicieuses spécialités de l'empire du Milieu. La vaste salle à manger est aménagée à côté de la réception; aussi, afin d'enrayer l'atmosphère quelque peu impersonnelle, les tables sont réparties aux abords d'un grand bassin au centre duquel est accessible une pagode où se trouve une grande table. Il est également possible de réserver de petits salons attenants, parfaits pour les réceptions privées.

Da Vinci
$$$
fermé dim
1180 rue Bishop
☎ 514-874-2001
www.davinci.ca
Le Da Vinci est un restaurant familial qui s'adresse à une clientèle huppée. Le menu italien classique ne prétend pas dévoiler de grandes découvertes, mais tous les plats sont préparés avec soin à partir de produits de toute première qualité. Éclairage riche et feutré et bonne carte des vins.

Decca 77
$$$
fermé dim
1077 rue Drummond
☎ 514-934-1077
www.decca77.com
Tout près de la gare Windsor et du Centre Bell, le restaurant Decca 77 au décor chic, moderne et soigné, est très certainement l'une des meilleures tables du centre-ville et une excellente adresse pour un déjeuner d'affaires. La qualité des plats et la finesse des vins vous feront également passer une très agréable soirée gastronomique.

Jardin Sakura
$$$
2114 rue de la Montagne
☎ 514-288-9122
www.sakuragardens.com
Avec une telle appellation, on pourrait s'attendre à retrouver un décor beaucoup plus raffiné au Jardin Sakura, d'autant plus que le mot *sakura* désigne la belle fleur des cerisiers japonais. Le restaurant propose une cuisine japonaise tout à fait respectable, bien que les sushis ne soient pas toujours d'égale qualité. Le service est des plus attentionnés, mais se fait difficilement en français.

Julien
$$$
fermé dim
1191 av. Union
☎ 514-871-1581
www.restaurantjulien.com
Un classique à Montréal, Julien est reconnu pour servir une des meilleures bavettes à l'échalote en ville. Mais on ne s'y rend pas uniquement pour savourer une bavette, car les plats y sont tous plus succulents les uns que les autres. D'ailleurs, ici tout est impeccable : le service, la décoration et même la carte des vins.

L'Actuel
$$$
fermé dim
1194 rue Peel
☎ 514-866-1537
L'Actuel, le plus belge des restaurants montréalais, ne désemplit pas midi et soir. On y trouve deux salles, dont une grande assez bruyante et très animée où se pressent des garçons affables parmi les gens d'affaires. La cuisine propose évidemment des moules, mais aussi plusieurs autres spécialités liégeoises.

L'Entrecôte Saint-Jean
$$$
2022 rue Peel
☎ 514-281-6492
www.entrecotesaintjean.com
Le menu de L'Entrecôte Saint-Jean se résume à un choix simple : l'entrecôte apprêtée de plusieurs façons, ce qui permet de proposer ce plat à bon prix.

La Troïka
$$$
fermé dim
2171 rue Crescent
☎ 514-849-9333
La Troïka est un restaurant russe dans la plus pure tradition. Dans un décor tout en tentures, en recoins et en souvenirs, un accordéoniste épanche sa nostalgie du pays. Les repas sont excellents et authentiques.

Le Parchemin
$$$
fermé dim
1333 rue University
☎ 514-844-1619
www.leparchemin.com
Ancien presbytère de la cathédrale Christ Church, Le Parchemin se caractérise par un décor chic et une atmosphère feutrée. On y propose une cuisine française soigneusement apprêtée qui comblera le plus fin gourmet. La table d'hôte, quant à elle, avec ses quatre services et son vaste choix, est plus qu'honorable.

Maison George Stephen
$$$
1440 rue Drummond
☎ 514-849-7338
Fondée en 1884, la **Maison George Stephen** (voir p. 111) abrite un club privé, le Club Mount Stephen, qui ouvre ses portes au public uniquement le samedi soir (dîner musical et gastronomique) et le dimanche pour un

brunch musical. Vous aurez alors l'occasion de visiter cette magnifique demeure. Son décor semble s'être figé dans l'histoire, avec ses murs superbement lambrissés et ornés de vitraux datant du XIXe siècle.

Mr Ma
$$$
fermé dim
1 Place Ville Marie
514-866-8000
Dans deux salles, dont une laisse entrer agréablement la lumière du jour, Mr Ma propose une cuisine sichuanaise sans trop de fioritures mais d'un bon rapport qualité/prix, spécialement pour ce secteur du centre-ville. Les plats de fruits de mer constituent un choix judicieux.

Steak frites Quartier International
$$-$$$ 🍷
405 rue St-Antoine O.
514-878-3553
www.steakfrites.ca
Voir description p. 228.

Ferreira
$$$-$$$$
fermé dim
1446 rue Peel
514-848-0988
www.ferreiracafe.com
Voilà un sympathique et excellent restaurant du centre-ville qui propose des spécialités portugaises apprêtées avec un raffinement tout particulier. Il faut souligner la qualité du généreux riz aux fruits de mer. Les âmes esseulées peuvent manger au bar: on leur tiendra joyeuse compagnie. Menu «faim de soirée» à petit prix après 22h.

Beaver Club
$$$$
fermé dim-lun
Fairmont Le Reine Elizabeth
900 boul. René-Lévesque O.
514-861-3511, poste 2448
www.beaverclub.ca
De magnifiques boiseries confèrent une atmosphère raffinée au restaurant de renommée internationale qu'est le Beaver Club, un atout incomparable pour le grand hôtel montréalais où il est situé. Sa table d'hôte variable peut aussi bien comporter du homard frais que de fines coupes de bœuf ou de gibier. Tout y est préparé avec le plus grand soin, et une attention de tous les instants est portée aux moindres détails, présentation comprise. Il y a même un sommelier à demeure, et vous pourrez y danser le samedi soir.

Brontë
$$$$
Le Méridien Versailles Montréal
1800 rue Sherbrooke O.
514-934-1801
Restaurant du **Méridien Versailles Montréal** (voir p. 212), le Brontë est aujourd'hui considéré comme l'une des meilleures tables à Montréal. Une expérience culinaire rare qui réserve d'agréables surprises même aux plus fins gastronomes. Un conseil: ne levez pas le nez sur la carte des desserts!

Café de Paris
$$$$
fermé dim-lun
Ritz-Carlton Montréal
1228 rue Sherbrooke O.
514-842-4212
Le Café de Paris est le restaurant réputé du magnifique hôtel **Ritz-Carlton Montréal** (voir p. 212). Au moment de mettre sous presse, l'établissement était fermé dans la mouvance des travaux de rénovation du Ritz.

Europea
$$$$
1227 rue de la Montagne
514-398-9229
Installé dans un local sobre mais chaleureux de la rue de la Montagne, le restaurant Europea est l'un des plus dignes représentants de la cuisine française à Montréal. Malgré l'addition relativement salée, le rapport qualité/prix demeure excellent, et le service amical mais professionnel contribue à faire de ce restaurant l'un des incontournables du centre-ville.

La Queue de Cheval
$$$$
1221 boul. René-Lévesque O.
514-390-0090
www.queuedecheval.com
Temple pour carnivores, La Queue de cheval impressionne par son décor opulent où se mêlent boiseries, murs lambrissés et chandeliers qui pendouillent des hauts plafonds voûtés. En attendant sa table, on s'accoude au bar feutré, tout indiqué pour déguster un whisky. La carte comporte une belle sélection de steaks vieillis à point, mais poissons, fruits de mer et veau figurent également au menu. Bref, une adresse idéale pour les appétits costauds.

Le Jardin du Ritz
$$$$
Ritz-Carlton Montréal
1228 rue Sherbrooke O.
514-842-4212
Le Jardin du Ritz est l'endroit rêvé pour se soustraire aux chaleurs estivales ainsi qu'à l'activité grouillante du centre-ville. On y déguste les classiques de la cuisine française et on prend le thé

devant un étang entouré de fleurs et de verdure où s'ébattent des canards. Clientèle diversifiée. Ouvert seulement pendant la belle saison, Le Jardin est le prolongement de l'autre restaurant de l'hôtel, le Café de Paris (voir ci-dessus). Au moment de mettre sous presse, l'établissement était fermé dans la mouvance des travaux de rénovation du Ritz.

Le Latini
$$$$
1130 rue Jeanne-Mance
514-861-3166
Le restaurant italien Le Latini s'impose par l'excellente qualité de sa cuisine délicieusement raffinée et par son service un tant soit peu snob. La carte des vins saura satisfaire les clients les plus exigeants.

Toqué!
$$$$
fermé dim-lun
Centre CDP Capital
900 place Jean-Paul-Riopelle
514-499-2084
www.restaurant-toque.com
Si la gastronomie vous intéresse, le Toqué! est sans contredit l'adresse à retenir à Montréal. Le chef, Normand Laprise, insiste sur la fraîcheur des aliments et officie dans la cuisine, où les plats sont toujours préparés avec grand soin, puis admirablement bien présentés. Il faut voir les desserts, de véritables sculptures modernes. De plus, le service est classique, le décor est élégant et les vins sont bien choisis pour rehausser les saveurs des plats. L'une des tables les plus originales de Montréal.

Le Village Shaughnessy

Calories
$
4114 rue Ste-Catherine O.
514-933-8186
Calories reçoit une clientèle bruyante, surtout anglophone, jusque tard dans la nuit. Il propose de délicieux gâteaux, servis en copieuses portions.

Bar-B-Barn
$-$$
1201 rue Guy
514-931-3811
www.barbbarn.ca
Au restaurant Bar-B-Barn, on peut déguster de délicieuses côtes levées sucrées et grillées à point. Ce plat n'a rien de très raffiné, d'autant moins qu'il faut le manger avec les doigts, mais il fait le plaisir de bon nombre de Montréalais gourmands. Les fins de semaine, il faut s'armer de patience car les files d'attente sont souvent longues.

Au Bistro Gourmet
$$-$$$
2100 rue St-Mathieu
514-846-1553
www.aubistrogourmet.com
Le Bistro Gourmet est un sympathique petit restaurant français où l'on peut savourer de délicieux plats agréablement préparés, toujours frais et servis avec attention.

Café Rococo
$$-$$$
fermé dim-lun
1650 av. Lincoln
514-938-2121
Le Café Rococo est un charmant petit restaurant hongrois surtout fréquenté par... des Hongrois. La nourriture se veut convenable et renferme une bonne dose de paprika. Ses tentures et nappes roses et écarlates confèrent au lieu de doux airs d'Europe de l'Est. Excellent choix de gâteaux.

Le Paris
$$-$$$
1812 rue Ste-Catherine O.
514-937-4898
Le Paris est le restaurant tout indiqué pour savourer quelques-unes des spécialités de la cuisine française particulièrement si tout en désirant en prime profiter d'une ambiance décontractée et sympathique. Côté décoration, l'établissement n'a pas changé depuis des années. La carte des vins, quant à elle, est bien garnie et au goût du jour.

Phayathai
$$-$$$
fermé lun
1235 rue Guy
514-933-9949
Petit restaurant thaïlandais, le Phayathai, aménagé avec goût et simplicité, prépare de bons plats aux parfums exotiques.

Chez la Mère Michel
$$$-$$$$
1209 rue Guy
514-934-0473
www.chezlameremichel.com
Chez la Mère Michel est l'incarnation même de la cuisine française. Installé dans une adorable maison ancienne de la rue Guy, il renferme trois salles à manger intimes et décorées avec un goût exquis. La chef Micheline choisit des produits venant tout droit du marché pour créer de délicieuses spécialités régionales françaises ainsi qu'une table d'hôte saisonnière à cinq services. Le personnel est par ailleurs cordial et attentif, et l'impressionnante cave de l'établissement recèle certaines des meilleures bouteilles que l'on puisse trouver à Montréal.

RESTAURANTS

1. DX Au Bistro Gourmet
2. DZ Bar-B-Barn
3. DX Café Rococo
4. AY Calories
5. DZ Chez la Mère Michel
6. CY Le Paris
7. DZ Phayathai

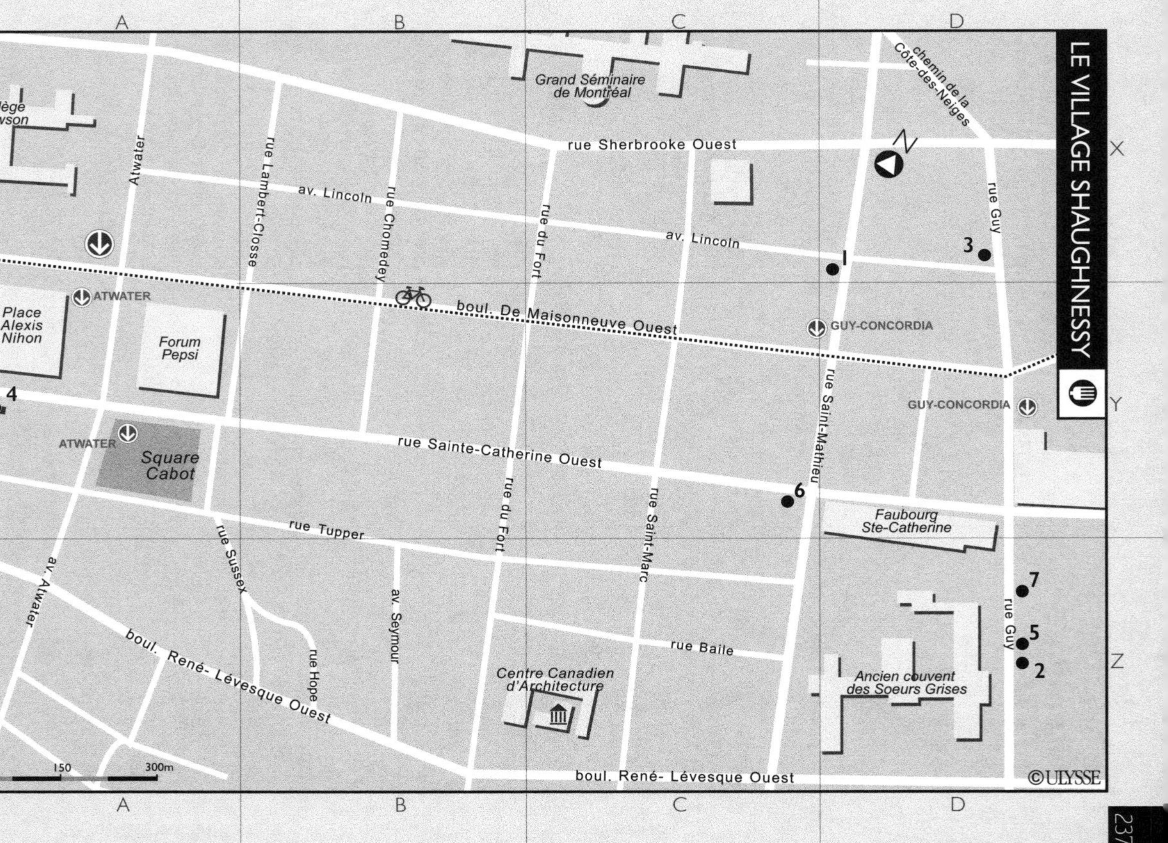

Le quartier Milton-Parc et la *Main*

Café Névé
$
151 rue Rachel E.
514-903-9294
On se rend au Café Névé pour prendre le petit déjeuner ou s'offrir un bon sandwich ou une soupe le midi, mais surtout pour déguster l'un des meilleurs cafés en ville. L'ambiance sympathique et l'accès Internet sans fil gratuit attirent les étudiants du quartier qui s'y installent pour discuter et travailler sur leurs portables.

Coco Rico
$
3907 boul. St-Laurent
514-849-5554
Coco Rico, ce spécialiste du poulet rôti, conviendra parfaitement aux voyageurs dont le budget est limité. Pour quelques dollars, on peut en effet s'offrir un quart de poulet accompagné d'une salade. Pour les pique-niques, on peut commander un poulet rôti entier, à prix réduit les lundis et mardis.

Euro Deli
$
3619 boul. St-Laurent
514-843-7853
Euro Deli est le restaurant tout indiqué pour prendre un repas rapide à base de pâtes ou de pizza, à presque toute heure de la journée ou de la soirée, en compagnie d'une clientèle bigarrée.

La Chilenita
$
63 rue Marie-Anne O.
514-982-9212
152 rue Napoléon
514-286-6075
La Chilenita est une petite boulangerie-resto qui prépare des *empanadas*. Une grande variété de ces petits pâtés fourrés de différents ingrédients tels que bœuf, saucisse, tomate, aubergine, olives et fromage, y est apprêtée à toute heure du jour; ils sont donc servis chauds, accompagnés d'une *salsa* maison. On y prépare aussi des sandwichs à la mode latino-américaine et quelques plats mexicains.

Ramen-Ya
$
4274 boul. St-Laurent
514-286-3832
www.ramen-ya.ca
Le restaurant japonais Ramen-Ya se spécialise dans les soupes aux nouilles *ramen* fraîches, préparées avec un choix de bouillons (miso, soja, cari) et de garnitures (poulet grillé, porc, germes de haricot, champignons). Délicieux!

Romados
$
115 rue Rachel E.
514-849-1803
Le meilleur poulet à la portugaise en ville et pas cher en plus. Pour quelques dollars, vous aurez droit à une généreuse portion de poulet rôti sur des charbons de bois, avec frites maison et salade. Une aubaine et un secret de moins en moins bien gardé, ne vous surprenez donc pas de faire la file le midi.

Schwartz's Montréal Hebrew Delicatessen
$
3895 boul. St-Laurent
514-842-4813
Montréal est reconnue pour son *smoked meat* et, de l'avis de plusieurs, on trouve au Schwartz's Montréal Hebrew Delicatessen l'un des meilleurs en ville. On y vient pour avaler rapidement un sandwich et pour côtoyer une foule de connaisseurs carnivores qui viennent parfois de loin pour goûter à ce délice. Authenticité garantie!

Tay Do
$
300 av. Duluth E.
514-281-6788
Ce restaurant de l'avenue Duluth propose une cuisine vietnamienne correcte, servie en portions très généreuses et à tout petit prix. Le service très sympathique et la musique d'ambiance exotique contribuent à agrémenter le repas.

L'Harmonie d'Asie
$-$$
65 av. Duluth E.
514-289-9972
L'Harmonie d'Asie est un petit restaurant vietnamien au menu éprouvé et au personnel charmant. Bien que le service se révèle quelque peu lent, les plats ne sont pas nécessairement préparés sur demande. Sachez par ailleurs que les plats végétariens se composent de légumes croquants et cuits juste à point, et que les plats de viande et de poisson sont équilibrés. Enfin, les soupes sont particulièrement savoureuses.

La Cabane de Portugal
$-$$
3872 boul. St-Laurent
514-843-7283
Le resto-bar La Cabane de Portugal est l'établissement tout choisi pour déguster une savoureuse bière pression rousse de microbrasserie ainsi que des plats simples mais alléchants.

Lélé da Cuca
$$
70 rue Marie-Anne E.
514-849-6649
www.leledacuca.com
Au restaurant Lélé da Cuca, on peut goûter de délicieux

● RESTAURANTS

1. AW Beauty's
2. AZ Buona Notte
3. AZ Café Méliès
4. BX Café Névé
5. BX Casa Tapas
6. BX Cash and Curry
7. AZ Chez Gautier
8. AY Coco Rico
9. AV El Zaziummm
10. AZ Euro Deli
11. AY Ginger
12. BX L'Harmonie d'Asie
13. AY La Cabane de Portugal
14. AZ La Caféteria
15. AW, BX La Chilenita
16. BX La Prunelle
17. BY Laloux / Pop!
18. BW Le P'tit Plateau
19. BV Le Robin des Bois
20. BW Lélé da Cuca
21. AZ Maestro S.V.P.
22. AX Moishe's Steak House
23. BX Patati Patata
24. BY Pintxo
25. BW Portus Calle
26. AW Ramen-Ya
27. BX Romados
28. AX Santropol
29. AY Schwartz's Montréal Hebrew Delicatessen
30. AZ Shed Café
31. BX Soupesoup
32. BX Tay Do
33. BY Vents du Sud

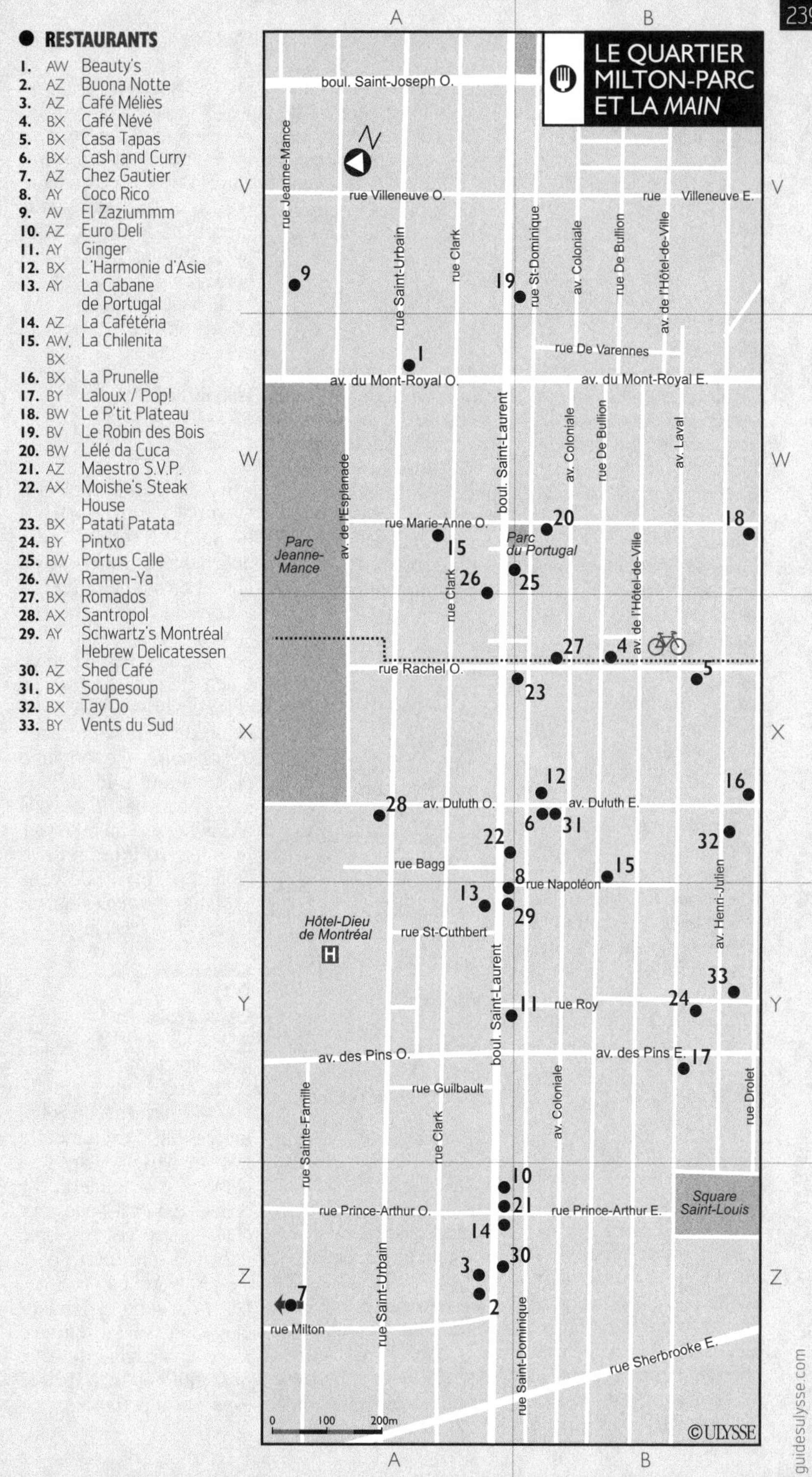

plats mexicains et brésiliens. Du local exigu, qui ne peut accueillir qu'une trentaine de personnes, se dégage une ambiance détendue et sans façon.

Patati Patata
$-$$
4177 boul. St-Laurent
514-844-0216
Attention, le Patati et Patata est si minuscule qu'on pourrait passer sans le voir. Cet établissement de la taille d'une chambre de résidence universitaire offre aux bouches gourmandes une restauration rapide raffinée et amusante. La «patanine», une variation sur le thème de la poutine avec ses légumes sautés, et le «El Fabulous Club Machin» surprendront à coup sûr votre estomac.

Santropol
$-$$
3990 rue St-Urbain
514-842-3110
Le Santropol accueille des gens de tout âge friands d'énormes sandwichs, de quiches et de salades toujours servis avec force fruits et légumes. L'établissement est également réputé pour sa grande variété de tisanes et de cafés. Ambiance détendue et service chaleureux. Très agréable terrasse.

Soupesoup
$
80 av. Duluth E.
514-380-0880
www.soupesoup.com
La spécialité de ce restaurant, vous l'aurez deviné, c'est la soupe, mais aussi de délicieux sandwichs. Soupesoup est le lieu idéal pour luncher rapidement mais sainement. Le menu change chaque jour, et les soupes sont toutes meilleures les unes que les autres! Ce concept gagne en popularité puisque Soupesoup compte déjà six établissements (voir aussi les circuits Le centre-ville, p. 231; Le Vieux-Montréal, p. 226; Outremont et le Mile-End, p. 256; La Petite Italie, p. 262; Rosemont, p. 260).

Beauty's
$$
93 av. du Mont-Royal O.
514-849-8883
Beauty's a acquis une bonne réputation grâce à ses brunchs copieux et savoureux; donc l'établissement est souvent envahi durant les matinées de fin de semaine. Ouvert seulement pour le petit déjeuner et le déjeuner, il sert une cuisine nord-américaine.

Cash and Curry
$$
68 av. Duluth E.
514-284-5696
Ce minuscule établissement offre une cuisine malaise pleine de saveurs et très épicée, selon le plat. Comme le nom du restaurant l'indique, seul l'argent comptant (*cash*) est accepté. Réservations conseillées, surtout la fin de semaine.

El Zaziummm
$$
4581 av. du Parc
514-499-3675
Voir description p. 250.

La Cafétéria
$$
3581 boul. St-Laurent
514-849-3855
www.cafeteriamontreal.com
Le restaurant La Cafétéria, pourvu de larges baies vitrées donnant sur le boulevard Saint-Laurent, attire une clientèle de jeunes professionnels appréciant ses hamburgers et le spectacle de la rue.

Shed Café
$$
3515 boul. St-Laurent
514-842-0220
Au Shed Café, on propose un menu composé entre autres de salades, de hamburgers et de desserts, tous présentés de façon originale. Son intérieur, qui a certes contribué à séduire la clientèle venue pour voir et être vue, est farfelu et avant-gardiste.

Vents du Sud
$$-$$$
323 rue Roy E.
514-281-9913
Ah! les vents du sud! Chauds, doux, porteurs de mille et une odeurs alléchantes... Au cœur de l'hiver, si vous ne venez pas à bout du froid et surtout si vous avez besoin d'un bon repas copieux, pensez à ce petit resto basque. La cuisine basque, où règnent la tomate, le poivron rouge et l'oignon, est consistante et savoureuse. Et si vous avez encore besoin de vous réchauffer à la fin du repas, le sympathique patron se fera un plaisir de vous expliquer les règles du jeu de la pelote basque!

Buona Notte
$$$
3518 boul. St-Laurent
514-848-0644
www.buonanotte.com
Le Buona Notte rappelle les établissements de Soho. Impossible d'examiner ce resto de plus près sans succomber à la tentation d'y entrer. Le Buona Notte, c'est l'Italie retrouvée, c'est Little Italy qui rencontre Soho, c'est New York à Montréal. Les prix sont cependant élevés, et l'on se retrouve ici en compagnie de ceux pour qui cela n'a aucune espèce d'importance...

Café Méliès
$$$
Ex-Centris
3540 boul. St-Laurent
✆ 514-847-9218
cafemelies.com

Le Café Méliès est l'excellent restaurant du complexe **Ex-Centris** (voir p. 120). Situé sur deux étages, il a vue sur la rue grâce à de magnifiques fenêtres. Son décor cinématographique est surprenant (notez le majestueux escalier). Le Café Méliès est devenu l'une des bonnes tables innovatrices de Montréal. Terrasse en été.

Casa Tapas
$$$
fermé dim-lun
266 rue Rachel E.
✆ 514-848-1063

La Casa Tapas prépare une cuisine espagnole tout à fait traditionnelle et exquise. Les tapas sont ces bouchées que les Espagnols mangent surtout en fin d'après-midi, au bar, et qui finissent par faire leur repas. C'est ce qu'on s'offre ici, un repas de tapas, qui permet de goûter à plusieurs spécialités de ce pays gorgé de soleil qu'est l'Espagne.

Chez Gautier
$$$
fermé dim
3487 av. du Parc
✆ 514-845-2992

Chez Gautier est aménagé dans un local tout en longueur orné de boiseries. Le menu affiche des plats de type bistro dans la plus pure tradition. Tout y est excellent, sans oublier les desserts qui proviennent de la Pâtisserie Belge voisine. Très agréable terrasse.

Ginger
$$$
16 av. des Pins E.
✆ 514-844-2121
www.ginger-restaurant.com

Tout le raffinement de la cuisine panasiatique, notamment japonaise, se retrouve au Ginger, un peu à l'écart du cœur de la *Main*, là où elle se fait plus ethnique que guindée. Son très beau décor évoque une Asie éternelle. Ginger propose aussi sa terrasse donnant sur la rue des Pins, malheureusement trop bruyante et à la circulation trop rapide.

La Prunelle
$$$ 🍷
327 av. Duluth E.
✆ 514-849-8403

Un des meilleurs restaurants du quartier, dans un espace très ouvert sur la rue, ce qui est particulièrement agréable en été. On sert ici une cuisine française classique avec quelques accents d'innovation, délicieuse et présentée de manière agréable. Avantage non négligeable, les convives peuvent apporter leur vin ici. Réservez donc cette bonne bouteille pour une belle soirée à La Prunelle.

Le P'tit Plateau
$$$ 🍷
fermé dim-lun
330 rue Marie-Anne E.
✆ 514-282-6342

Mignon restaurant de quartier, Le P'tit Plateau offre une ambiance familiale. Il s'agit d'une cuisine simple et sans prétention.

Maestro S.V.P.
$$$
3615 boul. St-Laurent
✆ 514-842-6447
www.maestrosvp.com

Maestro S.V.P. se distingue par la qualité de son comptoir à huîtres, de ses fruits de mer et de son personnel ultra-dynamique qui s'active au rythme d'une musique de jazz entraînante.

Pintxo
$$$
256 rue Roy E.
✆ 514-844-0222
www.pintxo.ca

Voilà, tout simplement, un petit bonheur de resto à découvrir au plus vite. Deux charmantes salles à la décoration sobre mais chaleureuse, séparées d'une entrée-boudoir où trône un foyer au gaz, vous accueillent pour un repas rempli de surprise et de convivialité. Que vous sortiez en amoureux ou en groupe, Pintxo semble magiquement se prêter à toutes les circonstances. Quant à la gastronomie, le chef Alonso Ortiz, fier Mexicain ayant fait ses classes auprès de non moins fiers grands maîtres de la cuisine basque, vous délectera par ses petites bouchées (les fameux *pintxos*, tapas du Pays basque) et ses plats tout en finesse. On vous proposera sûrement de vous abandonner aux choix du chef: surtout n'hésitez pas!

Pop!
$$$
250 av. des Pins
✆ 514-287-1648
www.popbaravin.com

Le Pop! partage la même porte que le Laloux (voir p. 242). On parle de deux entités distinctes aux avantages communs. Le boulanger du Laloux est ici le chef de cuisine. Sa spécialité: les tartes alsaciennes. Vous profiterez aussi d'une des plus belles cartes de vins de Montréal. Une expérience unique dans un décor de style scandinave du milieu des années 1960.

Le Robin des Bois
$$$-$$$$
fermé dim
4653 boul. St-Laurent
514-288-1010
www.robindesbois.ca

Le Robin des Bois, comme le personnage bienfaiteur dont il tire le nom, a le sort des démunis à cœur. Il s'agit d'un restaurant à but non lucratif. Son personnel est composé principalement de bénévoles, et les profits des ventes sont redistribués à des organismes de charité. La table idéale pour les gastronomes à conscience collective.

Moishe's Steak House
$$$-$$$$
3961 boul. St-Laurent
514-845-3509
www.moishes.ca

Moishe's loge dans un bâtiment à la devanture voyante et laide. Il ne faut cependant pas se fier aux apparences, car on y sert probablement les meilleurs steaks en ville. Le secret de cette viande tendre à souhait résiderait dans la méthode de vieillissement. Une autre de ses spécialités est le foie aux oignons frits.

Laloux
$$$$
250 av. des Pins
514-287-9127
www.laloux.com

Du talent en cuisine secondé par un décor agréable et un service chaleureux. Le restaurant français Laloux fait partie des meilleures tables en ville. Qu'en dire de plus? Simplement, bon appétit.

Portus Calle
$$$$
4281 boul. St-Laurent
514-849-2070

En plein dans l'animation du boulevard Saint-Laurent et au cœur du quartier portugais, ce resto propose une cuisine lusitanienne revisitée, modernisée. On apprécie la fraîcheur des produits et la qualité de la cuisine raffinée. Le garçon prend d'ailleurs soin de préciser qu'ici la morue est fraîche, contrairement à ce *bacalhau* séché et trop salé proposé par d'autres restaurants portugais. Le Portus Calle séduit les convives avec ses poissons et fruits de mer, toujours disponibles dans la formule avantageuse du midi et nombreux sur la carte, à côté des viandes grillées. On y trouve deux salles, l'une de type bar et l'autre de type resto, à l'intérieur un peu sombre mais s'ouvrant sur une agréable terrasse.

Le Quartier latin

Camellia Sinensis
$
351 rue Émery
514-286-4002
camellia-sinensis.com

Spécialisé dans l'importation de thés artisanaux de la Chine, du Japon et de l'Inde, ce petit salon de thé, situé en face du cinéma Quartier Latin, offre calme et tranquillité. Une petite boutique adjacente au salon de thé permet aux visiteurs de humer les différentes saveurs proposées avant d'acheter leur sorte préférée.

L'Escalier
$
552 rue Ste-Catherine E.
514-670-5812
www.lescaliermontreal.com

Si une envie soudaine de fuir l'agitation urbaine et de refaire le monde autour d'une bière, d'une bonne soupe ou d'un plat végétarien à petit prix vous assaille, il suffit que vous grimpiez l'escalier au 552 de la rue Sainte-Catherine, juste en face du parc Émilie-Gamelin, pour l'assouvir. Vous vous retrouverez dans un ancien appartement converti en café-bar où règne une étonnante ambiance baba-cool, éclectique et bon enfant, teintée de musique en direct et de discours d'étudiants remplis d'idéaux.

La Brioche Lyonnaise
$
8h à 24h
1593 rue St-Denis
514-842-7017
www.labriochelyonnaise.com

La Brioche Lyonnaise est à la fois une pâtisserie et un café. Le choix de pâtisseries, de gâteaux et de friandises y est des plus variés. L'établissement est d'autant plus intéressant que tout y est délicieux à souhait.

La Brûlerie Saint-Denis
$
1587 rue St-Denis
514-286-9159
Voir description p. 247.

La Paryse
$
fermé lun
302 rue Ontario E.
514-842-2040

Dans un décor rappelant les années 1950, le restaurant La Paryse se voit régulièrement envahi par une foule jeune et bigarrée. En jetant un coup d'œil sur le menu, on comprend pourquoi : ses délicieux hamburgers et frites maison sont servis en généreuses portions!

Le Commensal
$-$$
1720 rue St-Denis
514-845-2627

Le bien connu restaurant végétarien Le Commensal propose de bons petits plats

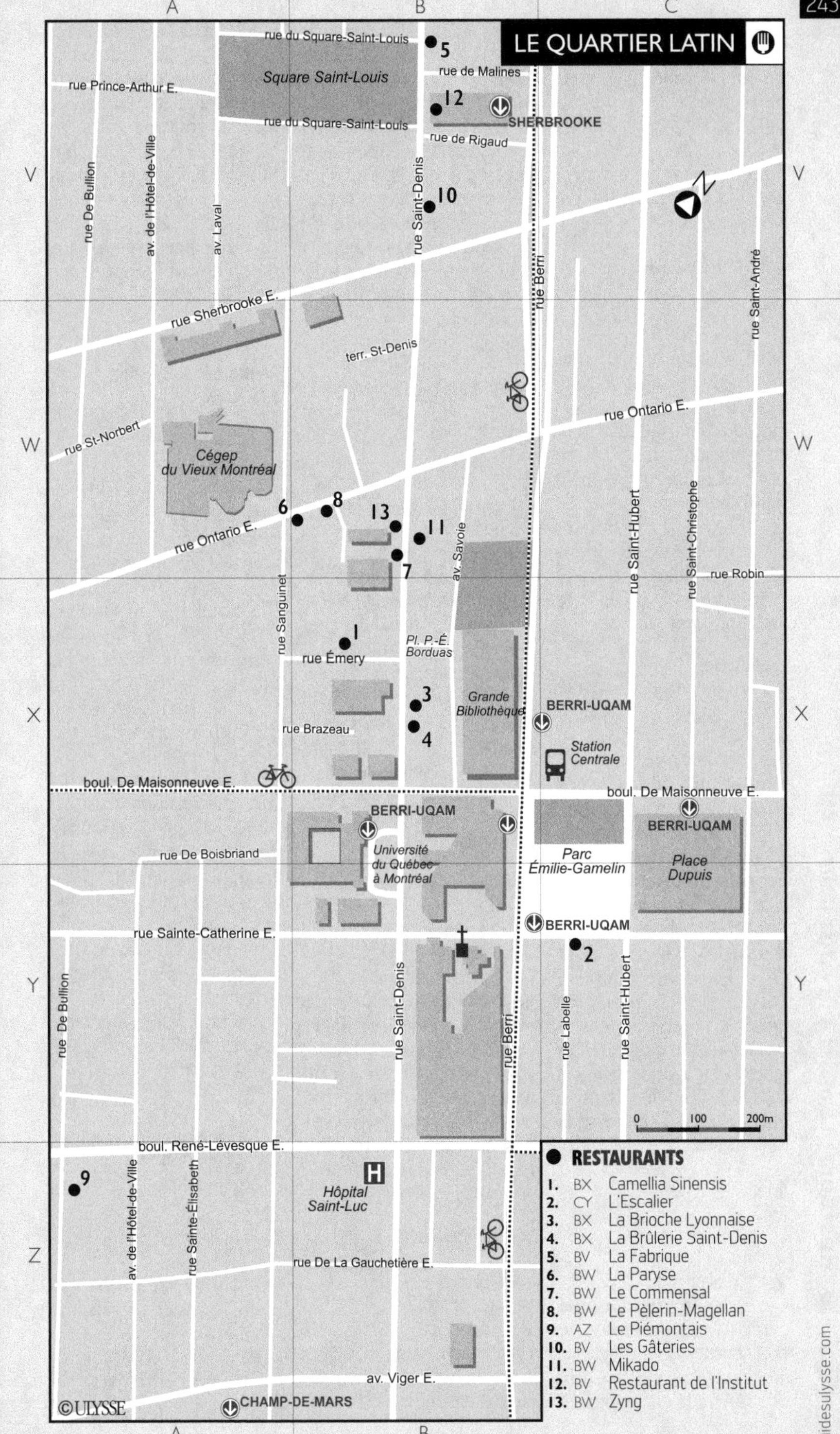
LE QUARTIER LATIN
rue du Square-Saint-Louis
Square Saint-Louis
rue Prince-Arthur E.
rue de Malines
SHERBROOKE
rue de Rigaud
rue De Bullion
av. de l'Hôtel-de-Ville
av. Laval
rue Saint-Denis
rue Sherbrooke E.
terr. St-Denis
rue Berri
rue Saint-André
rue Ontario E.
rue St-Norbert
Cégep du Vieux Montréal
av. Savoie
rue Saint-Hubert
rue Saint-Christophe
rue Robin
rue Sanguinet
rue Émery
Pl. P.-É. Borduas
Grande Bibliothèque
BERRI-UQAM
Station Centrale
rue Brazeau
boul. De Maisonneuve E.
Université du Québec à Montréal
Parc Émilie-Gamelin
Place Dupuis
rue De Boisbriand
rue Sainte-Catherine E.
rue Labelle
0 100 200m
boul. René-Lévesque E.
Hôpital Saint-Luc
av. de l'Hôtel-de-Ville
rue Sainte-Élisabeth
rue De La Gauchetière E.
av. Viger E.
CHAMP-DE-MARS
©ULYSSE
RESTAURANTS
1. BX Camellia Sinensis
2. CY L'Escalier
3. BX La Brioche Lyonnaise
4. BX La Brûlerie Saint-Denis
5. BV La Fabrique
6. BW La Paryse
7. BW Le Commensal
8. BW Le Pèlerin-Magellan
9. AZ Le Piémontais
10. BV Les Gâteries
11. BW Mikado
12. BV Restaurant de l'Institut
13. BW Zyng

santé vendus au poids. Ni les larges baies vitrées qui ornent la façade, ni les murs de briques et les différents paliers, ne réussissent à rendre l'établissement chaleureux, mais on y mange bien, dans une atmosphère décontractée.

Le Pèlerin-Magellan
$
330 rue Ontario E.
514-845-0909
Situé près de la rue Saint-Denis, Le Pèlerin-Magellan attire une clientèle hétéroclite qui aime discuter tout en grignotant une cuisine de bistro, dans une atmosphère jeune et sympathique. Le mobilier de bois imitant l'acajou et les expositions d'œuvres d'art moderne contribuent à créer une ambiance amicale.

Les Gâteries
$
3443 rue St-Denis
514-843-6235
À un jet de pierre du square Saint-Louis, le café Les Gâteries sert une bonne cuisine légère (sandwichs, salades et autres) tout en proposant un menu du jour santé et savoureux. Son comptoir à desserts déborde effectivement de délicieuses «gâteries». Ouvert depuis plusieurs années, l'établissement a des airs de café de quartier avec son ambiance intime et agréable, la lumière tamisée aidant. Terrasse pendant la belle saison.

Zyng
$-$$
1748 rue St-Denis
514-284-2016
www.zyng.com
Cette chaîne torontoise de sympathiques restos où l'on sert des nouilles et des *dim sum* apporte un brin de fraîcheur et de design dans ce coin trop commercial de la rue Saint-Denis. Fraîcheur du décor, fraîcheur de l'amusant menu et fraîcheur des plats, où les légumes occupent une place de choix dans les «bols repas». Les saveurs de la Chine, du Japon, de la Thaïlande, de la Corée et du Vietnam se donnent ici rendez-vous et se prêtent aux combinaisons les plus originales.

La Fabrique
$$
3609 rue St-Denis
514-544-5038
Situé tout juste en face du square Saint-Louis, le dernier-né du restaurateur Laurent Godbout en met plein la vue. Sa cuisine à aire ouverte permet à la clientèle d'admirer le travail du chef Jean-Baptiste Marchand, copropriétaire de l'établissement. Le menu, qui alterne entre classiques français et cuisine québécoise, présente plusieurs originalités tels le «spaghetti pas cuit à Charlotte» et le «Jos Louis maison au micro-ondes».

Mikado
$$- $$$
1731 rue St-Denis
514-844-5705
www.mikadomontreal.com
Le Mikado continue de servir la même excellente cuisine japonaise depuis 1987. Ici, point d'effet de mode et c'est tant mieux; même les prix ne suivent pas la courbe stratosphérique des autres restos japonais!

Le Piémontais
$$$
fermé dim
1145A rue De Bullion
514-861-8122
www.lepiemontais.com
Tous les vrais amateurs de cuisine italienne connaissent et vénèrent Le Piémontais. L'étroitesse des lieux et la proximité des tables rendent l'établissement très bruyant, mais la douceur du décor où domine le rose, la gentillesse, la bonne humeur et l'efficacité du personnel, ainsi que la poésie que l'on découvre dans son assiette, procurent une expérience inoubliable.

Restaurant de l'Institut
$$$-$$$$
Institut de tourisme et d'hôtellerie du Québec
3535 rue St-Denis
514-282-5161 ou 800-361-5111
Des travaux majeurs ont donné un second souffle bien mérité au Restaurant de l'Institut de tourisme et d'hôtellerie du Québec (ITHQ), dont le but est de permettre aux étudiants de pratiquer leur savoir-faire. Situé au rez-de-chaussée du bâtiment, derrière de larges baies vitrées donnant sur le square Saint-Louis, le restaurant est un havre de lumière le jour et une adresse au cœur de la vie trépidante montréalaise le soir. Aidé des étudiants, le chef prépare six menus par année en utilisant principalement des produits du terroir. Matin, midi et soir, le Restaurant de l'Institut offre un des meilleurs rapports qualité/prix à Montréal.

Le Village

Bangkok
$
1201 boul. De Maisonneuve E.
514-527-9777
On trouve ici probablement le meilleur rapport qualité/prix en matière de cuisine thaïe à Montréal. Dans un décor simple mais agréable, on bénéficie d'un

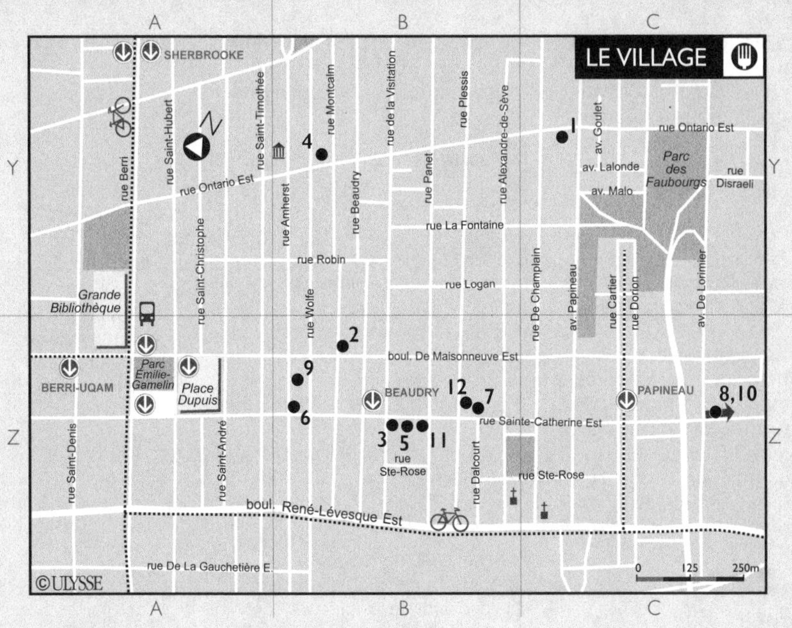

● **RESTAURANTS**

1. CY Au Petit Extra
2. BZ Bangkok
3. BZ Bato Thaï
4. BY Carte Blanche
5. BZ D-Sens
6. BZ La Piazzetta
7. BZ La Strega du Village
8. CZ Le Grain de Sel
9. BZ Miyako
10. CZ Parreira
11. BZ Piccolo Diavolo
12. BZ Planète

service sympathique et sans prétention.

La Piazzetta
$-$$
1101 rue Ste-Catherine E.
☎ 514-526-2244
Voir description p. 247.

Bato Thaï
$$
1310 rue Ste-Catherine E.
☎ 514-524-6705
Au Bato Thaï, le menu décline les plats de poulet, de poisson, de crevettes et de légumes de façon particulièrement répétitive, soit au lait de coco, aux arachides ou au cari. À moins d'y aller chaque semaine, cette absence de variété ne devrait toutefois pas vous contrarier.

La Strega du Village
$$
1477 rue Ste-Catherine E.
☎ 514-523-6000
Toujours bondée grâce à ses formules «repas complets à petit prix», La Strega bourdonne d'activité, ce qui peut affecter le service à certains moments. La cuisine, sympathique mais sans grande recherche, correspond aux prix pratiqués par l'établissement.

Piccolo Diavolo
$$
1336 rue Ste-Catherine E.
☎ 514-526-1336
Le restaurant italien Piccolo Diavolo offre un chaleureux décor qui procure l'intimité nécessaire pour un agréable dîner en tête-à-tête. Les plats proposés témoignent de la créativité du chef et ravissent les papilles. Le service peut toutefois laisser à désirer.

Planète
$$
1451 rue Ste-Catherine E.
☎ 514-528-6953
Au Planète, on prépare une cuisine hybride et sans frontières. En effet, le menu offre un choix de plus de 30 plats provenant des cinq continents.

Au Petit Extra
$$-$$$
1690 rue Ontario E.
☎ 514-527-5552
www.aupetitextra.com
Grand bistro aux allures européennes, Au Petit Extra demeure un lieu privilégié pour prendre un bon repas dans une ambiance animée.

Chaque jour, il propose une table d'hôte différente, jamais décevante. Une clientèle d'habitués s'y presse, et il faut souligner la gentillesse du service, des plus sympathiques.

Parreira
$$-$$$
midi seulement
2275 rue Ste-Catherine E.
☎ 514-521-0036
www.parreiratraiteur.com
Un beau décor moderne et un plafond très haut confèrent un certain chic au Parreira, un restaurant français de quartier. Le service est prévenant, amical et professionnel. Service de traiteur.

Carte Blanche
$$$
mar-ven déjeuner et dîner, sam dîner seulement
1159 rue Ontario E.
☎ 514-313-8019
www.restaurant-carteblanche.com
À deux pas du marché Saint-Jacques, on découvre ce restaurant qui propose les classiques de la gastronomie française, auxquels le chef donne une touche de modernité. La carte offre l'embarras du choix. Une adresse à découvrir.

D-Sens
$$$
1334 rue Ste-Catherine E.
☎ 514-227-5556
www.dsens.ca
Au cœur du Village gay, ce restaurant propose les grands classiques de la cuisine française. Une cuisine honnête qu'il est agréable de retrouver, sans les artifices maintenant si répandus. Les frites sont vraiment maison et le tartare des plus goûteux. Le service s'avère efficace et sympathique. Par beau temps, il fait bon profiter de la terrasse de la cour arrière, voire de la terrasse avant lorsque la rue Sainte-Catherine devient piétonne.

Le Grain de Sel
$$$
2375 rue Ste-Catherine E.
☎ 514-522-5105
Le Grain de Sel est un petit bistro français qui propose une table d'hôte sans prétention. On y déguste de délicieux plats, toujours frais et bien préparés.

Miyako
$$$
1439 Amherst
☎ 514-521-5329
Le Miyako est un restaurant japonais remarquable qui s'inscrit dans les meilleurs du genre à Montréal. Son décor, simple et épuré, rehausse à peine une longue pièce rectangulaire aux tables bien alignées. En revanche, son espace tatami, plus intime, promet de rendre le repas plus agréable et plus dépaysant. Son menu est très varié et savoureux. Réservations requises en tout temps.

Le Plateau Mont-Royal

Aux Entretiens
$
1577 av. Laurier E.
☎ 514-521-2934
Une grande salle un peu nue, un plafond de tuiles gaufrées, quelques affiches et une atmosphère propice aux longs bavardages, voilà ce qu'on découvre dans ce café de quartier au menu affichant des salades et des sandwichs de toute sorte mais aussi une table d'hôte plus élaborée.

Byblos
$
fermé lun
1499 av. Laurier E.
☎ 514-523-9396
Au petit restaurant Byblos, aux apparences très simples et aux murs ornés de pièces d'artisanat perse, vous jouirez d'une ambiance à la fois discrète et exotique. La cuisine, raffinée et légère, recèle de petites merveilles de l'Iran. Le service est attentionné, et le sourire règne en maître.

Café Bicicletta
$
Maison des cyclistes
1251 rue Rachel E.
☎ 514-521-8356
Pour une pause café au cœur du Plateau ou un déjeuner sur le pouce, le Café Bicicletta vous propose des cafés à l'italienne, des viennoiseries mais aussi des sandwichs et des *empanadas*. L'été venu, on peut d'ailleurs les déguster sur la petite terrasse en face du parc La Fontaine.

Café Rico
$
fermé dim
969 rue Rachel E.
☎ 514-529-1321
www.caferico.qc.ca
Le Café Rico est un petit torréfacteur qui se fait un devoir de n'utiliser que du café équitable certifié. Faites donc un saut dans ce sympathique café de la rue Rachel au décor nonchalant avec ses quelques tables, son hamac et ses plantes vertes, pour goûter et humer leurs savoureux mélanges. Pour l'accompagner, vous devrez vous contenter d'un simple sandwich ou d'un biscuit, mais en revanche vous pourrez vous attarder des heures

dans l'ambiance conviviale de l'établissement.

Chez Claudette
$
dim-mer 7h à 23h, jeu-sam 24h sur 24
351 av. Laurier E.
☎ 514-279-5173
On se sent bien Chez Claudette, ce resto familial au décor composé d'affiches aux murs, d'un long comptoir et d'une cuisine ouverte sur la salle à manger. Les cuistots y préparent des plats d'une cuisine nord-américaine typique.

Crêpanita
$
1576 av. du Mont-Royal E.
☎ 514-524-5555
Qu'elles soient salées ou sucrées, les galettes de froment à la fois souples et croustillantes de chez Crêpanita sont préparées devant vous en un rien de temps. Un pur délice! Autre adresse dans le quartier Côte-des-Neiges (voir p. 253).

Frite Alors
$
1562 av. Laurier E.
☎ 514-524-6336
433 rue Rachel E.
☎ 514-843-2490
Voir description p. 255.

Fruit Folie
$
3817 rue St-Denis
☎ 514-840-9011
On accourt au Fruit Folie pour ses petits déjeuners spectaculaires, délicieux et proposés à prix imbattables. Bien entendu la plupart des assiettes débordent de fruits, c'est la folie! Vous devrez probablement patienter si vous faites la grasse matinée le dimanche et arrivez après 11h, surtout si vous convoitez les tables de la terrasse. Fruit Folie sert aussi des repas simples, des pâtes et des salades pour le déjeuner et le dîner.

L'Anecdote
$
801 rue Rachel E.
☎ 514-526-7967
L'Anecdote prépare des hamburgers et des sandwichs étagés végétariens à partir de produits de qualité. On y trouve un décor évoquant les années 1950: de vieilles pubs de Coke et des affiches de films ornent les murs.

La Banquise
$
994 rue Rachel E.
☎ 514-525-2415
www.restolabanquise.com
Ce joli petit restaurant aux couleurs de l'été, ouvert jour et nuit, est bien connu des résidants du Plateau qui viennent y apaiser leur fringale après la sortie du samedi soir. La spécialité: la poutine, selon plusieurs la meilleure en ville, avec une vingtaine de variétés différentes.

La Binerie Mont-Royal
$
367 av. du Mont-Royal E.
☎ 514-285-9078
Dans un décor formé de quelques tables et d'un comptoir, La Binerie Mont-Royal est un petit resto de quartier d'aspect modeste. Mais elle a bonne réputation grâce à ses spécialités traditionnelles québécoises, et au roman d'Yves Beauchemin *Le Matou*, auquel elle sert de toile de fond.

La Brûlerie Saint-Denis
$
3967 rue St-Denis
☎ 514-286-9158
www.brulerie.com
La Brûlerie Saint-Denis importe son café des quatre coins du monde et offre un des plus grands choix de moutures à Montréal. Les grains sont torréfiés sur place, ce qui donne à l'établissement un arôme tout à fait particulier. Des repas légers et des desserts y sont également proposés.

Orienthé
$
4511 rue St-Denis
☎ 514-995-6533
Débarrassez-vous de vos chaussures – et de vos soucis – à l'entrée, et chaussez les babouches mises à votre disposition. Vous pénétrez dans un salon de thé où le temps s'arrête et la détente est reine. Impossible de ne rester que quelques minutes ici, tant les lignes pures du lieu, les couleurs chaudes des murs et les nombreux coussins invitent à la relaxation. Prenez donc le temps de déguster l'un des nombreux thés proposés, en vous laissant conseiller par un personnel très connaisseur. L'établissement offre aussi un choix de pâtisseries orientales.

Ambala
$-$$
3887 rue St-Denis
☎ 514-499-0446
www.ambalaresto.ca
Voilà un restaurant indien typique de Montréal, avec ses propositions de menu abordables, sa cuisine indienne de qualité sans toutefois rien surpasser, et son service dans un français approximatif. On connaît tout cela, mais on y retourne pour le plaisir de goûter cette cuisine si exotique, ces currys et ces tandouris si parfumés.

La Piazzetta
$-$$
4097 rue St-Denis
☎ 514-847-0184
www.lapiazzetta.ca
La Piazzetta sert de la pizza à croûte mince et crous-

tillante, semblable à celle qu'on peut manger parfois en Italie.

Tampopo
$-$$
4449 rue Mentana
☎ 514-526-0001
www.tampopo-resto.com
La minuscule salle du Tampopo ne dérougit pas. Pratiquement à toute heure, on y trouve quantité de gens du Plateau et d'ailleurs venus se rassasier d'un bon plat de cuisine asiatique. Les copieuses soupes tonkinoises côtoient sur la carte une série de plats de nouilles. Derrière le comptoir, les cuistots s'affairent devant d'énormes woks dans lesquels ils font sauter légumes, viandes et fruits de mer pour les servir juste à point. Assoyez-vous sur de petits tabourets devant ce comptoir, ou par terre sur une natte à l'une des trois tables basses, et ne manquez pas de savourer aussi le décor aux accents orientaux!

Zyng
$-$$
1371 av. du Mont-Royal E.
☎ 514-523-8883
Voir description p. 244.

Bières et Compagnie
$$
4350 rue St-Denis
☎ 514-844-0394
www.bieresetcompagnie.ca
Avec le choix d'une centaine de bières locales ou importées pour accompagner votre plat de saucisses, grillades ou moules, vous aurez tout pour jouir de l'atmosphère de brasserie dans lequel baigne le restaurant Bières et compagnie.

Cactus
$$
4461 rue St-Denis
☎ 514-849-0349
Au Cactus, on propose des mets mexicains raffinés, servis en petites portions. Sa petite terrasse est très populaire pendant la belle saison.

Café El Dorado
$$
921 av. du Mont-Royal E.
☎ 514-598-8282
Dans un décor curviligne spectaculaire se presse la foule branchée du Plateau Mont-Royal pour prendre un café ou un petit repas rapide, mais toujours de qualité. Une mention spéciale doit être accordée au Café El Dorado pour ses excellents desserts.

Chu Chai
$$
4088 rue St-Denis
☎ 514-843-4194
www.chuchai.com
Le Chu Chai ose innover, et il faut l'en féliciter. Ici, on a imaginé une cuisine thaïlandaise végétarienne qui donne dans le pastiche: crevettes végétariennes, poisson végétarien et même bœuf ou porc végétarien. L'imitation est extraordinaire, au point qu'on passe la soirée à se demander comment c'est possible. Le résultat est délicieux et ravit la clientèle diversifiée qui se

● **RESTAURANTS**

1. AY Ambala
2. AW Au 5e péché
3. BX Au 917
4. AY Au pied de cochon
5. CV Aux Entretiens
6. AX Bières et Compagnie
7. BW Bistro Bienville
8. AY Bistro Cocagne
9. CV Byblos
10. AW Cactus
11. CX Café Bicicletta
12. AZ Café Cherrier
13. BW Café El Dorado
14. BX Café Rico
15. AV Chez Claudette
16. AY Chu Chai / Chuch
17. AY Côté Soleil
18. CW Crêpanita
19. BX Crêperie Bretonne Ty-Breiz
20. CV El Zaziummm
21. AX Fonduementale
22. AX, CV Frite Alors
23. AZ Fruit Folie
24. AY Khyber Pass
25. AX L'Anecdote
26. AY L'Express
27. BX La Banquise
28. AW La Binerie Mont-Royal
29. AY La Brûlerie Saint-Denis
30. AV La Gaudriole
31. AV La Petite Marche
32. AY La Piazzetta
33. BV La Raclette
34. AY Le Continental
35. AX Le Flambard
36. AY Le jardin de Panos
37. AZ Le Nil Bleu
38. CV Le Pégase
39. BY Le Piton de la Fournaise
40. AY Le Symposium Psarotaverna
41. AY Les Cavistes
42. AX Les Infidèles
43. AW Les Trois Petits Bouchons
44. BW Misto
45. AW Orienthé
46. AW Ouzeri
47. CW Pistou
48. CW Pizzédélic
49. AX Steak frites St-Denis
50. BW Tampopo
51. CV Tri Express
52. AW Vintage Tapas et Porto
53. CW Zyng

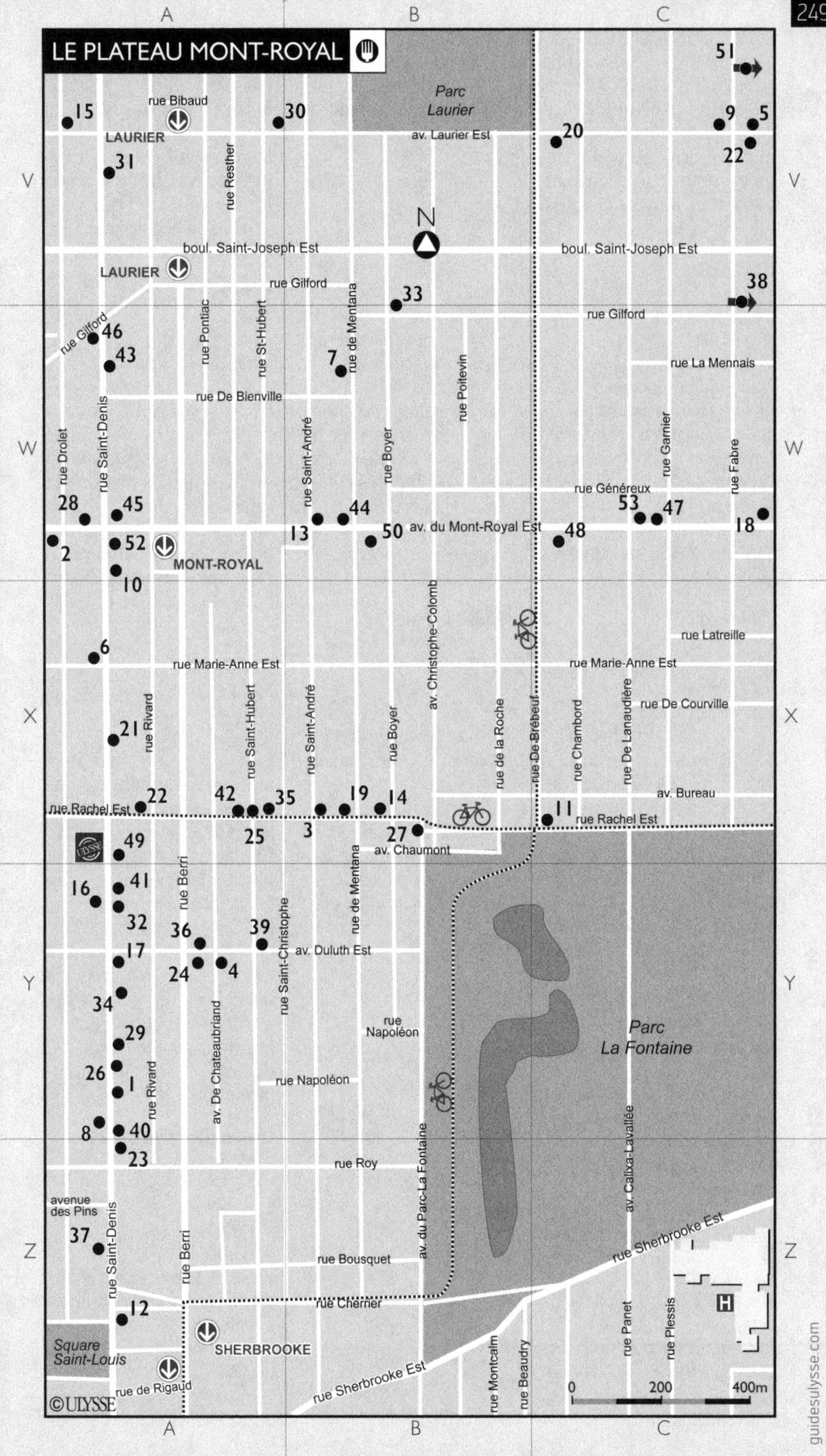
LE PLATEAU MONT-ROYAL
Parc Laurier
rue Bibaud
LAURIER
av. Laurier Est
rue Resther
boul. Saint-Joseph Est
LAURIER
rue Gilford
rue Pontiac
rue St-Hubert
rue de Mentana
rue Poitevin
rue La Mennais
rue De Bienville
rue Drolet
rue Saint-Denis
rue Saint-André
rue Boyer
rue Garnier
rue Fabre
rue Généreux
av. du Mont-Royal Est
MONT-ROYAL
rue Latreille
rue Marie-Anne Est
av. Christophe-Colomb
rue De Courville
rue Rivard
rue Saint-Hubert
rue de la Roche
rue De Brébeuf
rue Chambord
rue De Lanaudière
av. Bureau
rue Rachel Est
av. Chaumont
rue Berri
rue Saint-Christophe
av. Duluth Est
av. De Chateaubriand
rue Napoléon
Parc La Fontaine
av. du Parc-La Fontaine
av. Calixa-Lavallée
rue Roy
avenue des Pins
rue Bousquet
rue Sherbrooke Est
rue Cherrier
SHERBROOKE
Square Saint-Louis
rue de Rigaud
rue Montcalm
rue Beaudry
rue Panet
rue Plessis
0
200
400m
©ULYSSE
guidesulysse.com

presse dans sa salle modeste ou à la terrasse. Le midi, le restaurant propose une table d'hôte économique. Le comptoir de restauration rapide voisin, **Chuch**, offre la même nourriture de qualité dans une ambiance plus décontractée.

Côté Soleil
$$
3979 rue St-Denis
514-282-8037
www.bistrocotesoleil.com
Côté Soleil propose une cuisine de bistro classique, ainsi que quelques raviolis inventifs servis en tapas ou en assiette. Pendant la belle saison s'y ajoutent deux terrasses... ensoleillées. Certainement l'un des meilleurs rapports qualité/prix du secteur.

El Zaziummm
$$
1276 av. Laurier E.
514-598-0344
www.zaziummm.com
Le décor hétéroclite d'El Zaziummm en étonnera plus d'un. Les rouleaux de papier hygiénique qu'on utilise comme serviettes de table, ainsi que les innombrables petits bibelots, disposés ici et là de façon assez disparate, confèrent à ce restaurant un charme certain mais insolite. Le menu affiche une longue liste de plats typiquement mexicains, mais apprêtés de façon originale, avec une nette influence californienne. Toutefois, le service y est souvent lent et désordonné. À éviter donc, si l'on est pressé...

Khyber Pass
$$
506 av. Duluth E.
514-849-1775
L'exotique et chaleureux restaurant Khyber Pass sert une cuisine traditionnelle afghane qui ouvre la voie à un amalgame de saveurs étonnantes et recherchées. Le service est attentionné, et en été une terrasse est mise à la disposition des clients.

La Petite Marche
$$
5035 rue St-Denis
514-842-1994
L'un des rares petits restaurants de style café de quartier sur l'artère commerciale qu'est la rue Saint-Denis, La Petite Marche est une bonne option pour ceux qui veulent s'offrir un bon repas dans une atmosphère détendue et à un prix raisonnable. La table d'hôte, variée et généreuse, propose des plats d'inspiration italienne et française. Le service est courtois et efficace. Petits déjeuners.

Le jardin de Panos
$$
521 av. Duluth E.
514-521-4206
www.lejardindepanos.com
À la brochetterie grecque Le jardin de Panos, on sert une cuisine simple, préparée à partir de produits de qualité. Le restaurant est aménagé dans une maison disposant d'une vaste terrasse fort agréable en été.

Pizzédélic
$$
1250 av. du Mont-Royal E.
514-522-2286
www.pizzedelic.net
Le restaurant Pizzédélic propose une pizza à croûte mince recouverte de garnitures de qualité. Ses larges vitrines s'ouvrent pendant la belle saison pour laisser respirer sa clientèle nombreuse.

Tri Express
$$
fermé lun
1650 av. Laurier E.
514-528-5641
www.triexpressrestaurant.com
Même s'il est Vietnamien, le propriétaire de ce petit restaurant a choisi la gastronomie nippone pour nous émerveiller. Ici, la présentation des assiettes est aussi soignée que la cuisine. Dans ce microenvironnement éclectique de l'avenue Laurier, qualité et simplicité se sont alliées pour le plus grand bonheur de tous.

Au 917
$$-$$$
917 rue Rachel E.
514-524-0094
www.au917.com
Pour une bonne cuisine française à prix abordable, pensez au restaurant Au 917. Les grands miroirs qui ornent ses murs, ses tables rapprochées ainsi que ses garçons en tablier lui confèrent une ambiance bistro qui sied tout aussi bien à sa cuisine.

Café Cherrier
$$-$$$
3635 rue St-Denis
514-843-4308
Lieu de rencontre par excellence de tout un contingent de professionnels, la terrasse et la salle du Café Cherrier ne désemplissent pas. L'atmosphère de brasserie française y est donc très animée avec beaucoup de va-et-vient, ce qui peut donner lieu à d'agréables rencontres. Le menu affiche des plats de bistro généralement savoureux, mais on doit parfois déplorer un service approximatif.

Crêperie Bretonne Ty-Breiz
$$-$$$
fermé lun
933 rue Rachel E.
514-521-1444
La Crêperie Bretonne Ty-Breiz sert des crêpes assorties d'un large éventail de garnitures. Décor typique du nord-ouest de la France, quoiqu'on puisse très bien s'y croire en Autriche ou en Suisse. Bonne carte des

vins et longue liste de desserts (encore des crêpes!). Table d'hôte midi et soir en semaine.

Fonduementale
$$-$$$
4325 rue St-Denis
514-499-1446
www.fonduementale.com
Le restaurant Fonduementale est installé dans une belle maison ancienne typique du Plateau Mont-Royal, rehaussée de superbes boiseries. Comme son nom l'indique, les fondues ici sont à l'honneur, des fondues toutes plus intéressantes les unes que les autres. Mentionnons particulièrement la fondue suisse au poivre rose.

La Raclette
$$-$$$
1059 rue Gilford
514-524-8118
Restaurant de quartier très prisé par les belles soirées d'été en raison de son attrayante terrasse, La Raclette plaît aussi pour son menu, où l'on retrouve des plats tels que la raclette (bien sûr), mais aussi bien d'autres savoureuses spécialités suisses.

Le Flambard
$$-$$$
851 rue Rachel E.
514-596-1280
www.leflambard.com
Sympathique bistro décoré de boiseries et de miroirs, Le Flambard excelle dans l'élaboration d'une cuisine française de qualité. L'établissement est fort charmant, mais l'étroitesse du local et la proximité des convives laissent peu de place à l'intimité.

Le Nil Bleu
$$-$$$
3706 rue St-Denis
514-285-4628
La cuisine délicieuse du restaurant éthiopien Le Nil Bleu vaut certainement le déplacement, ne serait-ce que pour manger de façon traditionnelle, de la main droite, un choix de viandes et de légumes enroulés dans une énorme crêpe, communément appelée *injera*. Son décor se révèle des plus chaleureux.

Les Trois Petits Bouchons
$$-$$$
lun-sam dîner, jeu et ven déjeuner
4669 rue St-Denis
514-285-4444
www.troispetitsbouchons.com
Les Trois Petits Bouchons, c'est trois jeunes amis bons vivants qui ont uni leur savoir-faire pour ouvrir ce petit bonheur de resto-bar à vin. Ils réussissent avec brio à nous faire vivre trois grands plaisirs: être bien reçu, bien manger et bien boire. Au bar en solitaire, en salle en amoureux ou en groupe à la table d'amis, on s'y sent toujours bien et on se dit qu'on en ferait bien son resto de quartier.

Misto
$$-$$$
929 av. du Mont-Royal E.
514-526-5043
www.restomisto.com
Le Misto est un restaurant italien couru par une clientèle branchée qui vient s'y offrir de copieux plats. Dans ce grand et chaleureux local paré de briques et décoré dans les tons de vert, l'atmosphère bruyante et les tables très rapprochées n'enlèvent rien au service attentionné et sympathique.

Ouzeri
$$-$$$
4690 rue St-Denis
514-845-1336
L'Ouzeri s'est donné pour objectif d'offrir à sa clientèle une cuisine grecque recherchée: mission accomplie. La cuisine est excellente et recèle plusieurs belles surprises. Avec son plafond très haut et ses longues fenêtres, ce restaurant constitue un établissement agréable où l'on risque de s'éterniser, surtout quand la musique nous plonge dans la rêverie.

Pistou
$$-$$$
1453 av. du Mont-Royal E.
514-528-7242
La grande salle à manger du Pistou, à plafond haut et à la décoration moderne, n'est pas ce qu'on pourrait qualifier de chaleureuse, d'autant moins qu'étant souvent bondée elle n'est pas de tout repos pour qui voudrait entreprendre une conversation à mi-voix. On y sert un délicieuse cuisine de type bistro.

Steak frites St-Denis
$$-$$$
4167 rue St-Denis
514-788-4462
www.steakfrites.ca
Voir description p. 228.

Au pied de cochon
$$$
536 av. Duluth E.
514-281-1114
www.restaurantaupieddecochon.ca
L'un des établissements les plus recherchés par les visiteurs à Montréal, le bistro du chef Martin Picard est dédié à la bonne chère. Ici, il ne faut pas avoir peur de tomber dans l'excès : essayez la côte de «cochon heureux», le jarret d'agneau confit, ou encore, si vous

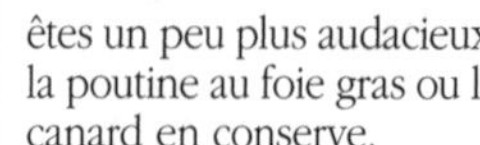

êtes un peu plus audacieux, la poutine au foie gras ou le canard en conserve.

Bistro Bienville
$$$
4650 rue de Mentana
514-509-1269
www.bistrobienville.com
Comme son nom l'indique, le Bistro Bienville offre une cuisine conviviale. Dans un décor on ne peut plus dépouillé, on apprête ici des plats sans prétention avec des produits de qualité. Si le cœur vous en dit, accoudez-vous au comptoir pour bavarder avec le cuistot qui s'affaire dans une cuisine à aire ouverte. Un heureux mariage entre la simplicité d'un casse-croûte et le raffinement du bistro.

Bistro Cocagne
$$$
3842 rue St-Denis
514-286-0700
www.bistro-cocagne.com
Après plusieurs années de service au sein du restaurant de renom qu'est le Toqué!, Alexandre Loiseau vous fait découvrir ses talents de grand chef en vous conviant dans son propre restaurant. Les plus? Son ingéniosité à combiner une cuisine du marché avec des saveurs parfois surprenantes, et sa créativité en matière de présentation, chaque plat étant en soi un véritable petit tableau. Une excellente adresse pour un bon repas gastronomique dans une ambiance décontractée et chaleureuse qui invite aux confidences.

L'Express
$$$
3927 rue St-Denis
514-845-5333
Lieu de rencontre par excellence des yuppies vers 1985, L'Express demeure très apprécié pour son décor de wagon-restaurant, son atmosphère de bistro parisien animé, que peu ont su reproduire, et son menu toujours invitant. Le brunch du weekend est particulièrement recommandé.

La Gaudriole
$$$
825 av. Laurier E.
514-276-1580
www.lagaudriole.com
Dans une salle quelque peu exiguë où le confort peut laisser à désirer, on sert une excellente cuisine dite «métissée», renouvelant une cuisine française qui avait depuis des siècles puisé aux apports du monde entier.

Le Continental
$$$
4007 rue St-Denis
514-845-6842
www.lecontinental.ca
En juillet 2007, le restaurant Le Continental a été victime d'un incendie dévastateur. Quelques mois plus tard apparaissait, un pâté de maisons plus loin, un petit bistro bien sympathique qui fut à son tour agrandi pour reprendre ses dimensions d'autrefois. Les habitués du Continental disent maintenant se retrouver chez eux avec un menu toujours aussi alléchant. On va au Continental pour la fraîcheur des produits, la constance des classiques et la chaleur du service.

Le Pégase
$$$ 🍷
1831 rue Gilford
514-522-0487
www.lepegase.ca
Installé dans une maison centenaire, le restaurant Le Pégase offre une cuisine traditionnelle française variée et d'une grande qualité. De l'entrée au dessert, on ne sait quel plat choisir pour satisfaire ses papilles. Qu'à cela ne tienne, autant prendre la table d'hôte! Une expérience culinaire inoubliable.

Le Piton de la Fournaise
$$$ 🍷
fermé lun
835 av. Duluth E.
514-526-3936
www.restolepiton.com
Le charmant et tout petit restaurant Le Piton de la Fournaise pétille de vie et éveille les sens. On y apprête avec ingéniosité une cuisine réunionnaise qui n'en finit pas de surprendre par ses parfums, ses épices et ses textures. Afin que l'expérience du Piton de la Fournaise soit un succès, il est suggéré d'avoir tout son temps devant soi. Notez au passage qu'il y a deux services le vendredi et le samedi en raison de l'achalandage.

Le Symposium Psarotaverna
$$$
3829 rue St-Denis
514-842-0867
Le Symposium Psarotaverna transporte sa clientèle instantanément en mer Égée, avec son décor bleu et blanc, ainsi que l'âme chaleureuse et insulaire du service. Le poisson et les fruits de mer en sont les spécialités. Essayez le délicieux *saganaki*.

Vintage Tapas et Porto
$$$
fermé dim
4475 rue St-Denis
514-849-4264
Derrière une façade discrète se cache un restaurant très apprécié par la clientèle montréalaise. Le Vintage propose une cuisine portugaise classique. Comme il se doit, le restaurant affiche

une bonne carte de vins et de portos.

Les Cavistes
$$$-$$$$
4115 rue St-Denis
514-903-5089
www.restaurantlescavistes.com
Les Cavistes est un restaurant-boutique qui comprend un comptoir où l'on peut acheter du vin d'importation privée et des plats cuisinés, un concept unique à Montréal. Le restaurant, quant à lui, offre une vaste sélection de vins ainsi qu'une cuisine d'inspiration française revampée à la québécoise. Bien que le décor soit dépouillé et la luminosité un peu froide, les convives profitent pleinement de leur soirée, confortablement assis au bar ou sur les banquettes des grandes tables de la salle à manger.

Les Infidèles
$$$-$$$$
771 rue Rachel E.
514-528-8555
www.lesinfideles.ca
On se rend au restaurant Les Infidèles pour déguster une cuisine de bistro créative qui favorise des produits du terroir raffinés. Le menu affiche une belle sélection de plats de gibier et de poisson, et les convives s'attablent dans un décor sobre et moderne mais tout de même chaleureux. Facteur important pour cet établissement où l'addition peut s'avérer plutôt salée: on peut apporter son vin. Service professionnel.

Au 5e péché
$$$$
330 av. du Mont-Royal E.
514-286-0123
www.aucinquiemepeche.com
Ce restaurant est un des incontournables de l'avenue du Mont-Royal. Le chef conçoit des plats d'inspiration française à partir de produits 100% québécois. La situation centrale du restaurant permet aussi de terminer sa soirée dans certaines des boîtes de nuit les plus intéressantes du Plateau Mont-Royal.

Le mont Royal

Le Pavillon
$$$
2000 ch. Rembrance, devant le lac aux Castors
parc du Mont-Royal
514-843-8240
Le Pavillon, situé devant le lac aux Castors, un endroit de prédilection dans le parc du Mont-Royal, propose des plats du terroir tels le gigot d'agneau et le cassoulet. Dans le même bâtiment se trouve aussi un espace cafétéria où les gens peuvent apporter leur lunch ou prendre un repas léger. Tout cela en ayant une vue magnifique sur le lac.

Westmount, Notre-Dame-de-Grâce et Côte-des-Neiges

Crêpanita
$
3515 av. Lacombe
514-344-9772
Voir description p. 247.

Dic Ann's Hamburgers
$
mar-dim
6224 rue St-Jacques O.
Depuis 1954, Dic Ann's mise sur la qualité de ses produits et l'originalité de son hamburger à la sauce piquante. Les boulettes du hamburger sont aussi minces que possible, mais elles sont composées d'une viande de premier choix. Les pains sont écrasés, comme dans les années 1950, et les frites sont servies dans des «casseaux» traditionnels de carton. Si l'on ne parle pas ici de cuisine santé, Dic Ann's demeure un délicieux voyage dans le temps et une véritable curiosité montréalaise.

Pizzafiore
$
3518 rue Lacombe
514-735-1555
En entrant à la Pizzafiore, on aperçoit le cuisinier à côté du four à bois où sont cuites les pizzas. Il en prépare pour tous les goûts et à toutes les sauces, recouvertes des garnitures les plus variées. L'établissement est plaisant, aussi est-il souvent envahi par les gens du quartier et les universitaires.

Hwang Kum
$-$$
5908 rue Sherbrooke O., angle rue Clifton
514-487-1712
Notre-Dame-de-Grâce est le quartier montréalais qui compte le plus de Coréens, ce qui en fait l'emplacement logique du restaurant coréen de référence à Montréal: le Hwang Kum. Étonnamment, ce resto de qualité demeure très abordable. Toutes les grandes spécialités du «pays du Matin calme» y sont déclinées. La Corée, comme si vous y étiez. Bravo!

Al Dente Trattoria
$$
5768 av. de Monkland
514-486-4343
Établi sur l'avenue de Monkland depuis déjà nombre d'années, Al Dente est un petit restaurant italien chaleureux et fort

accueillant. Son menu offre un bon choix de pizzas, de soupes et de salades fraîches, mais aussi un assortiment complet de pâtes et de sauces que vous pouvez marier à votre guise. Quant au décor, il est simple, et l'atmosphère invite à la détente. On y vient aussi bien pour la cuisine que pour le service sans façon.

Claremont Cafe
$$
5032 rue Sherbrooke O.
514-483-1557

Le Claremont est un restaurant pour le moins animé. Son menu recherché offre une vaste sélection de plats, des pizzas aux burgers en passant par l'espadon grillé, les pâtes et les moules. La musique forte que diffusent les haut-parleurs ne fait pas de cet établissement le lieu rêvé pour un dîner en tête-à-tête, mais si vous cherchez à mettre un peu de piquant dans votre journée, vous ne serez pas déçu. Le décor est par ailleurs rehaussé d'expositions temporaires présentant des œuvres d'artistes et de photographes locaux.

La Pasta Casareccia
$$
5849 rue Sherbrooke O.
514-483-1588
www.pastacasa.ca

Le décor fou de rouge et de jaune de La Pasta Casareccia attire une clientèle de tout âge. Les pâtes fraîches sont la spécialité de la maison. Le service familial est courtois et attentionné. On est ici au cœur du quartier anglophone de Notre-Dame-de-Grâce.

Pizzédélic
$$
5556 av. de Monkland
514-487-3103
www.pizzedelic.net

Le décor original et la succulente pizza à croûte mince, assortie d'un choix éclectique de garnitures, ont vite rendu cette succursale de Pizzédélic, l'une des plus grandes de la chaîne, aussi prisée que les autres.

Mess Hall

$$-$$$

4858 rue Sherbrooke O.

514-482-2167

www.mess-hall.com

Le Mess Hall, tenu par les propriétaires de **La Cafétéria** (voir p. 240), présente un décor dont la pièce de résistance est un somptueux lustre central. Menu à la fois original et conventionnel affichant des salades, des hamburgers et des pâtes, tous excellents, sans oublier quelques plats plus raffinés. Les jeunes professionnels de Westmount s'y rendent volontiers pour se faire voir et prendre le pouls du quartier.

Le Maistre

$$-$$$

5700 av. de Monkland

514-481-2109

Le Maistre est établi sur l'avenue de Monkland depuis belle lurette et propose toujours une cuisine française d'une qualité sans reproche. Pour accompagner le repas, la sélection de vins est toujours bonne et à prix abordable. Pendant la belle saison, le restaurant bénéficie en outre d'une très agréable terrasse donnant sur la rue avec son animation.

La Louisiane

$$$

fermé lun

5850 rue Sherbrooke O.

514-369-3073

Manger à La Louisiane, c'est en quelque sorte s'évader dans les bayous. Vous pouvez commencer par d'authentiques beignets cajuns, enchaîner avec un plat épicé et terminer par une portion de célestes bananes Foster. D'immenses tableaux illustrant des scènes de rue de La Nouvelle-Orléans ornent les murs, tandis que des airs de jazz flottent dans l'air.

The Monkland Tavern

$$$

5555 av. de Monkland

514-486-5768

www.monklandtavern.com

La Monkland Tavern est installée dans une authentique ancienne taverne de quartier. Une clientèle de jeunes professionnels fréquente cet établissement, attirée entre autres par la terrasse donnant sur l'avenue Monkland. Le menu est plutôt restreint, mais divers plats du jour, tout aussi délicieux les uns que les autres, l'agrémentent régulièrement de nouveautés.

Kaizen

$$$$

4075 rue Ste-Catherine O.

514-707-8744

Le meilleur restaurant japonais de Westmount, où l'on peut déguster les classiques du pays du Soleil levant. On peut déplorer un service un peu gauche dans la langue de Molière et des prix très élevés... mais les portions s'avèrent gargantuesques! Alors il vaut la peine de partager un plat, ce qui ne froissera pas le personnel.

Outremont et le Mile-End

Café Romolo

$

272 rue Bernard O.

514-272-5035

On se rend au Café Romolo pour bavarder de tout et de rien tout en dégustant de délicieux cafés au lait, servis dans de grands verres comme dans la péninsule ibérique.

Café Souvenir

$

24h sur 24 jeu-sam, jusqu'à 23h dim-mer

1261 av. Bernard

514-948-5259

www.cafesouvenir.com

Des plans de quelques grandes villes européennes, notamment Paris, ornent les murs du Café Souvenir. D'ailleurs, une ambiance de café français se dégage de ce petit resto sympa. Les dimanches pluvieux, les Outremontais y viennent nombreux, juste le temps d'une petite causerie. Le menu n'a rien d'extravagant, mais les plats sont bons.

Fairmount Bagel Bakery

$

74 av. Fairmount O.

514-272-0667

Célèbre concurrent du St. Viateur Bagel Shop, la Fairmount Bagel Bakery innove en proposant une vingtaine de *bagels* différents. Salées ou sucrées, les saveurs sont variées, comme ces *bagels* au chocolat, au muesli ou aux tomates séchées. Pour les «vrais de vrais», le *bagel* aux graines de sésame demeure toutefois le choix incontournable! Ouverte 24 heures sur 24, 365 jours par année, cette boulangerie est un arrêt populaire pour la faune nocturne de la *Main* qui veut prendre une bouchée après une soirée passée à faire la fête.

Frite Alors

$

5235A av. du Parc

514-948-2219

www.fritealors.com

Frite Alors a voulu reconstituer ces friteries belges sans prétention où l'on s'arrête à toute heure du jour pour des frites et une saucisse.

Le service est parfois lent, mais certains diront qu'on y trouve les meilleures frites à Montréal!

K9 Délices

$

5206 boul. St-Laurent

514-277-5039

Le K9 Délices est décoré tel qu'on imaginerait une maison de conte de fées, avec sa profusion de bonbons esthétiquement disposés, ses murs chamarrés de gris, son ameublement métallique et son haut plafond. Une clientèle jeune et dynamique s'y presse à toute heure pour dévorer un sandwich ou un morceau d'un de leurs gâteaux.

La Croissanterie Figaro

$

5200 rue Hutchison

514-278-6567

www.lacroissanteriefigaro.com

Charmant café, La Croissanterie Figaro est un de ces trésors de quartier qu'on découvre avec ravissement. De petites tables en marbre, des lustres vieillots et des boiseries composent un décor propice aux petits déjeuners qui se prolongent et aux tête-à-tête alors qu'on voudrait que le temps s'arrête. Ce café semble appartenir à une époque révolue!

Le Bilboquet

$

1311 av. Bernard

514-276-0414

www.lebilboquet.qc.ca

Des gens de tout âge viennent au Bilboquet pour se délecter de mille et une savoureuses glaces. Ce petit café sympathique, installé au cœur d'Outremont, dispose d'une mignonne terrasse et attire une foule nombreuse les soirs d'été.

Le Paltoquet

$

1464 av. Van Horne

514-271-4229

Le Paltoquet est à la fois une pâtisserie et un café. Tenu par un couple de Français, il propose de délicieuses «gâteries» sucrées, dignes des plus grands pâtissiers.

Lester's

$

fermé dim

1057 av. Bernard

514-213-1313

Chez Lester's, on sert de bons sandwichs à la viande fumée (*smoked meat*). L'établissement est dépouillé de toute décoration, ce qui crée une atmosphère froide et sans charme. De toute façon, on n'y vient jamais longtemps, juste le temps d'un sandwich.

Soupesoup

$

174 av. St-Viateur O.

514-271-2004

www.soupesoup.com

Voir description p. 240.

St. Viateur Bagel Shop

$

24h sur 24

263 av. St-Viateur O.

514-276-8044

C'est de cette petite boulangerie artisanale, au cœur d'Outremont, que vient la renommée des *bagels* montréalais. Cuits au four à bois, ces petits pains en forme d'anneau rivalisent aisément avec leurs concurrents new-yorkais. Aux graines de sésame ou de pavot, aux raisins, à la cannelle ou tout simplement nature, vous avez le choix. Et si vous préférez les grignoter sur le pouce dans un petit bistro, garnis de saumon ou de fromage à la crème, c'est au **St. Viateur Bagel & Café** *(1127 av. du Mont-Royal E., 514-528-6361)* que vous devez vous rendre, au cœur du Plateau.

Toi Moi et Café

$

244 av. Laurier O.

514-279-9599

www.toimoicafe.com

Toi Moi et Café est un charmant établissement aux couleurs chaudes où l'on peut bavarder pendant des heures en sirotant de l'excellent café torréfié sur place. Le restaurant est populaire pour ses brunchs du dimanche, aussi est-il préférable d'arriver tôt afin de ne pas attendre en file.

Caffè Grazie Mille

$-$$

58 av. Fairmount O.

pas de tél.

Ce café représente bien l'Italie qu'on aime : des paninis simples et toujours frais, des cafés comme on en boit rarement ailleurs et un patron qui discute haut et fort avec ses clients. La terrasse est un petit bonheur en été.

Cucina dell'arte

$-$$

5134 boul. St-Laurent

514-495-1131

Le restaurant italien Cucina dell'arte loge dans un local qui respire la sobriété et où l'on peut déguster de délicieuses pizzas aux saveurs locales ou internationales, cuites dans un four à bois. Une variété de pâtes complète le menu.

La Piazzetta

$-$$

1105 av. Bernard

514-278-6465

Voir description p. 247.

La Pizzaïolle

$-$$

5100 rue Hutchison

514-274-9349

www.pizzaiolle.com

La Pizzaïolle fut l'un des premiers restaurants mont-

OUTREMONT ET LE MILE-END

RESTAURANTS

1. CY Azuma
2. CY BU
3. CZ Buvette chez Simone
4. CX Café Romolo
5. BX Café Souvenir
6. BX Caffè della posta
7. CY Caffè Grazie Mille
8. CZ Chao Phraya
9. BZ Chez Lévêque
10. CZ Cucina dell'arte
11. CY Fairmount Bagel Bakery
12. CY Frite Alors
13. CY K9 Délices
14. CZ La Chronique
15. BY La Croissanterie Figaro
16. BX La Moulerie
17. BX La Piazzetta
18. BZ La Pizzaïolle
19. CZ La Sala Rossa
20. BX Le Bilboquet
21. BX Le Bistingo
22. CY Le Moineau / The Sparrow
23. CY Le Palais de l'Inde
24. AX Le Paltoquet
25. BZ Leméac Café Bistrot
26. BX Lester's
27. CY Milos
28. CX Nonya
29. BX Paris-Beurre
30. CZ Phayathai
31. CZ Raza
32. BY Rumi
33. CY Soupesoup
34. CZ Souvenirs d'Indochine
35. CY St. Viateur Bagel Shop
36. DZ St. Viateur Bagel & Café
37. DZ Steak frites Outremont
38. CY Taza Flores
39. CZ Thaï Grill
40. CZ Toi Moi et Café

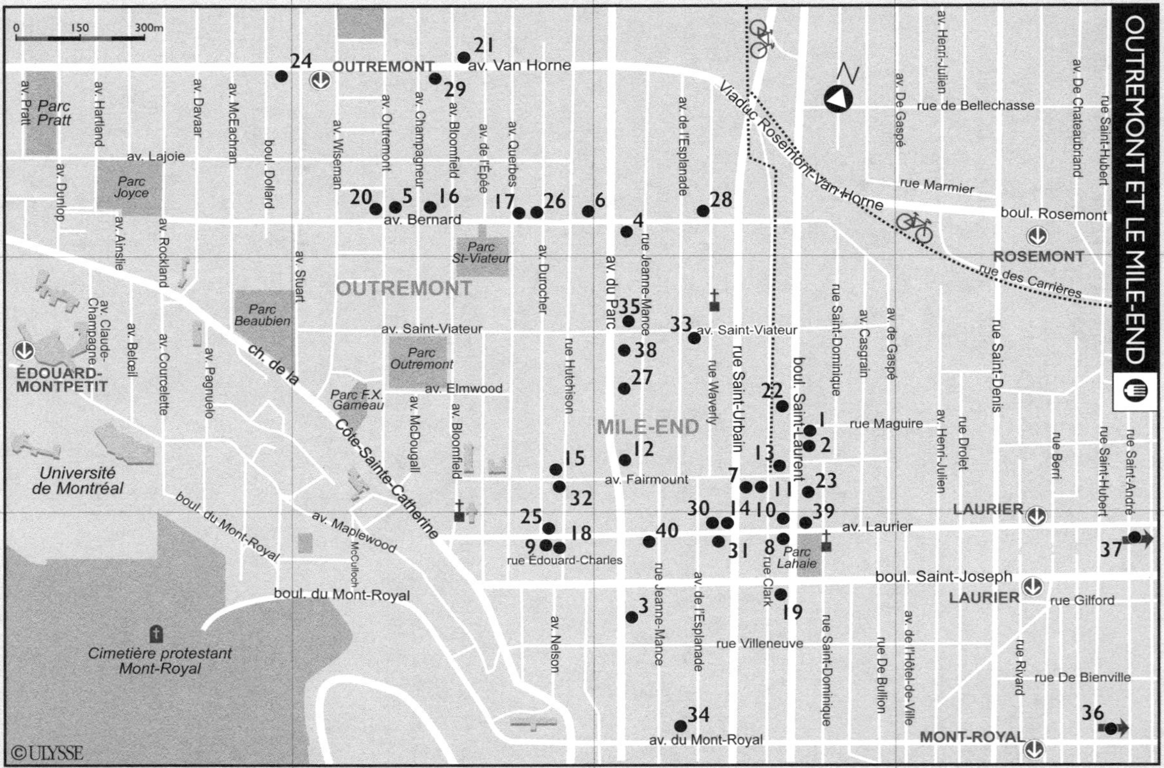

©ULYSSE

réalais à servir de la pizza cuite dans un four à bois. Et c'est ici qu'on savoure encore les meilleures!

La Sala Rossa
$-$$
fermé lun
4848 boul. St-Laurent
514-844-4227
www.casadelpopolo.com
Affilié à la **Casa del Popolo** (voir p. 281) et situé au rez-de-chaussée d'un ancien centre communautaire espagnol, le restaurant La Sala Rossa a conservé son atmosphère résolument familiale, tout en s'attirant une jeune clientèle branchée qui s'y rend pour prendre une bouchée avant d'assister à un concert dans la salle de spectacle à l'étage ou à la Casa, en face sur le boulevard Saint-Laurent. Vous pourrez y déguster une excellente cuisine espagnole comprenant divers plats du jour qui varient selon les arrivages. Cuisine honnête et sans prétention.

Azuma
$$
fermé dim-lun
5263 boul. St-Laurent
514-271-5263
Au charmant restaurant Azuma, on peut faire l'expérience de la cuisine japonaise et déguster d'excellents sushis ou sashimis. Le service est empressé et poli.

Buvette chez Simone
$$
mar-dim
4869 av. du Parc
514-750-6577
Davantage un endroit pour prendre ou poursuivre l'apéro en mangeant quelques bouchées qu'un véritable restaurant, la Buvette chez Simone demeure un lieu populaire pour discuter entre amis. Ici, pas d'extravagances côté menu, mais des petits plats simples et délicieux du genre tapas pour accompagner les doux nectars que l'établissement propose. Une buvette de quartier agréable qui a de plus en plus la cote auprès des Montréalais en dehors du quartier…

Chao Phraya
$$
50 av. Laurier O.
514-272-5339
www.chao-phraya.com
Le Chao Phraya présente un décor moderne agrémenté de larges baies vitrées. On y sert de délicieux mets thaïlandais.

La Moulerie
$$
1249 av. Bernard
514-273-8132
La Moulerie fait partie des institutions outremontaises en raison de son menu, où figurent en bonne place (on s'en serait douté) les moules. Le resto possède une élégante salle à manger, pourvue de larges baies vitrées qui donnent sur l'avenue Bernard, et surtout une magnifique terrasse, très courue pendant la belle saison. Les personnes qui n'aiment pas les moules ne seront pas en reste, car un menu est prévu à leur intention (steak tartare, fruits de mer).

Le Bistingo
$$
1199 av. Van Horne
514-270-6162
D'aucuns affirment que l'avenue Van Horne compte parmi les moins jolies rues d'Outremont. Il n'empêche que s'y succèdent quelques charmants bistros, dont Le Bistingo. Ses quelques tables, ses larges baies vitrées, son service attentionné et son menu toujours alléchant, qui varie au gré des arrivages, ont sans doute contribué à sa réussite car les gens y reviennent. Cuisine française.

Le Moineau / The Sparrow
$$
mer-ven 12h à 15h, sam-dim 10h à 15h
5322 boul. St-Laurent
514-690-3964
En plein cœur du Mile-End, ce petit bistro-pub à l'anglaise fait tout un tabac. Bien qu'il n'y ait aucun nom inscrit à la porte, la faune du quartier le connaît bien, ce Moineau, surtout le dimanche pour le brunch à l'anglaise. L'ambiance est branchée mais chaleureuse et détendue. Coup de cœur pour le décor avec ses murs de briques et de bois, sa tapisserie sombre et ses plafonds en métal frappé. Au moment de mettre sous presse, l'établissement ne servait que les repas du matin et du midi, en attendant de recevoir son permis d'alcool.

Le Palais de l'Inde
$$
5125 boul. St-Laurent
514-270-7402
Le Palais de l'Inde est un autre de ces bons restaurants indiens qui se sont établis sur le boulevard Saint-Laurent près de l'avenue Laurier. Au menu, on retrouve une bonne sélection de plats préparés à partir de produits de qualité, mais qui manquent d'originalité. Le service se fait essentiellement en anglais.

Paris-Beurre
$$-$$$
1226 av. Van Horne
514-271-7502
www.leparisbeurre.com
Certains se plaignent que la carte du Paris-Beurre ne

change guère, mais les habitués y reviennent justement pour déguster des plats classiques qui ont acquis leurs lettres de noblesse. Ils profitent en outre d'une salle à manger ayant bien du cachet, bien qu'elle soit dotée de larges baies vitrées s'ouvrant sur la tristounette avenue Van Horne.

Phayathai
$$
107 av. Laurier O.
514-272-3456
Voir description p. 236.

Rumi
$$
5198 rue Hutchison
514-490-1999
Et si la Route de la soie passait par la rue Hutchison? Il suffit d'entrer au restaurant Rumi pour s'y croire. La décoration arborant tentures et tissus persans et les bonnes odeurs se dégageant des nombreux mets parfumés en font un lieu tout désigné pour un repas paisible et succulent.

Nonya
$$-$$$
fermé dim-lun
151 av. Bernard O.
514-875-9998
www.nonya.ca
Rare ambassadeur de la cuisine indonésienne au Québec, Nonya propose, dans un cadre élégant, un éventail de plats raffinés et inspirés des recettes familiales parmi les plus appréciées de l'archipel de l'Asie du Sud-Est. Le menu dégustation constitue un délicieux tour d'horizon qui comblera les amateurs de nouveautés orientales.

Steak frites Outremont
$$-$$$ 🍷
1014 av. Laurier O.
514-270-1666
www.steakfrites.ca
Voir description p. 228.

BU
$$$
5245 boul. St-Laurent
514-276-0249
www.bu-mtl.com
Les disciples de Bacchus prennent place chez BU pour s'offrir une cuisine italienne rustique et délicieuse, mais aussi pour profiter de l'impressionnante carte des vins, qui affiche de nombreuses importations privées. Une trentaine de vins sont proposés au verre à des prix très raisonnables, et les excellentes suggestions du personnel, affable et sans prétention, permettent de découvrir ou d'approfondir leurs connaissances du merveilleux monde des vins.

Caffè della posta
$$$
361 rue Bernard O.
514-495-8258
www.caffedellaposta.ca
Le propriétaire du **Bu** (voir ci-dessus) et du **Café Daylight Factory** (voir p. 231) a ouvert un troisième restaurant: le Caffè della posta. Dans une ambiance de bistro et de trattoria, on y déguste des plats siciliens authentiques. La fin de semaine, les délicieux brunchs accompagnés de paniers de brioches à la cannelle et de pâtisseries méritent qu'on s'y arrête.

Chez Lévêque
$$$
1030 av. Laurier O.
514-279-7355
www.chezleveque.ca
L'avenue Laurier Ouest compte quelques bons restaurants établis depuis longtemps qui ont su conserver leur réputation au fil des ans, comme c'est le cas du restaurant Chez Lévêque. Sa carte affiche des mets d'une cuisine française traditionnelle, sans réelle surprise mais toujours savoureuse.

Leméac Café Bistrot
$$$
1045 av. Laurier O.
514-270-0999
Table incontournable d'Outremont, ce café bistro doit son nom à la célèbre maison d'édition montréalaise qui occupait auparavant ce bel espace de l'avenue Laurier. Les boiseries, le jardin-terrasse et les larges baies vitrées confèrent une luminosité particulière à ce bistro typiquement européen. Les plats au menu, qui déclinent les classiques de la cuisine française, s'accompagnent d'un vaste choix d'excellents vins. Délicieux brunch les weekends.

Souvenirs d'Indochine
$$$
fermé dim-lun
243 av. du Mont-Royal O.
514-848-0336
Dans un décor tout en finesse, Monsieur Hà, le chef, sert une cuisine qui ne l'est pas moins. Loin des clichés fadasses des mets vietnamiens parfois servis ailleurs, on goûte ici aux plus recherchés des plats de l'Indochine, dans lesquels on retrouve un soupçon d'influence française.

Taza Flores
$$$
5375 av. du Parc
514-574-5511
Après le resto de quartier et le bistro-club, voici le bar à tapas. À vous de composer votre repas parmi de petites mais copieuses assiettes d'amuse-gueules d'inspiration espagnole. La nourriture est bonne, le service chaleureux et le plaisir garanti jusqu'en fin de soirée. La cuisine est ouverte jusqu'à 23h du mardi au jeudi et jusqu'à 2h les vendredi et samedi.

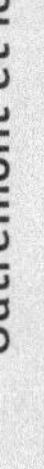

Thaï Grill
$$$
5101 boul. St-Laurent
514-270-5566
Pas étonnant que le décor du Thaï Grill ait mérité un prix de design: malgré sa douceur, on ne se lasse pas de l'admirer. Des éléments thaïlandais traditionnels ont été habilement intégrés à un environnement moderne, et le tout crée une atmosphère feutrée malgré l'animation. On doit souligner l'effort d'innovation culinaire sur la base des traditions thaïes.

La Chronique
$$$$
99 av. Laurier O.
514-271-3095
www.lachronique.qc.ca
Les Montréalais dans le coup vous le diront à l'unisson: La Chronique brigue toujours sa place parmi les meilleurs restaurants de la ville en repoussant continuellement les normes de la gastronomie. Le chef propose une cuisine du marché en constante évolution qui gravite toujours autour d'aliments d'une fraîcheur indéniable. Le décor est sans artifice, agrémenté par les sempiternelles photos en noir et blanc. La liste des vins fera le bonheur des amis de Bacchus. Le service est professionnel, prévenant et sans ostentation.

Milos
$$$$
5357 av. du Parc
514-272-3522
www.milos.ca
Le Milos peut en montrer aux innombrables brochetteries grecques ayant pignon sur rue à Montréal, car on élabore ici une authentique cuisine grecque. La réputation de cet établissement repose fermement sur la qualité de ses poissons et fruits de mer. Le décor préserve le charme de la simple *psarotaverna* que ce restaurant était à ses débuts, tout en affichant une certaine élégance rustique à même de plaire à sa riche clientèle. Une table d'hôte à trois services à prix plus doux *($$)* est proposée le midi.

Raza
$$$$
fermé dim-lun
114 av. Laurier O.
514-227-8712
www.restaurantraza.com
Le chef d'origine péruvienne Mario Navarette Jr. propose une succulente nouvelle cuisine latine qui ne manque pas d'impressionner: les délicieux plats de poisson qui varient selon les arrivages témoignent bien de la créativité du chef et de son équipe. La carte des vins présente quelques importations privées intéressantes, et les cocktails servis en apéritif sont savoureux: essayez le grand classique péruvien, le *pisco sour*, tout à fait divin.

Rosemont

Soupesoup
$
2800 rue Masson
514-315-5501
www.soupesoup.com
Voir description p. 240.

Bistro Chez Roger
$$$
2316 rue Beaubien E.
514-593-4200
www.barroger.com
Anciennement Le Roger BBQ, ce bistro qui avoisine le bar du même nom (voir p. 286) renouvelle sa carte grâce à l'inventivité des chefs du **Kitchen Galerie** (voir p. 264).

M sur Masson
$$$-$$$$
2876 rue Masson
514-678-2999
www.msurmasson.com
Le M sur Masson demeure la table tout indiquée pour ceux qui veulent s'aventurer au-delà du circuit classique des restos du Plateau et du centre-ville. Dans sa salle à manger, on se régale d'un menu qui fait à la fois l'éloge de la fine cuisine française et des plats réconfortants de grand-maman. Terrasse en été et délicieux brunch le dimanche.

Zeste de folie
$$$-$$$$ 🍷
3017 rue Masson
514-727-0991
www.zestedefolie.com
Résolument axé sur les produits du marché, Zeste de folie cache derrière ses airs de cuisine française intouchable une idylle soutenue avec l'Orient qui fait les beaux jours de la gastronomie québécoise. Un restaurant à inscrire dans son carnet d'adresses.

Jolifou
$$$$
1840 rue Beaubien E.
514-722-2175
www.jolifou.com
Au Jolifou, les classiques de la gastronomie française sont remaniés avec des accents latino-américains qui relèvent les plats de belle manière. Dans un décor plutôt épuré, rehaussé de touches de couleurs vives, vous y serez agréablement accueilli. La carte comporte aussi un menu dégustation où l'on vous offre un choix

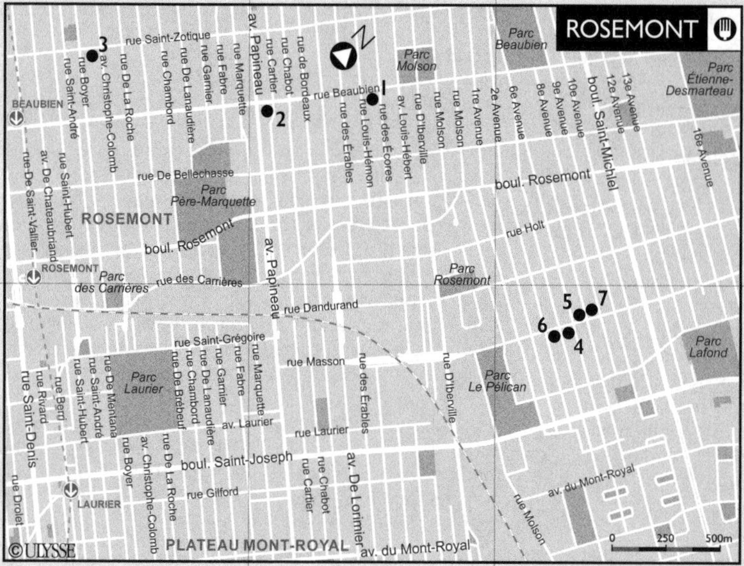

ROSEMONT

RESTAURANTS

1. BY Bistro Chez Roger
2. BY Jolifou
3. AY Le Jurançon
4. CZ M sur Masson
5. CZ Madre
6. CZ Soupesoup
7. CZ Zeste de folie

de vins pour accompagner les mets.

Le Jurançon
$$$$
1028 rue St-Zotique E.
514-274-0139
Le Jurançon propose un menu aux plats copieux et réconfortants qui fait honneur à la cuisine du Sud-Ouest de la France. Laissez-vous tenter, dans un décor des plus chaleureux, par la table d'hôte du midi ou du soir, ou par le savoureux brunch du dimanche servi entre 11h et 14h. Le Jurançon, c'est également le nom d'un vin blanc que le restaurant aime faire découvrir à ses convives.

Madre
$$$$
2931 rue Masson
514-315-7932
Le chef-propriétaire du restaurant **Raza** (voir p. 260) a eu la bonne idée d'ouvrir dans la rue Masson un deuxième restaurant, le Madre. Ici, sa cuisine *nuevo latino* prend son inspiration de l'inventivité culinaire de sa mère, qui se faisait une joie de surprendre quotidiennement ses enfants.

La Petite Italie

Boulangerie & Pâtisserie Motta
$
303 av. Mozart E.
514-270-5952
Cette boulangerie-pâtisserie qui fait aussi office de trattoria est bien connue des habitués du marché Jean-Talon. La famille Gallo y propose des plats maison à emporter, un délicieux tiramisu mais aussi des pâtes fraîches et de la charcuterie. Plats du jour et pizzas fraîches sont également servis à ceux qui voudraient déjeuner sur place, dans la salle attenante au magasin ou sur la petite terrasse par temps doux.

Café Italia
$
6840 boul. St-Laurent
514-495-0059
On ne va pas au Café Italia pour sa décoration, les chaises dépareillées et le téléviseur occupant l'essentiel de l'espace, mais pour son atmosphère sympathique, ses excellents sandwichs et surtout son

cappuccino, considéré par certains comme le meilleur en ville.

Dépanneur Le Pick-Up
$
7032 rue Waverly
514-271-8011
Vous avez envie de casser la croûte entre deux courses au marché Jean-Talon? Pour une expérience originale, dirigez-vous vers le Dépanneur Le Pick-Up, situé à quelques rues à l'ouest du marché. Ce dépanneur comprend un comptoir où l'on peut notamment commander un sandwich au porc braisé ou un hamburger (végétarien ou pas). Ambiance animée et faune bigarrée représentative de la scène *underground* anglo-montréalaise.

Soupesoup
$
7020 rue Casgrain
514-903-2113
www.soupesoup.com
Voir description p. 240.

Aux Derniers Humains
$-$$
fermé lun
6950 rue St-Denis
514-272-8521
Niché dans l'**ancien cinéma Château** (voir p. 152) à l'architecture Art déco, le décor des Derniers Humains présente une touche d'originalité qui sied bien à l'établissement: plafond évoquant la Voie lactée, vitraux, plafonniers à la belle forme allongée, toiles de différents artistes. Ce petit café de quartier offre une atmosphère amicale et une cuisine inspirée elle aussi par la créativité.

Le Petit Alep
$-$$
fermé dim-lun
191 rue Jean-Talon E.
514-270-9361
Baptisé «Petit» en raison de son grand frère attenant, ce café-bistro sert une cuisine principalement syrienne, aux goûts savoureux. Laissez vos papilles s'imprégner tour à tour de miel, d'huile ou de poivre de Cayenne. Le décor rappelle un loft avec sa grande porte de garage donnant sur la rue Jean-Talon. Les murs se parent d'expositions temporaires, souvent intéressantes. Des revues et journaux sont disponibles pour inciter à la flânerie.

Punjab Palace
$-$$ 🍷
920 rue Jean-Talon O.
514-495-4075
Le Punjab Palace demeure la cantine indienne préférée de nombreux Montréalais qui apprécient son ambiance conviviale, ses plats simples, ses portions généreuses… et ses petits prix!

La Tarantella
$$-$$$
184 rue Jean-Talon E.
514-509-2642
www.latarantella.ca
Ce qui distingue La Tarantella, un bon restaurant italien comme tant d'autres, est son emplacement. Rien de plus agréable pendant la belle saison que de déguster un copieux petit déjeuner ou un savoureux dîner ou de siroter un café au lait sur la terrasse fleurie donnant sur l'animation effervescente du marché Jean-Talon!

Tapeo
$$-$$$
fermé dim-lun
511 rue Villeray
514-495-1999
Le bar à tapas Tapeo, situé dans le quartier Villeray, offre une atmosphère chaleureuse et de savoureuses tapas espagnoles. Le menu, qui varie selon les arrivages, affiche toute une gamme de petits plats, tant végétariens que carnivores. Le service est attentionné, et la carte des vins compte une belle sélection de vins espagnols. Réservations recommandées.

Café International
$$$
6714 boul. St-Laurent
514-495-0067
Le Café International est un incontournable de la Petite Italie. Marco Arcaro soigne les habitués de ce café avec de petits plats du marché. Figurent également au menu les traditionnelles *pastas*, arrosées d'une sauce de votre choix, et les calmars frits. Vous terminerez votre repas avec un bon café et de délicieux *cannoli*.

Casa Cacciatore
$$$
170 rue Jean-Talon E.
514-274-1240
La Casa Cacciatore perpétue la tradition culinaire italienne à Montréal depuis nombre d'années, et ce, à deux pas du marché Jean-Talon. Pâtes et viandes de qualité, apprêtées avec soin par le chef, composent un menu alléchant et varié. Décor chaleureux et intime, nappes en tissu, bougies sur les tables et service professionnel.

LA PETITE ITALIE

©ULYSSE

RESTAURANTS

1.	BY	Aux Derniers Humains
2.	BY	Boulangerie & Pâtisserie Motta
3.	AY	Café International
4.	AY	Café Italia
5.	BX	Casa Cacciatore
6.	AX	Dépanneur Le Pick-Up
7.	BZ	Il Mulino
8.	AX	Kitchen Galerie
9.	BX	La Tarantella
10.	BX	Le Petit Alep
11.	AY	Primo e Secundo
12.	AX	Punjab Palace
13.	BY	Soupesoup
14.	BW	Tapeo

Il Mulino
$$$
fermé dim-lun
236 rue St-Zotique E.
514-273-5776
www.ilmulino.ca
De nombreux Italiens se rendent chez Il Mulino afin de savourer une cuisine typique de leur pays d'origine.

Kitchen Galerie
$$$-$$$$
60 rue Jean-Talon E.
514-315-8994
www.kitchengalerie.com
Située à un jet de pierre du marché Jean-Talon, pas étonnant que la Kitchen Galerie favorise quotidiennement les produits frais des régions du Québec. Jean-Philippe Saint-Denis et Mathieu Cloutier, les deux chefs passionnés à l'origine de ce restaurant, assument certes le contrôle des casseroles mais également celui du service... ce qui prodigue beaucoup de chaleur au petit établissement. On y déguste une cuisine créative et résolument généreuse. Si par malheur le restaurant est bondé, rendez-vous au **Bistro Chez Roger** (voir p. 260), car les chefs du Kitchen y sévissent également.

Primo e Secundo
$$$$
fermé dim-lun
7023 rue St-Dominique
514-908-0838
www.primoesecondo.ca
Les aficionados de la cuisine gastronomique italienne se donnent rendez-vous au Primo e Secundo. Situé à un jet de pierre du marché Jean-Talon, ce joyeux restaurant italien loge dans une maison restaurée. Le menu est inscrit sur les murs et change en fonction des arrivages, mais la carte propose toujours des plats de poisson, de crustacés, de veau et de pâtes voluptueuses. La carte des vins, quant à elle, offre un vaste choix de grands crus.

Le Sault-au-Récollet

Le Wok de Szechuan
$
1950 rue Fleury E.
514-382-2060
Vous l'aurez sûrement deviné: Le Wok de Szechuan est un restaurant chinois qui propose à une clientèle d'Asiatiques et de gens du quartier une bonne cuisine sichuanaise.

Pasta Express
$
1501 rue Fleury E.
514-384-3174
Le petit restaurant Pasta Express est fréquenté par la population locale. On y déguste une cuisine italienne sans prétention, et les plats de pâtes s'avèrent toujours délicieux et peu chers.

L'Estaminet
$$
1340 rue Fleury E.
514-389-0596
L'Estaminet est un sympathique petit café où l'on peut manger des salades, des soupes et des desserts.

Le Kerkennah
$$
1021 rue Fleury E.
514-387-1089
Le Kerkennah sert de copieux plats tunisiens. Bricks, couscous, poissons et crevettes figurent au menu.

Molisana
$$
1014 rue Fleury E.
514-382-7100
Du restaurant italien Molisana se dégage une atmosphère tranquille. Le menu n'a rien de très original; les pâtes et la pizza cuite au four à bois en sont les principales composantes. Cependant, les plats sont bons et copieux. La fin de semaine, des musiciens s'y produisent et agrémenteront votre soirée de quelques chansons.

Le St-Urbain
$$$-$$$$
96 rue Fleury O., angle rue St-Urbain
514-504-7700
www.lesturbain.com
Situé dans le quartier résidentiel d'Ahuntsic et excentré par rapport aux secteurs plus touristiques de la ville, Le St-Urbain récompense amplement les gastronomes qui se déplacent en plus en plus grand nombre pour y déguster une cuisine de bistro créative qui s'inspire toujours des derniers arrivages du marché. La salle à manger est grande et lumineuse, le décor simple et sans prétention avec son grand tableau noir, et la carte des vins propose uniquement des importations privées, à prix raisonnable.

Les îles Sainte-Hélène et Notre-Dame

Nuances
$$$$
Casino de Montréal
île Notre-Dame
514-392-2708
Juché au cinquième étage du Casino de Montréal, le Nuances compte parmi les meilleures tables du Canada. Dans un riche décor où se côtoient acajou, laiton, cuir et vue sur les lumières de

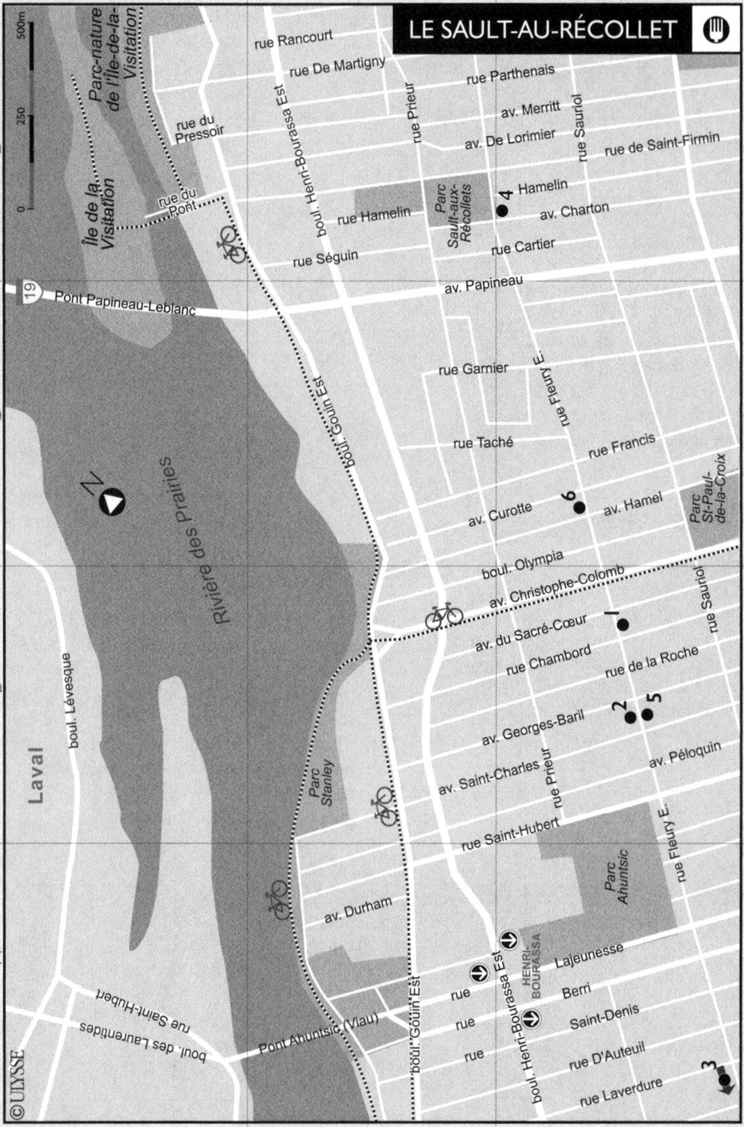

LE SAULT-AU-RÉCOLLET

● **RESTAURANTS**

1. BZ L'Estaminet
2. BZ Le Kerkennah
3. AZ Le St-Urbain
4. DZ Le Wok de Szechuan
5. BZ Molisana
6. CZ Pasta Express

Laval
boul. Lévesque
boul. des Laurentides
rue Saint-Hubert
Rivière des Prairies
Île de la Visitation
Parc-nature de l'Île-de-la-Visitation
0 250 500m
19
Pont Papineau-Leblanc
rue du Pont
rue du Pressoir
Pont Ahuntsic (Viau)
Parc Stanley
av. Durham
boul. Gouin Est
boul. Henri-Bourassa Est
HENRI-BOURASSA
rue Laverdure
rue D'Auteuil
rue Saint-Denis
rue Berri
rue Lajeunesse
Parc Ahuntsic
rue Saint-Hubert
rue Fleury E.
av. Saint-Charles
rue Prieur
av. Georges-Baril
av. Péloquin
rue Chambord
rue de la Roche
av. du Sacré-Cœur
av. Christophe-Colomb
rue Sauriol
boul. Olympia
av. Curotte
av. Hamel
Parc St-Paul-de-la-Croix
rue Taché
rue Francis
rue Garnier
rue Fleury E.
av. Papineau
rue Séguin
rue Cartier
rue Hamelin
Parc Sault-aux-Récollets
av. Charton
Hamelin
rue Sauriol
rue Prieur
av. De Lorimier
av. Merritt
rue de Saint-Firmin
rue Parthenais
rue De Martigny
rue Rancourt

guidesulysse.com

la ville, cet établissement de prestige propose une cuisine raffinée et imaginative. Le cadre feutré et classique de ce restaurant ayant remporté plusieurs honneurs prestigieux depuis son ouverture convient bien aux dîners d'affaires et aux occasions spéciales. Il est à noter que le Casino possède également trois autres restaurants à formule plus économique: le **Via Fortuna** *($$)*, **La Bonne Carte** *($$)*, avec buffet et menu à la carte, et le casse-croûte **L'Entre-mise** *($)*.

Maisonneuve

Atomic Café
$
3606 rue Ontario E.
514-525-9601
Attirant les cinéphiles du quartier, l'Atomic Café a la particularité de partager son local avec un club vidéo, Le Septième. Dans une ambiance rétro, discutez «cinéma» en prenant une bouchée ou en sirotant un bon espresso.

Bistro In Vivo
$
4731 rue Ste-Catherine E.
514-223-8116
www.bistroinvivo.coop
Dans le quartier, la coopérative du Bistro In Vivo présente un menu santé mais aussi des expositions en arts visuels ainsi que des spectacles d'artistes émergents en musique, en danse et en théâtre. Le samedi, ce bistro culturel et engagé propose un brunch à partir de 10h, et ce, jusqu'à 15h. Une belle façon de commencer la fin de semaine.

Gerry's Delicatessen
$-$$
3982 rue Ontario E.
514-254-1691
Gerry's est une des valeurs sûres de Maisonneuve. C'est un grand restaurant de quartier qui fait tout bien, de la pizza aux petits déjeuners, en passant par une grande gamme de plats maison. Convivial et sans prétention, Gerry's demeure une bonne adresse à retenir pour le repas du matin ou du midi.

La Piazzetta
$-$$
6770 rue Sherbrooke E.
514-254-2535
Voir description p. 247.

La Bécane rouge
$$
fermé dim-lun
4316 rue Ste-Catherine E.
514-252-5420
La Bécane rouge est un sympathique bistro. Sur deux étages, les serveurs s'activent et contribuent à reproduire cette ambiance typique des bistros français. Les résidants du quartier et les habitués du Théâtre Denise-Pelletier aiment à s'y retrouver autour d'un verre de vin, d'un café ou d'un bon plat du jour. En été, installez-vous à la terrasse donnant sur le parc Morgan pour déjeuner.

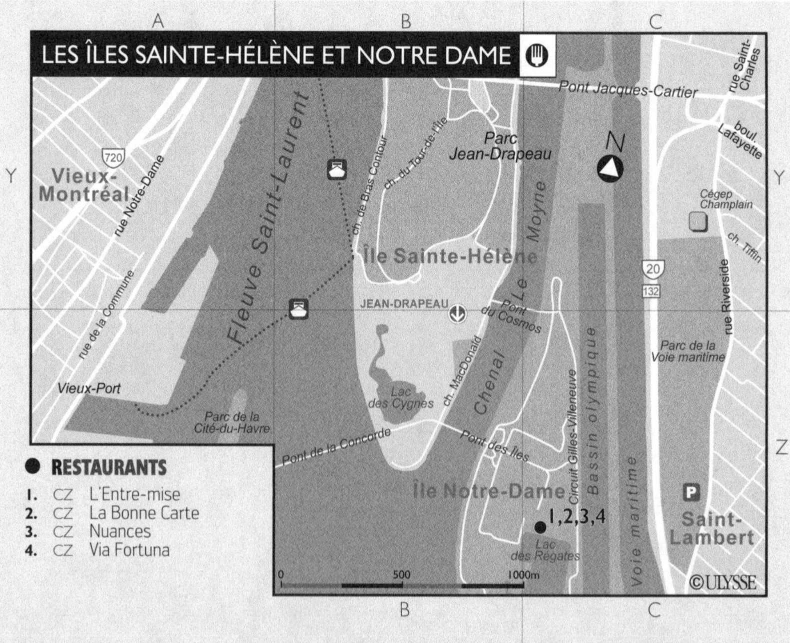

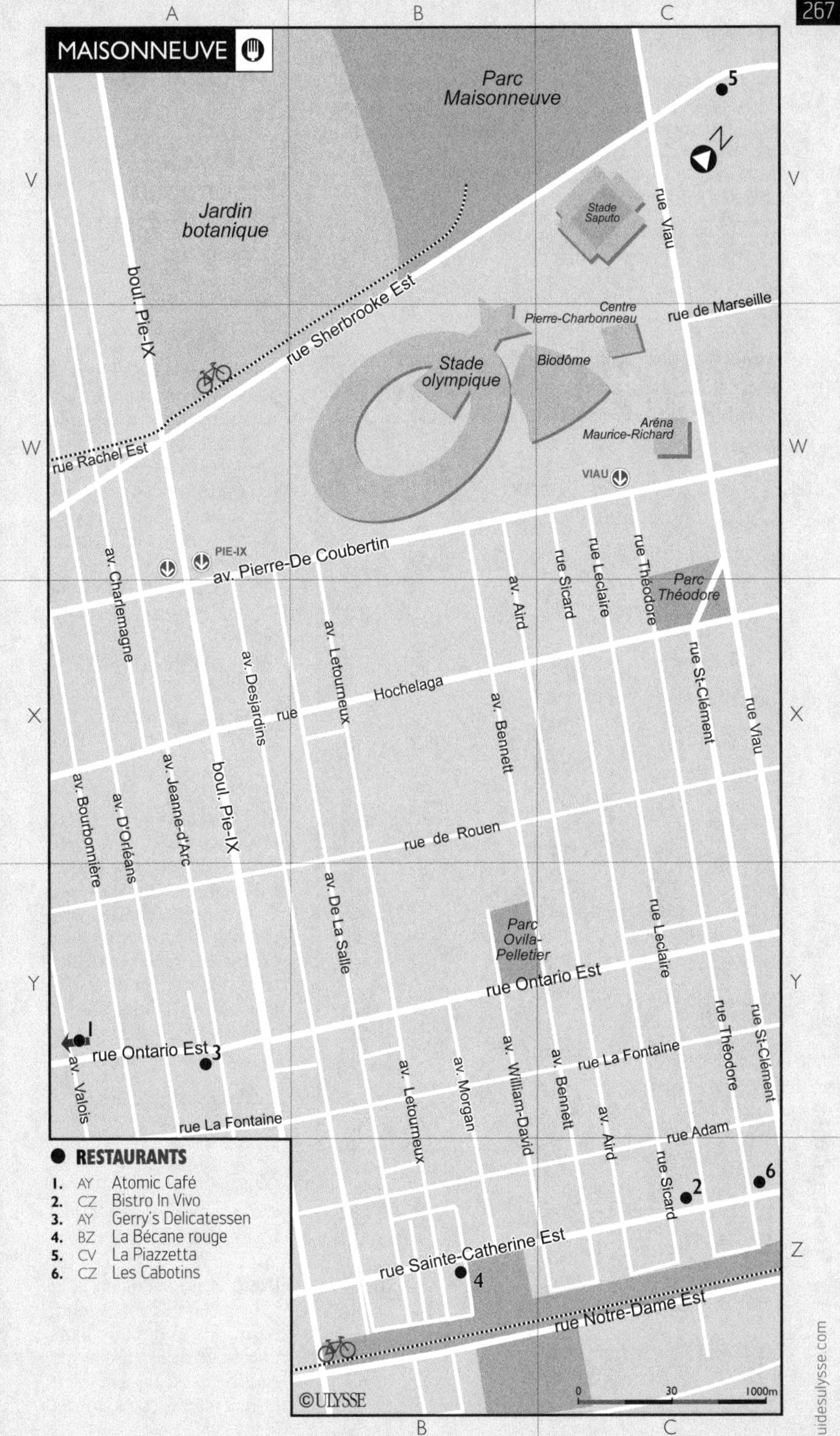

● **RESTAURANTS**

1. AY Atomic Café
2. CZ Bistro In Vivo
3. AY Gerry's Delicatessen
4. BZ La Bécane rouge
5. CV La Piazzetta
6. CZ Les Cabotins

Les Cabotins
$$$
4821 rue Ste-Catherine E.
✆ 514-251-8817
Ancienne mercerie dont il a conservé certains éléments de décor, le restaurant Les Cabotins propose une cuisine française traditionnelle, mais relevée d'un soupçon d'excentricité. Le décor est aussi à cette image, doucement kitsch et chic à la fois, avec ses tables en formica et ses nombreuses lampes créant une ambiance intime.

AUTOUR DU CANAL DE LACHINE
Petite-Bourgogne et Saint-Henri

RESTAURANTS

1. Café América DZ
2. Dilallo Burger BY
3. Joe Beef CY
4. L'Ambiance DZ
5. Le Sans Menu AY
6. Limon CZ
7. Liverpool House CY
8. McKiernan CY

©ULYSSE

Autour du canal de Lachine

La Petite-Bourgogne et Saint-Henri

Café América
$
tlj jusqu'à 15h
20 rue des Seigneurs
✆ 514-937-9983
Ce café dispose d'une grande terrasse estivale donnant sur la piste cyclable du canal de Lachine; il constitue une halte très agréable pour les cyclistes et tous ceux qui veulent profiter un peu de ce grand parc linéaire. Petite restauration de qualité avec un penchant pour la saine alimentation dans un beau décor d'ancienne usine recyclée et de vieux meubles.

Dilallo Burger
$
2523 rue Notre-Dame O.
✆ 514-934-0818
Choisissez sans hésiter le «spécial tout garni» de chez Dilallo. Ce gros hamburger est composé d'une boulette épaisse et très juteuse. Une rondelle de piment rouge et une tranche de capiccole donnent une touche italienne à ce sandwich, un véritable régal montréalais depuis 1929.

L'Ambiance
$$
fermé dim
1874 rue Notre-Dame O.
✆ 514-939-2609
www.ambiance.pj.ca
L'Ambiance a la particularité d'être à la fois un bistro et un antiquaire. On s'y retrouve donc attablé parmi les antiquités dans une vaste salle au charme suranné. Notez qu'on y sert le déjeuner jusqu'à 14h et

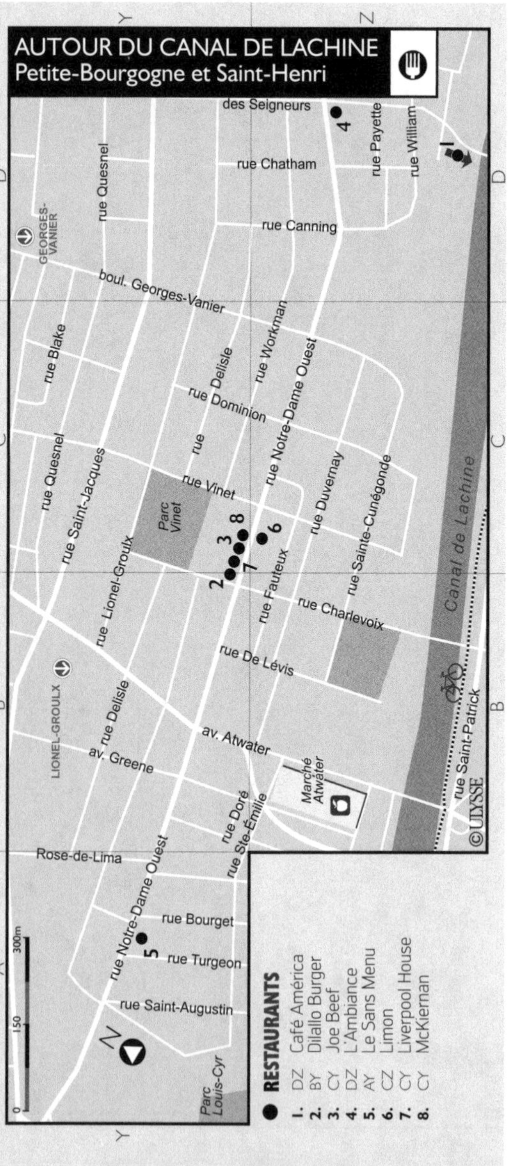

que le dîner est réservé uniquement aux groupes.

Le Sans Menu
$$
3714 rue Notre-Dame O.
514-933-4782
Le Sans Menu est un minuscule bistro dont le nom dit tout. Les plats proposés changent quotidiennement et peuvent aussi bien comprendre du lapin et de l'agneau que des steaks juteux et des pâtes arrosées d'une variété de sauces originales et inventives. Quant au décor, il s'apparente à celui d'un vieux restaurant chinois ennuyeux, mais sachez que la nourriture et le service n'ont vraiment rien de terne ici.

Limon
$$$
2472 rue Notre-Dame O.
514-509-1237
www.limon.ca
Soyez le bienvenu chez Pilar, jeune chef mexicaine, et Montréalaise depuis quelques années seulement. Au Limon, vous vous réjouirez d'une cuisine mexicaine traditionnelle et fusion qui compose des assiettes aussi colorées que le décor. La terrasse arrière est bien sympathique.

Joe Beef
$$$-$$$$
2491 rue Notre-Dame O.
514-935-6504
www.joebeef.ca
La jeune équipe du petit Joe Beef a réussi un tour de force: devenir un restaurant culte en quelques années. La «recette» de son succès: des plats simples mais inoubliables par leur qualité, en plus d'un nom mémorable qui fait référence à un aubergiste et tenancier de taverne montréalais du XIXe siècle. En outre, l'établissement bénéficie d'un excellent emplacement dans le secteur en forte revitalisation de la Petite-Bourgogne. Les mêmes propriétaires gèrent deux restos voisins, tout aussi recommandés: le resto-bar à vin **McKiernan** *(**$-$$**; 2485 rue Notre-Dame O., 514-759-6677)*, également ouvert le midi en semaine, et la **Liverpool House** *(**$$-$$$**; 2501 rue Notre-Dame O., 514-313-6049)*, qui propose une cuisine italienne et française réinventée dans une atmosphère chaleureuse.

Pointe-Saint-Charles et Verdun

Villa Wellington
$
fermé lun
4701 rue Wellington
514-768-0102
Un petit restaurant péruvien à Verdun? La Villa Wellington vous propose une cuisine traditionnelle du Pérou, savoureuse à souhait et composée principalement de poissons et fruits de mer. Les portions sont généreuses et les prix très raisonnables.

Magnan
$$-$$$
2602 rue St-Patrick
514-935-9647
www.magnanresto.com
En plein cœur de Pointe-Saint-Charles et à proximité du canal de Lachine se trouve Magnan, l'une des tavernes les plus connues de Montréal (pour la petite histoire, au Québec une taverne était autrefois un débit de boissons et un lieu de restauration où seuls les hommes étaient admis). La spécialité de la maison: de délicieux steaks, servis en portions gargantuesques. La qualité est là, mais il ne faut pas s'attendre à du «beau, bon, pas cher» ici. Terrasse trois-saisons (chauffée au printemps et en automne).

Mas cuisine
$$-$$$
mer-dim
3779 rue Wellington
514-544-3779
www.mascuisine.com
Mas cuisine, le petit restaurant du chef Michael Ross, offre sans doute l'un des meilleurs rapports qualité/prix à Montréal avec ses plats simples mais savoureux. Au menu, des classiques français réinventés et des desserts qui permettent aux plus gourmands de se régaler. Une belle découverte qui mérite le déplacement à Verdun. Réservations hautement recommandées.

L'ouest de l'île

Lachine

Il Fornetto
$$
1900 boul. St-Joseph
514-637-5253
Situé aux abords du port de plaisance de Lachine, Il Fornetto est idéal pour ceux qui aiment se promener au

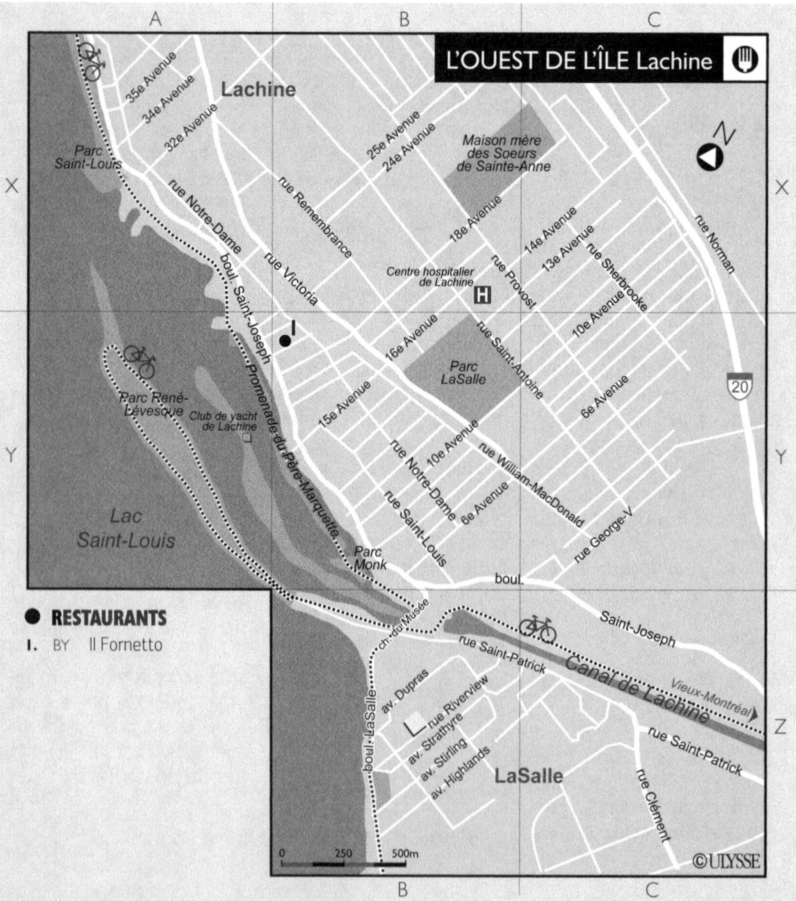

L'OUEST DE L'ÎLE Lachine

RESTAURANTS
1. BY Il Fornetto

©ULYSSE

bord du lac Saint-Louis après un copieux repas. Il rappelle les trattorias avec son ambiance bruyante et son service sympathique. Les pizzas cuites au four à bois sont à essayer.

Pointe-Claire

Marlowe
$$
981 boul. St-Jean
514-426-8713
www.marlowerestaurant.com
Marlowe est sans doute un des restos-bars les plus courus du *West Island*. Son menu affiche un vaste choix de plats plus intéressants les uns que les autres. Quant aux desserts, ils sont tout aussi irrésistibles. Comme chez ses cousins plus à l'est, le niveau sonore peut parfois s'avérer assez élevé: soyez donc prêt à une soirée plutôt bruyante.

Piazza Romana
$$
339 ch. du Bord-du-Lac
514-697-3593
La Piazza Romana compte parmi les restaurants italiens chéris de Pointe-Claire. À l'intérieur, le décor se veut pittoresque et moderne, tandis qu'à l'extérieur une terrasse accueille les convives par les chaudes soirées d'été. Menu fiable de plats conventionnels.

Le Gourmand
$$$-$$$$
fermé dim
42 rue Ste-Anne
514-695-9077
www.restaurantlegourmand.ca
Aménagé dans une maison ancienne en pierre tout à fait ravissante, Le Gourmand est le restaurant tout indiqué pour savourer une soupe chaude par un frais midi d'automne, ou encore une salade fraîche par un torride après-midi d'été. Le menu du soir affiche des mets français, cajuns et californiens. Son comptoir de charcuterie fine vous permettra en outre de faire des provisions en vue d'un pique-nique au bord du lac Saint-Louis.

Dollard-des-Ormeaux

La Perle
$-$$
4230 boul. St-Jean N.
514-624-6010
La Perle est sans conteste le plus invitant des innombrables restaurants sichuanais et thaïlandais qui ont ouvert leurs portes dans le *West Island*. Son menu comporte par ailleurs des plats insusités.

● RESTAURANTS

Pointe-Claire

1. BZ Le Gourmand
2. BZ Marlowe
3. BZ Piazza Romana

Dollard-des-Ormeaux

4. AY La Perle

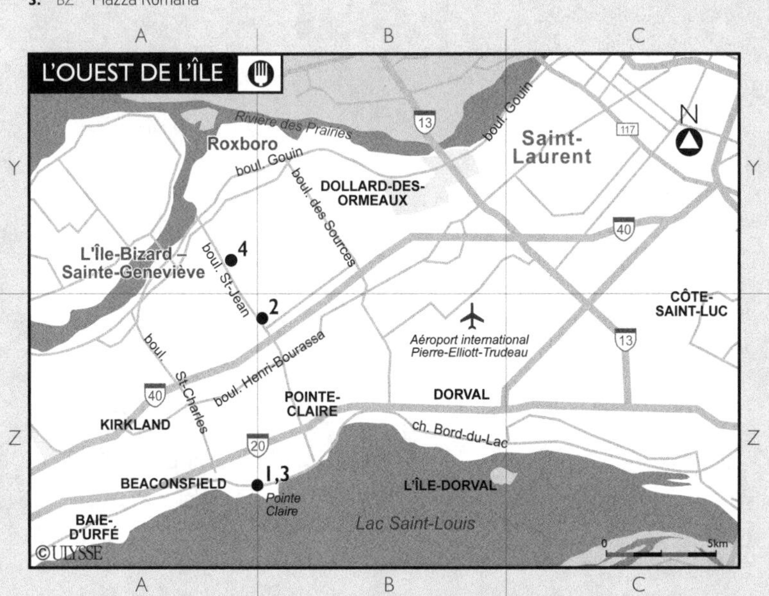

Restaurants par types de cuisine

Afghane
Khyber Pass 250

Asiatique
Hwang Kum 253
Tampopo 248
Zyng 244, 248

Basque
Pintxo 241
Vents du Sud 240

Belge
Bières et Compagnie 248
Frite Alors 247, 255
L'Actuel 234
La Moulerie 258
Le Petit Moulinsart 228

Boulangeries et pâtisseries
Boulangerie & Pâtisserie Motta 261
Calories 236
Fairmount Bagel Bakery 255
K9 Délices 256
La Brioche Lyonnaise 242
Le Paltoquet 256
Les Gâteries 244
Olive + Gourmando 226
St. Viateur Bagel Shop 256

Brésilienne
Lélé da Cuca 238

Buffet
La Bonne Carte 266

Cafés et salons de thé
Atomic Café 266
Aux Entretiens 246
Café Bicicletta 246
Café Daylight Factory 231
Café El Dorado 248
Café Italia 261
Café Méliès 241
Café Névé 238
Café Rico 246
Café Romolo 255
Café Souvenir 255
Café Vasco da Gama 231
Caffè Grazie Mille 256
Calories 236
Camellia Sinensis 242
Fruit Folie 247
K9 Délices 256
La Brioche Lyonnaise 242
La Brûlerie Saint-Denis 231, 242, 247
La Croissanterie Figaro 256
Le Bilboquet 256
Le Paltoquet 256
Les Gâteries 244
Nocochi 231
Nomad Station 226
Orienthé 247
Toi Moi et Café 256

Cajun
La Louisiane 255
Le Gourmand 271

Chilienne
La Chilenita 238

Chinoise
Cali 231
Chez Chine 232
La Maison Kam Fung 231
La Perle 271
Le Wok de Szechuan 264
Mr Ma 235
Zyng 244

Crème glacée
Crémerie Saint-Vincent 226
Le Bilboquet 256

Crêpes
Crêpanita 247, 253
Crêperie Bretonne Ty-Breiz 250

Cuisine du marché
Bistro Cocagne 252
Chez l'Épicier 228
Chez la Mère Michel 236

Decca 77 234
Kitchen Galerie 264
La Chronique 260
Le Bistingo 258
Primo e Secundo 264
Toqué! 236
Zeste de folie 260

➤ Espagnole
Barroco 228
Casa Tapas 241
La Sala Rossa 258
Tapeo 262
Taza Flores 259

➤ Éthiopienne
Le Nil Bleu 251

➤ Fondues
Fonduementale 251

➤ Française
Au 5e péché 253
Au 917 250
Au Bistro Gourmet 236
Au Petit Extra 245
Au pied de cochon 251
Barroco 228
Beaver Club 235
Beaver Hall 232
Bistro Bienville 252
Bistro Cocagne 252
Bonaparte 228
Boris Bistro 226
Buvette chez Simone 258
Café Cherrier 250
Café de Paris 235
Café du Nouveau Monde 232
Carte Blanche 246
Chez Gautier 241
Chez la Mère Michel 236
Chez Lévêque 259
Chez Queux 228
Côté Soleil 250
D-Sens 246
Europea 235
Holder 228
Jolifou 260
Julien 234
L'Ambiance 268
L'Estaminet 264
L'Express 252
La Bécane rouge 266
La Fabrique 244
La Gargote 228
La Gaudriole 252
Laloux 242
La Petite Marche 250
La Prunelle 241
Le Bistingo 258
Le Caveau 232
Le Continental 252
Le Flambard 251
Le Gourmand 271
Le Grain de Sel 246
Le Jardin du Ritz 235
Le Jurançon 261
Le Lutétia 232
Le Maistre 255
Leméac Café Bistrot 259
Le P'tit Plateau 241
Le Parchemin 234
Le Paris 236
Le Pavillon 253
Le Pégase 252
Le Pèlerin-Magellan 244
Le Saint-Gabriel 229
Le Sans Menu 269
Les Cabotins 268
Les Cavistes 253
Les Filles du Roy 230
Les Infidèles 253
Les Trois Petits Bouchons 251
Liverpool House 269
Mas cuisine 270
McKiernan 269
Méchant Bœuf Bar et Brasserie 229
M sur Masson 260
Nuances 264
Paris-Beurre 258
Parreira 246

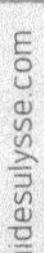

Pistou 251
Planète 245
Pop! 241
Steak frites St-Paul 228

› Fusion et créative

Aszú 229
Au pied de cochon 251
Aux Derniers Humains 262
Bistro Bienville 253
Bistro Chez Roger 260
Bistro Cocagne 252
Bistro In Vivo 266
Brontë 235
BU 259
Café des beaux-arts 232
Café Méliès 241
Chez l'Épicier 228
Chu Chai 248
Claremont Cafe 254
Joe Beef 269
La Chronique 260
La Fabrique 244
Le Club Chasse et Pêche 229
Le Continental 252
Le Garde-Manger 229
Le Gourmand 271
Le Robin des Bois 242
Les Cabotins 268
Les Filles du Roy 230
Le St-Urbain 264
Les Trois Petits Bouchons 251
Marlowe 271
Mess Hall 255
M sur Masson 260
Planète 245
Raza 260
Restaurant de l'Institut 244
Restaurant Vallier 229
Stew Stop 226
The Monkland Tavern 255
Toqué! 236
Wienstein 'n' Gavino's Pasta Bar Factory Co. 232
Zeste de folie 260

› Grecque

Le jardin de Panos 250
Le Symposium Psarotaverna 252
Milos 260
Ouzeri 251

› Hamburgers

Dépanneur Le Pick-Up 262
Dic Ann's Hamburgers 253
Dilallo Burger 268
Frite Alors 247, 255
L'Anecdote 247
L'Entre-mise 266
La Banquise 247
La Cafétéria 240
La Paryse 242
Patati Patata 240
Restaurant Vallier 229
Shed Café 240

› Hongroise

Café Rococo 236

› Indienne

Ambala 247
Bombay Palace 231
Gandhi 226
Le Palais de l'Inde 258
Punjab Palace 262

› Indonésienne

Nonya 259

› Iranienne

Byblos 246

› Italienne

Al Dente Trattoria 253
Beniamino 225
BU 259
Buona Notte 240
Café International 262
Café Italia 261
Caffè della posta 259
Caffè Grazie Mille 256
Casa Cacciatore 262
Cucina dell'arte 256
Da Emma 230

Da Vinci 234
Euro Deli 238
Il Fornetto 270
Il Mulino 264
La Pasta Casareccia 254
La Petite Marche 250
La Strega du Village 245
La Tarantella 262
Le Latini 236
Le Piémontais 244
Liverpool House 269
Mangia 231
Misto 251
Molisana 264
Pasta Express 264
Piazza Romana 271
Piccolo Diavolo 245
Primo e Secundo 264
Restaurant Graziella 230
Via Fortuna 266
Wienstein 'n' Gavino's Pasta Bar Factory Co. 232

➤ Japonaise

Azuma 258
Ginger 241
Jardin Sakura 234
Kaizen 255
Mikado 244
Miyako 246
Ramen-Ya 238
Tri Express 250

➤ Malaisienne

Cash and Curry 240

➤ Méditerranéenne

DNA Restaurant 230
Le Saint-Gabriel 229
Modavie 228
Titanic 226
Vauvert 230

➤ Mexicaine

Cactus 248
Casa de Matéo 226
El Zaziummm 240, 250
Lélé da Cuca 238
Limon 269

➤ Moyen-orientale

Rumi 259

➤ Péruvienne

Madre 261
Raza 260
Villa Wellington 269

➤ Petits déjeuners

Beauty's 240
Café Cherrier 250
Café Souvenir 255
Chez Claudette 247
Fruit Folie 247
La Croissanterie Figaro 256
La Petite Marche 250
Le Jardin du Ritz 235
Le Lutétia 232
Le Moineau / The Sparrow 258
Maison George Stephen 234

➤ Pizzas

Euro Deli 238
Gerry's Delicatessen 266
La Piazzetta 245, 247, 256, 266
La Pizzaïolle 256
Pizzafiore 253
Pizzédélic 250, 254

➤ Poissons et fruits de mer

La Marée 230
La Moulerie 258
Le Garde-Manger 229
Le Symposium Psarotaverna 252
Maestro S.V.P. 241
Milos 260

➤ Polonaise

Stash Café 228

➤ Portugaise

Ferreira 235
La Cabane de Portugal 238
Portus Calle 242
Romados 238
Vintage Tapas et Porto 252

Poulet et côtes levées
Bar-B-Barn 236
Coco Rico 238
Romados 238

Québécoise traditionnelle
Au pied de cochon 251
Chez Claudette 247
La Banquise 247
La Binerie Mont-Royal 247
Le Cabaret du Roy 229
Patati Patata 240

Réunionnaise
Le Piton de la Fournaise 252

Russe
La Troïka 234

Smoked meat
Lester's 256
Reuben's 232
Schwartz's Montréal Hebrew Delicatessen 238

Soupes et sandwichs
Aux Entretiens 246
Café América 268
Café Névé 238
Café Vasco da Gama 231
Dépanneur Le Pick-Up 262
L'Estaminet 264
Le Cartet 226
Lester's 256
Mangia 231
Nocochi 231
Nomad Station 226
Olive + Gourmando 226
Santropol 240
Soupesoup 226, 231, 240, 256, 260, 262
Titanic 226

Steaks
Gibby's 229
L'Entrecôte Saint-Jean 234
La Cabane de Portugal 238
La Queue de Cheval 235
Magnan 270
Moishe's Steak House 242
Steak frites Outremont 259
Steak frites Quartier International 235
Steak frites St-Denis 251
Steak frites St-Paul 228

Suisse
La Raclette 251

Syrienne
Le Petit Alep 262

Thaïlandaise
Bangkok 244
Bato Thaï 245
Chao Phraya 258
Chu Chai 248
La Perle 271
Phayathai 236, 259
Thaï Grill 260

Tunisienne
Le Kerkennah 264

Végétarienne et santé
Aux Entretiens 246
Bio train 225
Café América 268
Chu Chai 248
L'Escalier 242
Le Commensal 232, 242
Le Gourmand 271
Le Pèlerin-Magellan 244
Santropol 240
Stew Stop 226

Vietnamienne
L'Harmonie d'Asie 238
Souvenirs d'Indochine 259
Tay Do 238

Sorties

Bars et boîtes de nuit 278
Bien-être 287
Divertissements 287
Activités culturelles 288
Événements sportifs 290

Montréal a depuis longtemps la réputation d'être un fascinant lieu de divertissement unique en Amérique du Nord. Que ce soit en termes d'activités culturelles, de grands festivals ou simplement de bars et de boîtes de nuit, Montréal a suffisamment à offrir pour combler les attentes de chacun. Les amateurs de sport seront également ravis, car, en plus des matchs d'équipes professionnelles (hockey, football, soccer), il se déroule à Montréal plusieurs événements sportifs d'envergure internationale.

Bars et boîtes de nuit

Du coucher du soleil jusque tard dans la nuit, Montréal vit aux rythmes parfois endiablés, parfois plus romantiques de ses établissements nocturnes. Des terrasses de la rue Saint-Denis aux bars branchés du boulevard Saint-Laurent, en passant par les *pubs* et les *lounges* de la rue Crescent, sans oublier les boîtes gays du Village, il en existe pour tous les goûts: à vous de les découvrir!

Dans certains cas, un droit d'entrée ainsi que des frais pour le vestiaire sont exigés. La vente d'alcool cesse au plus tard à 3h du matin; certains établissements peuvent rester ouverts, mais il faudra dans ce cas se contenter de boissons non alcoolisées.

Le Vieux-Montréal

Cavo Nightclub
160 rue Notre-Dame E.
514-861-1116
C'est dans une maison historique du Vieux-Montréal que la clientèle du Cavo Nightclub fait la fête. À la fois intime et festive, cette petite boîte de nuit attire les jeunes professionnels et branchés montréalais.

Grange vin + bouffe
120 rue McGill
514-394-9463
www.grangeresto.ca
Le merveilleux bar central de Grange vin + bouffe transforme cet établissement résolument urbain en un bar à vin convivial. Plus d'une trentaine de vins de toutes les provenances dont des importations privées sont proposés au verre et accompagnent parfaitement les bouchées de la carte. Le menu affiche entre autres des charcuteries artisanales.

L'Assommoir
211 rue Notre-Dame O.
514-272-0777
www.assommoir.ca
Voir description p. 285.

Le Balcon café-théâtre
304 rue Notre-Dame E.
514-528-9766,
www.lebalcon.ca
Dans une salle intimiste à l'ambiance feutrée, Le Balcon café-théâtre présente des dîners-spectacles variés qui allient arts visuels, musique et théâtre. Les dîners incluent une table d'hôte à quatre services.

Le Confessionnal
431 rue McGill
514-656-1350
www.confessionnal.ca
Le confortable petit *lounge* du Confessionnal est tout indiqué pour faire connaissance avec la jeune faune professionnelle de Montréal. Les cinq à sept y sont si populaires qu'on doit souvent faire la queue avant d'entrer. Et une fois à l'intérieur, c'est en jouant des coudes qu'on se fraie un chemin jusqu'au bar. Un peu plus loin, vous apercevrez une piste de danse où l'on se trémousse en tailleur et en complet.

Le Pharaon Lounge
Le Petit Moulinsart
139 rue St-Paul O.
514-843-4779
www.lepetitmoulinsart.com/pharaon
Attenant au restaurant Le Petit Moulinsart (voir p. 228), dont la thématique est Tintin, Le Pharaon Lounge offre une vaste sélection de bières belges dans une ambiance chaleureuse et sans prétention. S'attabler avec la clientèle festive d'habitués constitue une expérience tout indiquée pour s'imprégner de la couleur locale.

Les Deux Pierrots
104 rue St-Paul E.
514-861-1270
www.lespierrots.com
Véritable institution montréalaise, Les Deux Pierrots a toujours su répondre aux exigences de ses clients en matière de divertissement. Si votre idéal de soirée consiste à vous mettre debout sur votre chaise et à danser sur des airs populaires chantés par un chansonnier tout en buvant de la bière, alors c'est l'en-

droit rêvé pour vous. Si, par contre, ce n'est pas votre genre de sortie, nous vous suggérons quand même d'aller y faire un tour. Rires et plaisir garantis dans cette «boîte à chansons» située en plein cœur du Vieux-Montréal. En été, vous pourrez profiter d'une agréable terrasse. Les deux Pierrots a maintenant également son bar sportif, situé juste à côté, au 114, rue Saint-Paul Est.

Narcisse Bistro + Bar à vin
Auberge du Vieux-Port
97 rue de la Commune E.
514-876-0081 ou 888-660-7678
www.aubergeduvieuxport.com
L'**Auberge du Vieux-Port** (voir p. 205) abrite le raffiné mais chaleureux Narcisse Bistro + Bar à vin. En plus de présenter des concerts de jazz du jeudi au samedi, l'établissement propose une excellente carte des vins et une cuisine du marché savoureuse dans une salle à manger intimiste et feutrée. Le Narcisse possède deux agréables terrasses, l'une donnant sur la rue de la Commune et l'autre perchée sur le toit. Cette dernière offre une vue spectaculaire sur le fleuve et les environs.

Pub St-Paul
124 rue St-Paul E.
514-874-0485
www.pubstpaul.com
Le Pub St-Paul est surtout connu pour ses spectacles rock, bien qu'il propose aussi un menu basique en toute simplicité. On y va d'abord pour l'ambiance chaleureuse et les bons prix.

Tribe Hyperclub
390 rue St-Jacques
514-845-3066
www.tribehyperclub.com
On y trouve certainement tout ce à quoi on peut s'attendre d'un «hyperclub». Une foule à l'entrée, cellulaire à la main, qui s'informe «de qui et de quoi», des portiers baraqués qui accordent l'accès au bar comme un privilège, une musique tonitruante qui fait bourdonner les oreilles jusqu'au lundi. Tenez-vous-le pour dit, le Tribe s'adresse aux amateurs avertis.

Santos
191 rue St-Paul O.
514-849-8881
www.ilovesantos.ca
Repaire sensuel pour un apéro langoureux, le Santos affiche une carte élaborée de martinis ainsi qu'une douzaine de vins servis au verre. Fenêtres en ogive, plafonds à caissons et colonnes argentées, mur de briques et plusieurs notes d'un rouge profond forment un design bohémien chic. Le Santos offre aussi un menu complet de style bistro pour le déjeuner et le dîner, ainsi qu'un choix original de bouchées savoureuses à partager.

Suite 701 – Lounge
Le Place d'Armes Hôtel & Suites
701 côte de la Place-d'Armes
514-904-1201
www.suite701.com
L'ancien hall de l'hôtel Le Place d'Armes a été transformé en une salle au design contemporain léché, percée de fenêtres immenses : le Suite 701 – Lounge. Une clientèle nantie venue prendre un verre et une bouchée après le travail déambule dans cet établissement réputé pour la qualité de ses cocktails et de son service professionnel et personnalisé.

Verses Sky
Hôtel Nelligan
100 rue St-Paul O.
514-788-4000
Idéalement situé sur le toit de l'**Hôtel Nelligan** (voir p. 206), le Verses Sky est l'une des terrasses les plus agréables du Vieux-Montréal. On y vient en été à l'heure de l'apéro pour se délecter d'une surprenante sangria maison et prendre une petite bouchée dans une ambiance décontractée, tout en s'offrant un bain de soleil.

Le centre-ville et le Golden Square Mile

Altitude 737
1 Place Ville Marie
514-397-0737
www.altitude737.com
Si vous êtes de ces gens qui aiment atteindre les sommets, il faut grimper aux étages supérieurs de la Place Ville Marie, où l'Altitude 737 est pris d'assaut les soirs de semaine, particulièrement les jeudis et vendredis, alors qu'une clientèle de jeunes professionnels dans la trentaine s'y rend pour prendre un verre avant d'aller dîner. Une salle confortable et surtout deux magnifiques terrasses offrant une vue imprenable sur Montréal et sur le fleuve justifient sans nul doute cet engouement. Pour sortir plus tard en soirée, et danser tout son soûl, il faut plutôt aller à la discothèque branchée.

Brutopia
1219 rue Crescent
514-393-9277
www.brutopia.net
Entre la rue Sainte-Catherine et le boulevard René-Lévesque se trouve un chouette petit pub irlandais qui tranche avec l'ambiance flafla et chichi qui caractérise la rue Crescent. Cet établissement sans prétention brasse sa propre bière (aucune bouteille de bière décapsulée n'y est vendue)

et constitue l'endroit idéal pour commencer la soirée avant de poursuivre la fête ailleurs. Les fins de semaine, des musiciens viennent égayer les soirées en jouant des airs traditionnels irlandais. Trois terrasses sont proposées à la clientèle en été.

Carlos & Pepes
1420 rue Peel
514-288-3090
www.carlosandpepes.com
Le Carlos & Pepes, fréquenté par une foule dans la vingtaine du milieu anglophone, s'étend sur deux étages, le premier étant un restaurant mexicano-californien. Le deuxième étage satisfera le sportif en vous: quelques télés présentent des matchs de baseball, de hockey, etc. Sa piste de danse est toutefois assez étroite.

Les Foufounes Électriques
87 rue Ste-Catherine E.
514-844-5539
www.foufounes.qc.ca
Autrefois haut lieu de la marginalité de Montréal, Les Foufounes Électriques ne sont plus ce qu'elles étaient. Le décor composé de graffitis et de sculptures étranges est toujours le même, mais le bar a vu sa clientèle changer et sa musique devenir un peu plus commerciale. Si l'ensemble s'est transformé et que sa faune inusitée a quitté ce lieu de rencontre, l'établissement est toujours bondé et sa musique jamais reposante.

Funkytown
1454A rue Peel
514-282-8387
Au centre-ville, une clientèle dans la vingtaine, quelque peu nostalgique de la musique des années 1970, fréquente le Funkytown. Boule en miroir à effet stroboscopique au plafond, plancher lumineux, de la musique tantôt disco, tantôt rock parviennent à créer une ambiance plaisante pour danser et parfois faire de belles rencontres.

Hurley's Irish Pub
1225 rue Crescent
514-861-4111
www.hurleysirishpub.com
Discrètement caché au sud de la rue Sainte-Catherine parmi l'innombrable quantité de restaurants et de bars de la rue Crescent, le Hurley's Irish Pub réussit à recréer une atmosphère digne des traditionnels pubs irlandais, grâce notamment à d'excellents musiciens amateurs de folklore irlandais et à la qualité exceptionnelle d'une célèbre bière noire.

Loft
1405 boul. St-Laurent
514-281-8058
www.clubleloft.com
Très grande discothèque au sombre décor «techno» rehaussé de mauve et où seule la musique alternative a sa place, le Loft attire une clientèle dont l'âge varie entre 18 et 30 ans. On peut y voir des expositions temporaires parfois intéressantes. Certains amateurs y viennent pour les tables de billard. La terrasse sur le toit est fort agréable.

McKibbin's Irish Pub
1426 rue Bishop
514-288-1580
www.mckibbinsirishpub.com
Le McKibbin's Irish Pub est décoré dans la plus pure tradition irlandaise. Ses tabourets et banquettes de bois, ses murs de briques ainsi que ses nombreux bibelots, trophées et photos d'époque lui confèrent un aspect vieillot, non dénué de charme. On y boit de célèbres bières irlandaises, alors que des mélodies dublinoises résonnent aux oreilles. Certains soirs, des groupes de musique traditionnelle irlandaise s'y produisent. La terrasse est, quant à elle, parfaite pour les discussions privées.

Peel Pub
1196 rue Peel
514-844-7296
www.peelpub.com
Amateur de sport, si vous avez une victoire à célébrer ou une défaite à pleurer, le Peel Pub vous accueille.

Pub Le Vieux-Dublin
1219A rue University
514-861-4448
www.dublinpub.ca
Le Pub Le Vieux-Dublin est une boîte irlandaise où vous pourrez profiter d'un impressionnant choix de bières pression que vous dégusterez au son de la musique celtique. Ici, les soirées sont généralement animées par des groupes de musique traditionnelle irlandaise.

Pub Sir Winston Churchill
1459 rue Crescent
514-288-3814
www.swcpc.com
Au Pub Sir Winston Churchill, un bistro de style anglais, se presse une clientèle qui vient draguer. Le Pub dispose de pistes de danse et de tables de billard.

Thursday's
1449 rue Crescent
514-288-5656
www.thursdaysbar.com
Le bar rencontre Thursday's est un établissement très populaire, particulièrement auprès des gens d'affaires et des professionnels anglophones de Montréal.

Upstairs Jazz Club
1254 rue MacKay
514-931-6808
www.upstairsjazz.com
Situé en plein centre-ville, l'Upstairs présente des spectacles de blues et de jazz tous les jours de la semaine. En été, une terrasse murée, à l'arrière du bar, fait le bonheur des amateurs de couchers de soleil.

Le quartier Milton-Parc et la *Main*

Balattou
4372 boul. St-Laurent
514-845-5447
www.balattou.com
Le Balattou est sans doute la boîte africaine la plus populaire de Montréal. Elle est sombre, bondée, chaude, trépidante et bruyante. Des spectacles sont présentés en semaine, pour lesquels le droit d'entrée varie.

Barfly
4062 boul. St-Laurent
514-284-6665
Des murs bleus, un plancher rouge, une table de billard, un bar et une scène. Mais quelle scène! Si toutefois le Barfly manque de lustre, sa programmation impressionne. Du jazz, du bluegrass, du rock, du punk, bref, des spectacles originaux mettant en vedette des talents bruts. Si la musique vous laisse indifférent, vous pourrez toujours vous rabattre sur une partie de hockey sur grand écran.

Belmont sur le Boulevard
4483 boul. St-Laurent
514-845-8443
www.lebelmont.com
Au Belmont sur le Boulevard s'entasse une clientèle composée de jeunes cadres. La fin de semaine, l'établissement est littéralement envahi.

Blizzarts
3956 boul. St-Laurent
514-843-4860
Vous désirez vous mettre au parfum de la vie urbaine montréalaise? Alors planifiez une chaude soirée au Blizzarts. Une soirée dans ce *lounge* permet à la fois d'apprécier une musique électronique minimaliste un verre à la main et de faire souffrir vos hanches sur la piste de danse au fond de la salle. Arrivez tôt les vendredis et samedis soir. Le bar est aussi une galerie d'art qui présente les toiles de talents locaux.

Les Bobards
4328 boul. St-Laurent
514-987-1174
www.lesbobards.qc.ca
Dans ce bar de quartier sans artifice, de grandes fenêtres permettent de regarder le va-et-vient sur le boulevard Saint-Laurent, tandis qu'on y déguste l'une des nombreuses variétés de bières pression, avec arachides à volonté. Les innombrables écales qui recouvrent le sol confèrent à la soirée un caractère empreint de pittoresque et de simplicité.

Casa del Popolo
4873 boul. St-Laurent
514-284-3804
www.casadelpopolo.com
La Casa del Popolo est à la fois un restaurant végétarien, un café et une salle de concerts. Ses propriétaires ont grandement contribué à l'effervescence que connaît la scène musicale montréalaise depuis quelques années, grâce aux spectacles qu'ils présentent à la Casa del Popolo, à **La Sala Rossa** (voir p. 258) et dans leur plus récente salle de concert, **Il Motore** *(179 rue Jean-Talon O., 514-284-0122)*. On y propose des concerts aux consonances éclectiques: pop, rock, folk, jazz et musique actuelle et électronique. Le mois de juin est dédié au festival **Suoni Per Il Popolo** (voir p. 293).

Dieu du Ciel
29 av. Laurier O.
514-490-9555
www.dieuduciel.com
Dieu du Ciel est une microbrasserie conviviale qui mérite résolument le déplacement pour son excellente sélection de bières maison.

Le Divan Orange
4234 boul. St-Laurent
514-840-9090
www.ledivanorange.org
Le Divan Orange est à la fois un restaurant végétarien, une salle de spectacle pouvant accueillir 180 personnes et un bar avec des bières de microbrasseries québécoises à la carte. C'est dans un endroit comme celui-là que vous vous frotterez aux meilleurs artistes émergents de Montréal, du Québec et d'ailleurs. On y présente aussi, mois après mois, les œuvres d'artistes visuels prometteurs.

Else's
156 rue Roy E.
514-286-6689
Il est parfois des bars où l'on va pour la première fois et où l'on se sent tout de suite chez soi. Else's en est un par son ambiance feutrée et chaleureuse, par la simplicité des gens qui le fréquentent, mais aussi par son emplacement, au coin de deux rues paisibles, qui lui confère son statut de véritable bar de quartier. Zone d'accès Internet sans fil.

Le Gogo Lounge
3682 boul. St-Laurent
514-286-0882
Le Gogo Lounge vous propose un retour aux années 1960 et 1970. Velours rouge, musique rétro et cocktails bien nommés vous donneront une soudaine envie de faire tourner un *hula hoop* sur vos hanches. Toutefois, armez-vous de patience car les files d'attente sont souvent très longues les soirs de fin de semaine.

Laïka
4040 boul. St-Laurent
514-842-8088
www.laikamontreal.com
Nommé d'après le premier chien russe à avoir été projeté dans l'espace, le Laïka est un café-resto *in* durant le jour qui se transforme en *lounge* branché le soir venu. Dans un décor épuré, un DJ aux platines ouvre des sessions d'*electronica* plutôt pointues. L'établissement est aussi très populaire pour ses copieux brunchs du dimanche. Zone d'accès Internet sans fil.

Le Hall
Ex-Centris
3536 boul. St-Laurent
514-847-0399
www.ex-centris.com
Le hall d'entrée d'**Ex-Centris** (voir p. 120) s'est transformé en bar! Ce nouvel espace propose désormais une carte de vins, de cocktails et de petites bouchées pour assouvir les envies du public avant et pendant les spectacles qui se déroulent dans les salles du complexe multimédia.

Le Réservoir
9 av. Duluth E.
514-849-7779
Microbrasserie le soir et bistro le midi, Le Réservoir invite également les gens à venir bruncher les samedis et dimanches. On aime son emplacement, sur la petite avenue Duluth, semi-piétonnière, sa terrasse à l'étage pour les brunchs et sa bière brassée sur place.

Le Rouge Bar
7 rue Prince-Arthur O.
514-282-9944
www.lerougebar.com
Dans ce bar de deux étages, l'ambiance est aussi enflammée que le décor, tout en teintes de rouge. Il porte très bien son nom car, depuis son ouverture, le Rouge Bar est bondé de monde et ne dérougit pas!

Saphir
3699 boul. St-Laurent
514-284-5093
www.saphirbar.com
Le Saphir mérite certainement la palme de la boîte montréalaise la plus difficile à décrire. La programmation musicale alterne entre le *punk*, l'*industrial*, le *glam*, le *hip-hop*, le *new wave* et le *dark wave*. Bref, une adresse pour les *clubbers* un peu en marge.

Tokyo Bar
3709 boul. St-Laurent
514-842-6838
www.tokyobar.com
Ce club branché de la *Main* compte deux salles: la première est une discothèque et la seconde un *lounge*. La musique varie du rétro à la house, en passant par le hip-hop. En été, profitez de la grande terrasse aménagée sur le toit qui surplombe le boulevard Saint-Laurent.

Le Quartier latin

Café Chaos
2031 rue St-Denis
514-844-1301
www.cafechaos.qc.ca
Le bar coopératif du Café Chaos, qui occupe trois étages, attire une foule étudiante dense, jeune et énergique. On y vient pour écouter tous les styles de musique imaginables: punk, garage, rock-and-roll, surf, alternatif, techno-industriel, etc. Des musiciens locaux y présentent leurs nouvelles créations, et les spectacles débutent vers 21h.

L'Escalier
522 rue Ste-Catherine E.
514-670-5812
www.lescaliermontreal.com
Voir description p. 242.

Le Cheval Blanc
809 rue Ontario E.
514-522-0211
www.lechevalblanc.ca
Le Cheval Blanc est aménagé dans une ancienne taverne montréalaise au cachet préservé et à l'ambiance chaleureuse et décontractée. Différentes bières sont brassées sur place et alternent avec les saisons. Lieu de prédilection de plusieurs habitués, on peut également louer l'espace pour des événements culturels.

Jello Bar
151 rue Ontario E.
514-285-2621
www.jellobar.com
Le Jello Bar loge dans un local garni d'un curieux mélange de meubles et de bibelots rescapés des années 1960 et 1970, où l'on offre un choix de 50 cocktails de martini différents, à être bus tranquillement sur fond de musique blues, funk, house, hip-hop et groove.

L'amère à boire
2049 rue St-Denis
514-282-7448
www.amereaboire.com
Installée entre les rues Ontario et Sherbrooke, L'amère à boire est une petite

mais sympathique brasserie artisanale qui fabrique une dizaine de lagers et des ales. L'établissement est flanqué d'une petite terrasse arrière pour ceux qui souhaitent se soustraire à l'animation grouillante de la rue Saint-Denis.

Les 3 Brasseurs
1658 rue St-Denis
514-845-1660
www.les3brasseurs.ca
À un jet de pierre du Théâtre Saint-Denis, Les 3 Brasseurs est une franchise de l'Hexagone qui se taille une place enviable parmi les microbrasseries montréalaises. Sa cuisine prépare de délicieuses spécialités alsaciennes. Deux terrasses en été: l'une sur le toit et l'autre au niveau de la rue. Les 3 Brasseurs compte également des succursales au centre-ville *(732 rue Ste-Catherine O. et 1356 rue Ste-Catherine O.)* et dans le Vieux-Montréal *(105 rue St-Paul E.)*.

L'Île Noire Pub
342 rue Ontario E.
514-982-0866
www.ilenoire.com
L'Île Noire Pub est un très beau bar dans le plus pur style écossais. Les bois précieux dont on a usé abondamment confèrent à l'établissement un charme feutré et une ambiance raffinée. Le personnel, très professionnel, vous conseillera dans le choix de scotchs, dont la liste est impressionnante. Aussi, on y offre un bon choix de bières pression importées. Les prix sont malheureusement élevés ici.

Le Pèlerin-Magellan
330 rue Ontario E.
514-845-0909
Situé juste à côté de L'Île Noire Pub, Le Pèlerin-Magellan est un petit bar chaleureux invitant au voyage doublé d'un restaurant. Boiseries, rideaux aux accents africains, hublots, bibliothèque avec globe terrestre et objets hétéroclites, le tout sur un fond de musique du monde, jazz, ou selon l'humeur des artistes qui y sont quelquefois invités. Quant à l'alcool, troquez l'habituelle bière pour un café «*arhum*atisé» ou l'un des savoureux cocktails maison. Assez calme en semaine, donc idéal pour les tête-à-tête.

Le P'tit bar
3451 rue St-Denis
514-281-9124
www.ptitbar.com
Tout près du square Saint-Louis, le P'tit bar est le lieu parfait pour parler littérature, philosophie, photographie, etc. Des expositions de photos composent le sobre décor de l'établissement, et l'on peut y entendre des chansonniers québécois ou d'expression française.

Pub Quartier Latin
318 rue Ontario E.
514-845-3301
www.pubquartierlatin.com
L'Île Noire Pub et Le Pèlerin-Magellan feraient-ils ombrage à leur voisin, le Pub Quartier Latin Pub? Peut-être pas puisque celui-ci a, à maintes reprises, été choisi comme lieu de tournage de nombreuses séries télévisées québécoises. C'est peut-être son décor savamment étudié, un peu froid, qui lui fait honneur. C'est peut-être aussi sa clientèle, aussi étudiée que son décor: jeune trentaine BCBG, presque aussi réelle que dans une publicité de bière. Terrasse en saison.

Le Sainte-Élisabeth
1412 rue Ste-Élisabeth
514-286-4302
www.ste-elisabeth.com
Il est dommage que ce joli pub soit aussi bien caché. Lorsqu'on y entre, on se retrouve presque en Irlande L'établissement est souvent bondé les soirs de fin de semaine par une faune estudiantine sortie tout droit de l'université et du cégep d'à côté. Sans oublier, en été, l'une des plus chouettes terrasses du Quartier latin.

Le Saint-Sulpice
1680 rue St-Denis
514-844-9458
www.lesaintsulpice.ca
Aménagé dans une maison ancienne dont il occupe les trois étages, le Saint-Sulpice est décoré avec goût. Il dispose d'une très grande terrasse à l'arrière et d'une autre à l'avant, toutes deux parfaites pour profiter des soirées d'été.

Yer' Mad!
901 boul. De Maisonneuve E.
514-522-9392
Situé dans un sous-sol, le Yer Mad! vous plongera au cœur de la Bretagne. Musique folklorique, peintures de gnomes et de lutins sur les murs. On va au Yer Mad! pour son ambiance décontractée, mais surtout pour sa grande sélection de bières et de cidres savoureux.

Le Plateau Mont-Royal

Bily Kun
354 av. du Mont-Royal E.
514-845-5392
www.bilykun.com
Le Bily Kun, second bar de la microbrasserie du Cheval Blanc, offre un vaste choix de bières, notamment la marque maison, d'excel-

lente qualité et à bon prix. Avec un décor original orné de cous d'autruches empaillés, l'atmosphère est sympathique et surtout branchée!

Le Boudoir
850 av. du Mont-Royal E.
514-526-2819
Plusieurs seront captivés par la chaleur qui se dégage du Boudoir. Une grande sélection de bières de microbrasseries est disponible, et les amateurs de scotchs, quant à eux, s'y retrouvent les lundis et mardis pour les prix réduits (de 20h à 3h). Une table de billard ainsi qu'un jeu de soccer sur table (*baby-foot*) sont mis à la disposition des clients. Zone d'accès Internet sans fil.

Quai des Brumes
4479 rue St-Denis
514-499-0467
Véritable institution montréalaise et un bon endroit pour prendre un verre au cœur du Plateau, le chaleureux Quai des Brumes propose une programmation variée toute la semaine (folk, rock, jazz, blues, etc.). À l'étage, le bar **La Rockette** *(514-845-9010)* constitue un lieu de rencontre pour les étudiants en mal de rock-and-roll.

Le Café Campus
57 rue Prince-Arthur E.
514-844-1010
www.cafecampus.com
Surtout fréquenté par une clientèle estudiantine, Le Café Campus est installé dans un grand local de la rue Prince-Arthur et est réparti sur trois étages. On n'y vient pas pour le décor, des plus quelconques, mais bien pour danser jusqu'aux petites heures de la nuit. Le premier étage propose une table de billard qui voit passer plusieurs joueurs. Le Petit Café Campus, la salle de spectacle de l'établissement, présente, quant à lui, de bons concerts de rock et de blues. Chacune des soirées est dictée par une teneur musicale particulière: 100% francophone, alternatif des années 1980, rock contemporain, etc.

Chez Baptiste
1045 av. du Mont-Royal E.
514-522-1384
Il existe des petits bars qui ne paient pas de mine mais où l'on se sent bien. Chez Baptiste fait partie de ces bars de quartier où l'on se retrouve autour d'une bonne bière en fin de journée. La clientèle en soirée, plus jeune, emplit de bruit l'établissement qui donne vie, comme beaucoup d'autres, à l'avenue du Mont-Royal.

Au Diable Vert
4557 rue St-Denis
514-849-5888
www.lesitedudiable.com
Au Diable Vert est l'endroit par excellence pour se laisser aller sur une vaste piste de danse. Très populaire auprès des étudiants, il n'est pas rare qu'on doive y faire la queue la nuit venue. Notez que, durant les beaux jours, sa devanture s'ouvre sur la rue Saint-Denis et que vous pourrez jouir d'un cinq à sept dans la bonne humeur, parmi une population de tous les âges.

El Zaz Bar
4297 rue St-Denis
514-288-9798
www.zazbar.com
El Zaz Bar est tenu par la même bande que les restaurants Zaziummm. Sa petite piste de danse, où l'on peut danser sur à peu près tous les styles de musique, de la chanson française au disco en passant par la salsa et le techno, est très courue. Son décor inusité est composé de multiples objets hétéroclites. Le service est loin d'être la qualité première de l'établissement, mais, si vous aimez être un peu dépaysé, vous serez servi!

L'Esco
4467A rue St-Denis
514-842-7244
www.myspace.com/lescobar
Situé non loin de la station de métro Mont-Royal, L'Esco est un bon vieux bar de quartier. L'ambiance y est parfois électrisante la fin de semaine ou bien animée par des musiciens de la relève qui jouent des airs de rock-and-roll.

Le Gymnase
4177 rue St-Denis
514-845-8717
www.legymnase.ca
Le Gymnase est une salle polyvalente. On y accueille des spectacles, des lancements, des événements corporatifs et des partys étudiants. Ses deux étages sont en fait consacrés à la danse. Les soirées thématiques font le plaisir de ceux qui apprécient les classiques des années 1980 et 1990.

Les Pas Sages
951 rue Rachel E.
514-522-9773
Les Pas Sages est un bar accueillant et sans prétention qui invite semaine après semaine une jeune clientèle à décompresser et à se désaltérer durant ses sympathiques cinq à sept. On y vend des bières locales à des prix plus que raisonnables, dans un décor confortable. À noter aussi: les spectacles, très variés, qui vont du jazz à la musique du monde.

La Quincaillerie
980 rue Rachel E.
514-524-3000
www.laquincaillerie.ca
Le nom rappelle que l'endroit était autrefois occupé par une véritable quincaillerie. Les nouveaux venus ont donc décoré et redoré les lieux avec goût et minutie. Le design est sublime: des murs noirs, de grandes ardoises, des tables en teck, des plafonds hauts et même des petits lapins qui fument sur de superbes casiers de bois.

Le Plan B
327 av. du Mont-Royal E.
514-845-6060
www.barplanb.ca
Le Plan B n'est en rien un…plan b. Son emplacement enviable en fait l'un des petits bars les plus appréciés des jeunes du Plateau Mont-Royal. Un endroit où l'on aime s'asseoir au zinc et consulter une carte qui nous offre une belle variété de bières, de whiskys et… d'eaux! Au Plan B, tout semble bien dosé. Le décor est sobre. La musique est bonne. Et la terrasse, quoique petite, est un privilège pour ceux qui y trouvent une place.

Le Salon Daomé
141 av. du Mont-Royal E.
514-982-7070
www.lesalondaome.com
Un salon, en effet! Le Daomé a cette particularité de s'apparenter à un riche loft urbain. On peut autant s'assoupir dans une causeuse confortable que faire résonner l'immense plancher de danse toujours saturé. Un DJ assume pleinement sa responsabilité de faire bouger les plus beaux «spécimens» du coin. Attendez-vous par contre à payer votre laissez-passer: une bagatelle pour la perspective d'une soirée fiévreuse.

Taverne Inspecteur Épingle
4051 rue St-Hubert
514-598-7764
Voilà un autre bon établissement pour écouter du blues en buvant une grosse bière. La Taverne Inspecteur Épingle, rendue célèbre par la présence occasionnelle du coloré chanteur québécois Plume Latraverse, présente de bons concerts d'artistes locaux.

Le Verre Bouteille
2112 av. du Mont-Royal E.
514-521-9409
www.verrebouteille.com
Ouvert depuis 1942, Le Verre Bouteille est l'un des derniers bastions de musique québécoise sur le Plateau. Les fins de semaine, des chansonniers brûlent les planches pour divertir le public. Ambiance relâchée et service de bon aloi.

Westmount, Notre-Dame-de-Grâce et Côte-des-Neiges

La Grande Gueule
5615A ch. de la Côte-des-Neiges
514-733-3512
Située tout près de l'Université de Montréal, la Grande Gueule propose un menu léger, de la bière pression peu coûteuse et quatre tables de billard. De plus, plusieurs jeux de société sont disponibles sur place.

La Maisonnée
5385 rue Gatineau
514-733-0412
www.restobarlamaisonnee.com
La Maisonnée se remplit quotidiennement d'étudiants de l'Université de Montréal qui, dès leurs cours terminés, s'y rendent afin de discuter autour d'un pichet de bière. On y sert frites et pizzas pour accompagner le tout. Téléviseurs présentant les matchs favoris des sportifs.

Typhoon Lounge
5752 av. Monkland
514-482-4448
www.typhoon.ca
Dans un décor revampé, venez siroter un martini au Typhoon. Des soirées thématiques dont le jeudi consacré aux filles, combinées à leur quatre à huit en semaine, sauront ravir plus d'un fêtard.

Outremont et le Mile-End

L'Assommoir
112 rue Bernard O.
514-272-0777
www.assommoir.ca
Ce resto-bar est situé dans le Mile-End. Attirant une clientèle de jeunes trentenaires, il s'est fait connaître pour ses cinq à sept branchés, sa longue liste de cocktails et ses mini-défilés de designers québécois, établis eux aussi dans ce quartier devenu très tendance. Autre adresse dans le Vieux-Montréal (voir p. 278).

Baldwin Barmacie
115 av. Laurier O.
514-276-4282
www.baldwinbarmacie.com
Une barmacie? S'agit-il d'une pharmacie où le zinc remplace l'officine du pharmacien et où les ordonnances donnent droit à un remède contre l'ennui? En réalité, le nom est un hommage à la grand-mère du propriétaire qui tenait autrefois une pharmacie tout près. Le Baldwin Barmacie s'adresse à une jeune clientèle du Mile-End, toujours plus vivant. Le décor est simple,

l'éclairage idéal et les cocktails créatifs. Un endroit parfait pour les cinq à sept en bonne compagnie.

BU
5245 boul. St-Laurent
514-276-0249
www.bu-mtl.com
L'ambiance est décontractée dans ce bar à vin du Mile-End. La carte des vins affiche chaque jour une sélection d'une trentaine de vins au verre. Ceux qui le souhaitent peuvent accompagner leur dégustation d'antipasti, que l'on sert jusqu'à 2h du matin.

Whisky Café
5800 boul. St-Laurent
514-278-2646
www.whiskycafe.com
On a tellement soigné la décoration du Whisky Café que même les toilettes sont devenues une attraction touristique. Les tons chauds utilisés dans un contexte moderne, les grandes colonnes recouvertes de boiseries, les chaises style «années 1950», tout cela contribue à une sensation de confort et de classe. La clientèle de 20 à 35 ans, aisée et bien élevée, coule une jeunesse dorée.

La Petite Italie

Café Sarajevo
mer-dim
6548 boul. St-Laurent
514-284-5629
Installé jusqu'en 2006 dans la rue Clarke, le sympathique Café Sarajevo a depuis porté ses pénates sur le boulevard Saint-Laurent, tout juste au sud de la Petite Italie. On s'y rend pour écouter des concerts de formations gitanes ou de musiciens de jazz, tout en dégustant quelques bouchées des Balkans.

Le Salon Miss Villeray
220 rue Villeray
514-658-3969
Situé un peu au nord de la Petite Italie, le Miss Villeray a subi une cure de rajeunissement en 2009 afin de le remettre au goût du jour. Non seulement on ne reconnaît plus l'ancienne taverne qui datait de 1960, mais ses prix abordables et sa jeune clientèle du quartier Villeray nous donnent aussi envie d'y retourner.

Vices & Versa
6631 boul. St-Laurent
514-272-2498
Découvrez les meilleures créations des microbrasseries québécoises en vous attablant dans le chaleureux bistro Vices & Versa. On y propose une trentaine de sélections qui changent régulièrement, dont certaines sont spécialement brassées pour l'établissement. Au menu, côté cuisine : sandwichs, pizzas et assiettes de fromages.

Rosemont

Bar Chez Roger
2300 rue Beaubien E.
514-723-5939
www.barroger.com
Détrompez-vous car derrière ce nom assez débonnaire se trouve l'un des «bars-*lounge*» les plus branchés de Montréal. Situé près du Cinéma Beaubien, le Bar Chez Roger est une ancienne taverne de quartier qui attire son lot de personnalités pétillantes et des gens à la mode qui aiment discuter sur les aléas de la vie en se rinçant la glotte. L'établissement est aussi doté d'un restaurant: le **Bistro Chez Roger** (voir p. 260).

Le Village

La plupart des bars gays de Montréal sont concentrés dans le Village.

Bars et boîtes de nuit gays

Le Cabaret Mado
1115 rue Ste-Catherine E.
514-525-7566
www.mado.qc.ca
Fréquenté par une clientèle mixte et enjouée, le Cabaret Mado présente entre autres des spectacles de travestis. Amusement garanti avec le célèbre personnage de *Mado*!

Gotha Lounge
1641 rue Amherst
514-526-1270
Voilà un bar calme et sympathique dont on souhaiterait qu'il en existe plus dans le Village gay. La musique d'ambiance inspire les discussions, et l'accueil rend tout le monde bien à l'aise. Le mobilier moderne et confortable incite à y passer un peu plus de temps que prévu, pour siroter cocktail maison ou bières pression.

Le Parking
1296 rue Amherst
514-282-1199
www.parkingbar.com
Ambiance house et funky au Nightclub, rock au *lounge* ou hip-hop au Garage, au sous-sol: vous avez le choix au Parking! Les soirées diverses, bien connues des fêtards du Village, attirent surtout une clientèle gay, jeune et branchée.

Sky Pub/Sky Club
1474 rue Ste-Catherine E.
514-529-6969
www.complexesky.com
Bar gay très fréquenté, le Sky Pub bénéficie d'un décor design qui manque toutefois d'unité. On peut déplorer sa musique trop forte et souvent banale. Sur deux niveaux s'étend l'une

des plus grandes boîtes gays de Montréal, le Sky Club, avec ses pistes de danse qui offrent une bonne variété de styles musicaux. Bien entendu, le pari de maintenir l'atmosphère dans un complexe aussi vaste n'est pas toujours tenu, mais, en général, la clientèle, plutôt jeune, s'amuse bien ici. En été, son immense et superbe terrasse sur le toit permet d'observer le va-et-vient dans la rue Sainte-Catherine. Un seul reproche: le droit d'entrée élevé qui varie de manière imprévisible.

Unity
1171 rue Ste-Catherine E.
514-523-2777
www.clubunitymontreal.com
Dans cette grande discothèque gay fréquentée par un public jeune, surtout masculin, l'architecture est des plus intéressantes avec ses différents niveaux et sa mezzanine d'où l'on peut observer la piste de danse et les envoûtants jeux de lumière. En plus de la piste de danse principale, on en trouve deux autres: le Bamboo, où la musique tend à être plus calme, et une seconde consacrée aux plus récentes tendances. En été, il ne faut pas manquer de se rendre à sa belle terrasse sur le toit.

Bien-être

Espace Nomad
4650 boul. St-Laurent
514-842-7279
www.espacenomad.ca
Le grand boulevard Saint-Laurent s'est enrichi d'un espace inédit dédié au mieux-être des citadins désireux de larguer les amarres quelques heures. Soins et massages de qualité ne feront pas mentir la devise du lieu: *Le temps que l'on prend pour soi aujourd'hui embellit celui de demain*.

Le Spa de l'Hôtel Le St-James
Hôtel Le St-James
355 rue St-Jacques
514-841-3111
www.hotellestjames.com
Le Spa de l'Hôtel Le St-James se démarque par son atmosphère romantique, quasi magique, et son intimité inégalée. Les soins proposés incluent les massages aux pierres chaudes et sous la «pluie», des exfoliations complètes et l'enveloppement corporel au rassoul, une argile riche en oxyde de fer et en magnésium.

Rainspa
Le Place d'Armes Hôtel & Suites
55 rue St-Jacques
514-282-2727
www.rainspa.ca
La décoration impeccable et naturelle du Rainspa, situé dans l'hôtel Le Place d'Armes, enveloppe la clientèle d'une chaleur méditerranéenne. Bien qu'il ne soit pas conçu de façon traditionnelle, le hammam du Rainspa, avec sa vapeur d'eucalyptus vivifiante, offre une expérience teintée d'exotisme.

Scandinave Les Bains Vieux-Montréal
71 rue de la Commune O.
514-288-2009
www.scandinavemontreal.com
La thermothérapie, concept lié aux bains scandinaves, est simple et efficace : un réchauffement corporel dans un sauna sec ou humide suivi d'un refroidissement vivifiant à la douche ou dans un bain nordique qui se termine par un moment de langoureuse détente. Fidèle à la thématique des lieux, le design contemporain du Scandinave Les Bains réunit des éléments chauds (bois) et froids (pierre et marbre) pour créer un espace apaisant et distingué.

Spa Diva
Cours Mont-Royal
1455 rue Peel, 4e étage
514-958-9859
Au milieu du centre-ville en ébullition, le Spa Diva inspire calme et relaxation. Situé aux Cours Mont-Royal, cet établissement haut de gamme propose de multiples soins pour le corps et le visage.

Spa Savanna
4032 rue Notre-Dame O.
514-931-6544
www.spasavanna.com
Une adresse audacieuse pour ce spa de grande qualité installé dans un quartier en pleine mutation. Le décor d'inspiration africaine et le bain vapeur ajoutent à la portée bienfaisante du lieu et des soins qu'on y donne.

Divertissements

Laser Quest
mar-ven 16h à 21h, sam 10h à 23h, dim 10h à 20h
1226 rue Ste-Catherine O.
514-393-3000
www.laserquest.com
Le Laser Quest plaira aux enfants et aux adolescents qui rêvent de jouer à des jeux interactifs de science-fiction. Dans un labyrinthe aménagé sur trois niveaux, deux équipes se livrent une bataille à l'aide de fusils à jet lumineux. Ce paradis de l'interactif accueille jusqu'à 30 personnes à la fois et propose 40 jeux différents.

Labyrinthe du Hangar 16
13$
mi-mai à fin oct
Quais du Vieux-Port
514-499-0099
www.labyrintheduhangar16.com
Chaque année, le Labyrinthe du Hangar 16 est

remodelé pour que petits et grands vivent une nouvelle aventure thématique, alors qu'on modifie son parcours et ses indices périodiquement. Les explorateurs en herbe y trouveront plein d'obstacles, de pièges et de zones de jeu.

Forum Pepsi
2313 rue Ste-Catherine O.
514-933-6786
www.forumpepsi.com
Le centre de divertissement Forum Pepsi est installé dans l'ancien Forum du Canadien de Montréal. Vous pourrez visiter la galerie de vitrines thématiques et la promenade des célébrités qui rend hommage aux étoiles du hockey et du spectacle. Le Forum Pepsi présente aussi des films récents dans 22 salles de cinéma, et il compte quelques restaurants et terrasses.

La Ronde (voir p. 161) est un parc d'attractions où plusieurs manèges divertiront les plus jeunes comme les plus vieux.

Casino de Montréal
entrée libre
tlj 24h sur 24
514-392-2746 ou 800-665-2274
www.casinosduquebec.com/montreal
Avec plus de 3 000 machines à sous et une centaine de tables de jeu, le Casino de Montréal constitue à n'en point douter un élément important de la vie nocturne montréalaise. Le **Cabaret du Casino**, pour sa part, présente divers spectacles de variétés hauts en couleur. Au moment de mettre sous presse, on apprenait toutefois que le cabaret serait fermé pour rénovations jusqu'en 2014.

Activités culturelles

La vie culturelle est intense à Montréal. Tout au long de l'année, des expositions et des spectacles sont organisés afin de permettre aux Montréalais de découvrir diverses facettes de la culture. C'est ainsi que des spectacles et des films de tous les pays, des expositions d'artistes de toutes tendances, ainsi que des festivals pour tous les âges et tous les goûts, y sont présentés. Les hebdomadaires culturels *Voir*, *Ici*, *Mirror* et *Hour*, distribués gratuitement, donnent un aperçu des principaux événements qui se tiennent à Montréal.

› Billetteries

Deux principaux réseaux de billetterie distribuent les billets de spectacles, de concerts et d'événements sportifs. Ils offrent un service de vente par téléphone et par Internet. Il faut alors payer au moyen de sa carte de crédit. Des guichets où l'on peut payer en espèces sont également répartis un peu partout à travers la ville. Des frais de service, variant d'un spectacle à l'autre, sont ajoutés au prix des billets.

Admission
514-790-1245 ou 800-361-4595
www.admission.com

Ticketpro
514-790-1111 ou 866-908-9090
www.ticketpro.ca
Ceux qui voudront profiter de billets de dernière minute à prix réduit doivent se rendre au guichet de **La Vitrine** *(145 rue Ste-Catherine O., 514-285-4545, www.lavitrine.com)* dans la rue Sainte-Catherine; il s'agit généralement de concerts ou de pièces de théâtre dans de petites salles. Le site Internet de la Vitrine est un outil très utile pour se renseigner sur les différentes manifestations culturelles qui ont lieu à Montréal.

› Cinémas

Pour connaître les films à l'affiche et les horaires dans la plupart des salles suivantes, consultez le site Internet *www.cinemamontreal.com*.

Des rabais sont souvent offerts pour les représentations en matinée ainsi que le mardi et le mercredi.

Quelques salles où l'on présente des films en français

Cinéma Beaubien
2396 rue Beaubien E.
514-721-6060

Quartier Latin
350 rue Émery
514-849-4422

Quelques salles où l'on présente des films en anglais

AMC Forum 22
2313 rue Ste-Catherine O.
514-904-1250

Cinéma Banque Scotia Montréal
977 rue Ste-Catherine O.
514-842-5828

Quelques salles de cinéma de répertoire

Cinémathèque québécoise
335 boul. De Maisonneuve E.
514-842-9763

Cinéma du Parc
3575 av. du Parc
514-281-1900

Impérial
1430 rue De Bleury
☎ 514-848-0300
Il s'agit de la plus ancienne salle de cinéma à Montréal.

Une salle où l'on projette des films hors de l'ordinaire

IMAX Telus
Centre des sciences de Montréal, quai King-Edward, Quais du Vieux-Port
☎ 514-496-4629
On y présente des films sur écran géant.

Complexe consacré au cinéma québécois et canadien

ONF Montréal
1564 rue St-Denis
☎ 514-496-6887

› Maisons de la culture

Les maisons de la culture ont été mises sur pied dans le but de faire connaître les talents d'artistes œuvrant dans tous les champs disciplinaires reliés à la culture. Afin de rendre leurs spectacles et expositions accessibles à tous, l'entrée est libre la plupart du temps, quoiqu'il faille se procurer les billets d'avance. La programmation culturelle des arrondissements de Montréal, *Zoom culture*, est distribuée gratuitement tous les trois mois.

Ahuntsic–Cartierville
10300 rue Lajeunesse
☎ 514-872-8749

Côte-des-Neiges
5290 ch. de la Côte-des-Neiges
☎ 514-872-6889

Maisonneuve
4200 rue Ontario E.
☎ 514-872-2200

Mercier
8105 rue Hochelaga
☎ 514-872-8755

Notre-Dame-de-Grâce
3755 rue Botrel
☎ 514-872-2157

Plateau Mont-Royal
465 av. du Mont-Royal E.
☎ 514-872-2266

Pointe-aux-Trembles
14001 rue Notre-Dame E.
☎ 514-872-2240

Rivière-des-Prairies
8000 boul. Gouin E.
☎ 514-872-9814

Rosemont–La Petite Patrie
6707 av. De Lorimier
☎ 514-872-1730

Sud-Ouest
Marie-Uguay
6052 boul. Monk
☎ 514-872-2044

Ville-Marie
Frontenac
2550 rue Ontario E.
☎ 514-872-7882

Villeray–Saint-Michel–Parc-Extension
911 rue Jean-Talon E.
☎ 514-872-6131

› Théâtres et salles de spectacle

Les droits d'entrée aux spectacles varient grandement d'une salle à l'autre. La plupart des salles offrent cependant des tarifs réduits aux étudiants.

L'Agora de la danse
840 rue Cherrier
☎ 514-525-1500
www.agoradanse.com

Le National
1220 rue Ste-Catherine E.
☎ 514-845-2014
www.latulipe.ca

La Tulipe
4530 av. Papineau
☎ 514-529-5000
www.latulipe.ca

Centaur Theatre
453 rue St-François-Xavier
☎ 514-288-3161
www.centaurtheatre.com

Le Gesù – Centre de créativité
1200 rue De Bleury
☎ 514-861-4378
www.gesu.net

Monument-National
1182 boul. St-Laurent
☎ 514-871-9883
www.monument-national.qc.ca

Place des Arts
175 rue Ste-Catherine O.
☎ 514-842-2112
www.pda.qc.ca
Elle dispose de cinq salles: la Salle Wilfrid-Pelletier, le Théâtre Maisonneuve, le Théâtre Jean-Duceppe, le Studio-théâtre et la Cinquième salle. L'Orchestre symphonique de Montréal *(☎ 514-842-9951)*, l'Opéra de Montréal *(☎ 514-985-2258)*, la Compagnie Jean-Duceppe *(☎ 514-842-8194)*, les Grands Ballets canadiens *(☎ 514-849-0269)* ainsi que le Festival international de jazz de Montréal y donnent leurs représentations.

Théâtre Corona
2490 rue Notre-Dame O.
☎ 514-931-2088
www.theatrecorona.com

Théâtre d'Aujourd'hui
3900 rue St-Denis
☎ 514-282-3900
www.theatredaujourdhui.qc.ca

Théâtre Denise-Pelletier
4353 rue Ste-Catherine E.
☎ 514-253-8974
www.denise-pelletier.qc.ca

Théâtre Les Deux Mondes
7285 rue Chabot
514-593-4417
www.lesdeuxmondes.com

Théâtre Espace GO
4890 boul. St-Laurent
514-845-4890
www.espacego.com

Théâtre Espace Libre
1945 rue Fullum
514-521-4191
www.espacelibre.qc.ca

Théâtre La Chapelle
3700 rue St-Dominique
514-843-7738
www.lachapelle.org

Théâtre La Licorne
4559 rue Papineau
514-523-2246
www.theatrelalicorne.com

Théâtre du Nouveau Monde
84 rue Ste-Catherine O.
514-866-8668
www.tnm.qc.ca

Olympia de Montréal
1004 rue Ste-Catherine E.
514-845-3524
www.olympiademontreal.com

Théâtre Outremont
1248 rue Bernard O.
514-495-9944
www.theatreoutremont.ca

Théâtre Prospero
1371 rue Ontario E.
514-526-6582
www.laveillee.qc.ca

Théâtre du Rideau Vert
4664 rue St-Denis
514-844-1793
www.rideauvert.qc.ca

Théâtre Saint-Denis
1594 rue St-Denis
514-849-4211
www.theatrestdenis.com

Théâtre de Verdure
parc La Fontaine
514-872-4041

Centre Segal des arts de la scène
5170 ch. de la Côte-Sainte-Catherine
514-739-2301
www.saidyebronfman.org

Usine C
1345 av. Lalonde
514-521-4493
www.usine-c.com

Théâtre TELUS
1280 rue St-Denis
514-764-2680
www.theatretelus.com

Théâtre de Quat'sous
100 av. des Pins E.
514 845-7277
www.quatsous.com

Événements sportifs

› Cyclisme

Féria du vélo de Montréal
514-521-8356 ou 800-567-8356
www.velo.qc.ca/feria
La Féria du vélo de Montréal se tient à la fin mai et au début de juin, et se termine par le **Tour de l'Île de Montréal**, qui a lieu le premier dimanche du mois de juin et qui attire quelque 30 000 cyclistes sur un parcours d'environ 50 km. Pendant la Féria, d'autres événements sont organisés: le Défi métropolitain et Un Tour la Nuit.

› Football

Stade Percival-Molson
475 av. des Pins O.
514-871-2255
www.montrealalouettes.com
Les **Alouettes de Montréal** de la Ligue canadienne de football (LCF) jouent leurs matchs au stade Percival-Molson depuis 1998. La saison régulière débute à la fin du mois de mai, pour se terminer à la fin du mois d'octobre. Il faut assister, ne serait-ce qu'une seule fois, à une partie des Alouettes, pour profiter de la vue imprenable sur le centre-ville et, bien sûr, pour encourager l'équipe montréalaise, comme le font les 20 000 spectateurs.

› Hockey

Centre Bell
1260 rue De La Gauchetière O.
514-790-2525 ou 877-668-8269
www.canadiens.com
Les parties de hockey de la célèbre équipe du **Canadien de Montréal** (de la Ligue nationale de hockey) sont présentées au Centre Bell. On y joue 42 matchs durant la saison régulière. Puis commencent les séries éliminatoires, aux termes desquelles l'équipe gagnante remporte la légendaire coupe Stanley.

› Soccer

Stade Saputo
Parc olympique
4750 rue Sherbrooke E.
514-328-3668 ou 514-790-1245
www.impactmontreal.com
En 2008, l'**Impact de Montréal**, l'équipe professionnelle de soccer de la métropole québécoise, a inauguré son nouveau domicile, le Stade Saputo. Construit au coût de 15 millions de dollars, ce stade accueille plus de 13 000 spectateurs. L'Impact présente ses matchs à compter de la mi-mai jusqu'à la fin d'août et vous promet du vrai football européen comme il s'en joue sur le Vieux-Continent.

Tennis

Stade Uniprix
285 rue Faillon O.
514-273-1515 ou 866-338-2685
www.tenniscanada.com
Au Stade Uniprix, situé dans le **parc Jarry** (voir p. 191), les meilleurs joueurs ou joueuses de tennis du circuit mondial participent, chaque année au début du mois d'août, à la **Coupe Rogers**. Les années paires, il s'agit d'une compétition de tennis féminin. Le stade étant aussi l'un des deux centres d'entraînement nationaux du Canada, on peut y voir souvent des joueurs professionnels s'entraîner. De même, d'intéressants tournois amateurs y ont lieu durant l'année.

Festivals et événements culturels

Durant les beaux jours, la fièvre des festivals emporte les Montréalais et les visiteurs. Du mois d'avril au mois d'août se succèdent une foule de festivals, chacun comportant un thème différent. Une chose est certaine: il y en a pour tous les goûts. Le reste de l'année, les grands événements se font moins fréquents, mais demeurent tout aussi intéressants.

Janvier

Fête des Neiges
dernière semaine de jan et 1re semaine de fév
514-872-6120
www.fetedesneiges.com
Montréal organise une fête pour célébrer les plaisirs et les activités de la blanche saison. La fête des Neiges a lieu au parc Jean-Drapeau. Des toboggans géants et des patinoires sont installés pour le plus grand plaisir des familles montréalaises. Le concours de sculptures de neige attire également bon nombre de curieux.

Igloofest sur les Quais
mi-jan à fin jan
514-844-2033
www.igloofest.ca
Pendant trois fins de semaine consécutives à partir de la mi-janvier *(jeu-sam 18h à 24h)*, l'Igloofest offre un antidote au froid hivernal et une occasion de danser en plein air dans un village d'igloos aménagé sur le quai Jacques-Cartier dans le vieux-port. Au menu: des prestations de DJ réputés provenant d'un peu partout dans le monde, un bar de glace, des concours, des jeux de lumière et des écrans géants.

Février

Festival Voix d'Amériques
début fév
514-495-1515
www.fva.ca
À la Casa del Popolo et à La Sala Rossa, Montréal donne la parole à plus d'une centaine de poètes et performeurs anglophones et francophones au cours du Festival Voix d'Amériques.

Les Rendez-vous du cinéma québécois
mi-fév
514-526-9635
www.rvcq.com
Depuis 1982, ce festival célèbre le cinéma québécois par le biais de divers événements. En plus de présenter des courts et longs métrages de fiction et des documentaires, le festival propose des soirées de rencontre à la Cinémathèque québécoise avec différents artisans de l'industrie.

Festival Montréal en lumière
fin fév à début mars
514-288-9955 ou 888-477-9955
www.montrealenlumiere.com
Le Festival Montréal en lumière apporte un brin de magie à l'hiver québécois. Des

jeux de lumière soulignent l'architecture de la ville, des spectacles pyrotechniques sont présentés en plein air, et le populaire événement «Nuit blanche à Montréal» propose plus de 150 activités en tous genres pour les noctambules. Dans le volet «Arts de la table» du festival, des chefs chevronnés, venus de partout dans le monde, proposent dégustations, repas et ateliers. Le festival présente aussi des concerts, de la danse et du théâtre.

Mars

Festival international du film sur l'art

1re et 2e semaines de mars

514-874-1637

www.artfifa.com

Créé en 1981, le Festival international du film sur l'art (FIFA) propose des films portant sur différentes disciplines artistiques, notamment la peinture, la danse, l'architecture, le théâtre, la musique et la photographie. Présenté sur 10 jours, c'est l'événement annuel le plus important au monde dans son domaine.

Avril

Vues d'Afrique

mi-avr

514-284-3322

www.vuesdafrique.org

Le festival Vues d'Afrique fait la promotion du cinéma africain et créole. Les films sont présentés dans les salles de cinéma montréalaises, entre autres à l'ONF Montréal. En été, à la brunante, Vues d'Afrique offre quelques spectacles suivis de séances de cinéma en plein air, au Théâtre de Verdure du parc La Fontaine.

Festival littéraire international de Montréal Metropolis bleu

fin avr à début mai

514-937-2538

www.metropolisbleu.org

Le festival Metropolis bleu rassemble près de 300 auteurs, journalistes et éditeurs du monde entier, pour plus d'une centaine d'activités littéraires diverses en plusieurs langues, notamment en français, en anglais et en espagnol.

Mai

Biennale de Montréal

tout le mois de mai, années impaires

514-288-0811

www.biennalemontreal.org

La Biennale de Montréal est un rendez-vous culturel qui a été conçu en 1998 par le Centre international d'art contemporain de Montréal (CIAC). Durant tout le mois de mai, elle propose une manière tout à fait exclusive de découvrir la métropole grâce à la rencontre de divers artistes liés aux domaines de la musique actuelle, du cinéma, du design graphique et de la vidéo.

Festival TransAmériques

fin mai à début juin

514-844-3822 ou 866-984-3822

www.fta.qc.ca

Le Festival TransAmériques, dédié à la création contemporaine, réunit deux disciplines des arts de la scène: la danse et le théâtre. Des œuvres d'ici et d'ailleurs qui font découvrir aux initiés comme aux profanes toute une étendue de richesses telles de petites fenêtres ouvertes sur le monde.

Mondial de la bière

fin mai

514-722-9640

www.festivalmondialbiere.qc.ca

Le plus important festival du genre en Amérique du Nord, le Mondial de la bière propose la dégustation de plus de 250 marques de bières provenant des cinq continents. Favorisant une consommation responsable, il a lieu dans la salle des pas perdus de l'ancienne gare Windsor.

Mutek

fin mai

514-871-8646

www.mutek.org

Inauguré en 2000, le festival de musique électronique Mutek est devenu une référence mondiale dans le genre. Une cinquantaine de concerts sont proposés en cinq jours, dans différentes salles de la ville. Techno dansante, projets plus expérimentaux, événements multimédias: de quoi plaire aux curieux comme aux connaisseurs.

Piknic Électronik

mai à sept

www.piknicelectronik.com

Présentés les dimanches de mai à septembre au parc Jean-Drapeau (la piste de danse se trouve sous le stabile d'Alexander Calder, *L'Homme*, sur l'île Sainte-Hélène), les Piknic Électronik proposent des concerts en plein air de musiciens électroniques et autres DJ. Parmi les artistes reconnus qui y ont offert leurs talents créateurs figurent Ritchie Hawtin, Ghislain Poirier, Matthew Herbert, Tim Hecker... La liste est longue! Une belle occasion de se trémousser en plein air. Quelques événements spéciaux sont également présentés en janvier dans le cadre de l'**Igloofest** (voir p. 291).

› Juin

Suoni Per Il Popolo

tout le mois de juin

4873 boul. St-Laurent

514-284-0122

www.casadelpopolo.com

Le festival Suoni Per Il Popolo (Sons pour le peuple) représente en quelque sorte l'antidote au Festival de jazz de Montréal, que certains considèrent trop conservateur et commercial. Cet événement est présenté à la Casa del Popolo et à la salle de spectacle située à l'étage de La Sala Rossa. Le Suoni Per Il Popolo rassemble les dernières découvertes de la scène musicale montréalaise, en plus des grands noms de la musique actuelle, du jazz, du rock underground et de la musique électronique. Pour oreilles curieuses et averties.

Nuit blanche sur tableau noir

1re semaine de juin

514-522-3797

www.tableaunoir.com

L'événement Nuit blanche sur tableau noir se déroule en plein cœur du Plateau Mont-Royal. Sous les yeux des passants, artistes peintres et musiciens sont invités à s'approprier la rue et à transformer le paysage urbain en une œuvre collective colorée. Des activités sont proposées tout au long de la journée et, le soir venu, on assiste à la création en direct d'une fresque à même le revêtement de la rue.

Présence Autochtone

mi-juin

514-278-4040

www.nativelynx.qc.ca

Installé chaque année dans le parc Émilie-Gamelin, Présence Autochtone, organisé par l'organisme «Terres en vues», est un festival où l'on présente de nombreux films autochtones, projetés entre autres à l'ONF Montréal et à la Cinémathèque québécoise (certains en première mondiale), où il est possible de rencontrer et de discuter avec les cinéastes. Dans le parc même, où s'élève une scène et où s'établit un village d'artisans et d'artistes autochtones, on propose des pièces de théâtre, des concerts, des danses, ainsi que des expositions et des démonstrations du savoir-faire amérindien et inuit. Le festival se termine chaque année par la célébration de la Journée nationale des Autochtones, le 21 juin.

Festival St-Ambroise Fringe de Montréal

mi-juin

514-849-3378

www.montrealfringe.ca

Chaque année, le Festival St-Ambroise Fringe de Montréal présente un nombre impressionnant de spectacles et de pièces de théâtre avant-gardistes. Les billets, à bas prix, permettent à tous de profiter de cet élan de créativité.

FrancoFolies de Montréal

mi-juin

514-876-8989 ou 888-444-9114

www.francofolies.com

Les FrancoFolies de Montréal sont organisées dans le but de promouvoir la chanson francophone. Durant ce festival, des artistes provenant d'Europe, des Antilles françaises, du Québec, du Canada français et d'Afrique présentent des spectacles où l'on découvre les talents et les spécialités de chacun. Tous les amateurs «francofous» se regroupent alors sur la Place des festivals ou sur le site compris entre le complexe Desjardins et la Place des Arts, rue Sainte-Catherine, où se produisent plusieurs artistes aux divers accents francophones. De plus, d'autres spectacles sont proposés en salle. Une belle occasion de lâcher son fou et de s'approprier un bout de la Sainte-Cath!

L'International des Feux Loto-Québec
fin juin à début août
514-397-2000
www.montrealfeux.com

Concours international d'art pyrotechnique, L'International des Feux Loto-Québec présente les meilleurs artificiers du monde à La Ronde (île Sainte-Hélène), qui proposent des spectacles pyromusicaux d'une grande qualité. Les représentations ont lieu à 22h les samedis de juin et les mercredis et samedis de juillet et d'août. Une foule de Montréalais se pressent alors à la Ronde (droit d'entrée), ainsi que sur le pont Jacques-Cartier et sur le bord du fleuve (c'est alors gratuit), afin d'apprécier les innombrables fleurs de feux qui colorent pendant une demi-heure le ciel de leur ville.

Festival international de jazz de Montréal
fin juin à début juil
514-871-1881 ou 888-515-0515
www.montrealjazzfest.com

Pendant les journées du Festival international de jazz de Montréal (FIJM), sur le quadrilatère entourant la Place des Arts et sur la Place des festivals, se dressent les scènes où sont présentés de multiples spectacles rythmés sur des airs de jazz. Cette partie de la ville et bon nombre de salles de spectacle sont alors prises d'une activité trépidante. Ces journées sont l'occasion de descendre dans les rues pour se laisser emporter par l'atmosphère joyeuse émanant de ces excellents spectacles en plein air présentés gratuitement, auxquels les Montréalais participent en grand nombre. Le reste de l'année, le FIJM présente des spectacles de jazz hors festival.

› Juillet

Festival Juste pour rire
mi-juil
514-845-2322 ou 888-244-3155
www.hahaha.com

L'humour et la fantaisie sont à l'honneur durant le Festival Juste pour rire, qui accueille des humoristes venant de divers pays. La portion de la rue Saint-Denis située dans le Quartier latin est alors fermée à la circulation, des spectacles ayant lieu dans la rue ainsi qu'au Théâtre Saint-Denis.

Festival international Nuits d'Afrique
mi-juil
514-499-3462
www.festivalnuitsdafrique.com

Montréal prend un air de fête tout au long du Festival international Nuits d'Afrique. Plusieurs concerts et activités en plein air (au parc Émilie-Gamelin) sont alors offerts. Les grands noms de la musique africaine, antillaise et caribéenne proposent également des spectacles en salle.

Divers/Cité
fin juil à début août
514-285-4011
www.diverscite.org

Le festival Divers/Cité célèbre la fierté gaie, lesbienne, bisexuelle, travestie et transsexuelle de Montréal. Danse, concerts, projections de films en plein air et un énorme défilé haut en couleur sont au menu.

› Août

Festival des films du monde de Montréal
fin août à début sept
514-848-3883
www.ffm-montreal.org

Le Festival des films du monde de Montréal se tient dans diverses salles de cinéma de la ville. Pendant ces jours de compétition cinématographique, des films provenant de différents pays sont présentés au public montréalais. À l'issue de la compétition, bon nombre de prix sont décernés aux films les plus méritoires; mentionnons la catégorie la plus prestigieuse: le Grand Prix des Amériques. Durant ces journées, des films sont présentés de 9h à minuit, pour le plus grand plaisir des cinéphiles. Des projections en plein air sont également présentées sur l'esplanade de la Place des Arts.

› Septembre

Pop Montréal
fin sept à début oct
514-842-1919
www.popmontreal.com

Inauguré en 2002, le festival de musique Pop Montréal est rapidement devenu un incontournable des mélomanes. En cinq jours, quelque 400 artistes d'ici et d'ailleurs, bien établis ou émergents, présentent des concerts dans différentes salles de la métropole. Essouflant! Parmi les spectacles mémorables des éditions précédentes, on retrouve ceux de Patti Smith et de Burt Bacharach, qui s'étaient produits dans la magnifique église Saint-Jean-Baptiste.

› Octobre

Festival du nouveau cinéma

mi-oct

514-844-2172 ou 866-844-2172

www.nouveaucinema.ca

Le Festival du nouveau cinéma a pour vocation la diffusion et le développement du cinéma d'auteur et de la création numérique.

› Novembre

Coup de cœur francophone

mi-nov

514-253-3024

www.coupdecoeur.qc.ca

Créé en 1987, le festival Coup de cœur francophone réunit des musiciens de la scène nationale et internationale. Une bonne occasion de découvrir les musiciens de la relève ou de redécouvrir des artistes bien établis dans un contexte différent.

› Décembre

Noël dans le parc

tout le mois de décembre

parc Lahaie

angle boul. St-Laurent et boul. St-Joseph

514-281-8942

www.noeldansleparc.com

L'événement «Noël dans le parc» célèbre le temps des Fêtes avec des spectacles de quelque 150 artistes de plusieurs disciplines (danse, théâtre, musique, contes, arts du cirque, etc.). Une belle célébration pour les petits et les grands.

Salon des métiers d'art du Québec

mi-déc

Place Bonaventure

901 rue De La Gauchetière O.

514-861-2787

www.salondesmetiersdart.com

Tous les ans se tient, à la Place Bonaventure, le Salon des métiers d'art du Québec. Cette exposition, qui dure une dizaine de jours, est l'occasion pour les artisans québécois d'exposer et de vendre les fruits de leur travail.

souk @ sat

mi-déc

Société des arts technologiques (SAT)

1195 boul. St-Laurent

514-844-2033

www.souk.sat.qc.ca

La **SAT** (voir p. 98) propose à la mi-décembre son *souk* annuel pendant lequel une foule d'artistes et designers montréalais proposent leurs créations originales (objets décoratifs, vêtements, bijoux, musique, jouets pour petits et grands, etc.). Une belle occasion de dénicher un cadeau qui sort de l'ordinaire pour le temps des Fêtes, et ce, dans une ambiance animée.

Achats

Les grandes artères commerciales 298
Accessoires 299
Alimentation 299
Animaux 303
Antiquités 303
Art 303
Cigares 305
Déco 305
Électronique 307
Enfants 307
Informatique 308
Lecture 308
Mode 309
Musique 312
Offrir 313
Plein air 314
Vie intime 314
Voyage 315

Les mordus de magasinage s'en donnent à cœur joie à Montréal. Parmi leurs «terrains de chasse» de prédilection figurent entre autres la rue Sainte-Catherine, une grande artère commerciale de la ville et un incontournable pour les Montréalais, les dédales de magasins du réseau piétonnier de la «ville souterraine», les boutiques de designers québécois du Mile-End, les galeries d'art du Vieux-Montréal, les boutiques huppées de la rue Crescent et les friperies de l'avenue du Mont-Royal. Nous avons sélectionné pour vous quelques adresses qui se démarquent par la qualité, l'originalité ou les bas prix de leurs produits.

Les grandes artères commerciales

Il demeure toujours agréable de magasiner à Montréal, et ce, en toutes saisons. Par beau temps, visiteurs et Montréalais pourront flâner parmi les boutiques ayant pignon sur rue ou dans les marchés publics aux étals colorés. Par temps froid, pluvieux ou caniculaire, ils auront le choix entre les nombreux centres commerciaux, les grands magasins, les magasins à rayons et les galeries marchandes intérieures (voir p. 93).

La rue Sainte-Catherine

C'est la portion de la rue Sainte-Catherine située entre les rues Saint-Denis et Guy qui constitue l'artère commerciale principale du centre-ville de Montréal. Avec son lot de grands magasins, de boutiques en tout genre et de restaurants, elle est très animée et agréable à parcourir. Notez que six stations de métro la desservent au centre-ville.

Le boulevard Saint-Laurent

Très coloré dans le secteur compris entre l'avenue du Mont-Royal et le boulevard De Maisonneuve, le boulevard Saint-Laurent, qu'on surnomme affectueusement la *Main*, abrite différentes communautés culturelles et des artistes multidisciplinaires et propose une grande variété de boutiques, des plus classiques aux plus avant-gardistes, en passant par des cafés et restos aux saveurs du monde et une belle sélection de boutiques de meubles québécois et européens au design recherché.

La rue Saint-Denis

Dans sa portion du Plateau, située entre le boulevard Saint-Joseph et la rue Sherbrooke, la rue Saint-Denis constitue un véritable pôle d'attraction les fins de semaine. Elle est parsemée de librairies, de boutiques de designers de mode québécois et de prêt-à-porter.

L'avenue du Mont-Royal

Artère commerciale du Plateau, l'avenue du Mont-Royal bourdonne d'activité de jour comme de nuit. Du petit café à la bonne boulangerie, de la quincaillerie de quartier au disquaire d'occasion, sans oublier les friperies et autres boutiques de vêtements tendance à prix abordables, l'avenue du Mont-Royal saura plaire autant aux amateurs de lèche-vitrine qu'aux férus de magasinage.

L'avenue Laurier

Pour des courses plus chics, la jolie avenue Laurier (Ouest) entre le chemin de la Côte-Sainte-Catherine et le boulevard Saint-Laurent se distingue par ses galeries d'art, ses boutiques aux accents classiques, ses épiceries fines et ses bonnes tables.

La Plaza St-Hubert

Entre les rues De Bellechasse et Jean-Talon, la rue Saint-Hubert se transforme en Plaza St-Hubert, de facture plus populaire. Recouverte de marquises qui protègent les promeneurs des intempéries, elle fourmille de commerces en tous genres, mais se démarque tout de même par ses nombreuses boutiques spécialisées dans les vêtements et accessoires de mariage.

La rue Notre-Dame

La portion de la rue Notre-Dame située entre les rues Peel et Atwater regorge de boutiques d'antiquaires où des trésors et des pacotilles d'un autre âge sont proposés aux chineurs.

Accessoires

› Bijoux

Agatha
1054 av. Laurier O.
514-272-9313
Pour des bijoux de fantaisie, en argent ou en pâte de verre, mais très jolis, il faut aller chez Agatha.

Argent Tonic
138 av. Laurier O.
514-274-5668
www.argenttonic.com
C'est sûrement l'exiguïté du local qui a inspiré les propriétaires de cette charmante bijouterie, qui lui ont donné le surnom de «bar à bijoux». Et ici, la qualité, l'originalité et la créativité ne se mesurent pas au nombre de mètres carrés; ni les prix d'ailleurs, malheureusement!

Birks
1240 rue du Square-Phillips
514-397-2511
www.birks.com
Véritable institution à Montréal, Birks a tout pour combler l'amant romantique en quête d'un diamant, pour fêter les noces d'or, pour offrir une alliance ou pour célébrer les événements qui méritent d'être soulignés par un beau bijou.

Clio blue
1468 rue Peel
514-281-3112
www.clioblue.com
Cette boutique fait partie d'une chaîne française et se spécialise dans les bijoux en argent.

Oz Bijoux
3915 rue St-Denis
514-845-9568
www.oz-jewelry.com
Si vous préférez des bijoux plus design, il faut plutôt opter pour Oz Bijoux.

› Chapeaux

Henri Henri
189 rue Ste-Catherine E.
514-288-0109
www.henrihenri.ca
Chapeau melon, de fourrure ou ornée de ruban, casquette de laine ou béret, petit ou grand, noir, beige ou blanc... Henri Henri demeure la référence en matière de chapeaux à Montréal.

› Chaussures

Brown's
1191 rue Ste-Catherine O.
514-987-1206
4 place Ville Marie
514-393-4986
585 rue Ste-Catherine O
514-281-4619
www.brownsshoes.com
Les modèles se suivent et se ressemblent chez les chausseurs montréalais. Brown's fait exception: beaucoup de choix pour hommes et femmes.

La Godasse
3686B boul. St-Laurent
514-286-8900
4340 rue St-Denis
514-843-0909
www.lagodasse.ca
Adidas, Puma, Le Coq Sportif et Nike, bref, toutes les chaussures urbaines dernier cri sont en vente chez La Godasse.

Mona Moore
1446 rue Sherbrooke O.
514-842-0662
www.monamoore.com
Depuis 2004, Mona Moore, cette passionnée du sac à main et de l'escarpin de défilé, parcourt Paris, Milan et New York à la recherche des collections les plus avant-gardistes. Elle vous promet le tout dernier cri, mais à un prix qui en découragera plus d'une. On peut toujours rêver de commettre une folie.

Roseinstein Paris
2148 rue de la Montagne
514-287-7682
www.rosensteinparis.com
Il s'agit ici de la Mecque de la chaussure haut de gamme. Vous y trouverez les modèles des plus grands créateurs du moment. Une boutique qui nous rappelle que les pieds ne servent pas simplement à marcher, mais aussi à éblouir. Attendez-vous par contre à casser votre tirelire.

Alimentation

› Bio

Aliments naturels à votre santé
5126 rue Sherbrooke O.
514-482-8233
Dans une atmosphère agréable, le personnel de ce magasin vous conseille produits naturels et suppléments vitaminiques parmi une grande variété d'articles.

Rachelle-Béry
505 rue Rachel E.
514-524-0725
www.rachelle-bery.com
Première épicerie de la chaîne Rachelle-Béry à avoir ouvert ses portes, à l'angle des rues Rachel et Berri, Rachelle-Béry compte aujourd'hui quelques consœurs, notamment au 4810 boulevard Saint-Laurent, 514-849-4118 et au 2510 rue Beaubien Est, 514-727-2327. Il s'agit de grands magasins d'aliments et produits naturels.

Tau
4238 rue St-Denis
514-843-4420
www.marchestau.com
Tau propose une vaste gamme de produits naturels. Savons, produits médicinaux, aliments en vrac, fruits et légumes biologi-

ques, petits plats préparés: tout pour prendre soin de sa santé!

› Boulangeries

Comment parler des boulangeries de Montréal sans parler des *bagels*?... Ces petits pains, qui font partie à l'origine de l'alimentation casher, font aussi la réputation de Montréal à travers le monde. Il semblerait en effet qu'ils soient meilleurs ici qu'ailleurs. Peu importe, car ils sont souvent délicieux et toujours appréciés. Diverses boulangeries, surtout à Outremont et dans le Mile-End, en préparent plusieurs variétés dans leur four à bois. Mentionnons entre autres la **Fairmount Bagel Bakery** *(74 av. Fairmount O., ☎ 514-272-0667)*, ouverte 24 heures sur 24, et le **St-Viateur Bagel Shop** *(263 av. St-Viateur O., ☎ 514-276-8044)*.

Boulangerie Monsieur Pinchot
4354 rue De Brébeuf
☎ 514-522-7192
Si vous souhaitez faire un petit pique-nique, pénétrez dans cette boulangerie artisanale, mignonne comme tout, qui propose de délicieux produits de qualité.

Boulangerie Au Pain Doré
www.aupaindore.com
La Boulangerie Au Pain Doré fournit baguettes et délices de blé ainsi que pâtisseries et gâteaux à plusieurs bons restaurants de Montréal qui ne jurent plus que par elle. Le nombre de ses points de vente atteste le succès de l'entreprise. Voici quelques adresses de ces magasins au détail: 556 rue Sainte-Catherine Est, 3611 boulevard Saint-Laurent, 1415 rue Peel, 1145 avenue Laurier Ouest, 1357 avenue du Mont-Royal Est.

Le Fromentier
1375 av. Laurier E.
☎ 514-527-3327
Le Fromentier est une boulangerie artisanale qui offre une large gamme de pains tous plus délicieux les uns que les autres. Il est encore possible d'y voir les boulangers s'affairer aux fourneaux.

Les Co'pains d'Abord
418 rue Rachel E.
☎ 514-564-5920
1965 av. du Mont-Royal E.
☎ 514-522-1994
2727 rue Masson
☎ 514-593-1433
La boulangerie Les Co'pains d'Abord offre une grande variété de pains, viennoiseries et pâtisseries, ainsi que quelques spécialités bretonnes (gâteau breton, *kouing aman*), des sandwichs, des pâtés, des tourtières et des pizzas, tous d'une qualité irréprochable. Un bon endroit pour faire le plein de provisions ou tout simplement pour prendre une bouchée le midi.

Pâtisserie Kouign Amman
322 av. du Mont-Royal E.
☎ 514-845-8813
Dans cette petite pâtisserie du Plateau Mont-Royal, les croissants et les pains au chocolat sont délicieux. Mais le *kouign amman*, spécialité bretonne débordante de beurre et de sucre, est un pur chef-d'œuvre. Préparés tout au long de la journée, ces petits gâteaux bretons sont souvent encore chauds au moment d'en acheter.

Première Moisson
www.premieremoisson.com
Première Moisson n'est pas ce que l'on pourrait appeler une boulangerie artisanale puisqu'il s'agit d'une chaîne de plusieurs boutiques. Cependant, c'est dans chacune d'elles que l'on prépare la délicieuse fournée du jour. On y vend aussi des charcuteries, des gâteaux, du chocolat et des plats préparés. Plusieurs succursales en ville, dont celles du marché Jean-Talon, du marché Atwater et du 860 avenue du Mont-Royal Est, sur le Plateau.

› Charcuterie

La Queue de Cochon
1375 av. Laurier E.
☎ 514-527-2525
6400 rue St-Hubert
☎ 514-527-2252
Les fins gourmets apprécieront sans contredit les excellents produits de la petite charcuterie artisanale La Queue de Cochon. On y trouve entre autres plusieurs variétés de terrines, du boudin blanc ou noir, une gamme de saucissons et saucisses, ainsi que quelques plats préparés.

› Chocolatiers

Les Chocolats de Chloé
546 av. Duluth E.
☎ 514-849-5550
www.leschocolatsdechloe.com
Chloé Germain-Fredette, artisane chocolatière et propriétaire de cette ravissante petite boutique du Plateau, ose des mariages originaux qui ravissent les papilles: fleur de sel, thé vert ou piment d'Espelette. Demandez un assortiment.

Chocolats Geneviève Grandbois
162 av. St-Viateur O.
☎ 514-394-1000
Marché Atwater
138 rue Atwater, 2e étage
☎ 514-933-1331
www.chocolatsgg.com
Succulents, voire divins, ces chocolats de Geneviève Grandbois! Chaque petit cube est une pure merveille et une expérience gustative affriolante. Les connaisseurs

remarqueront le choix raffiné des ingrédients et la qualité des meilleures fèves de cacao. Un plaisir à découvrir ou à redécouvrir car chaque nouvelle saison voit apparaître de nouvelles créations plus audacieuses et plus délicieuses.

Confiserie Louise Décarie
4424 rue St-Denis
☎ 514-499-3445
www.confiserielouisedecarie.com
Les enfants de tout âge ne pourront résister devant l'étalage de chocolats, de bonbons colorés, de caramels mous, de sucre d'orge et d'autres petits délices sucrés, à la boutique Confiserie Louise Décarie.

Neuhaus
1442 rue Sherbrooke O.
☎ 514-849-7609
585 rue Ste-Catherine O.
☎ 514-281-4860
www.neuhaus.be
Les inconditionnels de produits belges trouveront leur bonheur chez Neuhaus, dont les bouchées chocolatées sont joliment présentées.

Les amateurs de chocolats et pralines belges pourront également se lécher les babines après une visite chez **Daskalidès** *(5131 av. du Parc, ☎ 514-303-0464)* ou chez **Léonidas** *(605 boul. De Maisonneuve O., ☎ 514-849-2620)*.

› Épiceries fines

L'Aromate
1106 av. du Mont-Royal E.
☎ 514-521-6333
www.laromate.com
À L'Aromate, on trouve de tout pour assaisonner ses plats préférés. Des épices, des herbes, des confitures, des ketchups, en plus de quelques objets pour enjoliver sa cuisine.

Atlantic Meat & Delicatessen
5060 ch. de la Côte-des-Neiges
☎ 514-731-4764
Voici une belle épicerie allemande au cas où vous auriez une envie subite de choucroute et de saucisses...

Au Festin de Babette
4085 rue St-Denis
☎ 514-849-0214
En été, une sympathique terrasse où l'on peut siroter un espresso comme à Paris ou déguster à son aise l'un de leurs délicieux sorbets ou crèmes glacées; en hiver, une petite caverne d'Alibaba qui regorge de produits fins.

Gourmet Laurier
1042 av. Laurier O.
☎ 514-274-5601
www.gourmetlaurier.ca
Gourmet Laurier propose entre autres une sélection de fromages particulièrement intéressante.

Maison des Pâtes Fraîches
865 rue Rachel E.
☎ 514-527-5487
www.lamaisondespatesfraiches.com
La Maison des Pâtes Fraîches est une délicieuse épicerie fine aux odeurs d'Italie. Des fromages, des olives et des câpres, des viandes froides, des biscuits et des *gelati*, et bien sûr, de délicieuses pâtes et leurs sauces onctueuses: vous y trouverez de tout pour vous concocter un bon petit repas. De plus, on y prépare sur place des plats chauds, savoureux et abordables qui font le bonheur des gens du quartier!

Milano
6862 boul. St-Laurent
☎ 514-273-8558
Au cœur de la Petite Italie, Milano est une belle grande épicerie débordante de produits fins venus d'Europe: pâtes fraîches, chocolats, *prosciutto*, *provolone*, etc.

Sabor Latina
4387 boul. St-Laurent
☎ 514-848-1078
Sabor Latina propose des produits et des mets venus des quatre coins de l'Amérique.

La Vieille Europe
3855 boul. St-Laurent
☎ 514-842-5773
L'Europe vous manque? Rendez-vous à La Vieille Europe, où, en prime, vous attend une gigantesque sélection de fromages à des prix défiant toute concurrence. On y offre aussi un excellent choix de cafés.

› Fromageries

Fromagerie Hamel
Marché Jean-Talon
220 rue Jean-Talon E.
☎ 514-272-1161
2117 rue Mont-Royal E.
☎ 514-521-3333
Marché Atwater
138 av. Atwater
☎ 514-932-5532
9196 rue Sherbrooke O.
☎ 514-355-6657
www.fromageriehamel.com
On trouve une panoplie de petits commerces dignes de mention au marché Jean-Talon, mais la Fromagerie Hamel, un des plus grands spécialistes du fromage en ville, s'en démarque par la qualité et le vaste choix de ses produits fins ainsi que par l'excellence de son service. À la moindre hésitation, vous serez invité à goûter les produits. Bref, malgré le très grand achalandage, on s'y sent toujours traité aux petits oignons.

La Foumagerie
4906 rue Sherbrooke O.
☎ 514-482-4100
www.lafoumagerie.qc.ca
À La Foumagerie, ce sont des bries, des chèvres, des

bleus, des fromages au lait cru et bien d'autres encore que l'on retrouve avec gourmandise d'une visite à l'autre.

Maison du cheddar
1311 av. Van Horne
514-904-0011
www.maisonducheddar.com
À la fois fromagerie et petit café, la Maison du cheddar se spécialise dans le cheddar, évidemment, mais offre aussi une belle sélection de bons fromages québécois. Faites-y un saut le midi pour déguster un sandwich au fromage fondu, un vrai délice!

Maître affineur Maître corbeau
1375 av. Laurier E.
514-528-3293
Une excellente fromagerie de quartier qui porte un nom de circonstance: Maître affineur Maître corbeau.

Glaciers

Havre aux Glaces
Marché Jean-Talon
514-278-8696
Au marché Jean-Talon, le Havre aux Glaces propose de savoureux sorbets et glaces maison préparés avec des produits de qualité et des fruits en saison. En hiver, leur riche et onctueux chocolat chaud mérite le déplacement à lui seul!

Le péché glacé
2001 av. du Mont-Royal E.
514-525-5768
Pour une authentique glace à l'italienne, faites un arrêt dans ce sympathique glacier. Selon certains, on y concocte la meilleure glace aux pistaches en ville.

Marchés publics

On trouve à Montréal d'excellents marchés publics où les producteurs québécois viennent vendre les produits de leur récolte. Dans certains d'entre eux, on peut également se procurer des marchandises importées.

Les marchés publics de Montréal
www.marchespublics-mtl.com

Marché Atwater
138 av. Atwater
514-937-7754
Voir p. 172 pour connaître nos marchands préférés.

Marché Jean-Talon
7070 rue Henri-Julien
514-937-7754
Voir p. 154 pour connaître nos marchands préférés.

Marché de Lachine
1865 rue Notre-Dame, angle 18e Avenue
514-937-7754

Marché Maisonneuve
4445 rue Ontario E.
514-937-7754

Durant la belle saison, il y a aussi des petits marchés extérieurs comme celui qui se trouve à la sortie de la station de métro Mont-Royal, appelé le **Kiosque Mont-Royal** *(mai à fin oct)*, qui vend entre autres des fruits, des légumes, des sandwichs, des salades et des plantes.

Pâtisseries

La Brioche Lyonnaise
1593 rue St-Denis
514-842-7017
www.labriochelyonnaise.com
À La Brioche Lyonnaise, on peut déguster sur place de délicieuses pâtisseries accompagnées d'un café. On peut aussi faire ample provision de ces petits délices.

Cocoa Locale
4807 av. du Parc
514-271-7162
Après une balade sur le mont Royal, pourquoi ne pas faire un arrêt à la sympathique pâtisserie Cocoa Locale, une petite échoppe de gâteaux et de *cupcakes* (gâtelets) confectionnés dans la pure tradition? N'utilisant que des ingrédients de première qualité, Reema Singh y mitonne de délicieux biscuits, brownies et petits gâteaux.

Duc de Lorraine
5002 ch. de la Côte-des-Neiges
514-731-4128
www.ducdelorraine.com
Parmi les autres classiques montréalais en termes de pâtisserie, le Duc de Lorraine a conquis les papilles de plusieurs gourmands.

La Pâtisserie Belge
3485 av. du Parc
514-845-1245
1075 av. Laurier O.
514-279-5274
www.lapatisseriebelge.com
Bien qu'elle n'ait de belge que le nom, La Pâtisserie Belge offre une vaste sélection de petits chefs-d'œuvre à base de chocolat, de crème et de mousse, et bien d'autres péchés mignons encore. Idéal pour finir un repas entre amis en beauté, ou même seul!

Pâtisserie de Gascogne
1950 rue Marcel-Laurin
514-331-0550
4825 rue Sherbrooke O.
514-932-3511
237 av. Laurier O.
514-490-0235
www.degascogne.com
Depuis des années, la Pâtisserie de Gascogne fait l'unanimité des connaisseurs qui la placent au premier rang à Montréal. Dorénavant, elle est plus facilement accessible grâce à son superbe local de l'avenue Laurier, où il est aussi possible de s'attabler pour un café et une petite croûte.

Pâtisserie de Nancy
5655 av. de Monkland
☎ 514-482-3030
La Pâtisserie de Nancy est prisé des amateurs de bons croissants au beurre tout chauds les samedis et dimanches matins, et propose d'autres gâteries fines et sucrées.

Petits gâteaux
783 av. du Mont-Royal E.
☎ 514-510-5488
Une toute petite pâtisserie où les *cupcakes* sont à l'honneur. En fait, on n'y vend que ces gâtelets qui nous rappellent notre enfance et nos premières caries. Un concept très tendance qui arrive à Montréal après avoir connu un grand succès, de New York à Los Angeles.

Animaux

Si vous êtes de ceux qui aiment prendre soin de leur compagnon à quatre pattes en leur procurant de la nourriture en vrac, des manteaux et des bottes d'hiver ou des paniers douillets, voici quelques-unes des belles boutiques de Montréal:

Mondou
4310 rue De La Roche
☎ 514-521-9491
90 rue Jean-Talon O.
☎ 514-271-5503
6390 rue Sherbrooke E.
☎ 514-251-2646
www.mondou.com

Little Bear
4205 rue Ste-Catherine O.
☎ 514-935-3425
www.littlebear.ca

Pattes à Poil
4810 rue St-Denis
☎ 514-282-9886

Antiquités

À Montréal, des antiquaires et des brocanteurs proposent une foule de marchandises hétéroclites qui sauront plaire aux goûts de chacun. Les personnes désirant acheter de belles antiquités, sans se soucier du prix, pourront aller se balader dans la section de la rue Sherbrooke qui traverse Westmount où bon nombre d'antiquaires ont pignon sur rue. Si vous préférez chercher des trésors de toutes catégories de prix, allez plutôt chez les brocanteurs installés dans la rue Notre-Dame près de la rue Guy ou ceux de la rue Amherst entre le boulevard De Maisonneuve et la rue Sherbrooke. Voici quelques adresses où l'on peut acheter de beaux meubles:

Boutique Spoutnik
2120 rue Amherst
☎ 514-525-8478

Henrietta Anthony
4192 rue Ste-Catherine O.
☎ 514-935-9116
www.henrietta-antony.com

Le Petit Musée
1494 rue Sherbrooke O.
☎ 514-937-6161
www.petitmusee.com

Art

› Artisanat

Bonaldo
2 rue Le Royer
☎ 514-287-9222
www.bonaldo.ca
Que vous possédiez ou non un portefeuille bien garni, n'hésitez pas à entrer chez Bonaldo. Les passionnés de design rétro ou contemporain seront renversés par les œuvres d'art fantastiques qu'on y contemple. Il s'agit en fait de meubles et d'objets inusités d'un esthétisme des plus inspirants.

Le Chariot
446 place Jacques-Cartier
☎ 514-875-6134
www.galerielechariot.com
Le Chariot mérite bien une visite, ne serait-ce que pour contempler les belles pièces d'art amérindiennes et inuites qui y sont vendues.

Dix Mille Villages
4128 rue St-Denis
☎ 514-848-0538
5674 av. de Monkland
☎ 514-483-6569
www.tenthousandvillages.ca
Le commerce équitable est le fer de lance de cette petite boutique d'artisanat. On y présente des objets, décoratifs le plus souvent, d'Asie, d'Afrique et d'Amérique du Sud.

L'Empreinte coopérative
272 rue St-Paul E.
☎ 514-861-4427
www.lempreintecoop.com
Installée dans un bâtiment historique du Vieux-Montréal, L'Empreinte, une coopérative d'artisans québécois, propose accessoires, vêtements, objets d'art de décoration pour la maison. Une visite de cette galerie-boutique donne l'occasion de découvrir les dernières créations des artisans du Québec.

Galerie Ima
3839A rue St-Denis
☎ 514-499-2904
L'artisan iranien cisèle, décore ou tisse avec la plus grande minutie, créant de petits trésors géométriques de bronze ou de soie, de bois et de nacre. Quelques beaux objets réalisés par des artisans de cette lointaine contrée sont vendus à la Galerie Ima.

Galerie Zone Orange
410 rue St-Pierre
514-510-5809
www.galeriezoneorange.com
Cette galerie, qui fait aussi office de café, d'atelier et de boutique, offre une halte agréable dans le Vieux-Montréal. On peut y trouver des objets design, des vêtements et des bijoux faits par des artisans québécois émergents. Profitez de votre passage pour prendre un café au bar à espresso.

Giraffe
3997 rue St-Denis
514-499-8436
L'Afrique, berceau de l'humanité, avec ses masques inquiétants, ses tissus enivrants et son artisanat fascinant: venez la découvrir à la boutique Giraffe. Difficile d'y résister!

Guilde canadienne des métiers d'art
1460 rue Sherbrooke O., bureau B
514-849-6091
www.canadianguild.com
La Guilde canadienne des métiers d'art dispose d'une boutique où sont présentées des pièces d'artisanat québécois et canadien. En outre, deux petites galeries ont en montre des pièces d'art inuites et amérindiennes.

Marché Bonsecours
390 rue St-Paul E.
514-878-2787
www2.ville.montreal.qc.ca
Le Marché Bonsecours est l'endroit tout indiqué pour magasiner si vous êtes friand d'artisanat, si vous aimez les produits des métiers d'art ou si vous préférez les objets très design. Parmi les boutiques-galeries où l'on se doit de faire un saut figurent la **Boutique des métiers d'art du Québec** *(514-878-2787)* et la **Boutique Arts en mouvement** *(514-875-9717)*.

Tous les ans, quelques jours avant Noël, se tient, à la Place Bonaventure *(1 Place Bonaventure)*, le **Salon des métiers d'art du Québec**, une belle foire qui est l'occasion pour les artisans québécois d'exposer et de vendre les fruits de leur travail. Ou encore pour vous procurer des pièces d'artisanat québécois, allez fouiner au **Rouet** *(1500 av. McGill College, 514-843-5235)*. Plusieurs artisans (émailleurs, sculpteurs, potiers, etc.) y vendent leur production toute l'année.

Roland Dubuc
163 rue St-Paul O.
514-844-1221
www.rolanddubuc.com
L'atelier-boutique de ce joaillier innovateur mérite définitivement une visite. Ses créations uniques (ou à quelques exemplaires) de grande qualité, faites de pièces d'argent ou d'or minutieusement travaillées, pliées et texturées, rappellent les techniques liées à l'origami et à la sculpture. Les visiteurs auront la chance d'observer Roland Dubuc à l'œuvre dans son atelier et d'en apprendre davantage sur l'ensemble de son processus de création.

› Galeries

Les galeries d'art à Montréal sont légion. Elles se transforment au gré des expositions; il faut donc s'y rendre et se laisser inspirer...

Galeries traditionnelles

Galerie Clarence Gagnon
1108 av. Laurier O., Outremont
514-270-2962
301 rue St-Paul, Vieux-Montréal
514-875-2787
www.clarencegagnon.com

Galerie Claude Lafitte
2160 rue Crescent
514-842-1270
www.lafitte.com

Galerie Dominion
1438 rue Sherbrooke O.
514-845-7471
www.galeriedominion.ca

Galerie G2K / Galerie 2000
45 rue St-Paul O.
514-844-1812
1001 place Jean-Paul-Riopelle
514-868-6668,
www.gallery2000.ca

Galerie Jean-Pierre Valentin
1490 rue Sherbrooke O.
514-939-0500
www.galerievalentin.com

Galerie Lamoureux Ritzenhoff
68 rue St-Paul O.
514-840-9066,
www.galerielamoureuxritzenhoff.com

Galerie Pangée
40 rue St-Paul O.
514-845-3368
www.galeriepangee.com

Le Bourget
34 rue St-Paul O., bureau B
514-845-2525
www.galerielebourget.com

Le Luxart
66 rue St-Paul O.
514-848-8944

Œuvres contemporaines et avant-gardistes

Art Mûr
5826 rue St-Hubert
514-933-0711
www.artmur.com

Centre d'art et de diffusion Clark
The Fashion Plaza
5455 av. De Gaspé, local 114
514-288-4972
www.clarkplaza.org

Centre de diffusion d'art multidisciplinaire Dare-Dare
☎ 514-793-7002
www.dare-dare.org
Le centre de diffusion Dare-Dare a ceci de particulier qu'il ne présente pas ses œuvres dans des galeries, mais plutôt dans différents espaces publics qui varient selon la nature de chacun de ses projets. Consultez le site Internet pour en connaître la programmation.

Édifice Belgo
372 rue Ste-Catherine O.
Cet ancien édifice commercial abrite aujourd'hui un centre d'art dynamique qui rassemble plusieurs studios de théâtre et de danse mais également des galeries d'art, entre autres le **Centre des arts actuels Skol** *(espace 314, ☎ 514-398-9322)*.

Espace Pepin
350 rue St-Paul O.
☎ 514-844-0114
www.pepinart.com
Cette boutique-atelier innove par la façon dont sont mises en scène les œuvres qu'elle expose: le visiteur pénètre dans un véritable appartement, celui de l'artiste Lysanne Pepin, où se mêlent tableaux, meubles design, objets décoratifs, vêtements griffés, bijoux et accessoires.

Galerie Graff
963 rue Rachel E.
☎ 514-526-2616
www.graff.ca

Galerie Le Royer
60 rue St-Paul O.
☎ 514-287-1351
www.galerieleroyer.com

Galerie Michel-Ange
430 rue Bonsecours
☎ 514-875-8281
www.michel-ange.net

Galerie MX
333 av. Viger O.
☎ 514-890-8900
www.galeriemx.com

Galerie Oboro
4001 rue Berri
☎ 514-844-3250
www.oboro.net

Galerie Orange
81 rue St-Paul E
☎ 514-396-6670
www.galerieorange.com

Galerie Saint-Dizier
24 rue St-Paul O.
☎ 514-845-8411
www.saintdizier.com

Galerie Samuel Lallouz
1434 rue Sherbrooke O. bureau 200
☎ 514-849-5844
www.galeriesamuellallouz.com

Galerie Simon Blais
5420 boul. St-Laurent
☎ 514-849-1165
www.galeriesimonblais.com

Verre d'art

Galerie Elena Lee
1460 rue Sherbrooke O.
☎ 514-844-6009
www.galerieelenalee.com

› Matériel d'artiste

Pour des fusains, pastels, gouache, cahiers à dessin, encre de Chine, chevalets et autres produits nécessaires à la réalisation de tout chef-d'œuvre:

Omer DeSerres
334 rue Ste-Catherine E.
☎ 514-842-3021
Place Montréal Trust
1500 McGill College
☎ 514-938-4777
1515 rue Ste-Catherine O.
☎ 514-908-1876
www.deserres.ca

Cigares

Casa del Habano
1434 rue Sherbrooke O.
☎ 514-849-0037
Boutique de cigares et salon-fumoir.

Déco

12° en Cave
367 rue St-Paul E.
☎ 514-866-5722
Si l'envie vous prend d'aménager une petite cave à vin, faites un tour chez 12° en Cave: vous y trouverez toute la panoplie de l'expert en dégustation, de la verrerie aux cartes de vignobles, en passant par les hygromètres et les indispensables celliers.

Arthur Quentin
3960 rue St-Denis
☎ 514-843-7513
www.arthurquentin.com
Pour recevoir «comme du monde», Arthur Quentin vous offre un joli choix de vaisselles, de nappes et d'ustensiles, depuis le presse-ail jusqu'à la pince à sucre pour éviter de se coller les doigts!

Les Artisans du Meuble Québécois
88 rue St-Paul E.
☎ 514-866-1836
Aux Artisans du Meuble Québécois, on s'inspire des lignes des meubles québécois d'antan pour fabriquer des meubles neufs, de quoi donner une âme aux demeures modernes.

À table tout le monde
361 rue St-Paul O.
☎ 514-750-0311
www.atabletoutlemonde.com
En franchissant la porte de cette boutique de la rue Saint-Paul, on sent tout de suite qu'on entre dans un lieu unique. Dans un décor

épuré et une atmosphère feutrée, on y célèbre les arts de la table et du design à travers une collection singulière d'articles de cuisine faits de matières nobles et pour la plupart fabriqués à la main par des créateurs d'ici et d'ailleurs.

Atelier solderie
fermé mi-déc à mi-mars
4247 rue St-André
514-843-7513
Ouvert seulement du jeudi au samedi, le petit Atelier solderie de la rue Saint-André sert de magasin de liquidation pour les boutiques Arthur Quentin (voir ci-dessus) et Bleu Nuit (voir «Literie» plus loin) de la rue Saint-Denis. Allez y faire un tour afin de dénicher des petites choses pour rehausser votre décor à bas prix.

Interversion
4273 boul. St-Laurent
514-284-2103
www.interversion.com
Interversion vend des meubles et des objets de créateurs québécois. Ses trois étages recèlent de très belles choses offertes à prix abordables. La sélection proposée, bien que contemporaine, se veut en général sans âge et fait le plus souvent appel au bois comme matériau. Une façon de meubler son intérieur d'une manière originale et de s'entourer d'une bonne dose de créativité.

Maison d'Émilie
1073 av. Laurier O.
514-277-5151
www.lamaisondemilie.com
Difficile d'entrer dans la Maison d'Émilie et d'en ressortir les mains vides, tant les accessoires de cuisine, les nappes, les verres, la porcelaine et les mille autres choses pour décorer la table y sont beaux (mais parfois chers).

Option D
50 rue St-Paul O.
514-842-7117
www.optiond.ca
La boutique Option D recèle de magnifiques trouvailles et objets qui célèbrent les arts de la table. Les produits aux accents contemporains, signés par des créateurs québécois et européens, s'avèrent originaux et de grande qualité.

Quincaillerie Dante
6851 rue St-Dominique
514-271-2057
La Quincaillerie Dante, installée dans la Petite Italie depuis 1956 n'a plus besoin de présentation pour les Montréalais. Une quincaillerie? Mais pas seulement, car ce commerce importe également d'Europe quantité d'accessoires de maison et même des articles de chasse et de pêche de qualité. Si vous êtes à la recherche de matériel de pêche ou d'un ustensile de cuisine dernier cri, allez chez Dante, vous ne serez pas déçu.

Zone
4246 rue St-Denis
514-845-3530
5014 rue Sherbrooke O.
514-489-8901
5555 ch. de la Côte-des-Neiges
514-343-5455
Vous avez un cadeau à offrir mais vous manquez d'idées? Courez vite chez Zone, où, avec leurs porte-clés style kitsch, leurs bougeoirs stylisés, leurs porte-savons déco ou leurs luminaires d'ambiance, vous ferez sûrement des heureux!

› Affiches

À L'Affiche
4415 rue St-Denis
514-845-5723
www.alaffiche.ca
Pour orner vos murs avec les affiches des films qui vous ont fait vibrer, choisissez-en parmi celles de la boutique À L'Affiche.

Pour s'offrir les reproductions de Renoir, Van Gogh, Fortin ou Borduas, il faut plutôt aller à la **Galerie Montréal Images** *(5170 boul. St-Laurent, 514-276-2872; 3854 rue St-Denis, 514-284-0192; 3620 boul. St-Laurent, 514-842-0160)*.

› Fleurs

La Boutique du Fleuriste
1011 av. Bernard O.
514-276-3058
www.laboutiquedufleuriste.com

Fauchois Fleurs
3933A rue St-Denis
514-844-4417www.fauchoisfleurs.com

Fleuriste Pourquoi pas
3629 boul. St-Laurent
514-844-3233
www.pourquoipasfleurs.com

Marie Vermette
801 av. Laurier E.
514-272-2225
www.marievermette.com

Westmount Florist
360 av. Victoria
514-488-9121
www.westmountflorist.com

Zen
1039 av. du Mont-Royal E.
514-529-5365

On trouve de fort beaux vases en terre cuite importés du Mexique, de la Thaïlande ou de l'Indonésie dans les boutiques suivantes:

Alpha
230 rue Peel
✆ 514-935-1812

Caméléon Vert
1300 rue St-Antoine O.
✆ 514-937-2481
www.cameleonvert.com

› Literie

Bleu Nuit
3913 rue St-Denis
✆ 514-843-5702
www.bleunuit.ca
Que la nuit est douce quand on est enveloppé dans de beaux draps de coton! Chez Bleu Nuit, on conseille tous ceux qui ont les «bleus» la nuit, à condition d'y mettre un certain prix!

Carré Blanc
3999 rue St-Denis
✆ 514-847-0729
www.carreblanc.com
Parce que le blanc reflète la totalité des couleurs, Carré Blanc offre un grand choix de draps et de taies de toutes couleurs à des prix abordables, pour une nuit «sans moutons».

Décor Marie Paule
1090 av. Laurier O.
✆ 514-273-8889
4918 rue Sherbrooke O.
✆ 514-486-7305
www.decormariepaule.com
Pour des housses de douillettes et des draps aux coloris chauds et raffinés.

Linen Chest
Promenades Cathédrale
625 rue Ste-Catherine O.
✆ 514-282-9525
2305 boul. Rockland
✆ 514-341-7810
www.linenchest.com
Le «supermarché» de la literie, pour ceux qui aiment avant tout avoir le choix.

Électronique

La **rue Sainte-Catherine** au centre-ville regorge de magasins de produits électroniques en tous genres. C'est l'endroit idéal pour comparer les prix avant d'acheter.

Espace Bell
892 rue Ste-Catherine O.
✆ 514-866-6686
4399 rue St-Denis
✆ 514-842-4772
Pour tout ce qui concerne le téléphone, il vaut toujours mieux préférer les spécialistes.

Dumoulin
368 rue Ste-Catherine O.
✆ 514-861-5451
1500 rue McGill College
✆ 514-906-6880
8990 boul. de l'Acadie
✆ 514-384-1022
5485 rue des Jockeys
✆ 514-731-7779
www.dumoulin.com

Future Shop
460 rue Ste-Catherine O.
✆ 514-393-2600
1001 rue du Marché-Central
✆ 514-387-3188
108-2313 rue Ste-Catherine O.
✆ 514-228-0135
www.futureshop.ca
En ce qui a trait aux téléviseurs, ordinateurs et autres produits électroniques, ces magasins sont particulièrement bien fournis.

La Place 220 Volt
1412 boul. St-Laurent
✆ 514-849-4441
Un des meilleurs endroits au Canada pour acheter de l'équipement électronique (téléviseurs, appareils photo, ordinateurs, etc.). On ne vend pas tout ce qui est sur le marché, seulement ce que les sympathiques proprios originaires de France considèrent comme valable. Donc, de l'équipement trié sur le volet, acheté en grande quantité, et vendu au plus bas prix possible, pour de l'argent sonnant de préférence.

Enfants

› Jeux

Au Diabolo
1390 av. du Mont-Royal E.
✆ 514-528-8889
Un véritable paradis des jeux et des jouets, pour les tout-petits, les moins petits... et les grands enfants de tout âge!

Valet d'cœur
4408 rue St-Denis
✆ 514-499-9970
www.levalet.com
Jouer n'est plus le monopole des tout-petits grâce au Valet d'cœur, qui recèle mille et un jeux pour les enfants de tout âge. Vaste choix de casse-têtes en trois dimensions, jeux de dames ou d'échecs, jeux de société, etc.

Univers Toutou
503 place d'Armes
✆ 514-288-2599
www.universtoutou.com
Dans cette boutique interactive, on propose aux enfants de créer leur propre peluche. À l'aide du personnel, l'enfant choisit d'abord une peluche, en effectue le rembourrage (avec test de câlins), lui attribue une âme en faisant un vœu, l'habille et lui fabrique un passeport avant de lui faire un serment d'amour inconditionnel.

› Mode

Boutique La Petite Ferme du Mouton Noir
2160 rue Beaubien E.
✆ 514-271-9760
www.creationsmoutonnoir.qc.ca
Basée sur son expérience de mère, la jeune créatrice

de la ligne de vêtements Le Mouton Noir a su développer une collection qui marie parfaitement esthétique, confort et fonctionnalité. Son secret: des coupes qui favorisent le mouvement et des tissus faciles d'entretien que les enfants aiment porter, mais, surtout, la conception (on essaie de penser autant à la mère active qu'à l'enfant).

Enfants Deslongchamps
1007 av. Laurier O.
514-274-2442
Les parents qui sont prêts à mettre le prix pour que leurs enfants soient habillés comme des princes et princesses seront séduits par la boutique Enfants Deslongchamps.

Peek a Boo
807 rue Rachel E.
514-890-1222
1736 rue Fleury E.
514-270-4309
www.friperiepeekaboo.ca
Peek a Boo est une sympathique boutique de vêtements et accessoires d'occasion. Du pyjama au porte-bébé, vous y trouverez toutes sortes d'articles propres et abordables pour chouchouter bébé.

Pom'Canelle
4860 rue Sherbrooke O.
514-483-1787
Pom'Canelle est une autre adresse à connaître pour habiller les tout-petits de plus de quatre ans.

Informatique

Pour des logiciels dernier cri et leurs manuels, ordinateurs, imprimantes et autres produits informatiques:

Apple Store
1321 rue Ste-Catherine O.
514-906-8400

Micro Boutique
Centre Eaton
705 rue Ste-Catherine O.
514-270-4477
6615 av. du Parc
514-270-4477
www.microboutique.ca

Lecture

Il existe à Montréal des librairies aussi bien francophones qu'anglophones. Les livres québécois, canadiens et américains s'y vendent à bon prix. Pour ceux qui s'intéressent à la littérature québécoise, les librairies disposent d'une large sélection. En raison du transport, les livres importés d'Europe se vendent plus cher.

› Bandes dessinées

Fichtre
436 rue De Bienville
514-844-9550
www.fichtre.qc.ca
Bandes dessinées en français, neuves et d'occasion.

Librairie Millénium
451 rue Marie-Anne E.
514-284-0358
Bandes dessinées en français et en anglais, neuves et d'occasion.

Librairie Drawn & Quarterly
211 rue Bernard O.
514-279-2224
www.drawnandquarterly.com/211bernard/
Bandes dessinées neuves, principalement en anglais. Très belle boutique.

› Journaux

La Maison de la Presse internationale
550 rue Ste-Catherine E.
514-842-3857
5149 ch. de la Côte-des-Neiges
514-735-2086
1371 av. Van Horne
514-278-1590

Multimags
825 av. du Mont-Royal E.
514-523-3158
370 av. Laurier O.
514-272-9954
3552 boul. St-Laurent
514-287-7355
1682 av. du Mont-Royal E.
514-525-8976

› Librairies

Généralistes

Archambault
500 rue Ste-Catherine E.
514-849-6201
Place des Arts
175 rue Ste-Catherine O.
514-281-0367
www.archambault.ca

Chapter's
(francophone et anglophone)
1171 rue Ste-Catherine O.
514-849-8825
www.chapters.indigo.ca

Indigo
(francophone et anglophone)
1500 av. McGill
514-281-5549
www.chapters.indigo.ca

Librairie-bistro Olivieri
5219 ch. de la Côte-des-Neiges
514-739-3639
www.librairieolivieri.com

Librairie Gallimard
3700 boul. St-Laurent
514-499-2012
www.gallimardmontreal.com

Librissime
62 rue St-Paul O.
514-841-0123
www.librissime.com
Cette magnifique librairie au cachet européen demeure le rendez-vous des amateurs de beaux livres. On y découvre des livres de collection, des éditions inédites ou limitées, ainsi que des objets et accessoires liés au thème de la littérature.

Paragraphe
(anglophone)
2220 McGill College
514-845-5811
www.paragraphbooks.com

Le Parchemin
505 rue Ste-Catherine E.
514-845-5243
www.parchemin.ca

Renaud-Bray
5252 ch. de la Côte-des-Neiges
514-342-1515
4380 rue St-Denis
514-844-2587
Complexe Desjardins
514-288-4844
5117 av. du Parc
514-276-7651
1691 rue Fleury E.
514-384-9920
www.renaud-bray.com

Spécialisées

Éditions Paulines
(religion)
2653 rue Masson
514-849-3585
www.paulines.qc.ca
Belle sélection de titres sur les religions et leur histoire, mais aussi sur la philosophie et la pensée spirituelle.

Librairie C.E.C. Michel Fortin
(éducation, langues)
3714 rue St-Denis
514-849-5719
Librairie spécialisée en éducation et dans les méthodes d'apprentissage des langues, notamment avec support audio.

Librairie du Centre Canadien d'Architecture
(architecture)
1920 rue Baile
514-939-7028
www.cca.qc.ca/fr/librairie
Lumineuse librairie spécialisée en architecture, contemporaine en particulier, qui propose aussi des ouvrages sur l'urbanisme et le design.

Librairie Italiana
(livres en italien)
6792 boul. St-Laurent
514-277-2955
Pour découvrir la Petite Italie en version originale!

Librairie Las Américas
(livres en espagnol, principalement d'auteurs latino-américains)
10 rue St-Norbert
514-844-5994
www.lasamericas.ca

Librairie Nouvel Âge
(ésotérisme et nouvel âge)
1707 rue St-Denis
514-844-1719
www.nouvelage.ca

Librairie-café Olivieri
(arts)
Musée d'art contemporain de Montréal
185 rue Ste-Catherine O.
514-847-6903
Aux mêmes heures d'ouverture que le musée, Olivieri propose une librairie d'art contemporain bien documentée dans le domaine canadien et québécois de l'après-guerre.

Librairie Ulysse
(voyage)
4176 rue St-Denis
514-843-9447
560 av. du Président-Kennedy
514-843-7222
www.guidesulysse.com
En plus d'une grande variété de guides de voyage, la Librairie Ulysse dispose d'une belle sélection de cartes routières et de plans de ville.

Aux Quatre Points Cardinaux
551 rue Ontario E.
514-843-8116
www.aqpc.com
Pour des cartes topographiques du Québec et d'ailleurs au Canada, il faut faire un saut à la boutique Aux Quatre Points Cardinaux.

D'occasion

L'Échange
(francophone)
713 av. du Mont-Royal E.
514-523-6389

Le Port de tête
(francophone)
262 av. du Mont-Royal E.
514-678-9566
http://leportdetete.blogspot.com

Odyssey Books
(anglophone)
1439 rue Stanley
514-844-4843
www.odysseybooks.qc.ca

S.W. Welch
(anglophone)
225 av. St-Viateur O.
514-848-9358

The Word
(anglophone)
469 rue Milton
514-845-5640

Mode

L'industrie de la mode est florissante à Montréal. La ville est un carrefour multiculturel où quantité de couturiers québécois, canadiens, américains, italiens, français et autres présentent leurs dernières créations. Certaines artères, comme la rue Saint-Denis, l'avenue Laurier, le boulevard Saint-Laurent et la rue Sherbrooke, se distinguent par le nombre de boutiques de mode qui les bordent. Un petit tour dans ces boutiques vous permettra sans doute de découvrir quelques trésors à votre taille.

› Centres commerciaux

Au centre-ville, plusieurs centres commerciaux offrent une bonne sélection de créations de couturiers d'ici et d'ailleurs. Certains disposent de comptoirs de restauration rapide. La plupart sont reliées au réseau de galeries intérieures (voir p 89) ainsi qu'au métro.

Complexe Les Ailes
677 rue Ste-Catherine O.
514-288-3759
www.complexelesailes.com

Centre Eaton
705 rue Ste-Catherine O.
514-288-3710
www.centreeaton.com

Cours Mont-Royal
1455 rue Peel
514-842-7777
www.lcmr.ca

Promenades Cathédrale
625 rue Ste-Catherine O.
514-845-8230
www.promenadescathedrale.com

Place Montréal Trust
1500 av. McGill College
514-843-8000
http://placemontrealtrust.shopping.ca

Place Ville Marie
1 Place Ville Marie
514-866-6666
www.placevillemarie.com

› Grands magasins

La Baie
585 rue Ste-Catherine O.
514-281-4422
www.thebay.com
Anciennement le grand magasin Morgans avant son acquisition par l'historique Compagnie de la Baie d'Hudson en 1972, La Baie offre une importante variété de marchandises: vêtements pour toute la famille, produits de beauté, articles de décoration, jouets, bijoux, meubles et appareils électroménagers. On y trouve aussi une lunetterie, une billetterie et une agence de voyages.

Holt Renfrew
1300 rue Sherbrooke O.
514-842-5111
www.holtrenfrew.com
Holt Renfrew demeure l'une des adresses prestigieuses de Montréal. Ce grand magasin propose des grandes marques de qualité et le prêt-à-porter des couturiers les plus reconnus internationalement. Vous y trouverez aussi des produits de beauté et des parfums en provenance de Londres, New York, Paris et Milan.

Ogilvy
1307 rue Ste-Catherine O.
514-842-7711
www.ogilvycanada.com
Une institution du bon goût à Montréal depuis 1866, Ogilvy, un grand magasin spécialisé, ne cesse aujourd'hui de présenter à sa clientèle des produits haut de gamme: décoration intérieure, alimentation, bijoux, produits de beauté et prêt-à-porter pour tous les membres de la famille.

Simons
977 rue Ste-Catherine O.
514-282-1840
www.simons.ca
Vous trouverez dans ce grand magasin originaire de Québec de quoi habiller hommes, femmes et enfants des pieds à la tête, dans plusieurs styles différents, et ce, à très bon prix. On y vend aussi des accessoires de mode et de la literie.

› Cuir

M0851
3526 boul. St-Laurent
514-849-9759
677 rue Ste-catherine O.
514-842-2563
www.m0851.com
Vêtements et accessoires de cuir. Du cuir très souple pour un ajustement près du corps et des couleurs osées. À découvrir!

Rudsak
1400 rue Ste-Catherine O.
514-399-9925
705 rue Ste-Catherine O.
514-844-1014
2305 ch. Rockland
514-731-2694
www.rudsak.com
Prêt-à-porter pour hommes et femmes. Accessoires, vêtements de cuir et autres tissus.

› Fourrure

Montréal est réputée comme centre de la fourrure depuis nombre d'années (en fait, depuis l'époque de la Nouvelle-France!). Des designers y créent toujours des vêtements de style à partir des plus belles peaux.

Desjardins Fourrure
325 boul. René-Lévesque E.
514-288-4151

Harricana Atelier-Boutique
3000 rue St-Antoine O.
514-287-6517
www.harricana.qc.ca
Fourrures recyclées: vêtements et accessoires.

McComber
9250 av. du Parc, local 200
514-845-1167

› Jeans

Levi's
Centre Eaton
705 rue Ste-Catherine O.
514-286-1318
www.levi.ca
Les inconditionnels de la marque de jeans Levi's seront comblés par cette boutique où l'on ne vend que des vêtements portant cette signature.

Jeans, Jeans, Jeans
5525 rue De Gaspé
514-279-3303
Toutes les marques, toutes les tailles, pour toutes les bourses. L'entrepôt est peut-être à l'écart des grandes artères, mais la variété de choix vaut le détour.

Miss Sixty
1440 rue Peel
514-849-8282
www.misssixty.com
Voici une boutique qui satisfera les amateurs de denim branché. Energie et Sixty pour lui, Killah et Miss Sixty pour elle.

Parasuco Jeans
1414 rue Crescent
514-284-2288
www.parasuco.com
La boutique du designer montréalais Salvatore Parasuco propose des jeans aux jeunes Montréalais urbains branchés.

› Lingerie

Envie d'une folie en dentelle? Les boutiques **Deuxième Peau** *(4457 rue St-Denis, 514-842-0811)*, **Lyla Collection** *(400 av. Laurier O., 514-271-0763)* et **Madame Courval** *(4861 rue Sherbrooke O., 514-484-5656)* offrent une très belle sélection de dessous féminins. Outre ces vêtements de première nécessité, des maillots de bain y sont vendus.

› Prêt-à-porter

American Apparel
3523 boul. St-Laurent
514-286-0091
4001 rue St-Denis
514-843-8887
967 av. du Mont-Royal E.
514-524-3998
Cours Mont-Royal
1455 rue Peel
514-843-4020
1651 rue Ste-Catherine O.
514-932-9922
4945 rue Sherbrooke O.
514-369-2295
www.americanapparel.ca
Pour la griffe de Dov Charney, originaire de Montréal, avec ses t-shirts branchés en coton *Made in L.A.*

Billie
141 av. Laurier O.
514-270-5415
Les mots d'ordre dans cette boutique de mode pour femmes de la chic avenue Laurier sont intemporalité et convivialité. Les vêtements et accessoires y sont tous exclusifs et proviennent de designers locaux et d'importations de tous les coins de la planète.

Boutique Les Mains folles
4427 rue St-Denis
514-284-6854
www.ajnacreations.com
La boutique Les Mains folles affiche, rue Saint-Denis, sa belle façade ornée de bas-reliefs accrocheurs. On y trouve des robes, des jupes et des chemises fabriquées avec de beaux tissus colorés imaginées par les créateurs Anja et Jeremie Bakandika. Quelques beaux bijoux se marient bien à ces vêtements.

Boutique Reborn
231 rue St-Paul O.
514-499-8549
Du style, de la qualité et une bonne dose de choses formidables dans cette boutique qui ressemble davantage à un corridor. On y tient des collections de Stockholm, Paris, São Paulo, mais surtout de Montréal.

Clusier Habilleur
43222 rue McGill
514-842-1717
www.clusier.com
Envie de faire de votre séance de magasinage une expérience enrichissante, voire éducative? Lors d'un entretien sans prétention avec un styliste de chez Clusier Habilleur, vous en apprendrez davantage sur le protocole du prêt-à-porter urbain et profiterez d'un service personnalisé inégalé. En plus des collections haut de gamme contemporaines aux coupes et aux tissus impeccables, on y propose un service de conception sur mesure. *Lounge* espresso sur place.

Delano Design
70 rue St-Paul O.
514-286-5005
www.delanodesign.com
Cette galerie-boutique reflète l'essence de la créativité montréalaise en design de mode féminine, de meubles et en arts visuels. On y trouve des collections de vêtements, d'accessoires (sacs à main, ceintures et bijoux), de meubles et d'objets décoratifs, la plupart conçus par des créateurs montréalais, émergents ou renommés.

DG3
Marché Bonsecours
350 rue St-Paul E.
514-866-2006
www.diffusiongriff3000.com
Célébrant la créativité des designers québécois, la boutique DG3 présente une trentaine de griffes incluant des collections pour hommes et femmes, ainsi que des accessoires.

Dubuc Mode de Vie
4451 rue St-Denis
514-282-1424
www.dubucstyle.com
Prêt-à-porter pour hommes et femmes créé par Philippe Dubuc.

EXTC
19 rue Prince-Arthur O.
514-282-1083
La boutique EXTC renferme de beaux vêtements pour lui… et elle aussi.

Henriette L.
1031 av. Laurier O.
514-277-3426
www.henriettel.com
Une adresse à connaître à Outremont, pour les femmes qui sont prêtes à toutes les

folies pour être habillées comme personne.

Lola & Emily
3475 boul. St-Laurent
☎ 514-288-7598
www.lolaandemily.com
On a un faible pour cet appartement-boutique qui renouvelle la façon de magasiner. Classique pour Emily, rock pour Lola, les vêtements des designers choisis par les deux propriétaires côtoient accessoires, meubles et produits de beauté.

Lyla Collection
400 av. Laurier O.
☎ 514-271-0763
www.lyla.ca
Pour femmes: lingerie, maillots et autres vêtements d'appoint. Expositions d'œuvres d'artistes.

Michel Brisson
384 rue St-Paul O.
☎ 514-285-1012
www.michelbrisson.com
La boutique de vêtements pour hommes Michel Brisson occupe un local au design contemporain et recherché. Des collections haut de gamme aux lignes épurées et recherchées ainsi qu'une ravissante sélection de chaussures sont élégamment présentées.

Mimi & Coco
4927 rue Sherbrooke O.
☎ 514-482-6362
www.mimicoco.com
Mimi & Coco est la boutique indiquée pour les fanas de haute couture à prix moins déraisonnable. Si vous cherchez le t-shirt qui ne passe pas inaperçu, votre quête s'arrête ici.

Moly Kulte
943 av. du Mont-Royal E.
☎ 514-750-0377
www.molykulte.com
Conçus à partir de matières recyclées, les vêtements et bijoux vendus chez Moly Kulte rivalisent d'originalité. Vous pouvez même apporter ici l'un de vos vieux chandails qui, en quelques coups de ciseaux et d'aiguille, obtiendra une seconde vie. Pour une pièce unique, voilà l'endroit où aller.

Muse
4467 rue St-Denis
☎ 514-848-9493
www.muse-cchenail.com
Une boutique de prêt-à-porter pour femmes libres et romantiques, qui appartient au créateur de la griffe, Christian Chenail.

Pierre, Jean, Jacques
158 av. Laurier O.
☎ 514-270-8392
À la boutique de vêtements masculins Pierre, Jean, Jacques, la propriétaire conseille, avec professionnalisme, les hommes de tout âge.

U & I
3650 boul. St-Laurent
☎ 514-844-8788
www.boutiqueuandi.com
Parmi les endroits les plus tendance à Montréal, cette boutique de mode au décor dépouillé réunit les designers en vogue du moment. Pour hommes et femmes.

Musique

› CD

Certains magasins se font un point d'honneur de proposer la plus grande sélection de disques compacts parmi une grande sélection de style musicaux et au meilleur prix. Parmi ceux-ci, figurent:

Archambault
500 rue Ste-Catherine E.
☎ 514-849-6201
Place des Arts
175 rue Ste-Catherine O.
☎ 514-281-0367
www.archambault.ca

HMV
1020 rue Ste-Catherine O.
☎ 514-875-0765
www.hmv.ca/

D'autres magasins se spécialisent plutôt dans les disques d'occasion et dans certains styles musicaux plus éclectiques. Leur personnel bien renseigné se fait un plaisir de faire découvrir les dernières parutions aux mélomanes avertis ou aux curieux, notamment en ce qui a trait à l'effervescente scène musicale montréalaise. Les disquaires suivants sauront faire le bonheur de ceux qui ne recherchent pas nécessairement le dernier tube en vogue.

Atom Heart Records
364B rue Sherbrooke E.
☎ 514-843-8484
www.atomheart.ca
Bonne sélection de disques de musique électronique et alternative.

Cheap Thrills
2044 rue Metcalfe
☎ 514-844-8988
Cheap Thrills présente une grande sélection de disques de blues, de jazz, de hip-hop et de musique actuelle et alternative, neufs ou de seconde main. On y retrouve aussi des livres d'occasion en anglais.

L'Oblique
4333 rue Rivard
☎ 514-499-1323
Installé sur le Plateau Mont-Royal depuis longtemps, L'Oblique offre une belle gamme de disques

de musique alternative et actuelle.

Pop Shop
4081 boul. St-Laurent
514-848-6300
Pop Shop se distingue, quant à lui, par ses disques neufs et d'occasion de musique alternative.

› Instruments de musique

Steve's Music Store
51 rue St-Antoine O.
514-878-2216
www.stevesmusic.com
Un incontournable à Montréal en matière d'instruments de musique et d'accessoires: Steve's Music Store, qui a pignon sur rue depuis de nombreuses années.

Offrir

Boutique du Musée d'art contemporain
185 rue Ste-Catherine O.
514-847-6904
www.macm.org
Boutique-librairie du Musée des beaux-arts
1380 rue Sherbrooke O.
514-285-1600
www.mbam.qc.ca
Les boutiques des musées montréalais sont véritablement une continuité des institutions qu'elles côtoient. Les objets d'art, reproduits en série, sont dignes des plus beaux salons.

Céramic Café-Studio
4338 rue St-Denis
514-848-1119
www.leccs.com
Si vous cherchez une idée originale de cadeau, Céramic vous offre la possibilité de peindre vous-même une pièce de céramique ou de verre tout en étant confortablement installé devant un léger repas ou une boisson. Le personnel expérimenté est là pour vous conseiller.

L'Essence du papier
4160 rue St-Denis
514-288-9691
Ogilvy
1307 rue Ste-Catherine O.
514-842-7711
Place Ville-Marie
Lobby – 1
514-874-9915
www.pierrebelvedere.com
Papier pelure, papier chiffon, papier cristal, papier à lettres ou tout simplement papier d'emballage, vous en trouverez ici pour tous les goûts à L'Essence du papier. Cartes postales, rubans, stylos de grandes marques et même encriers et plumes vous y sont également proposés.

Farfelu
843 av. du Mont-Royal E.
514-528-6251
Si vous n'avez pas trouvé ce qu'il vous faut, rendez-vous chez Farfelu, qui regorge de rubans colorés et de papiers d'emballage, de quoi faire les plus beaux paquets-cadeaux.

Hectarus
4800 rue St-Ambroise, local 102
514-937-0020
www.hectarus.com
Hectarus vous transporte au cœur de l'art verrier en vous rappelant l'origine du verre et en vous montrant les différentes étapes et techniques de production du verre vitrifié. Vous y verrez les produits fabriqués par Hectarus, entre autres les populaires lavabos. Les articles de la salle de montre vous séduiront du premier coup d'œil.

Kamikaze Curiosités
4116 rue St-Denis
514-848-0728
Kamikaze Curiosités propose de chouettes objets (boucles d'oreilles, colliers et autres bijoux de fantaisie) et des vêtements sympas (foulards, chaussettes et chapeaux).

Mortimer Snodgrass
209 rue St-Paul O.
514-499-2851
www.mortimersnodgrass.com
On trouve de tout dans cette boutique, le plus souvent des objets beaux et inusités. Pour donner une touche d'humour funky ou rétro à ses idées cadeaux!

Au Papier Japonais
24 av. Fairmount O.
514-276-6863
www.aupapierjaponais.com
L'art de la fabrication du papier existe. Si vous en doutez, rendez-vous à la boutique Au Papier Japonais, où l'on vend des papiers d'une texture à nulle autre pareille, parfaits pour l'origami ou les occasions spéciales.

Aux Plaisirs de Bacchus
1225 av. Bernard O.
514-273-3104
www.auxplaisirsdebacchus.com
Les amateurs de bons vins se doivent d'aller faire un tour à la boutique Aux Plaisirs de Bacchus, qui propose un bel éventail d'accessoires pour garnir leur cave à vins. Verres pour les dégustations également en vente.

Westmount et Outremont comptent également deux fort belles papeteries fines, soit respectivement **Origami Plus** *(1369 av. Greene, 514-938-4688)* et **Papillote** *(1126 av. Bernard O., 514-271-6356)*.

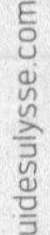

Plein air

Altitude
4140 rue St-Denis
514-847-1515
www.altitude-sports.com
Altitude est une petite boutique de plein air du Plateau Mont-Royal. Petite mais bien remplie de tentes, sacs à dos, bottes de marche, vêtements, etc. L'accueil est amical et les conseils judicieux.

Atmosphere
1610 rue St-Denis
514-844-2228
www.atmospherepleinair.ca
Intégrée dans la rutilante bâtisse du cinéma Quartier Latin, la boutique Atmosphere propose, sur une grande surface aérée, tous les types d'articles de plein air. Atmosphere se spécialise dans les sports nautiques et vend canots et kayaks.

Azimut
1781 rue St-Denis
514-844-1717
La boutique Azimut vend, entre autres, les articles et vêtements de plein air Kanuk, fabriqués au Québec. On y trouve aussi plusieurs autres vêtements de qualité et toutes sortes d'équipement: tentes, sacs de couchage, imperméables, etc.

Boutique Courir
4452 rue St-Denis
514-499-9600
www.boutiquecourir.com
Course à pied, ski de fond, triathlon, cyclisme, marche et randonnée sont les spécialités de la Boutique Courir.

La Cordée
2159 rue Ste-Catherine E.
514-524-1106
www.lacordee.com
La Cordée a ouvert ses portes en 1953 pour fournir de l'équipement aux scouts et guides de la région. Depuis, elle sert une vaste clientèle d'amateurs et de professionnels qui recherchent de l'équipement de plein air de qualité. La Cordée présente sans doute la plus grande surface de plein air à Montréal, et ses locaux, au design attrayant, permettent de magasiner dans un environnement agréable.

Kanuk
485 rue Rachel E.
514-527-4494
www.kanuk.com
L'entreprise Kanuk fabrique des sacs à dos, des sacs de couchage et des vêtements de plein air, notamment des manteaux d'hiver de qualité. Aménagé près d'une de leurs manufactures, le vaste entrepôt de la rue Rachel permet d'acheter leurs produits.

La Maison des cyclistes
1251 rue Rachel E.
514-521-8356
www.velo.qc.ca
La Maison des cyclistes, comme son nom l'indique, propose différents services aux amateurs de vélo. On y trouve entre autres un café et une boutique qui vend des guides, des cartes et de petits accessoires qui peuvent être utiles à ceux qui désirent explorer Montréal et même le Québec à vélo.

Mountain Equipment Co-op
Marché Central
8989 boul. de l'Acadie, angle rue Legendre
514-788-5878
www.mec.ca
Chaîne canadienne spécialisée dans l'équipement de plein air, Mountain Equipment Co-op est notamment réputée pour ses vêtements de grande qualité.

Le Yéti
5190 boul. St-Laurent
514-271-0773
www.leyeti.ca
Le Yéti est une belle grande boutique où l'on vend des vélos ainsi que des articles et vêtements de plein air.

Vie intime

Joy Toyz
4200 boul. St-Laurent, local 415
514-845-8697
www.joytoyz.com
Dans ce local du boulevard Saint-Laurent, vous trouverez une foule d'articles qui sauront mettre un peu de piquant dans votre vie sexuelle. L'entreprise montréalaise anime également des soirées à domicile pour les adultes qui désirent en apprendre un peu plus sur ses produits.

La Capoterie
2061 rue St-Denis
514-845-0027
www.lacapoterie.net
Condoms bleus, verts, jaunes, fluo, à la saveur de fraise ou en forme d'arbouse: toutes les fantaisies sont permises à La Capoterie, la seule boutique spécialisée en préservatifs à Montréal. Si vous êtes du genre «créatif», ne manquez

pas de visiter cet établissement.

Priape
1311 rue Ste-Catherine E.
514-521-8451
www.priape.com
Quand l'amour est gay et que l'on aime l'amour gai, on se rend chez Priape afin d'y trouver articles et littératures érotiques. Bonne sélection de vêtements aguichants pour une soirée de drague réussie.

Voyage

› Équipement

Jet-Setter
66 av. Laurier O.
514-271-5058
www.jet-setter.ca
Pour une fin de semaine à Québec, 15 jours en République dominicaine ou un congé sabbatique dans de lointains paradis, n'oubliez pas de passer chez Jet-Setter, où vous trouverez valises, mallettes et sacs à dos.

› Guides

Librairie Ulysse
Voir p. 309.

Références

Index 318

Carte de repérage : la numérotation civique à Montréal 334

Tableau des distances 335

Légende des cartes 336

Symboles utilisés dans ce guide 336

Index

Les numéros de page en **gras** renvoient aux cartes.

1000 De La Gauchetière (centre-ville) 93
1250 Boulevard René-Lévesque (centre-ville) 92

A

Académie Querbes (Outremont et le Mile-End) 146
Accès 60
Accidents 63
Activités de plein air 193
baignade 193
descente de rivière 194
escalade 194
glissade 194
golf 194
navigation de plaisance 194
observation des oiseaux 195
patin à glace 195
patin à roues alignées 195
planche à roulettes 195
randonnée pédestre 196
ski de fond 197
spéléologie 197
tennis 197
trapèze volant 197
vélo 198
Aéroports
Pierre-Elliott-Trudeau 60
Affiches 306
Agora de la danse (Plateau Mont-Royal) 132
Aînés 65
Alcool 71
Alimentation 299
Alouettes de Montréal 290
Ambassades du Canada 66
Animaux 66, 303
Antiquités 303
Arboretum Morgan 192
Architecture 53
Aréna Maurice-Richard (Maisonneuve) 166
Argent 66
Art 303
Artères commerciales 298
Artisanat 303
Arts du cirque 52
Arts visuels 51
Assurances 67
Ateliers du Canadien National (Pointe-Saint-Charles) 175
Atrium (centre-ville) 93
Attraits touristiques 75
Auberge Saint-Gabriel (Vieux-Montréal) 84
Auberges de jeunesse 203
Autobus 64
Autocar 63
Avenue Bernard (Outremont et le Mile-End) 148
Avenue du Mont-Royal (Plateau Mont-Royal) 131
Avenue Greene (Westmount) 140
Avenue Laurier (Outremont et le Mile-End) 145
Avenue Laval (Quartier latin) 122
Avenue Maplewood (Outremont et le Mile-End) 149
Avenue McDougall (Outremont et le Mile-End) 146
Avenue McGill College (centre-ville) 94
Avenue Seymour (Village Shaughnessy) 114
Avion 60

B

Baignade 193
Bain Morgan (Maisonneuve) 166
Banque de Montréal (Vieux-Montréal) 78
Banque Laurentienne (Petite-Bourgogne et Saint-Henri) 170
Banque Molson (Vieux-Montréal) 77
Banque Royale (Vieux-Montréal) 77
Banques 66
Bars et boîtes de nuit 278
Altitude 737 279
Au Diable Vert 284
Balattou 281
Baldwin Barmacie 285
Bar Chez Roger 286
Barfly 281
Belmont sur le Boulevard 281
Bily Kun 283
Blizzarts 281
Brutopia 279
BU 286
Café Chaos 282
Café Sarajevo 286
Carlos & Pepes 280
Casa del Popolo 281
Cavo Nightclub 278
Chez Baptiste 284
Dieu du Ciel 281
Else's 281
El Zaz Bar 284
Funkytown 280
Gotha Lounge 286
Grange vin + bouffe 278
Hurley's Irish Pub 280
Jello Bar 282
L'amère à boire 282
L'Assommoir 278, 285
L'Esco 284
L'Île Noire Pub 283
La Grande Gueule 285
Laïka 282
La Maisonnée 285
La Quincallerie 285
La Rockette 284
Le Balcon café-théâtre 278
Le Boudoir 284
Le Cabaret Mado 286
Le Café Campus 284
Le Cheval Blanc 282
Le Confessionnal 278
Le Divan Orange 281
Le Gogo Lounge 282
Le Gymnase 284
Le Hall 282
Le P'tit bar 283

Bars et boîtes de nuit *(suite)*
Le Parking 286
Le Pèlerin-Magellan 283
Le Pharaon Lounge 278
Le Plan B 285
Le Réservoir 282
Le Rouge Bar 282
Les 3 Brasseurs 283
Le Saint-Sulpice 283
Le Sainte-Élisabeth 283
Le Salon Daomé 285
Le Salon Miss Villeray 286
Les Bobards 281
Les Deux Pierrots 278
Les Foufounes Électriques 280
Les Pas Sages 284
Le Verre Bouteille 285
Loft 280
McKibbin's Irish Pub 280
Narcisse Bistro + Bar à vin 279
Peel Pub 280
Pub Le Vieux-Dublin 280
Pub Quartier Latin 283
Pub Sir Winston Churchill 280
Pub St-Paul 279
Quai des Brumes 284
Rouge Bar 281
Santos 279
Saphir 282
Sky Pub/Sky Club 286
Suite 701 – Lounge 279
Taverne Inspecteur Épingle 285
Thursday's 280
Tokyo Bar 282
Tribe Hyperclub 279
Typhoon Lounge 285
Unity 287
Upstairs Jazz Club 281
Verses Sky 279
Vices & Versa 286
Whisky Café 286
Yer' Mad! 283
Bars et boîtes de nuit gays 286
Basilique Notre-Dame (Vieux-Montréal) 80
Basilique St. Patrick (centre-ville) 96
Bassin olympique (îles Sainte-Hélène et Notre-Dame) 162
Bateau 63
Bateau-Mouche (Vieux-Montréal) 83
Beaconsfield 181
Belvédère Camillien-Houde (mont Royal) 136
Belvédère Kondiaronk (parc du Mont-Royal) 136
Bibliothèque centrale de Montréal, ancienne (Plateau Mont-Royal) 132
Bibliothèque de Westmount (Westmount) 142
Bibliothèque Maisonneuve (Maisonneuve) 166
Bibliothèque Saint-Sulpice (Quartier latin) 122
Bien-être 287
Biennale de Montréal 292
Bières 71
Bijoux 299
Billetteries 288
Bio 299
Biodôme de Montréal (Maisonneuve) 166
Biosphère (îles Sainte-Hélène et Notre-Dame) 161
Bixi 65, 199
Bocage (Beaconsfield) 181
Borne (Westmount) 142
Boulangeries 300
Boulevard du Mont-Royal (Outremont et le Mile-End) 149
Boulevard Saint-Laurent (Petite Italie) 152
Boulevard Saint-Laurent (quartier Milton-Parc et la « Main ») 119
Brasserie Molson (Le Village) 129
Bureaux de poste 68

C

Caisse populaire (Petite-Bourgogne et Saint-Henri) 170
Camping 203
Canadien de Montréal 290
Canal-de-Lachine, Lieu historique national du (Pointe-Saint-Charles) 174
Canal de Lachine (Vieux-Montréal) 83
Canal de Lachine, embouchure du (Lachine) 178
Canaux et jardins (îles Sainte-Hélène et Notre-Dame) 161
Cartes de crédit 66
Casa d'Italia (Petite Italie) 152
Caserne de pompiers no 1 (Maisonneuve) 167
Caserne de pompiers no 15 (Pointe-Saint-Charles) 175
Caserne de pompiers no 23 (Petite-Bourgogne et Saint-Henri) 170
Caserne de pompiers no 30 (Outremont et le Mile-End) 145
Caserne de pompiers no 31 (Petite Italie) 154
Caserne Letourneux (Maisonneuve) 167
Casino de Montréal 288
Casino de Montréal (îles Sainte-Hélène et Notre-Dame) 161
Cathédrale Christ Church (centre-ville) 95
Cathédrale Marie-Reine-du-Monde (centre-ville) 90
Cathédrale schismatique grecque Saint-Nicolas, ancienne (Vieux-Montréal) 87
Cathédrale St. Peter and St. Paul (Le Village) 129
Centre-ville **91**
bars et boîtes de nuit 279
hébergement 208, **209**
restaurants 231, **233**
Centre Bell (centre-ville) 92
Centre Canadien d'Architecture (Village Shaughnessy) 115
Centre CDP Capital (centre-ville) 100
Centre commémoratif de l'Holocauste à Montréal (mont Royal) 140
Centre culturel de Pointe-Claire (Pointe-Claire) 181
Centre d'exposition de la Prison-des-Patriotes (Le Village) 130
Centre d'histoire de Montréal (Vieux-Montréal) 82
Centre de céramique Bonsecours (Vieux-Montréal) 84
Centre de commerce mondial de Montréal (Vieux-Montréal) 101
Centre de services aux visiteurs de Lachine (Lachine) 178

Centre des sciences de Montréal (Vieux-Montréal) 83
Centre Eaton (centre-ville) 95
Centre historique des Sœurs de Sainte-Anne (Lachine) 178
Centre Infotouriste (centre-ville) 89
Centres commerciaux 309
Chalet du Mont-Royal (parc du Mont-Royal) 136
Champ-de-Mars (Vieux-Montréal) 86
Change 66
Chanson 50
Chapeaux 299
Chapelle mariale Notre-Dame-de-l'Assomption (Saint-Laurent) 185
Chapelle Notre-Dame-de-Bon-Secours (Vieux-Montréal) 87
Chapelle Notre-Dame-de-Lourdes (Quartier latin) 125
Chapiteau des arts (Sault-au-Récollet) 158
Charcuterie 300
Château (centre-ville) 111
Château Champlain (centre-ville) 93
Château Dufresne (Maisonneuve) 164
Chaussures 299
Chelsea Place (Golden Square Mile) 110
Chemin de la Côte-Sainte-Catherine (Outremont et le Mile-End) 143
Chemin Senneville (ouest de l'île) 184
Chèques de voyage 66
Chocolateries 300
Cigares 305
Cimetière militaire, ancien (îles Sainte-Hélène et Notre-Dame) 161
Cimetière Mont-Royal (mont Royal) 136
Cimetière Notre-Dame-des-Neiges (mont Royal) 138
Cinéma 49
Cinéma Château, ancien (Petite Italie) 152
Cinéma ONF Montréal (Quartier latin) 124
Cinéma Rivoli, ancien (Petite Italie) 152
Cinémas 288
Cinémathèque québécoise (Quartier latin) 124
CinéRobothèque (ONF Montréal) 124
Circuit Gilles-Villeneuve (îles Sainte-Hélène et Notre-Dame) 162
Cité des arts du cirque (Sault-au-Récollet) 158
Cité du commerce électronique (centre-ville) 92
Cité historia – Musée d'histoire du Sault-au-Récollet (Sault-au-Récollet) 156
Cité Multimédia de Montréal (Vieux-Montréal) 83
Citoyenneté 58
Climat 67
Clos Saint-Bernard (Outremont et le Mile-End) 148
Club Mont-Royal (centre-ville) 111
Collège Dawson (Village Shaughnessy) 114
Collège de Saint-Laurent (Saint-Laurent) 185
Collège du Mont-Saint-Louis (Sault-au-Récollet) 156
Collège Macdonald (Sainte-Anne-de-Bellevue) 182
Collège Rachel (Plateau Mont-Royal) 135
Collège Royal Victoria (quartier Milton-Parc et la «Main») 116
Collège Sophie-Barat (Sault-au-Récollet) 155
Colonne Nelson (Vieux-Montréal) 85
Commerce-de-la-Fourrure-à-Lachine, Lieu historique national du (Lachine) 178
Communautés montréalaises 45
Complexe culturel Guy-Descary (Lachine) 180
Complexe Desjardins (centre-ville) 98
Complexe des sciences Pierre-Dansereau (centre-ville) 97
Complexe environnemental Saint-Michel (Sault-au-Récollet) 158
Complexe immobilier des sœurs des Saints-Noms-de-Jésus-et-de-Marie (Outremont et le Mile-End) 148
Complexe La Cité (quartier Milton-Parc et la «Main») 118
Complexe Les Ailes (centre-ville) 95
Consulats étrangers 67
Côte-des-Neiges
bars et boîtes de nuit 285
hébergement 219
restaurants 253, **254**
Côte Saint-Antoine (Westmount) 142
Coup de cœur francophone 295
Coupe Rogers 291
Cours Le Royer (Vieux-Montréal) 81
Cours Mont-Royal (centre-ville) 89
Couvent des sœurs de la Congrégation de Notre-Dame (Pointe-Claire) 181
Couvent des sœurs de Marie-Réparatrice (Outremont et le Mile-End) 149
Couvent des Sœurs Grises (Village Shaughnessy) 115
Couvent Sainte-Anne (Lachine) 178
Croix du Mont-Royal (mont Royal) 136
Cuir 310
Cyclisme 290

D

Danse 49
Décalage horaire 67
Déco 305
Dépendance, la (Lachine) 177
Déplacements 60
Descente en rivière 194
Divers/Cité 294
Divertissements
Casino de Montréal 288
Forum Pepsi 288
Labyrinthe du Hangar 16 287
La Ronde 288
Laser Quest 287
Dollard-des-Ormeaux (ouest de l'île)
restaurants 271
Dorval (ouest de l'île) 180
hébergement 221
Douane 58
Drogues 67

E

Écluse de Sainte-Anne-de-Bellevue (Sainte-Anne-de-Bellevue) 184
École de gestion John-Molson (quartier Milton-Parc et la «Main») 116

École de musique Schulich (Golden Square Mile) 106
École des beaux-arts de Montréal, ancienne (quartier Milton-Parc et la « Main ») 120
École des hautes études commerciales, ancienne (Quartier latin) 125
École Le Plateau (Plateau Mont-Royal) 132
École Madonna della Difesa (Petite Italie) 154
École nationale de cirque (TOHU) 158
École Sainte-Brigide, ancienne (Le Village) 129
École Sainte-Julienne-Falconieri (Petite Italie) 152
Écomusée du fier monde (Le Village) 126
Écomuseum (Sainte-Anne-de-Bellevue) 182
Économie 43
Économusée de la lutherie (quartier Milton-Parc et la « Main ») 120
Édifice Aldred (Vieux-Montréal) 80
Édifice Ernest-Cormier (Vieux-Montréal) 84
Édifice Gaston-Miron (Plateau Mont-Royal) 132
Édifice Godin (quartier Milton-Parc et la « Main ») 120
Édifice Grothé (quartier Milton-Parc et la « Main ») 120
Édifice New York Life (Vieux-Montréal) 78
Édifice Sun Life (centre-ville) 90
Église anglicane St. George (centre-ville) 92
Église anglicane St. Stephen's (Lachine) 179
Église du Gesù (centre-ville) 96
Église Erskine and American (centre-ville) 110
Église La Visitation de la Bienheureuse-Vierge-Marie (Sault-au-Récollet) 155
Église Madonna della Difesa (Petite Italie) 152
Église Notre-Dame-des-Sept-Douleurs (Verdun) 176
Église presbytérienne St. Andrews and St. Paul (centre-ville) 110
Église Saint-Charles (Pointe-Saint-Charles) 174
Église Saint-Enfant-Jésus du Mile-End (Outremont et le Mile-End) 145
église Saint-Esprit-de-Rosemont (Rosemont) 150
Église Saint-Gabriel (Pointe-Saint-Charles) 172
Église Saint-Irénée (Petite-Bourgogne et Saint-Henri) 168
Église Saint-Jean-Baptiste (Plateau Mont-Royal) 135
Église Saint-Jean-Baptiste-de-LaSalle (Maisonneuve) 166
Église Saint-Joachim (Pointe-Claire) 181
Église Saint-Laurent (Saint-Laurent) 185
Église Saint-Léon (Westmount) 142
Église Saint-Louis-de-France (Plateau Mont-Royal) 132
Église Saint-Michel-Archange (Mile-End) 145
Église Saint-Pierre-Apôtre (Le Village) 129
Église Saint-Viateur (Outremont et le Mile-End) 143
Église Saint-Zotique (Petite-Bourgogne et Saint-Henri) 170
Église Sainte-Brigide (Le Village) 129
Église Sainte-Cunégonde (Petite-Bourgogne et Saint-Henri) 168
Église Sainte-Geneviève (Sainte-Geneviève) 184
Église Saints-Anges-Gardiens (Lachine) 180
Église St. Andrew's United (Lachine) 180
Église St. James The Apostle (Golden Square Mile) 112
Église St. James United (centre-ville) 96
Église St. Jude, ancienne (Petite-Bourgogne et Saint-Henri) 168
Église The Ascension of Our Lord (Westmount) 142
Église Très-Saint-Nom-de-Jésus (Maisonneuve) 167
Électricité 67
Électronique 307
Enfants 68, 307
Épiceries fines 301
Équipement 315
Escalade 194
Événements culturels 291
Événements sportifs 290
Ex-Centris (quartier Milton-Parc et la « Main ») 120

F

Fairmont Le Reine Elizabeth (centre-ville) 94
Faubourg Sainte-Catherine (Village Shaughnessy) 116
Féria du vélo de Montréal 290
Ferme Angrignon (parc Angrignon) 190
Ferme écologique du Cap-Saint-Jacques (parc-nature du Cap-Saint-Jacques) 193
Ferme OutreMont (Outremont et le Mile-End) 146
Festival des films du monde de Montréal 294
Festival du nouveau cinéma 295
Festival international de jazz de Montréal 294
Festival international du film sur l'art 292
Festival international Nuits d'Afrique 294
Festival Juste pour rire 294
Festival littéraire international de Montréal Metropolis bleu 292
Festival Montréal en lumière 291
Festivals 291
- *Biennale de Montréal* 292
- *Coup de cœur francophone* 295
- *Divers/Cité* 294
- *Festival des films du monde de Montréal* 294
- *Festival du nouveau cinéma* 295
- *Festival international de jazz de Montréal* 294
- *Festival international du film sur lart* 292
- *Festival international Nuits d'Afrique* 294
- *Festival Juste pour rire* 294
- *Festival littéraire international de Montréal Metropolis bleu* 292
- *Festival Montréal en lumière* 291
- *Festival St-Ambroise Fringe de Montréal* 293
- *Festival TransAmériques* 292
- *Festival Voix d'Amériques* 291
- *Fête des Neiges* 291
- *FrancoFolies de Montréal* 293
- *Igloofest sur les Quais* 291
- *L'International des Feux Loto-Québec* 294
- *Les Rendez-vous du cinéma québécois* 291
- *Mondial de la bière* 292
- *Mutek* 292
- *Noël dans le parc* 295
- *Nuit blanche sur tableau noir* 293
- *Piknic Électronik* 293
- *Pop Montréal* 294
- *Présence Autochtone* 293
- *Salon des métiers d'art du Québec* 295
- *Souk @ sat* 295
- *Suoni Per Il Popolo* 293
- *Vues d'Afrique* 292

Festival St-Ambroise Fringe de Montréal 293
Festival TransAmériques 292

Festival Voix d'Amériques 291
Fête des Neiges 291
Filature Belding Corticelli, ancienne (Pointe-Saint-Charles) 174
First Presbyterian Church, ancienne (quartier Milton-Parc et la «Main») 118
Fleurs 306
Fonderie Darling (Vieux-Montréal) 82
Football 290
Formalités d'entrée 58
Fort Angrignon (parc Angrignon) 190
Fort de l'île Sainte-Hélène (îles Sainte-Hélène et Notre-Dame) 160
Fort Rolland (Lachine) 180
Fourrure 310
FrancoFolies de Montréal 293
Fromageries 301
Fumeurs 68

G

Galeries 304
Galeries intérieures (centre-ville) 89
Garden Court (Outremont et le Mile-End) 148
Gare centrale (centre-ville) 94
Gare Dalhousie (Vieux-Montréal) 87
Gare maritime Iberville du Port de Montréal (Vieux-Port) 83
Gare Viger (Vieux-Montréal) 87
Gare Windsor (centre-ville) 92
Gays et lesbiennes 68
Géographie 30
Gîtes touristiques 203
Glaciers 302
Glissade 194
Golden Square Mile 105, **107**
bars et boîtes de nuit 279
hébergement 208, **209**
restaurants 231, **233**
Golf 194
Grande Bibliothèque (Quartier latin) 124
Grand Séminaire (Village Shaughnessy) 114
Grands magasins 310
Guides 315

H

Habitat 67 (îles Sainte-Hélène et Notre-Dame) 160
Hangar à grain, ancien (Saint-Laurent) 185
Hébergement 201
À la Carte Bed and Breakfast 221
Anne ma sœur Anne 219
Armor Manoir Sherbrooke 216
Auberge Alternative 204
Auberge Bonaparte 205
Auberge de jeunesse de l'Hôtel de Paris 214
Auberge de jeunesse de Montréal 208
Auberge du Vieux-Port 205
Auberge Le Pomerol 216
Au Gîte Olympique 221
Aux portes de la nuit 216
Best Western Ville-Marie Hôtel & Suites 210
Bienvenue Bed & Breakfast 214
Bonaparte 204
Château Versailles 210
Clarion Hôtel & Suites Montréal Centre-Ville 213
Courtyard Marriott Montréal 210
Delta Centre-Ville 206
Delta Montréal 210
Doubletree Plaza Hotel Centre-Ville 216
Douillette et Chocolat 217
Fairmont Le Reine Elizabeth 211
Gîte Angelica Blue 216
Gîte Couette et Chocolat 208
Hilton Montréal Aéroport 221
Hilton Montréal Bonaventure 212
Holiday Inn Select Montréal Centre-Ville 210
Hostellerie Pierre du Calvet 205
Hôtel Best Western Montréal Aéroport 221
Hôtel Casa Bella 208
Hôtel de l'Institut 216
Hôtel de la Montagne 211
Hôtel de Paris 216
Hôtel du Fort 212
Hôtel du Nouveau Forum 208
Hôtel Gault 205
Hôtel Gouverneur Place Dupuis 217
Hôtel Le Dauphin Montréal Centre-Ville 208
Hôtel Le Germain 211
Hôtel Le Saint André 216
Hôtel Le St-James 206
Hôtel Lord Berri 216
Hôtel Maritime Plaza Montréal 213
Hôtel Marriott Courtyard Aéroport de Montréal 221
Hôtel Nelligan 206
Hôtel Omni Mont-Royal 211
Hôtel Opus Montréal 211
Hôtel W 211
Hôtel XIXe Siècle 206
Hyatt Regency Montréal 211
InterContinental Montréal 205
L'Abri du voyageur 208
L'Auberge de la Fontaine 219
Le Centre Sheraton 212
Le Chasseur 216
Le Gîte du parc Lafontaine 217
Le Gîte du Plateau Mont-Royal 217
Le Jardin d'Antoine 216
Le Méridien Versailles Montréal 212
Le Petit Hôtel 204
Le Place dArmes Hôtel & Suites 206
Le Saint-Sulpice 205
Les Passants du Sans Soucy 204
Loews Hôtel Vogue 212
Manoir Ambrose 208
Marriott Residence Inn Montréal centre-ville 211
Marriott SpringHill Suites Vieux-Montréal 205
Montréal Marriott Château Champlain 212
Novotel Montréal Centre 210
Pensione Popolo 213
Quality Inn Centre-ville 210
Residence Inn by Marriott Montreal Westmount 212
Résidences de l'Ouest de l'UQAM 208
Résidences René-Lévesque de l'UQAM 214
Ritz-Carlton Montréal 212
Sofitel Montréal Golden Mile 212
Square Phillips Hôtel & Suites 210
St Paul Hotel 206
Travelodge Montréal Centre 210
Turquoise B&B 217
Université Concordia 219

Hébergement *(suite)*
Université de Montréal 219
Université McGill 208
Histoire 31
Hockey 290
Holt-Renfrew (centre-ville) 111
Hôpital Général des Sœurs Grises (Vieux-Montréal) 82
Hôpital Notre-Dame (Plateau Mont-Royal) 132
Horaires 68
Hospice Auclair, ancien (Plateau Mont-Royal) 135
Hôtel-Dieu (quartier Milton-Parc et la «Main») 118
Hôtel de ville (Vieux-Montréal) 85
Hôtel de ville, ancien (Maisonneuve) 166
Hôtel de ville, ancien (Outremont et le Mile-End) 146
Hôtel de ville de Sainte-Cunégonde, ancien (Petite-Bourgogne et Saint-Henri) 168
Hôtel de ville de Westmount (Westmount) 142
Hôtel Ritz-Carlton (centre-ville) 111

I

Igloofest sur les Quais 291
Île-de-la-Visitation, parc-nature de l' (Sault-au-Récollet) 156
Île de Montréal et ses environs **59**
Île des Sœurs (Verdun) 176
Île Dorval (Dorval) 180
Île Notre-Dame **159**, 161
restaurants 264, **266**
Île Sainte-Hélène 158, **159**
restaurants 264, **266**
Il Motore (Quartier Milton-Parc et la Main) 281
Immigration Canada 58
Impact de Montréal 290
Incinérateur des Carrières (Rosemont) 150
Informatique 308
Insectarium de Montréal (Maisonneuve) 162, 164
Institut des sourdes-muettes, ancien (Plateau Mont-Royal) 132
Institut de tourisme et d'hôtellerie du Québec (Quartier latin) 121
Internet 70
ITHQ (Quartier latin) 121

J

Jardin botanique (Maisonneuve) 162
Jardin de sculptures du CCA (Village Shaughnessy) 115
Jeans 310
Journaux 308
Jours fériés 68
Jules Saint-Michel, Luthier (quartier Milton-Parc et la «Main») 120

L

L'International des Feux Loto-Québec 294
La Baie (centre-ville) 95
Lac aux Castors (mont Royal) 138
Lachine (ouest de l'île) 177, **179**
restaurants 270
Lambert, Phyllis 54
Langue 43
La Ronde (îles Sainte-Hélène et Notre-Dame) 161
Laveries 69
Lecture 308
Lesbiennes 68
Les Rendez-vous du cinéma québécois 291
Librairies 308
Lieu historique national du Canal-de-Lachine (Pointe-Saint-Charles) 174
Lieu historique national du Commerce-de-la-Fourrure-à-Lachine (Lachine) 178
Lieu historique national Sir-George-Étienne-Cartier (Vieux-Montréal) 87
Lingerie 311
Linton, Le (Golden Square Mile) 110
Literie 307
Littérature 48
Location de vélos 198
Location de voitures 63

M

Magasin de mode Pilon, ancien (Le Village) 126
Magasin général D'Aoust (Sainte-Anne-de-Bellevue) 182
Magasin Ogilvy (Golden Square Mile) 111
Magasins 68
Main (quartier Milton-Parc et la «Main») **117**, 119
hébergement 213, **214**
restaurants 238, **239**
Maison Alcan (centre-ville) 111
Maison André Legault dit Deslauriers (Dorval) 180
Maison Antoine-Pilon (Pointe-Claire) 181
Maison Atholstan (centre-ville) 111
Maison Baumgarten (Golden Square Mile) 108
Maison Baxter (centre-ville) 111
Maison Brown (Dorval) 181
Maison Clarence de Sola (Golden Square Mile) 109
Maison Cormier (Golden Square Mile) 110
Maison d'Ailleboust-de Manthet (Sainte-Geneviève) 184
Maison de l'OACI (Vieux-Montréal) 101
Maison de la culture Maisonneuve (Maisonneuve) 166
Maison de la Douane (Vieux-Montréal) 81
Maison de mère d'Youville (Vieux-Montréal) 82
Maison de Radio-Canada (Le Village) 128
Maison du Meunier (Sault-au-Récollet) 156
Maison Dumouchel (Sault-au-Récollet) 155
Maison du Pressoir (Sault-au-Récollet) 156
Maison du Ruisseau (parc-nature du Bois-de-Liesse) 193
Maison Fréchette (Quartier latin) 122
Maison Frederick Barlow (Dorval) 180
Maison George Stephen (Golden Square Mile) 111
Maison Hamilton (Golden Square Mile) 109
Maison Hans Selye (quartier Milton-Parc et la «Main») 118
Maison Hosmer (Golden Square Mile) 109
Maison J.B. Aimbault (Outremont et le Mile-End) 148
Maison James Ross (Golden Square Mile) 108
Maison James Thomas Davis (Golden Square Mile) 109
Maison John Kenneth L. Ross (Golden Square Mile) 108
Maison Lady Meredith (Golden Square Mile) 108
Maison Le Ber-Le Moyne (Lachine) 177

Maison Linton (Golden Square Mile) 110
Maison Minnie Louise Davis (Dorval) 181
Maison Mortimer B. Davis (Golden Square Mile) 108
Maisonneuve 162, **165**
hébergement **220**, *221*
restaurants *266*, **267**
Maisonneuve, Paul de Chomedey, sieur de 32
Maison Notman (quartier Milton-Parc et la «Main») 120
Maison Papineau (Vieux-Montréal) 88
Maison Peter Lyall (Golden Square Mile) 112
Maison Pierre du Calvet (Vieux-Montréal) 88
Maison Raymond (Golden Square Mile) 110
Maison Rodolphe-Forget (Golden Square Mile) 109
Maison Saint-Gabriel (Pointe-Saint-Charles) 175
Maisons de la culture 289
Maisons du Grand Tronc (Pointe-Saint-Charles) 175
Maison Shaughnessy (Village Shaughnessy) 115
Maison Simon Fraser (Sainte-Anne-de-Bellevue) 182
Maison Smith (mont Royal) 138
Maison William Alexander Molson (Golden Square Mile) 106
Marché Atwater (Petite-Bourgogne et Saint-Henri) 171
Marché Bonsecours (Vieux-Montréal) 88
Marché des Saveurs (marché Jean-Talon) 154
Marché Jean-Talon (Petite Italie) 154
Marché Maisonneuve (Maisonneuve) 166
Marchés publics 302
Matériel d'artiste 305
Merchants Manufacturing Company, usine de la (Petite-Bourgogne et Saint-Henri) 171
Météo 67
Métro 64
Mile-End 145, **147**
bars et boîtes de nuit *285*
restaurants *255*
Milton-Parc (Quartier Milton-Parc et la «Main») **117**
hébergement *213*, **214**
restaurants *238*, **239**
Mode 309
Monastère Sainte-Croix, ancien (Sainte-Geneviève) 184
Mondial de la bière 292
Monnaie 66
Mont-Saint-Louis (Quartier latin) 122
Montcalm (Outremont et le Mile-End) 148
Mont Royal 135, **137**
restaurants *253*
Monument-National (centre-ville) 98
Monument à Maisonneuve (Vieux-Montréal) 78
Monument à Sir George-Étienne Cartier (mont Royal) 136
Monument aux Patriotes (Le Village) 130
Morrice Hall (Golden Square Mile) 108
Moulin (Pointe-Claire) 181
Moulin Fleming (Lachine) 177
Musée d'art contemporain de Montréal (centre-ville) 97
Musée de Lachine (Lachine) 177
Musée de numismatique (Vieux-Montréal) 78
Musée des beaux-arts de Montréal 102
Musée des Hospitalières (quartier Milton-Parc et la «Main») 118
Musée des maîtres et artisans du Québec (Saint-Laurent) 186
Musée des ondes Émile Berliner (Petite Bourgogne et Saint-Henri) 170
Musée du Château Ramezay (Vieux-Montréal) 86
Musée Marguerite-Bourgeoys (Vieux-Montréal) 88
Musée McCord d'histoire canadienne (Golden Square Mile) 106
Musée plein air de Lachine (Lachine) 178
Musée Redpath (Golden Square Mile) 106
Musées 69
Musée Stewart (îles Sainte-Hélène et Notre-Dame) 161
Musique 50, 312
Mutek 292

N

Navettes fluviales (Vieux-Montréal) 83
Navigation de plaisance 194
Noël dans le parc 295
Northern Electric, ancienne usine (Pointe-Saint-Charles) 174
Notre-Dame-de-Grâce
bars et boîtes de nuit *285*
hébergement *219*
restaurants *253*, **254**
Nuit blanche sur tableau noir 293

O

Obélisque de la place Charles-de-Gaulle (Plateau Mont-Royal) 132
Observation des oiseaux 195
Office national du film du Canada (Quartier latin) 124
Ogilvy, magasin (Golden Square Mile) 111
Oratoire Saint-Joseph (mont Royal) 139
Ouest de l'île 177, **183**
hébergement *221*
restaurants *270*, **271**
Ouimetoscope (Le Village) 128
Outremont 143, **147**
bars et boîtes de nuit *285*
restaurants *255*, **257**

P

Palais de justice (Vieux-Montréal) 84
Palais de justice, ancien (Vieux-Montréal) 84
Palais des congrès de Montréal (centre-ville) 99
Pannes 63
Parc-nature de l'Île-de-la-Visitation (Sault-au-Récollet) 156
Parc Beaubien (Outremont et le Mile-End) 146
Parc de la Cité-du-Havre (îles Sainte-Hélène et Notre-Dame) 160
Parc du Mont-Royal (mont Royal) 136
Parc Émilie-Gamelin (Quartier latin) 125
Parc Jean-Drapeau (îles Sainte-Hélène et Notre-Dame) 160
Parc Joyce (Outremont et le Mile-End) 148
Parc King George (Westmount) 142
Parc La Fontaine (Plateau Mont-Royal) 131
Parc Monk (Lachine) 178
Parc Morgan (Maisonneuve) 167

Parc olympique (Maisonneuve) 164
Parc Outremont (Outremont et le Mile-End) 146
Parc René-Lévesque (Lachine) 178
Parcs 190
Angrignon 190
Anse-à-l'Orme 193
Arboretum Morgan 192
Beaubien (Outremont et le Mile-End) 146
Bois-de-l'Île-Bizard 193
Bois-de-Liesse 193
Cap-Saint-Jacques 192
Cité-du-Havre (îles Sainte-Hélène et Notre-Dame) 160
Complexe environnemental Saint-Michel 192
Émilie-Gamelin (Quartier latin) 125
Île-de-la-Visitation (Sault-au-Récollet) 156, 193
Jarry 191
Jean-Drapeau (îles Sainte-Hélène et Notre-Dame) 160, 190
Jeanne-Mance 190
Joyce (Outremont et le Mile-End) 148
King George (Westmount) 142
La Fontaine (Plateau Mont-Royal) 131, 190
Maisonneuve 191
Molson 191
Monk (Lachine) 178
Mont-Royal (mont Royal) 136, 191
Morgan (Maisonneuve) 167
Olympique (Maisonneuve) 164
Outremont (Outremont et le Mile-End) 146
Pointe-aux-Prairies 193
Promenade Bellerive 192
Rapides 192
René-Lévesque (Lachine) 178, 190
Saint-Viateur (Outremont et le Mile-End) 148
Sir-Wilfrid-Laurier 190
Summit (mont Royal) 139
Westmount (Westmount) 142
Parcs-nature 192
Parc Saint-Viateur (Outremont et le Mile-End) 148
Parc Summit (mont Royal) 139
Parc Westmount (Westmount) 142
Parisian Laundry (Petite-Bourgogne et Saint-Henri) 170
Parklane (Outremont et le Mile-End) 148
Passeport 58
Patin à glace 195
Patin à roues alignées 195
Pâtisseries 302
Pavillon Benoît-Verdickt (Lachine) 178
Pavillon de la Faculté de musique (Outremont et le Mile-End) 149
Pavillon de la France (îles Sainte-Hélène et Notre-Dame) 161
Pavillon du Québec (îles Sainte-Hélène et Notre-Dame) 161
Pavillon intégré Génie, informatique et arts visuels de l'Université Concordia (Village Shaughnessy) 116
Pavillon Jacques-Cartier (Vieux-Montréal) 88
Pavillon Marie-Victorin (Outremont et le Mile-End) 149
Pensionnat du Saint-Nom-de-Marie (Outremont et le Mile-End) 149
Pensionnat Notre-Dame-des-Anges (Saint-Laurent) 185
Personnes à mobilité réduite 69
Petite-Bourgogne (autour du canal de Lachine) 167, **169**
restaurants 268
Petite Italie 151, **153**
bars et boîtes de nuit 286
restaurants 261, **263**
Pharmacie Montréal (Le Village) 126
Piknic Électronik 293
Place Alexis-Nihon (Village Shaughnessy) 114
Place Bonaventure (centre-ville) 94
Place d'Armes (Vieux-Montréal) 78
Place d'Youville (Vieux-Montréal) 82
Place De La Dauversière (Vieux-Montréal) 86
Place des Arts (centre-ville) 97
Place des Festivals (centre-ville) 96
Place du 6-Décembre-1989 (mont Royal) 140
Place du Canada (centre-ville) 90
Place du Centenaire (Montréal) 92
Place du Marché (Marché Maisonneuve) 166
Place Dupuis (Le Village) 126
Place Jacques-Cartier (Vieux-Montréal) 85
Place Jean-Paul-Riopelle (centre-ville) 100
Place Montréal Trust (centre-ville) 95
Place Royale (Vieux-Montréal) 81
Place Saint-Henri (Petite-Bourgogne et Saint-Henri) 170
Place Vauquelin (Vieux-Montréal) 85
Place Ville Marie (centre-ville) 94
Plage de l'île Notre-Dame (îles Sainte-Hélène et Notre-Dame) 162
Plages 194
Planche à roulettes 195
Planétarium de Montréal (centre-ville) 93
Plateau Mont-Royal 131, **134**
bars et boîtes de nuit 283
hébergement 217, **218**
restaurants 246, **249**
Plaza Saint-Hubert (Petite Italie) 152
Plein air 189, 314
Pointe-à-Callière, musée d'archéologie et d'histoire de Montréal (Vieux-Montréal) 82
Pointe-Claire (ouest de l'île) 181
restaurants 271
Pointe-Saint-Charles (autour du canal de Lachine) 171, **173**
restaurants 269
Politique 43
Pont Jacques-Cartier (Le Village) 130
Pop Montréal 294
Portrait 29
Pourboire 69
Presbytère (Saint-Laurent) 185
Présence Autochtone 293
Presse 70
Prêt-à-porter 311
Prison des Patriotes (Le Village) 130
Promenade du Père-Marquette (Lachine) 178
Promenade Masson (Rosemont) 150
Promenades Cathédrale (centre-ville) 95

Q

QIM (centre-ville) 99
Quai Jacques-Cartier (Vieux-Montréal) 85
Quais du Vieux-Port (Vieux-Montréal) 83
Quartier chinois (centre-ville) 98

Quartier des spectacles (centre-ville) 96
Quartier international de Montréal (centre-ville) 99
Quartier latin 121, **123**
bars et boîtes de nuit 282
hébergement 214, **215**
restaurants 242, **243**
Quartier Milton-Parc
(quartier Milton-Parc et la «Main») 116
Quartier Milton-Parc et la Main
bars et boîtes de nuit 281
Question linguistique 43

R

Randonnée pédestre 196
Ravenscrag (Golden Square Mile) 109
Renseignements touristiques 70
Réseau vert (Rosemont) 150
Résidence Forget (centre-ville) 111
Restaurants 223
Al Dente Trattoria 253
Ambala 247
Aszú 229
Atomic Café 266
Au 5e péché 253
Au 917 250
Au Bistro Gourmet 236
Au Petit Extra 245
Au pied de cochon 251
Aux Derniers Humains 262
Aux Entretiens 246
Azuma 258
Bangkok 244
Bar-B-Barn 236
Barroco 228
Bato Thaï 245
Beauty's 240
Beaver Club 235
Beaver Hall 232
Beniamino 225
Bières et Compagnie 248
Bio train 225
Bistro Bienville 253
Bistro Chez Roger 260
Bistro Cocagne 252
Bistro In Vivo 266
Bombay Palace 231
Bonaparte 228
Boris Bistro 226
Boulangerie & Pâtisserie Motta 261
Brontë 235
BU 259
Buona Notte 240
Buvette chez Simone 258
Byblos 246
Cactus 248
Café América 268
Café Bicicletta 246
Café Cherrier 250
Café Daylight Factory 231
Café de Paris 235
Café des beaux-arts 232
Café du Nouveau Monde 232
Café El Dorado 248
Café International 262
Café Italia 261
Café Méliès 241
Café Névé 238
Café Rico 246
Café Rococo 236
Café Romolo 255
Café Souvenir 255
Café Vasco da Gama 231
Caffè della posta 259
Caffè Grazie Mille 256
Cali 231
Calories 236
Camellia Sinensis 242
Carte Blanche 246
Casa Cacciatore 262
Casa de Matéo 226
Casa Tapas 241
Cash and Curry 240
Chao Phraya 258
Chez Chine 232
Chez Gautier 241
Chez l'Épicier 228
Chez la Mère Michel 236
Chez Lévêque 259
Chez Queux 228
Chu Chai 248
Claremont Cafe 254
Coco Rico 238
Côté Soleil 250
Crémerie Saint-Vincent 226
Crêpanita 247, 253
Crêperie Bretonne Ty-Breiz 250
Cucina dell'arte 256
D-Sens 246
Da Emma 230
Da Vinci 234
Decca 77 234
Dépanneur Le Pick-Up 262
Dic Ann's Hamburgers 253
Dilallo Burger 268
DNA Restaurant 230
El Zaziummm 240, 250
Euro Deli 238
Europea 235
Fairmount Bagel Bakery 255
Ferreira 235
Fonduementale 251
Frite Alors 247, 255
Fruit Folie 247
Gandhi 226
Gerry's Delicatessen 266
Gibby's 229
Ginger 241
Holder 228
Hwang Kum 253
Il Fornetto 270
Il Mulino 264
Jardin Sakura 234
Joe Beef 269
Jolifou 260
Julien 234
K9 Délices 256
Kaizen 255
Khyber Pass 250
Kitchen Galerie 264
L'Actuel 234
L'Ambiance 268
L'Anecdote 247
L'Entre-mise 266

Restaurants *(suite)*
L'Entrecôte Saint-Jean 234
L'Estaminet 264
L'Express 252
L'Harmonie dAsie 238
L'Escalier 242
La Banquise 247
La Bécane rouge 266
La Binerie Mont-Royal 247
La Bonne Carte 266
La Brioche Lyonnaise 242
La Brûlerie Saint-Denis 231, 242, 247
La Cabane de Portugal 238
La Cafétéria 240
La Chilenita 238
La Chronique 260
La Croissanterie Figaro 256
La Fabrique 244
La Gargote 228
La Gaudriole 252
La Louisiane 255
Laloux 242
La Maison Kam Fung 231
La Marée 230
La Moulerie 258
La Paryse 242
La Pasta Casareccia 254
La Perle 271
La Petite Marche 250
La Piazzetta 245, 247, 256, 266
La Pizzaïolle 256
La Prunelle 241
La Queue de Cheval 235
La Raclette 251
La Sala Rossa 258
La Strega du Village 245
La Tarantella 262
La Troïka 234
Le Bilboquet 256
Le Bistingo 258
Le Cabaret du Roy 229
Le Cartet 226
Le Caveau 232
Le Club Chasse et Pêche 229
Le Commensal 232, 242
Le Continental 252
Le Flambard 251
Le Garde-Manger 229
Le Gourmand 271
Le Grain de Sel 246
Le jardin de Panos 250
Le Jardin du Ritz 235
Le Jurançon 261
Le Kerkennah 264
Le Latini 236
Lélé da Cuca 238
Le Lutétia 232
Le Maistre 255
Leméac Café Bistrot 259
Le Moineau / The Sparrow 258
Le Nil Bleu 251
Le P'tit Plateau 241
Le Palais de lInde 258
Le Paltoquet 256
Le Parchemin 234
Le Paris 236
Le Pavillon 253
Le Pégase 252
Le Pèlerin-Magellan 244
Le Petit Alep 262
Le Petit Moulinsart 228
Le Piémontais 244
Le Piton de la Fournaise 252
Le Robin des Bois 242
Le Saint-Gabriel 229
Le Sans Menu 269
Les Cabotins 268
Les Cavistes 253
Les Filles du Roy 230
Les Gâteries 244
Les Infidèles 253
Le St-Urbain 264
Lester's 256
Les Trois Petits Bouchons 251
Le Symposium Psarotaverna 252
Le Wok de Szechuan 264
Limon 269
Madre 261
Maestro S.V.P. 241
Magnan 270
Maison George Stephen 234
Mangia 231
Marlowe 271
Mas cuisine 270
McKiernan 269
Méchant Bœuf Bar et Brasserie 229
Mess Hall 255
Mikado 244
Milos 260
Misto 251
Miyako 246
Modavie 228
Moishe's Steak House 242
Molisana 264
Mr Ma 235
M sur Masson 260
Nocochi 231
Nomad Station 226
Nonya 259
Nuances 264
Olive + Gourmando 226
Orienthé 247
Ouzeri 251
Paris-Beurre 258
Parreira 246
Pasta Express 264
Patati Patata 240
Phayathai 236, 259
Piazza Romana 271
Piccolo Diavolo 245
Pintxo 241
Pistou 251
Pizzafiore 253
Pizzédélic 250, 254
Planète 245
Pop! 241
Portus Calle 242
Primo e Secundo 264
Punjab Palace 262
Ramen-Ya 238
Raza 260
Restaurant de l'Institut 244
Restaurant Graziella 230
Restaurant Vallier 229

Restaurants *(suite)*
Reuben's 232
Romados 238
Rumi 259
Santropol 240
Schwartz's Montréal Hebrew Delicatessen 238
Shed Café 240
Soupesoup 226, 231, 240, 256, 260, 262
Souvenirs d'Indochine 259
St. Viateur Bagel Shop 256
Stash Café 228
Steak frites Outremont 259
Steak frites Quartier International 235
Steak frites St-Denis 251
Steak frites St-Paul 228
Stew Stop 226
Tampopo 248
Tapeo 262
Tay Do 238
Taza Flores 259
Thaï Grill 260
The Monkland Tavern 255
Titanic 226
Toi Moi et Café 256
Toqué! 236
Tri Express 250
Vauvert 230
Vents du Sud 240
Via Fortuna 266
Villa Wellington 269
Vintage Tapas et Porto 252
Wienstein 'n' Gavino's Pasta Bar Factory Co. 232
Zeste de folie 260
Zyng 244, 248
Riopelle, Jean Paul 101
Rosemont 150, **151**
bars et boîtes de nuit 286
hébergement **220**, 221
restaurants 260, **261**
Royal York (Outremont et le Mile-End) 148
Rue Cherrier (Plateau Mont-Royal) 132
Rue Coursol (Petite-Bourgogne et Saint-Henri) 167
Rue Crescent (centre-ville) 112
Rue Dalcourt (Le Village) 129
Rue Drolet (Plateau Mont-Royal) 133
Rue Favard (Pointe-Saint-Charles) 175
Ruelles 144
Rue Notre-Dame (Petite-Bourgogne et Saint-Henri) 168
Rue Prince-Arthur (quartier Milton-Parc et la « Main ») 119
Rue Saint-Amable (Vieux-Montréal) 85
Rue Saint-Augustin (Petite-Bourgogne et Saint-Henri) 171
Rue Saint-Denis (Plateau Mont-Royal) 132
Rue Saint-Jacques (Vieux-Montréal) 77
Rue Saint-Paul (Vieux-Montréal) 81
Rue Sainte-Catherine (centre-ville) 95
Rue Sainte-Émilie (Petite-Bourgogne et Saint-Henri) 171

S

Saint-Henri (autour du canal de Lachine) 167, **169**
restaurants 268
Saint-Jacques (Quartier latin) 122
Saint-Laurent (ouest de l'île) 185
Sainte-Anne-de-Bellevue (ouest de l'île) 182
Sainte-Geneviève (ouest de l'île) 184
Saisons 46
Salle Claude-Champagne (Outremont et le Mile-End) 149
Salle Émile-Legault (Saint-Laurent) 186
Salle Pierre-Mercure (Quartier latin) 124
Salles de spectacle 289
Salon des métiers d'art du Québec 295
Sanctuaire du Saint-Sacrement (Plateau Mont-Royal) 131
Santé 71
SAT (centre-ville) 98
Sault-au-Récollet 155, **157**
restaurants 264, **265**
Séminaire de Saint-Sulpice, Vieux (Vieux-Montréal) 80
Séminaire théologique diocésain (quartier Milton-Parc et la « Main ») 118
Services financiers 66
Siège social du Cirque du Soleil (TOHU) 158
Silos à grains (Vieux-Montréal) 83
Sir-George-Étienne-Cartier, Lieu historique national (Vieux-Montréal) 87
Site cavernicole de Saint-Léonard 197
Ski de fond 197
Soccer 290
Société des arts technologiques (centre-ville) 98
Sorties 277
activités culturelles 288
bars et boîtes de nuit 278
événements culturels 291
événements sportifs 290
festivals et événements culturels 291
Souk @ sat 295
Spéléologie 197
Square Cabot (Village Shaughnessy) 114
Square Dorchester (centre-ville) 90
Square Phillips (centre-ville) 95
Square Saint-Henri (Petite-Bourgogne et Saint-Henri) 170
Square Saint-Louis (Quartier latin) 121
Square Sir-George-Étienne-Cartier (Petite-Bourgogne et Saint-Henri) 170
Square Victoria (Vieux-Montréal) 100
Square Viger (Quartier latin) 125
Stade olympique (Maisonneuve) 164
Stade Percival-Molson (quartier Milton-Parc et la « Main ») 118
Stade Saputo (Maisonneuve) 166
Station de pompage Craig (Le Village) 131
Statue de Sir Louis-Hippolyte La Fontaine (Plateau Mont-Royal) 132
Stewart Hall (Pointe-Claire) 181
Suoni Per Il Popolo 293

T

Taux de change 66
Taxes 71
Taxis 65
Télécommunications 71

Temple de la renommée des Canadiens de Montréal (centre-ville) 92
Temple Maçonnique (Village Shaughnessy) 114
Tennis 197, 291
Terrasse Saint-Denis (Quartier latin) 122
Théâtre Corona (Petite-Bourgogne et Saint-Henri) 168
Théâtre de Verdure (Plateau Mont-Royal) 132
Théâtre National, ancien (Le Village) 128
Théâtre Outremont (Outremont et le Mile-End) 148
Théâtres 289
Théâtre Saint-Denis (Quartier latin) 122
TOHU, la Cité des arts du cirque (Sault-au-Récollet) 158
Tour Banque Laurentienne (centre-ville) 95
Tour BNP (centre-ville) 95
Tour CIBC (centre-ville) 90
Tour de l'Horloge (Vieux-Montréal) 88
Tour de l'Île 290
Tour de la Bourse (Vieux-Montréal) 100
Tour De Lévis (îles Sainte-Hélène et Notre-Dame) 160
Tour de Montréal (Maisonneuve) 164
Train 63
Trains de banlieue 64
Transports en commun 64
Trapèze volant 197
Tropiques Nord (îles Sainte-Hélène et Notre-Dame) 160
TVA (Le Village) 129

U

Union française (Quartier latin) 125
Union United Church (Petite-Bourgogne et Saint-Henri) 170
Université Concordia (Golden Square Mile) 112
Université de Montréal (mont Royal) 139
Université du Québec à Montréal (Quartier latin) 124
Université McGill (Golden Square Mile) 106
Universités 203
UQAM (Quartier latin) 124
Urgences 71

V

Vélo 65, 198
Verdun (autour du canal de Lachine) **173**, 176
  restaurants 269
Vie intime 314
Vieux-Montréal 77, **79**
  bars et boîtes de nuit 278
  hébergement 204, **207**
  restaurants 225, **227**
Vieux-Port de Montréal (Vieux-Montréal) 83
Vieux Verdun (Verdun) 176
Village, Le 126, **127**
  bars et boîtes de nuit 286
  hébergement 217
  restaurants 244, **245**
Village gay (Le Village) 128
Village Shaughnessy 112, **113**
  hébergement 212, **213**
  restaurants 236, **237**
Villa Préfontaine (Mile End et Outremont) 149
Vin 71
Visa 58
Visites guidées 72
Vitrine, La (centre-ville) 96
Voiture 62
Voyage 315
Vues d'Afrique 292

W

Westmount 140, **141**
  bars et boîtes de nuit 285
  restaurants 253, **254**
Westmount Square (Westmount) 140
Windsor (centre-ville) 90

Commandez au www.guidesulysse.com

La livraison est gratuite si vous utilisez le code de promotion suivant: **GDEMTL** (limite d'une utilisation du code de promotion par client)

Les **guides Ulysse** sont aussi disponibles dans toutes les bonnes librairies.

GUIDES DE VOYAGE ULYSSE

Boston
24,95$ 19,99€

Cape Cod, Nantucket, Martha's Vineyard
22,95$ 19,99€

Chicago
24,95$ 19,99€

Las Vegas
19,95$ 19,99€

Los Angeles
24,95$ 19,99€

New York
24,95$ 19,99€

Ontario
32,95$ 24,99€

Le Québec
34,95$ 24,99€

Ville de Québec
24,95$ 19,99€

San Francisco
24,95$ 19,99€

Toronto
24,95$ 19,99€

Vancouver, Victoria et Whistler
19,95$ 19,99€

ESPACES VERTS

Balades à vélo à Montréal
14,95$ 12,99€

Marcher à Montréal et ses environs
22,95$ 19,99€

Le Québec cyclable
19,95$ 19,99€

Randonnée pédestre au Québec
24,95$ 19,99€

ART DE VIVRE

À table avec Les Grands Explorateurs - Menus du monde entier
29,95$ 24,99€

Le tour du monde à Montréal
24,95$ 22,99€

GUIDES RESSOURCES

Guide de survie des Européens à Montréal
24,95$ 18,99€

Étudier à Montréal sans se ruiner
14,95$ 14,99€

PETITS BONHEURS

Balades et circuits enchanteurs au Québec
14,95$ 12,99€

Beau, belle et bio à Montréal
14,95$ 13,99€

Délices et séjours de charme au Québec
14,95$ 14,99€

Escapades et douces flâneries au Québec
9,95$ 13,99€

COMPRENDRE

Comprendre la Chine
16,95$ 14€

Comprendre le Brésil
17,95$ 14€

Comprendre le Japon
16,95$ 14€

Comprendre la Thaïlande
17,95$ 14€

FABULEUX

Fabuleux Montréal
29,95$ 24,99€

Fabuleuse Québec
24,95$ 23,99€

Fabuleux Québec
29,95$ 22,99€

Fabuleuses Maritimes
29,95$ 24,99€

JEUNE ULYSSE

Journal de mes vacances à la mer
14,95$ 11,99€

Au Québec - Mon premier guide de voyage
19,95$ 19,99€

Journal de mes vacances - 1
14,95$ 11,99€

Journal de mes vacances - 2
19,95$ 19,99€

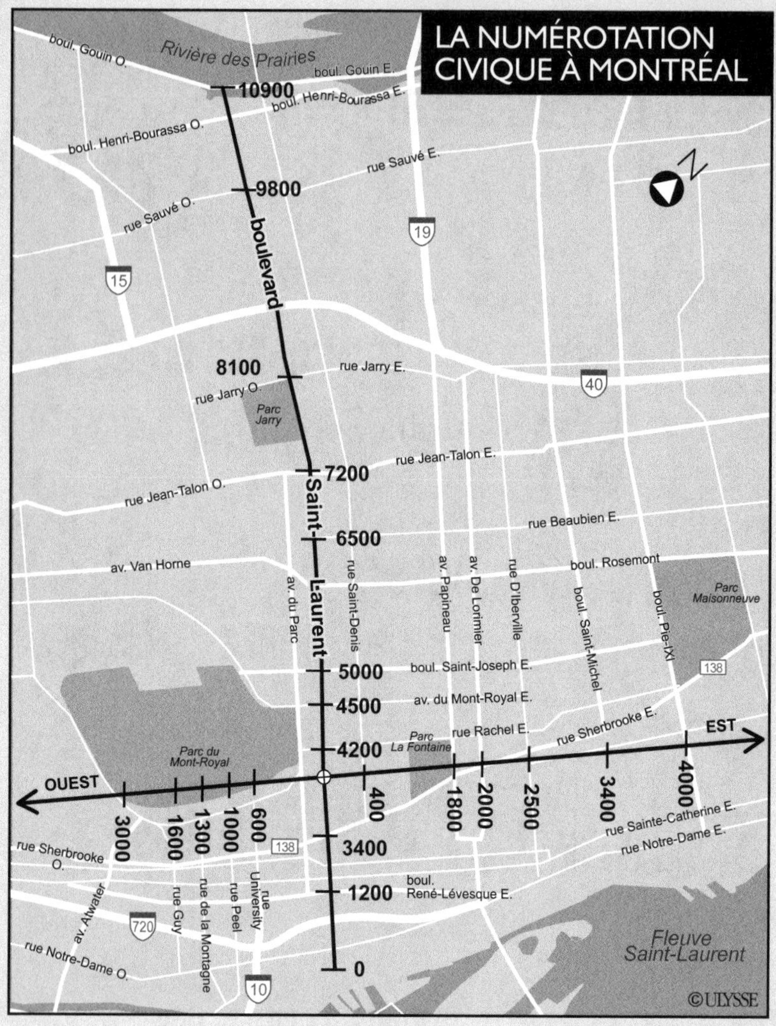

Traversant toute l'île de Montréal du nord au sud, le boulevard Saint-Laurent, qu'on appelle communément la *Main*, sert de point de repère à la numérotation civique de la ville. Au sud du boulevard, près du fleuve Saint-Laurent, la numérotation civique débute à 0 et augmente graduellement vers le nord de l'île. Et à l'ouest comme à l'est du boulevard, la numérotation débute aussi à 0 et augmente graduellement dans chacune de ces directions.

Distances en kilomètres, par le chemin le plus court

Exemple: la distance entre Montréal et Sherbrooke est de 157 km.

	Toronto (Ont.)	Sherbrooke	Saguenay	Rouyn-Noranda	Québec	Niagara Falls (Ont.)	New York (N.Y.)	Montréal	Halifax (N.-É.)	Gatineau / Ottawa	Gaspé	Chibougamau	Charlottetown (Î.-P.-É.)	Boston (Mass.)	Baie-Comeau
Boston (Mass.)															1040
Charlottetown (Î.-P.-É.)														1081	724
Chibougamau													1347	1152	679
Gaspé												1214	867	1247	293
Gatineau / Ottawa											1124	725	1404	701	869
Halifax (N.-É.)										1488	952	1430	265	1165	807
Montréal									1290	205	924	700	1194	512	674
New York (N.Y.)								608	1508	814	1550	1308	1421	352	1239
Niagara Falls (Ont.)							685	670	1919	543	1590	1298	1836	767	1334
Québec						925	834	259	1056	461	700	521	984	648	414
Rouyn-Noranda					872	858	1246	636	1916	522	1551	517	1833	1136	1171
Saguenay				860	210	1126	1045	463	1076	666	636	363	992	849	316
Sherbrooke			445	786	240	827	657	**157**	1271	356	906	757	1187	426	656
Toronto (Ont.)		693	1000	606	802	141	823	546	1828	399	1476	1124	1746	906	1224
Trois-Rivières	688	155	334	742	130	814	750	138	1173	322	809	577	1089	566	544

Légende des cartes

- ★ Attraits
- ▲ Hébergement
- ● Restaurants
- Mer, lac, rivière
- Forêt ou parc
- Place
- Capitale de pays
- Capitale provinciale ou territoriale
- Frontière internationale
- Frontière provinciale ou régionale
- Chemin de fer
- Tunnel
- Aéroport international
- Bâtiment
- Cimetière
- Église
- Escalier
- Gare ferroviaire
- Gare routière
- Hôpital
- Information touristique
- Librairie Ulysse
- Marché
- Musée
- Plage
- Point de vue
- Station de métro
- Stationnement
- Traversier (ferry)
- Traversier (navette)
- Voie cyclable

Symboles utilisés dans ce guide

- @ Accès Internet
- Accessibilité totale ou partielle aux personnes à mobilité réduite
- Air conditionné
- Animaux domestiques admis
- Apportez votre vin
- Baignoire à remous
- Centre de conditionnement physique
- Cuisinette
- ½p Demi-pension (dîner, nuitée et petit déjeuner)
- Foyer
- Label Ulysse pour les qualités particulières d'un établissement
- Petit déjeuner inclus dans le prix de la chambre
- Piscine
- Réfrigérateur
- Restaurant
- bc Salle de bain commune
- bc/bp Salle de bain privée ou commune
- Sauna
- Spa
- Téléphone
- *tlj* Tous les jours

Classification des attraits touristiques

★★★	À ne pas manquer
★★	Vaut le détour
★	Intéressant

Classification de l'hébergement

L'échelle utilisée donne des indications de prix pour une chambre standard pour deux personnes, avant taxe, en vigueur durant la haute saison.

$	moins de 60$
$$	de 60$ à 100$
$$$	de 101$ à 150$
$$$$	de 151$ à 225$
$$$$$	plus de 225$

Classification des restaurants

L'échelle utilisée dans ce guide donne des indications de prix pour un repas complet pour une personne, avant les boissons, les taxes et le pourboire.

$	moins de 15$
$$	de 15$ à 25$
$$$	de 26$ à 50$
$$$$	plus de 50$

Tous les prix mentionnés dans ce guide sont en dollars canadiens.

Les sections pratiques aux bordures grises répertorient toutes les adresses utiles.
Repérez ces pictogrammes pour mieux vous orienter:

 Hébergement

 Sorties

 Restaurants

 Achats